Ökumenisches Lesebuch Reformation

Volker Leppin | Dorothea Sattler (Hrsg.)

Ökumenisches Lesebuch Reformation

EVANGELISCHE VERLAGSANSTALT
Leipzig

BONIFATIUS

Die Drucklegung dieses Buches wurde durch großzügige Zuschüsse der Deutschen Bischofskonferenz und der Evangelischen Kirche in Deutschland ermöglicht. Hierfür danken wir herzlich!

Bibliographische Information der Deutschen Nationalbibliothek
Die Deutsche Nationalbibliothek verzeichnet diese Publikation in der Deutschen Nationalbibliographie; detaillierte bibliographische Daten sind im Internet über http://dnb.dnb.de abrufbar.

Das Buch wurde auf alterungsbeständigem Papier gedruckt.

Cover: Kai-Michael Gustmann, Leipzig
Satz: Konrad Triltsch GmbH, Ochsenfurt
Druck und Binden: Hubert & Co., Göttingen

ISBN 978-3-374-05052-9
www.eva-leipzig.de

ISBN 978-3-89710-725-0
www.bonifatius.de

Vorwort

Hermann Barth, der jüngst verstorbene langjährige Präsident des Kirchenamtes der EKD, brachte als Mitglied des Ökumenischen Arbeitskreises evangelischer und katholischer Theologen (ÖAK) den Gedanken ein, der ÖAK möge für das Reformationsgedenken einen Band herausbringen, der die Debatten im 16. Jahrhundert, die Ideen der Parteien und ihre Versöhnungsversuche unmittelbar zugänglich macht – und dies im guten ökumenischen Geist. Parallel zu der Studie »Reformation 1517–2017«, die der ÖAK erarbeitet hat, entstand so der nun vorliegende Band: Er vereint in fünf Themenkreisen die Perspektiven des 16. Jahrhunderts, fachlich knapp eingeführt und kommentiert, und dies jeweils durch ein Team von römisch-katholischen und evangelischen Theologinnen und Theologen. Das Lesebuch soll erkennen lassen, was die Menschen jener Zeit bewegte – und zum Nachdenken darüber anregen, wie heute der Weg zu immer weiterer sichtbarer Einheit auf den Grundlagen der Thesen und Gespräche im Reformationsjahrhundert erreicht werden könnte. Es eignet sich als Sammlung von Quellen für Situationen der Aus- und Fortbildung sowie zur persönlichen Lektüre.

Für die Mitarbeit danken wir allen, die die Bearbeitung einzelner Passagen übernommen und diese zum Teil schon sehr frühzeitig vorgelegt haben. Wir hoffen, dass sie nun den Eindruck haben, das lange Warten habe sich gelohnt. Die Redaktionsarbeit haben am Ende Marcel Brenner und Anna Kümmel, Tübingen, übernommen, denen wir hierfür ebenso herzlich danken wie Frau Dr. Annette Weidhas von der Evangelischen Verlagsanstalt für die zuverlässige Zusammenarbeit.

Tübingen und Münster, in der Palmarumswoche des Jahres 2017
Volker Leppin
Dorothea Sattler

Inhalt

Teil 1: Humanistische Reformansätze

Teil 2: Die Wittenberger Reformation

Teil 5: Religionsgespräche

Teil 1: Humanistische Reformansätze

Von Michael Beintker und Peter Walter

Einleitung

Auch wenn die Reformation nicht monokausal auf die geistige Bewegung zurückgeführt werden kann, die seit dem frühen 19. Jahrhundert als »Humanismus« bezeichnet wird, verdankt sie dieser doch wichtige Anregungen.[1] Entstanden ist der Humanismus im Bürgertum der spätmittelalterlichen mittel- und norditalienischen Stadtstaaten, in denen sich im Zeichen des aus der römischen Antike übernommenen Bildungsideals der »studia humanitatis«, d.h. der zur menschlichen Bildung hinführenden Studien, eine Geistesrichtung herausbildete, die sich in der Folgezeit über ganz Europa ausbreitete. Insofern diese Studien einen relativ konstanten Kanon von Fächern umfassten (Grammatik, Rhetorik, Poesie, Moralphilosophie und Geschichte), die im Rückgriff auf klassische Autoren der Antike betrieben wurden, lässt sich der Renaissance-Humanismus inhaltlich näher bestimmen. Er ist eine hauptsächlich literarisch ausgerichtete Geistesrichtung, die in den nun erstmals umfassend und systematisch gesammelten und edierten Werken der Antike ethische und ästhetische Orientierung vor allem in lebenspraktischen Fragen suchte. Dies geschah keineswegs in einem grundsätzlichen Gegensatz zum christlichen Glauben und zur Kirche, auch wenn bestimmte Erscheinungsformen wie die scholastische Theologie, die Reliquien- und Heiligenverehrung, das Mönchtum usw. teilweise heftig kritisiert wurden. Der Humanismus brachte eine Aufwertung der Laien mit sich, insofern er Bildung nicht länger als klerikales Privileg ansah, sondern sich dafür einsetzte, dass alle Stände, nicht zuletzt auch die Frauen, daran Anteil haben sollten.

Auch wenn der »homo trilinguis«, der des Lateinischen, Griechischen und Hebräischen kundige »dreisprachige Mensch« als Ideal angesehen wurde, wurden die Hebräisch-Studien nicht in der gleichen Breite und Intensität betrieben wie die der klassischen Philologie, insbesondere des Griechischen. Unter den

[1] Die nachfolgenden Darlegungen greifen auf Passagen zurück, die Peter Walter für das Vorwort zu Martin H. Jung/Peter Walter (Hg.): Theologen des 16. Jahrhunderts. Humanismus – Reformation – Katholische Erneuerung. Eine Einführung, Darmstadt 2002, 11–14, beigesteuert hat.

deutschen Hebraisten ragt Johannes Reuchlin (1455–1522), ein Verwandter Melanchthons, hervor. Mit dessen Namen ist eine Auseinandersetzung verbunden, welche in den Jahren unmittelbar vor dem Beginn der Reformation die Gemüter der Gebildeten erregte. Johannes Pfefferkorn (um 1469–um 1521), ein zum christlichen Glauben übergetretener Jude, hatte die Konfiszierung aller außerbiblischen jüdischen Schriften gefordert. Reuchlin hatte sich in einem Gutachten dagegen ausgesprochen, wurde daraufhin in ein jahrelanges Häresieverfahren verwickelt und schließlich in Rom zum Stillschweigen verurteilt. Die meisten Humanisten schlugen sich, ohne in der Sachfrage selber Stellung zu beziehen, auf Reuchlins Seite. Die zur Bloßstellung der Reuchlin-Gegner verfassten »Dunkelmännerbriefe« karikierten eifrig das Klischee einer bildungslosen, rückständigen Scholastik.

Der Humanismus veränderte die Grundlagen von Bildung und Wissenschaft grundlegend hauptsächlich durch die Bereitstellung einer Fülle von bislang nur fragmentarisch oder gar nicht bekannten Quellen, die mittels einer sich immer mehr verfeinernden philologischen Methode erschlossen wurden und aufgrund der neuen Technik des Buchdrucks rasche und weite Verbreitung fanden. Vor allem das Studium der »artes liberales«, der sog. freien Künste, wurde, insoweit die Bildungseinrichtungen sich darauf einließen, durch den Humanismus verändert: Die formale logische Schulung (Dialektik) trat gegenüber einem stärker philologisch und nicht nur auf die lateinische Sprache beschränkten Grammatikunterricht in den Hintergrund; ethische und lebenspraktische Fragestellungen gewannen gegenüber der traditionellen Beschäftigung mit metaphysischen Problemen die Oberhand. Die Geschichte wurde nicht nur als Fundgrube von Exempeln betrachtet: Aus dem, im Gegensatz zum mittelalterlichen Geschichtsverständnis stärker empfundenen, zeitlichen Abstand zur Vergangenheit entwickelte sich neben einem vertieften Verständnis von Geschichte und Geschichtlichkeit eine eigene historische Forschung.

Dies hatte auch Auswirkungen auf die Theologie. Auf sie übten die Humanisten im wesentlichen Einfluss aus durch kritische Ausgaben der Heiligen Schrift und der Kirchenväter in den Ursprachen wie auch durch nach diesen gefertigte Übersetzungen ins Lateinische und in die Volkssprachen. Als Pionierleistungen der humanistischen Bibelphilologie gelten die von Erasmus von Rotterdam (1466/9–1536) auf der Basis von Vorarbeiten Lorenzo Vallas (1407–1457) vorgelegte Erstausgabe des griechischen Neuen Testaments, welche Martin Luther (1483–1546) für seine Übersetzung benutzte, sowie die an der Reformuniversität von Alcalá (lateinisch »Complutum«) in Spanien entstandene Complutenser Polyglotte für die Gesamtbibel (gedruckt 1514–1517, ausgeliefert 1520).

Auch wenn sich zahlreiche Humanisten zu theologisch einschlägigen Themen geäußert haben, blieb das theologische Interesse des Humanismus insgesamt jedoch eher begrenzt. Von einer eigenständigen humanistischen Theologie lässt sich insofern sprechen, als Gelehrte wie Lorenzo Valla statt der traditionellen Scholastik, der sie das Eindringen philosophischen Denkens in den Bereich der Offenbarung vorwarfen, eine Theologie zu entwickeln suchten, die auf anderen sprachphilosophischen Voraussetzungen beruhte. An Stelle einer ontologisch-abstrakten Denkweise suchten sie die Geschichtlichkeit der biblischen Sprache zur Geltung zu bringen. Das Paradigma dieser humanistischen Theologie war nicht die aristotelische Metaphysik, sondern die klassische Rhetorik, wie sie von Quintilian (um 35–100) zusammengefasst worden war. Nach deren Regeln versuchte man den zunächst kritisch gesicherten Text der Schrift als Zeugnis der Selbstkundgabe Gottes zu verstehen und auszulegen. Die Humanisten lehnten die traditionelle Schriftauslegung entsprechend dem vierfachen Schriftsinn zwar nicht rundweg ab, eröffneten aber durch ihre philologische Arbeit den Weg für die historisch-kritische Exegese. Ihre wohl reifste Gestalt erreichte die aus den Quellen der Bibel und der Kirchenväter geschöpfte, mehr auf christliche Praxis als auf systematische Reflexion hin ausgerichtete Theologie im Werk des Erasmus.

Die Humanisten lieferten durch ihre kritische Arbeit Maßstäbe für die Beurteilung der religiösen Situation ihrer Zeit und zeigten im Rückgriff auf die Heilige Schrift und die Alte Kirche Alternativen zur kritisierten Gegenwart auf. Dadurch nahmen sie in vielem die reformatorische Kritik vorweg. Erasmus klagte in einem Brief vom 16. Dezember 1524 an den Kölner Humanisten Johannes Caesarius (um 1468–1550) über den Vorwurf der dortigen Franziskaner, er habe das Ei gelegt, das Luther ausgebrütet habe. Sein Ei und das Küken Luthers seien doch sehr verschieden.

Anhänger des besonders mit dem Namen des Erasmus verbundenen Humanismus gab es auf allen Seiten der sich herausbildenden konfessionellen Lager, viele suchten zu vermitteln, konnten sich aber gegenüber der Tendenz zur Konfessionsbildung nicht durchsetzen. In Italien und Spanien, wo der »Erasmismus« besonderen Anklang gefunden hatte, wurde er Mitte des 16. Jahrhunderts durch die Inquisition radikal ausgemerzt.

Unter den Reformatoren der ersten Stunde finden sich viele, die als Humanisten bezeichnet werden können: Philipp Melanchthon (1497–1560), Johannes Bugenhagen (1485–1558), Martin Bucer (1491–1551) und Wolfgang Capito (um 1478–1541), um nur diese zu nennen. Luther selber wird man, obwohl er sich der humanistischen Philologie bediente, kaum als Humanisten betrachten können, auch Erasmus hat ihn nie als einen solchen angesehen. Abgeschreckt wurden viele Humanisten von der Reformation durch die damit einhergehenden Gewaltausbrüche.

Es finden sich allerdings auch zahlreiche Humanisten, die bei der alten Kirche blieben oder sich ihr wieder zuwandten wie die »Vermittlungstheologen« Georg Witzel (1501–1573) und Georg Cassander (1513–1566) sowie der entschiedene Luther-Gegner Johannes Cochlaeus (1479–1552).

Schließlich sind auch solche Humanisten zu nennen, die eigene Wege jenseits der sich herausbildenden Konfessionen gingen: so der Theologe und Mediziner Miguel Servet (1511–1553), der wegen seiner Ablehnung des Trinitätsglaubens gleichermaßen von der Inquisition wie von den Glaubenshütern der Reformation verfolgt und schließlich in Genf hingerichtet wurde, Sebastian Castellio (1515–1563), dessen teilweise unter dem Eindruck der Hinrichtung Servets entstandene Schriften zur Toleranz eine bedeutende Wirkung entfalteten, Lelio Sozzini (1525–1562) und sein Neffe Fausto Sozzini (1539–1604), die sich ebenfalls gegen den Glauben an die Trinität und folglich auch gegen das Bekenntnis der Gottheit Jesu Christi und des Hl. Geistes wandten und in Polen Zuflucht suchten.

LITERATUR

Alfons Auer: Die vollkommene Frömmigkeit des Christen. Nach dem Enchiridion militis Christiani des Erasmus von Rotterdam, Düsseldorf 1954.

Cornelis Augustijn: Erasmus. Leben – Werk – Wirkung, München 1988.

Christine Christ-von Wedel: Erasmus von Rotterdam. Anwalt eines neuzeitlichen Christentums (Historia profana et ecclesiastica 5), Münster 2003.

Dies.: Erasmus von Rotterdam. Ein Porträt, Basel 2016.

Gerlinde Huber-Rebenich: Art. Epistolae obscurorum virorum, in: Franz-Josef Worstbrock (Hg.), Deutscher Humanismus 1480–1520. Verfasserlexikon Bd. 1, Berlin–New York 2008, 646–658.

Martin H. Jung/Peter Walter, (Hg.): Theologen des 16. Jahrhunderts. Humanismus – Reformation – Katholische Erneuerung. Eine Einführung, Darmstadt 2002.

Wilhelm Ribhegge: Erasmus von Rotterdam, Darmstadt 2010.

Peter Walter: Theologie aus dem Geist der Rhetorik. Zur Schriftauslegung des Eramus von Rotterdam (Tübinger Studien zur Theologie und Philosophie 1), Mainz 1991.

Erasmus von Rotterdam: Enchiridion militis Christiani / Handbüchlein eines christlichen Streiters (1504)

Das »Handbüchlein eines christlichen Streiters«, das die bleibende Bedeutung des Erasmus von Rotterdam als geistlicher Schriftsteller begründete, erschien erstmals 1504 in Antwerpen in einem Sammelband mit dem damals beliebten Titel »Lucubratiunculae« (Bei Kerzenschein geschriebene Werkchen), in dem Erasmus mehrere geistliche und theologische Texte, darunter auch Gebete, veröffentlichte. 1515 kam in Löwen erstmals eine Separatausgabe heraus. Seinen Siegeszug trat das »Handbüchlein« in der 1518 in Basel gedruckten und mit einem umfangreichen Vorwort an den Abt von Hugshofen Paul Volz (1480–1544) angereicherten Ausgabe an. Zahlreiche Nachdrucke des lateinischen Textes und Übersetzungen in die Volkssprachen folgten.

Erasmus vertritt im »Enchiridion« die Auffassung, dass Frömmigkeit keineswegs Sache allein des geistlichen Standes, sondern aller Christen sei. Entsprechend dem Topos vom menschlichen Leben als Kriegsdienst, der sowohl bei stoischen Philosophen, wie Seneca (um 1 v. Chr.–65 n. Chr.) und Epiktet (um 50–um 130), als auch in der Bibel (Ijob 7,1; Eph 6,11–17) begegnet, charakterisiert Erasmus das menschliche Leben als einen Kampf, der nur mit den richtigen Waffen – Gebet und Kenntnis der Heiligen Schrift – gewonnen werden kann. Voraussetzung dafür ist die bereits von den Weisen der Antike empfohlene Selbsterkenntnis, die den Menschen seine Zugehörigkeit zu zwei unterschiedlichen Bereichen wahrnehmen lässt: dem Leibe nach zum animalischen, der Seele nach zum geistigen, letztlich göttlichen Bereich. Die ursprüngliche, durch die Sünde gestörte Einheit beider soll dadurch wiedergewonnen werden, dass die Vernunft als das Göttliche im Menschen, das durch die Sünde nicht zerstört wurde, wieder zur Herrschaft gelangt. Dazu gibt Erasmus 22 Regeln und weitere Ratschläge an die Hand, die zur Überwindung der Vorherrschaft des Äußerlichen im einzelnen Menschen wie in Kirche und Welt helfen sollen. Sie werden von einer teilweise heftigen Kritik begleitet, die sich v. a. gegen die Ordensleute richtet, denen Erasmus eine besondere Qualität in Sachen Christsein bestreitet, wenn er sagt: »Der Mönchsstand ist nicht mit der Frömmigkeit identisch, sondern eine Lebensform, die für den einzelnen je nach seiner körperlichen und geistigen Beschaffenheit nützlich oder schädlich ist.« Von zentraler Bedeutung ist die fünfte Regel, in der Erasmus das anthropologische und hermeneutische »Grundgesetz« (Alfons Auer) für die christliche Lebensgestaltung wie für die Schriftauslegung erläutert und fruchtbar macht: Überall ist vom Sichtbaren zum Unsichtbaren vorzustoßen. Die flankierenden Regeln machen deutlich, dass es dabei nicht um ein rein menschliches Bemühen geht, sondern dass dieses von Jesus Christus getragen und ermöglicht ist. Erasmus lässt in diesem Werk, das auf einer platonisierenden Schriftinterpretation basiert und diese propagiert, die Tendenz erkennen, den Bereich des Institutionellen (Kirche, kirchliches Amt, Liturgie, Sakramente, Brauchtum usw.) zugunsten einer individuellen, rein innerlichen Frömmigkeit abzuwerten.

[47] Die fünfte Regel.

[...] Zwei Welten wollen wir annehmen, die sinnliche und die Geisteswelt. Diese können wir auch »Welt der Engel« nennen, in der Gott mit den seligen Geistern wohnt, jene die himmlischen Sphären und was sie umschließen. Der Mensch steht gleichsam als dritte Welt in der Mitte, er nimmt an beiden Welten teil, an der sichtbaren dem Leibe, an der unsichtbaren der Seele nach. In der Sinnenwelt darf man, da wir »Fremd[48]linge auf Erden« sind, nicht ausruhen; vielmehr muss alles Vergängliche ein Gleichnis für die himmlische oder besser noch die moralische Welt werden. [...] Alle leiblichen Empfindungen müssen seelisch gedeutet werden. So schreiten wir zu einem geistigen und vollkommenen Leben fort, wenn wir uns allmählich lossagen von der Welt des falschen Scheins. [...] »Trachtet nach dem, was droben ist, nicht nach dem, was auf Erden ist« (Kol. 3,2) [...] Kurz, vergängliche Dinge dürfen uns um so weniger rühren, je mehr uns die ewigen bekannt sind, über den Schein dürfen wir uns nicht mehr wundern, je mehr wir die Wahrheit zu erkennen beginnen. Also müssen wir die Regel immer zur Hand haben: nicht haften bleiben am Vergänglichen, sondern es als Stufe ansehen für den Aufstieg zur Liebe des Geistigen; im Hinblick auf das Unsichtbare müssen wir das Sichtbare zu verachten beginnen. Leibliche Krankheit wird erträglicher, wenn du in ihr ein Heilmittel für die Seele siehst. Du wirst dich um dein leibliches Wohlbefinden weniger sorgen, wenn du alle Sorge auf die Gesundheit der Seele konzentrierst. Schreckt dich der leibliche Tod, so musst du um so mehr den der Seele fürchten. Schauderst du vor Gift für den Körper zurück, so musst du um so mehr schaudern vor Gift, das die Seele tötet. [...] Du betest, dein durstiger Acker möchte vom Regen nass werden; bete lieber, dass Gott deine Seele überströme, dass sie nicht unfruchtbar werde an Tugend. [...] So muss man auch die Literatur ansehen, die aus einfachem Wortverstand und Mysterium wie gleichsam aus Leib und Seele besteht; den Buchstaben verachte, schaue vor allem auf das Mysterium. So steht's bei der gesamten poetischen Literatur und in der philosophischen bei Plato. Vor allem aber bei der Heiligen Schrift, die fast wie die Silenen des Alcibiades [Vgl. Platon, Symposion 215a/b] unter schmutziger und lächerlicher Hülle die reine Gottheit umschließen. Sonst, wenn du ohne Allegorie liest, die Gestalt Adams sei aus nassem Lehm geformt und ihm eine Seele eingeblasen worden, Eva sei aus Adams Rippe gebildet, es sei ihnen verboten worden, von dem Baume zu essen, wenn du hörst von der sprechenden Schlange, von dem in der Abendkühle promenierenden Gott, von dem Versteckspiel der beiden [49] Schuldigen, dem Engel mit dem feurigen Schwerte an der Paradiespforte, der den Hinausgewiesenen die Rückkehr wehren sollte, kurz, wenn du die ganze Weltgeschichte äußerlich betrachtest, was hat das weiter Wert? [...] Eine Poetenfabel, allegorisch interpretiert, ist nützlicher als ein äußerliches Verständnis der Heiligen Schrift. Wenn dich die Lektüre des Gigantenkampfes mahnt, nicht vermessen mit den Himmlischen zu hadern oder allem Unnatürlichen fern zu bleiben und deinen natürlichen Anlagen (vorausgesetzt, dass sie sich sehen lassen können) zu folgen, z. B. nicht zu heiraten, wenn deiner Anlage der Zölibat mehr zusagt, zu heiraten, wenn die Ehe besser für dich ist - denn alles Unnatürliche schlägt selten gut aus - [...] lernst du dann nicht aus der Legende Weisheit der Philosophen und Theologen? Liest du aber ohne allegorische Deutung, wie die beiden Kinder sich im Mutterleibe stoßen (1. Mos. 25,22), oder von dem Verkauf des Erstgeburtsrechtes um ein Linsengericht, dem durch List erschlichenen Segen des Vaters, dem Tod des Goliath durch die Schleuder Davids, wie Simson das Haupthaar geschoren wurde, so kannst du ebenso gut eine Poetenfabel lesen. Was macht's aus, ob du im Buch der Könige und Richter oder im Livius liest, wenn du in beiden Fällen nicht auf die Allegorie achtest? Denn bei Livius steht mancherlei die allgemeinen Sitten Förderndes, in jenen biblischen Büchern mancherlei, das, äußerlich betrachtet, absurd ist, ja, der Moral schadet. Zum Beispiel Davids Räuberleben und der mit dem Tode des Urias erkaufte Ehebruch, die verbotene Liebelei Simsons, die heimliche Beiwohnung der Töchter Loths und tausenderlei Derartiges. Darum muss man allenthalben das »Fleisch« der Heiligen Schrift, namentlich im Alten Testamente, verachten und nach dem Geheimnis des »Geistes« forschen. Das Manna wird dir schmecken, das du selbst gesammelt hast.

Aber bei der Erforschung der Geheimnisse darfst du nicht den Einfällen deines Kopfes folgen, sondern es will alles wohl überlegt sein, es handelt sich gleichsam um eine Kunst, wie sie Dionysius [Areopagita] im Buche »von den göttlichen Namen«, der göttliche Augustin in seinem Werke »von der christlichen Lehre« [50] kundtut. Der Apostel Paulus hat nach Christus einige verborgene Quellen erschlossen; ihm folgte Origenes, auf diesem Gebiete der Theologie ist er zweifellos der erste. Unsere Theologen aber verachten ihn entweder oder behandeln ihn schlecht, in puncto Scharfsinnigkeit sind sie den Alten gleich oder gar überlegen, in diesem Punkte aber gar nicht mit ihnen zu vergleichen. Das kommt, soweit ich sehe, daher: einmal: das Mysterium bleibt den Künsten der

Beredsamkeit und Dialektik gegenüber kalt – die Alten haben das verstanden, wir tippen nicht daran. Sodann: man begnügt sich mit Aristoteles allein und bleibt von den Platonikern und Pythagoräern fern. Augustin zieht aber gerade diese späteren Philosophen vor, nicht nur, weil manches an ihrer Philosophie gut zu unserer Religion passt, sondern auch, weil ihre Redeweise durch die vielen Allegorien der Sprache der Heiligen Schrift sehr nahe kommt. [...] Ich möchte daher, dass du ihre Schriften liest, da ich dich ja nicht in der Scholastik, sondern in einem gesunden Sinn schulen möchte. Kannst du nicht zum Mysterium vordringen, so vergiss doch nicht, dass es da ist; es ist besser, auf seine Erkenntnis zu hoffen, als mit dem Buchstaben, der tötet, sich zufrieden zu geben. So ist's nicht nur im Alten, sondern auch im Neuen Testament. Auch das Evangelium hat »Fleisch« und »Geist«. Ist auch die Decke vom Antlitz des Moses genommen, so schaut Paulus doch noch »durch einen Spiegel in einem dunklen Wort« (1. Kor. 13,12; 2. Kor. 3,13 ff.), wie bei Johannes Christus selbst sagt: »das Fleisch ist nichts nütze, der Geist ist's, der lebendig macht.« (Joh. 6,63) Ich hätte mich gescheut, zu sagen: »es ist nichts nütze«, ich hätte gesagt: das Fleisch nützt schon etwas, aber der Geist viel mehr. Nun aber spricht die Wahrheit selbst: »es ist nichts nütze.« So wenig nützt es, dass es nach Paulus (1. Kor. 2,14) tot ist, wenn es nicht »geistlich gerichtet« wird. Sonst ist das Fleisch dazu gut, die Schwachheit stufenweise zum Geiste emporzuführen. Der Leib kann ohne den Geist nicht bestehen, der Geist bedarf aber des Leibes nicht. Ist's nun, wie Christus sagt, ein solch groß Ding um den Geist, dass er allein lebendig macht, so wollen wir danach trachten, bei allem Studium, allem Tun auf den Geist und [51] nicht auf das Fleisch zu schauen. Wer so verfährt, wird bemerken, dass allein dazu uns unter den Propheten namentlich Jesajas, unter den Aposteln Paulus beruft, der fast in jedem seiner Briefe darauf dringt, man dürfe sich nicht auf das Fleisch verlassen, im Geiste sei Leben, Freiheit, Licht, Kindschaft und jene köstlichen Früchte, die er aufzählt. (Gal. 5,22). Das Fleisch verachtet, verdammt und verwirft er allenthalben. Achte darauf, so wirst du finden, dass unser Meister Jesus allenthalben genau so verfährt, [...] allenthalben verschmäht und verachtet er das »Fleisch«, das Gesetz, und den Aberglauben derer, die lieber öffentlich als heimlich Juden sein wollten. [...] »Gott,« sprach er zur Samariterin (Joh. 4,24), »ist Geist, und die ihn anbeten, müssen ihn im Geiste und in der Wahrheit anbeten.« Das bewies er auch durch die Tat, als er das Wasser des kalten, törichten Buchstabens in den Wein des Geistes verwandelte, mit dem er bis zur Lebensverachtung die »geistigen« Seelen berauschte. [...] Zu wem, meinst du, hat er gesprochen: »das Fleisch ist nichts nütze, der Geist ist's, der lebendig macht?« Gewiss nicht zu denen, die das Evangelium als Amulett am Halse tragen, oder die durch ein Metallkreuz sich vor allem Übel geschützt wähnen und solchen Aberglauben für die vollkommene Religion halten; sondern zu denen, die das höchste Mysterium vom Genuss seines Leibes durch ihn enthüllt bekommen hatten. Wenn eine solch wichtige Sache, das Sakrament, nichts nützt, ja, verderblich ist, wie sollten wir andern fleischlichen

Dingen vertrauen, wenn der Geist nicht dabei ist? Vielleicht liesest du täglich Messe und lebst dir selbst, Unglück deines Nächsten kümmert dich nicht. So steckst du noch im »Fleische« des Sakramentes. Wenn du aber bei der Messe dich bemühst, das zu sein, was der Genuss des Sakramentes bedeutet, nämlich ein Geist mit Christi Geist, ein Leib mit Christi Leib, so bist du ein lebendiges Glied der Kirche. Wenn du, was du liebst, nur in Christus liebst, glaubst, dass all dein Hab und Gut allen gemein sei, wenn dich alles Unglück so schmerzt, als hätte es dich betroffen, dann feierst du recht Messe, weil du »geistig« feierst. Fühlst du in dir eine Umwandlung in Christus, und dass du immer weniger dir selbst lebst, so danke dem Geiste, der allein [52] lebendig macht. Viele pflegen ihren täglichen Messbesuch zu zählen, meinen, das sei das Höchste, weiter seien sie Christus nichts schuldig; so gehen sie aus der Kirche nach Hause, um zum alten Leben zurückzukehren. Dass man das »Fleisch« der Frömmigkeit festhält, billige ich, aber nicht, dass man dabei stehen bleibt. Was dort den Sinnen geboten wird, musst du in dir zur Vollendung bringen [...] Christus ist für dich getötet worden, so schlachte du auch das Vieh des Zorns und der Lust, opfere dich selbst ihm, der sich für dich dem Vater opferte. Wenn du daran nicht denkst und einfach auf Christi Opfer dich verlässt, so hasst Gott deine bequeme und faule Religion. Du bist getauft, glaube nicht, dass du damit schon ein Christ seiest, wenn dein ganzes Herz noch an der Welt hängt. Äußerlich bist du ein Christ, ja, innerlich heidnischer als ein Heide. Warum? Weil du am Äußeren des Sakramentes haftest, vom Geist nichts weißt. [...] Bist du inwendig mit Christus begraben und hast den festen Willen, mit ihm in einem neuen Leben zu wandeln, so erkenne ich in dir den Christen. Du besprengst dich mit Weihwasser, was nützt das, wenn du nicht den inneren Schmutz von deiner Seele wischest? Du verehrst die Heiligen, berührst gerne ihre Reliquien, aber das beste Vermächtnis der Heiligen, das Beispiel eines reinen Lebens, verachtest du. Kein Kult ist der Maria lieber, als die Nachahmung ihrer Demut, keine Frömmigkeit den Heiligen willkommener und entsprechender, als die Bemühung um Vollbringung ihrer Tugend. Du möchtest dir Petrus oder Paulus verpflichten? So ahme des einen Glaube, des andern Liebe nach, das ist mehr wert als zehnmal nach Rom pilgern. Du möchtest gerne den heiligen Franziskus [von Assisi] ehren? So opfere dem Heiligen deinen Stolz, dein Geld und deine Streitsucht, bezwinge dich selbst, sei bescheidener, verachte schnöden Gewinn und erwirb dir geistiges Gut – wie der heilige Franz. Lass das Streiten und überwinde das Böse mit Gutem. Das ehrt den Heiligen mehr als hundert Wachskerzen, die du ihm anzündest. Du legst großen Wert darauf, in der Franziskanerkutte begraben zu werden? Ein Franziskuskleid nützt dem Toten gar nichts, wenn dein Leben nicht »franziskanisch« war. Und ist auch Christus das Muster[53]exempel aller Frömmigkeit, wenn du nun einmal Christus gerne in seinen Heiligen ehren willst, so ahme Christus in den Heiligen nach, bessere zu Ehren der einzelnen Heiligen deine einzelnen Fehler, oder suche ihre verschiedenen Tugenden zu erzielen. Unter dieser Voraussetzung will ich alle die Äußerlichkeiten nicht verwerfen. Du verehrst die Asche des Paulus; dagegen habe ich nichts, wenn deine Frömmigkeit in sich gefestigt ist. Verehrst du aber die stumme, tote Asche, kümmerst dich aber um sein lebensfrisches, fast noch sprechendes und atmendes Bild in seinen Briefen nicht, so ist deine Frömmigkeit auf falschem Wege. Pauli Gebein, das im Sarge liegt, verehrst du, aber nicht Pauli Geist, der in seinen Schriften steckt? Du hältst ein Stück seines Leibes, das du durch ein Glas siehest, wert, und bewunderst nicht den ganzen Charakter des Paulus, der aus seinen Briefen hervorleuchtet? [...] Kein Maler, und hieße er Apelles, malt so mit dem Pinsel die Linien und Gestalt des Körpers, wie aus den Worten das Bild des Geistes hervorleuchtet, besonders bei Christus. [...] Und *dieses* Bild staunst du nicht an, verehrst du nicht mit Herz und Augen? Solch heilige und wirkungskräftige Reliquien deines Herrn hast du, kümmerst dich aber nicht um sie und trachtest nach Dingen, die viel ferner liegen? Zitternd und zagend betrachtest du den Rock oder das Schweißtuch Christi, und halb im Schlafe liesest du Christi Worte? Du hältst es für das Allerhöchste, eine Partikel vom Kreuze daheim zu besitzen. Aber das ist gar nichts wert, gemessen am Geheimnis des Kreuzes im Herzen. Machten derartige Dinge einen frommen Menschen, so wären die Juden die allerfrömmsten, die doch zumeist die allergottlosesten waren, trotzdem sie Jesus im Fleische mit ihren Augen sahen, ihren Ohren hörten, ihren Händen betasteten. Dann wäre Judas der glückseligste Mensch, der den Mund des Herrn küsste! Ohne Geist nützt das Fleisch nichts, selbst der jungfräulichen Mutter hätte die Geburt des Herrn aus ihrem Fleische nichts genützt, hätte sie nicht auch seinen Geist in ihrem Geist aufgenommen.

Das ist wichtig. Höre noch Größeres: Solange die Apostel den sinnlichen Anblick Christi genossen, waren sie noch ganz [54] schwach im Glauben und plump in ihren Vorstellungen. Wer möchte sich's nicht wünschen für seine Seligkeit, solange den Verkehr des Gottmenschen genießen zu dürfen? Doch siehe, als Christus nach seinen Wundertaten, dem langjährigen Lehren, den vielen Totenerweckungen in den Himmel aufgenommen werden sollte, da schilt er in der Abschiedsstunde ihren Unglauben! Warum? Christi Fleisch war das Hindernis. Darum sprach er: »Der Tröster, der heilige Geist, wird nicht kommen, wenn ich nicht fortgegangen bin. Es ist euch gut, dass ich gehe.« (Joh. 16,7) Christi leibliche Anwesenheit nützt gar nichts zum Heil, und wir sollten uns vermessen, die vollkommene Frömmigkeit in irgend etwas Sinnlich-Sichtbarem zu sehen? Paulus hatte Christus im Fleisch gesehen. Du meinst, das sei das Allergrößte. Aber er verachtet das und spricht: »Haben wir auch Christus nach dem Fleische gekannt, so kennen wir ihn doch jetzt nicht mehr.« (2. Kor. 5,16) Warum? Weil er zu den besseren Gaben des Geistes fortgeschritten war. [...] Aber die Menschen meinen, das ginge sie nichts an [...] und was Paulus vom Wandeln nach dem Fleische sagt, beziehen sie nur auf Ehebrecher und Hurer, und seine Worte über die Weisheit des Fleisches, die Gott feind ist, deuteln sie auf die, welche sogenannte weltliche Literatur lesen. Und nun streicheln sie sich, dass sie keine

Ehebrecher sind und glänzend unwissend in aller Wissenschaft. Im Geiste leben, meinen sie, sei nichts anderes, als was sie selbst tun. Wenn sie den paulinischen Sprachgebrauch so genau beobachtet hätten, wie sie den Ciceros wacker verachten, so würden sie wissen, dass der Apostel das Sichtbare »Fleisch«, das Unsichtbare »Geist« nennt. [...] Ich rede jetzt nicht von *den* Mönchen, deren Sitten auch die Welt verabscheut. Sondern von denen, die die Menge bewundert, wie wenn sie Engel wären. Auch sie dürfen sich nicht getroffen fühlen, denn Fehler rüge ich, nicht Personen. Sind sie gute Menschen, so sollen sie sich jeglicher heilsamen Ermahnung freuen. Ich weiß auch sehr gut, unter ihnen sind viele, die mit Hilfe von Büchern und eigenem Verstande die Geheimnisse des Geistes gekostet haben. Aber [...] hinter der Majorität verschwinden die Guten. Wollen wir die Wahrheit gerade her[55]aus sagen, so sehen wir doch, dass auch die kompakte Mönchsmasse den Gipfel der Religion in Zeremonien, in einer bestimmten Zahl von Psalmen oder in körperlicher Arbeit sieht. Wenn sie jemand prüft und fragt nach den geistlichen Dingen, wird er kaum einen finden, der nicht im Fleische wandelt. Daher kommt jener allgemeine Kleinmut, man zittert, wo es nichts zu fürchten gibt, und schläft angesichts der höchsten Gefahr. Daher kommt das ewige Kindsein in Christus, um nichts Schlimmeres zu sagen, dass wir keinen rechten Maßstab besitzen, nichtige Dinge am höchsten schätzen, das Notwendige außer Acht lassen, immer der Leitung bedürfen, immer unter dem Joche leben, niemals zur Freiheit des Geistes gelangen, niemals den weiten Gesichtskreis der Liebe gewinnen. [...] S[ankt] Paulus aber dringt immer wieder darauf, das zänkische Fleisch zu verachten und im Geiste der Liebe und Freiheit Fuß zu fassen. Denn mit dem Fleische sind Knechtschaft, Unruhe, Streit untrennbar verbunden; umgekehrt gehören Geist, Friede, Liebe und Freiheit zusammen. [...]

Du darfst nur nicht sagen, darin bestehe die Liebe, häufig in die Kirche zu gehen, vor den Heiligenbildern zu knien, Kerzen zu weihen, eine bestimmte Zahl Gebete zu sprechen. Nichts von dem hat Gott nötig. Paulus versteht unter Liebe, dem Nächsten helfen, einander für Brüder und Glieder an einem Leibe halten, sich mitfreuen an des Nächsten Glück, als wäre es dein eigenes, im Unglück ihm helfen, als hätte es dich betroffen, den Irrenden mit zarter Hand auf den rechten Weg bringen, den Unwissenden belehren, den Strauchelnden aufrichten, den Niedergebeugten trösten, den Strebenden fördern, dem Armen helfen, kurz, alle deine Kräfte, dein ganzes Mühen und Sorgen darauf richten, möglichst viel Nutzen zu schaffen in Christo; so wie er nicht für sich geboren wurde, nicht sich lebte, nicht für sich starb, sondern sich ganz zu unserem Besten aufopferte, so sollen auch wir dem Besten unserer Brüder, nicht dem eigenen, dienen. [...]

Doch ich höre schon längst einen Einwand, den mir einige Superklugen machen: im Kleinen muss man achtsam sein, um nicht allmählich in größere Fehler zu fallen. Gut, aber du sollst nicht am Kleinkram haften bleiben, so dass dir das Wichtige [56] aus dem Sinn kommt. Dort ist die Gefahr leichter zu sehen, hier größer. [...] Was soll nun ein Christ tun? Soll er die Gebote der Kirche gering schätzen, verachten die ehrwürdigen Überlieferungen der Väter, verdammen den frommen Brauch? Nein, im Gegenteil, ist er ein Schwacher, so soll er sie halten, als wären sie notwendig, ist er stark und vollkommen, so soll er sie um so mehr beobachten, um nicht kraft seiner Einsicht dem schwachen Bruder ein Stein des Anstoßes zu sein und den zugrunde zu richten, um dessen willen Christus gestorben ist. Dieses tun und jenes nicht lassen, heißt es. Die sichtbaren Werke sind gut, aber die unsichtbaren besser. Ein äußerlicher Kult wird nicht verdammt, aber Gott wird nur durch innere Frömmigkeit versöhnt. Gott ist Geist und will geistige Opfer. Ein Christ sollte wissen, was schon ein heidnischer Dichter wusste, der von der Frömmigkeit sagte: »ist Gott Geist, wie es im Liede heißt, so muss er reinen Herzens verehrt werden.« [Disticha Catonis I 1] Das wollen wir nicht verachten, mag es auch ein Heide gesprochen haben. Es ist ein Wort, eines großen Theologen würdig, soweit ich sehe, kennt es jeder, aber wenige verstehen es. Der Sinn ist der: gleich und gleich gesellt sich gern. Du glaubst fest, Gott würde durch Ochsenblut oder Weihrauchdunst sich rühren lassen, wie wenn er etwas Körperliches wäre. Geist ist er, reinster und einfachster Geist, so muss er auch vorab mit reinem Herzen verehrt werden. Du hältst eine Wachskerze für ein Opfer, aber David spricht: »Die Opfer, die Gott gefallen, sind ein geängsteter Geist.« (Ps. 51, 19) Wenn Gott Bocks- oder Kälberblut verachtete, so wird er ein zerknirschtes und gedemütigtes Herz nicht verachten. Tust du, was Menschenaugen wohlgefällt, so tue um so mehr, was Gottes Augen fordern. Dein Leib hüllt sich in eine Kutte; was nützt es, wenn dein Geist ein weltlich Kleid trägt? Trägt der äußere Mensch ein weißes Kleid, so sei auch des inneren Menschen Kleid weiß wie Schnee. Verstehst du, äußerlich zu schweigen, so sorge um so mehr, dass dein Herz stille sei. In der Kirche beugst du die Knie, das ist wertlos, wenn du im Herzenstempel aufrecht Gott gegenüberstehst. Du verehrst das Kreuzesholz, gehe vielmehr dem Mysterium des Kreuzes nach. Du fastest und enthältst dich von Speisen, die den [57] Menschen nicht beflecken, und hältst dich nicht fern von schlüpfrigen Worten, die dein und anderer Gewissen beflecken? Dem Leib wird die Speise entzogen, und die Seele mästet sich mit Trebern, die die Säue fressen?! Du schmückst die steinerne Kirche und verehrst heilige Stätten; was nützt das, wenn der Herzenstempel [...] durch Laster profaniert ist?! Äußerlich hältst du Sonntagsruhe, innerlich ist alles voll Laster. Dein Leib hurt nicht, aber du bist geizig; so hurt deine Seele. Mit dem Munde singst du Psalmen, achte aber darauf, was dein Herz spricht. Äußerlich segnest du, innerlich fluchst du. Dein Leib zwängt sich in eine enge Zelle, deine Gedanken lässt du durch die ganze Welt spazieren. Mit deinen äußeren Ohren hörst du Gottes Wort, lieber solltest du es innerlich aufnehmen. [...] Was hat es für einen Wert, das Böse nicht zu tun, nach dem du innerlich gierig verlangst? Äußerlich Gutes zu tun, dem das Innere nicht entspricht? Oder hat es Wert, leiblich nach Jerusalem zu pilgern, wenn in deinem Innern ein Sodom, Ägypten, Babylon ist? Es ist wertlos, äußerlich auf Christi Pfaden zu wandeln, aber sehr wertvoll, im Herzen Christi Spuren nachzugehen.

Ist es etwas Großes, das Grab des Herrn zu berühren, so sollte es nicht etwas Großes sein, das Mysterium des Grabes sich klar gemacht zu haben? Du beklagst vor dem Priester deine Sünden, schau, wie du sie vor Gott beklagst. Denn vor Gott sie beklagen, heißt sie innerlich hassen. Du glaubst vielleicht mit Wachskerzen oder Geld oder einer Wallfahrt ein für allemal die Schuld getilgt zu haben. Da irrst du gründlich. Im Herzen liegt die Wunde, so muss auch das Herz die Arznei schaffen. Dein Herz ist verderbt, du hast geliebt, was gehasst, gehasst, was geliebt werden sollte; Bitteres war dir süß, Süßes bitter. Magst du äußerlich allerlei tun, meinethalben, doch wenn du in völliger Sinnesänderung, was du einst liebtest zu hassen, zu fliehen, zu verabscheuen beginnst, wenn deinem Herzen süß wird, was ehedem wie Galle schmeckte, so sehe ich darin einen Beweis für Gesundung. Magdalena hat viel geliebt, darum sind ihr viele Sünden vergeben worden. Je mehr du Christus liebst, desto mehr hassest du deine Fehler; denn Hass der Sünde folgt der Liebe zur Frömmigkeit wie der [58] Schatten dem Körper. Mir wäre es lieber, dass du ein für allemal deine Charakterfehler wirklich und innerlich hassest, als dass du sie zehnmal der Reihe nach vor dem Priester bekennst. [...]

Aus: Desiderius Erasmus Roterodamus, Ausgewählte Werke. In Gemeinschaft mit Annemarie Holborn hg. von Hajo Holborn, München 1933; Nachdruck: München 1964, 67–87. Übersetzung von Walther Köhler, Desiderius Erasmus. Ein Lebensbild in Auszügen aus seinen Werken [Die Klassiker der Religion 12–13], Berlin 1917, 47–58; Seitenangaben und Anmerkungen der Herausgeber in eckigen Klammern.

Erasmus von Rotterdam: Paraclesis ad lectorem pium / Einladung an den frommen Leser (1516)

Erasmus brachte 1516 in Basel die erste gedruckte Ausgabe des griechischen Neuen Testaments zusammen mit einer von ihm angefertigten lateinischen Übersetzung heraus, die den aufgrund von einigen wenigen griechischen Handschriften rekonstruierten Urtext besser wiedergeben sollte als die traditionelle Vulgata. Die Abweichungen davon begründet Erasmus in einem ausführlichen Anmerkungsapparat.

Die Papst Leo X. (1513–1521) gewidmete Ausgabe enthält darüber hinaus drei einleitende Schriften mit unterschiedlicher Funktion: Die erste mit dem Titel »Paraclesis ad lectorem pium« soll zur Lektüre des Neuen Testaments einladen, da hier die »philosophia Christi« (Philosophie Christi) am reinsten und ursprünglichsten zu finden sei. Dieser aus der Sprache der Kirchenväter entlehnte Ausdruck setzt voraus, dass »Philosophie« weniger eine Wissenschaft als eine Lebensform sei, weswegen »Philosophie Christi« im Mittelalter auch für das Mönchtum stehen konnte. Erasmus belebt diesen Sprachgebrauch ab 1515 wieder, jedoch mit dem entscheidenden Unterschied, dass nach ihm nicht die Mönche, sondern alle Christen zur »philosophia Christi« berufen sind, die aus dem Neuen Testament und den Kirchenvätern geschöpft wird, die »viel mehr voluntaristisch als logisch, viel mehr Leben als Lehre, mehr Enthusiasmus als Wissen, mehr ethische Neuschöpfung als Vernunft [ist]. Gelehrt sein können bestenfalls wenige, aber Christ sein kann jeder, jeder kann fromm sein, ja, keck will ich hinzusetzen: jeder kann Theologe sein.« Voraussetzung ist, dass das von Erasmus neu ins Lateinische übersetzte Neue Testament nun auch in die Volkssprachen gelangt und damit allen zugänglich wird. Martin Luther ist einer derjenigen, die dies mit großem Erfolg getan haben.

Die mittlere und längste der Einleitungen, »Methodus«, bietet eine kurze Anleitung zur Schriftauslegung. Von ihr erschien 1518 eine wesentlich erweiterte und ihrerseits vielfach aufgelegte Separatausgabe. Ausgehend von der Einsicht, dass die Heilige Schrift als Text nicht nur grammatischen, sondern auch rhetorischen Regeln folgt, versucht Erasmus hier, die antike Rhetorik für die Schriftauslegung fruchtbar zu machen. Er steht sowohl hinsichtlich der philologischen Bemühungen um den biblischen Text als auch in Bezug auf dessen geistliche Auslegung in der Tradition der patristischen wie der mittelalterlichen Exegese. Er rückt die am Ideal der Nachfolge Christi orientierte tropologische, d.h. auf das rechte Handeln zielende, Interpretation in den Vordergrund, was freilich nicht mit einer »moralisierenden« Auslegung gleichgesetzt werden darf.

Die dritte und kürzeste Einleitungsschrift, »Apologia«, soll das erasmische Unternehmen gegen Kritiker verteidigen, die sich dadurch allerdings nicht abhalten ließen, sondern in großer Zahl auftraten und ihn in zahlreiche Kontroversen verstrickten.

[145] Bester Leser, Lactantius Firmianus, dessen einzigartige Sprache Hieronymus bewundert, wünscht sich zur Verteidigung der christlichen Religion gegen die Heiden vorab Beredsamkeit, *ähnlich* der Ciceronianischen – er hielt es für einen Frevel, sich eine Cicero *gleiche* zu wünschen, möchte ich glauben. Ich aber, wenn solche Wünsche etwas nützen, möchte, solange ich alle Sterblichen zum heiligsten und heilsamsten Studium der christlichen Philosophie ermahne, ja wie mit einer Fanfare dazu aufrufe, dringend mir eine ganz andere Beredsamkeit wünschen, als Cicero sie besaß. Weniger blumenreich, aber viel wirksamer. [...]

[146] Was es nur immer geben mag an Zaubermitteln dieser Art, an Kraft der Töne, fähig, einen wirklichen Enthusiasmus zu erzeugen, an herzenrührender delphischer Redegewandtheit, das möchte ich mir jetzt wünschen, um allen die allerheilsamste Sache zur Überzeugung bringen zu können. Freilich das wäre das Beste, dass Christus selbst, um den es sich handelt, so die Saiten meiner Leier meisterte, dass mein Lied innerlich ergriffe und die Herzen aller rührte. Dazu bedarf es nicht rhetorischer Künste und Worte. Meinen Wunsch erfüllt am sichersten die Wahrheit selbst, ihr Wort ist ebenso einfach wie wirksam.

Und zunächst mag ich für mein Werk nicht jene alte, ach, nur zu berechtigte und gerade heutzutage, wo so eifrig von den Menschen wissenschaftlich gearbeitet wird, ganz besonders berechtigte Klage wiederholen, dass diese einzige Philosophie Christi von manchen Christen verlacht, von vielen vernachlässigt, von wenigen – und zwar nur kühl – gepflegt wird. Ich will offen reden. Aber in allen übrigen Disziplinen, die menschlicher Fleiß hervorgebracht hat, ist nichts so verborgen und versteckt, das der Scharfsinn des Geistes nicht erforscht, nichts so schwer, das nicht harte Arbeit erobert hätte. Warum aber beschäftigen wir uns mit dieser einzigen Philosophie nicht so, wie wir sollten, wo wir doch durch den Namen: Christ selbst Christi Panier bekennen? Die Platoniker, Pythagoräer, Akademiker, Stoiker, Cyniker, Peripatetiker, Epikuräer kennen genau die Lehren ihrer Richtung, wissen sie auswendig, kämpfen für sie, und wollen lieber sterben, als die Fahne ihres Meisters verlassen; warum haben wir nicht viel mehr eine solche Gesinnung zu unserem Meister und Fürsten Christus?! Wer fände es nicht sehr abscheulich, wenn ein Jünger der aristotelischen Philosophie nicht wüsste, was Aristoteles über die Ursache des Blitzes, den Urstoff, das Unbegrenzte gemeint hat – Dinge, an deren Wissen oder Nichtwissen doch das Glück nicht [147] hängt. Und wir, die wir durch so viele Weihen und Sakramente Christus verpflichtet sind, wir halten es nicht für Schimpf und Schande, seine Lehren nicht zu kennen, die allen ganz sicher das Glück garantieren?! Wozu hier streiten? Es ist Wahnwitz, Christus mit [dem Stoiker] Zeno oder Aristoteles und seine Lehre mit den – in aller Bescheidenheit sei's gesagt – Gebötlein jener vergleichen zu wollen. Mögen jene ihren Schulhäuptern andichten, soviel sie können und mögen, Christus allein ist der Lehrmeister, der vom Himmel gekommen ist, er allein konnte Sicheres lehren, da er die ewige Weisheit ist, er allein lehrte das Heil als alleiniger Heilsmittler, er allein hat absolut bewährt, was er lehrte, er allein kann erfüllen, was er versprach. Bringt man uns etwas von den Chaldäern oder Ägyptern, so wollen wir es gierig kennen lernen, weil es aus der Fremde kommt, diese Herkunft verbürgt uns ein gut Stück Wert, oft genug quälen wir uns peinlich ab mit den Träumereien irgend eines Menschleins, um nicht zu sagen eines Betrügers, ohne Nutzen, mit viel Zeitverbrauch, um nichts Schlimmeres zu sagen, obwohl gerade das das Allerschlimmste ist, dass nichts dabei herauskommt. Aber warum kitzelt eine solche Begierde nicht ebenso die *christlichen* Menschenherzen, wo sie doch überzeugt sind – wie es auch wirklich ist –, dass diese Lehre nicht aus Ägypten oder Syrien, sondern vom Himmel selbst gekommen ist? Warum denken wir nicht alle so: es muss eine neue und wunderbare Art Philosophie sein, um derentwillen Gott Mensch wurde, der Unsterbliche ein Sterblicher, der im Herzen des Vaters Weilende auf die Erde herabkam!? Es muss etwas Großes und nichts Alltägliches sein, was jener wundervolle Meister nach den vielen trefflichen Philosophenschulen, den vielen glänzenden Propheten uns auf Erden lehren wollte. Warum suchen wir hier nicht in frommer Neugierde alle Einzelheiten kennen zu lernen, erforschen und untersuchen sie nicht? Zumal da man diese Art Weisheit, die so glänzend war, dass sie einst die ganze Weisheit dieser Welt zur Torheit machte (1. Kor. 1,20), aus diesen wenigen (biblischen) Büchern wie aus dem klarsten Quell schöpfen kann, mit viel geringerer Mühe, als aus den vielen spitzfindigen Folianten [148] und den unübersehbaren, noch dazu einander widersprechenden Kommentaren die aristotelische Lehre, gar nicht zu reden vom größeren Nutzen. Denn es bedarf hier nicht vieler sorgfältiger wissenschaftlicher Kenntnisse, der Weg ist einfach und jedermann zugänglich. Bringe nur ein frommes, offenes, vorab schlichtgläubiges reines Herz mit! Du musst nur lernen wollen, so hast du schon viel in dieser Philosophie erreicht. Sie selbst gibt den heiligen Geist als Lehrmeister, der am liebsten zu schlichten Herzen kommt. Die Disziplinen jener Philosophen verheißen ein falsches Glück, schrecken zudem viele ab, gerade durch die Schwierigkeit der Gebote. Die christliche Philosophie passt sich in gleicher Weise jedem an, sie unterwirft sich den Kleinen, fügt sich in ihre Art, nährt sie mit Milch, trägt, wärmt, unterhält sie, tut alles, bis wir groß werden in Christus. Den Niedrigsten wie den Höchsten gibt sie etwas. Ja, je mehr du dich in ihre Schätze vertiefst, desto mehr fördert dich ihre

Majestät. Den Kleinen ist sie klein, den Großen mehr als übergroß. Kein Alter, kein Geschlecht, keine Stellung, keine Lage verschmäht sie. Die Sonne scheint nicht so allgemein für alle, wie die Lehre Christi. Niemanden hält sie fern, außer wer sich selbst missgünstig fernhält.

Ganz und gar nicht bin ich der Meinung derer, die nicht wünschen, dass die Heilige Schrift von Laien in der Volkssprache gelesen werde, wie wenn Christus so dunkel gelehrt hätte, dass ihn kaum das Häuflein Theologen versteht, oder wie wenn die christliche Religion darin einen Schutz besäße, dass man sie nicht kennt! Vielleicht ist es ziemlicher, die Geheimnisse der Könige nicht kundzutun, aber Christi Geheimnis will möglichst weit bekannt werden. Ich wünschte, alle Frauen läsen das Evangelium, läsen die paulinischen Briefe. O, dass sie doch beide in alle Sprachen übersetzt wären, dass nicht nur die Schotten und Irländer, nein, auch die Türken und Sarazenen sie lesen und verstehen könnten! Der erste Schritt ist sicher der, irgendwie von einer Sache etwas zu wissen. Meinethalben mögen viele darüber lachen, es würden doch einige gewonnen werden. Möchte doch der Bauer hinter dem Pflug davon singen, der Weber zu seinen Fäden davon summen, der [149] Wanderer durch diese seltsamen Mären sich den Weg verkürzen! Alle christlichen Gespräche mögen sich darum drehen; denn unser tägliches Geplauder ist ein gutes Stück von unserem Selbst. Jeder möge tun, was er kann, er möge sich ausdrücken, wie er kann. Wer später kommt, sei nicht missgünstig auf den, der früher da war; wer früher kam, lade den später Kommenden ein, er möge nicht verzweifeln. Warum beschränken wir ein Gemeingut auf wenige? Das ist unnatürlich; ist doch die Taufe, diese erste Äußerung der christlichen Philosophie, allen Christen gemeinsam, ebenso die übrigen Sakramente; ist doch der Preis der Unsterblichkeit allen in gleicher Weise bestimmt; allein die Lehren sollen jenem Häuflein zugewiesen werden, das heute die Menge »Theologen« oder »Mönche« nennt?! Ich wünschte freilich, wenn sie auch nur ein sehr bescheidener Teil sind im Verhältnis zur Masse, die sich christlich nennt, sie würden ihrem Rufe besser entsprechen. Fürchte ich doch: es gibt Theologen, die ihrem Namen gar keine Ehre machen, d. h. die Weltliches reden, nicht Himmlisches; und: es gibt mehr als weltliche Mönche, die Christi Armut und Weltverachtung bekennen. Der ist für mich ein rechter Theologe, der nicht mit künstlich gewundenen Schlüssen, sondern mit innerer Anteilnahme, mit Blick und Augen, ja, mit seinem Leben lehrt, man müsse die Schätze dieser Welt verachten, ein Christ dürfe nicht auf den Schutz dieser Welt sein Vertrauen setzen, er müsse ganz vom Himmel abhängen, man dürfe Unrecht nicht vergelten, man müsse beten für die, die uns fluchen, wohltun unseren Feinden, alle Guten wie Glieder *eines* Leibes lieben und fördern, die Bösen dulden, wenn man sie nicht bessern kann, die Armen und Vertriebenen sowie die Leidtragenden seien selig, nicht etwa beklagenswert, auch der Fromme müsse zu sterben wünschen, denn der Tod sei ja nur der Übergang zur Unsterblichkeit – wer das und Ähnliches, meine ich, von Christi Geist beseelt, predigt, einprägt, dazu ermahnt, auffordert, animiert, der ist ein rechter Theologe, mag er auch ein Arbeiter oder Weber sein. Wer das nicht nur lehrt, sondern auch lebt, der ist in Wahrheit ein großer Gelehrter. Über die Intelligenz der Engel mag vielleicht ein anderer, auch ein Nicht-Christ, scharfsinniger diskutieren, aber [150] davon überzeugen, dass wir hier auf Erden ein fleckenloses, engelgleiches Leben führen sollen, das ist Aufgabe des christlichen Theologen. Meint jemand, das sei plump und dumm, so möchte ich ihm nur das Eine antworten: gerade diese »Plumpheit« hat Christus ausdrücklich gelehrt, die Apostel schärfen sie ein, gerade diese »Dummheit« hat so viele echte Christen gemacht, so viele herrliche Märtyrerbeispiele uns geliefert. Diese, scheinbar ungebildete Philosophie hat die höchsten Fürsten der Erde, so viele Reiche und Völker in ihren Bann gezwungen; das hat Tyrannenmacht und Philosophenbildung niemals vermocht!

Ich habe gar nichts dagegen, dass man jene Weisheit, wenn man will, unter den Vollkommenen verkündet. Aber das einfache Christenvolk möge sich damit trösten, dass die Apostel jene Spitzfindigkeiten sicher nicht gelehrt haben – ob sie sie gewusst haben, stehe dahin. Wenn die Fürsten diese *Volksphilosophie* leben, die Priester in ihren Reden sie einschärfen, die Lehrer sie den Kindern einflößen würden, statt dem gelehrten Kram aus Aristoteles und Averroes, so gäbe es unter den Christen nicht fast beständig Krieg, man würde nicht so unsinnig mit Recht oder Unrecht nach Gold drängen, nicht überall würde Heiliges wie Profanes von Streit widerhallen. Kurz, wir würden nicht nur durch den Namen und die Riten uns von denen unterscheiden, die Christi Philosophie nicht bekennen. Denn auf diesen drei Ständen vornehmlich ruht die Aufgabe der Erneuerung oder Stärkung der christlichen Religion: den Fürsten und ihrem Stellvertreter, der Obrigkeit, den Bischöfen und ihren Vikaren, den Priestern, und denen, die die zarte Jugend weiterbilden. Gelingt es, sie aus dem bisherigen Geleise zu reißen und von ganzem Herzen auf Christus einzuschwören, wahrhaftig, wir würden gar bald ein wahres, echtes, wie Paulus sagt (Tit. 1,4), Christengeschlecht emporkommen sehen, das Christi Philosophie nicht nur in Zeremonien und Gedanken, nein, mit Herz und Leben bewährt. Mit diesen Waffen würden die Feinde des christlichen Namens viel schneller zum Glauben an Christus gebracht werden, als mit Drohung oder Gewalt. Nichts ist stärker als die Wahrheit. Ein Platoniker ist nur, [151] wer Plato gelesen hat, wer aber Christi Schriften nicht gelesen hat, der ist ein Theologe, nicht nur ein Christ?! »Wer mich liebt,« sagt Christus (Joh. 14,23), »der hält meine Worte«; dieses Kennzeichen hat er selbst vorgeschrieben. Wenn wir wirklich von Herzen Christen sind, wirklich glauben, er sei vom Himmel geschickt, uns das zu lehren, was der Philosophen Weisheit nicht lehren konnte, wirklich von ihm erwarten, was auch die reichsten Fürsten nicht schenken können, warum ist uns dann etwas ehrwürdiger als seine Schriften? Warum können wir überhaupt etwas anderem als seinen Geboten Bildungswert zuschreiben? Warum verehren wir diese Schriften ebenso sehr – fast hätte ich gesagt: mehr – als die profanen Ausleger des Kaisers Gesetze oder medizinische

Bücher, um dann wie die Narren alles, was uns vor den Mund kommt, zu kommentieren, zu verdrehen und zu verhüllen, warum setzen wir die himmlischen Lehren zwar wie eine Weisheitsregel unserem Leben als Norm, wollen aber nur ja nicht irgendwie dumm erscheinen und schleppen darum noch den ganzen profanen Wissensstoff hinzu, die Hauptsache in der christlichen Philosophie aber verpfuschen wir zwar nicht gerade, aber beschränken sie zweifellos auf wenige Menschen, eine Sache, die doch nach Christus die allergemeinsamste sein sollte?! *Diese* Philosophie ist viel mehr voluntaristisch als logisch, viel mehr Leben als Lehre, mehr Enthusiasmus als Wissen, mehr ethische Neuschöpfung als Vernunft. Gelehrt sein können bestenfalls wenige, aber Christ sein kann jeder, jeder kann fromm sein, ja, keck will ich hinzusetzen: jeder kann Theologe sein. Das Naturgemäße wird ja leicht Allgemeingut; was aber ist Christi Philosophie, die er selbst Wiedergeburt nennt (Joh. 3,3) anderes, als Erneuerung der guten Naturgrundlage?

Gewiss, niemand hat diese Philosophie absoluter, niemand sie wirksamer überliefert als Christus, doch kann man in den Büchern der Heiden sehr viel finden, was mit seiner Lehre [überein]stimmt. Keine Philosophenschule war je so plump, zu lehren, das Geld mache den Menschen glücklich; keine so schamlos, das Ziel der Ethik in den Ehren oder Vergnügungen des Alltags zu sehen. Die Stoiker haben gesehen, dass nur ein guter Mensch [152] weise sei, sie haben gesehen, dass nur die wirkliche Tugend wahrhaft gut oder ehrbar sei, nur die Schande furchtbar oder böse. Dass man Böses nicht mit Bösem vergelten dürfe, lehrt Sokrates häufig bei Plato; ebenso, da die Seele unsterblich sei, sei nicht zu beklagen, wer im Vertrauen auf ein gut vollbrachtes Leben von hier abscheide in ein glücklicheres Leben. Ferner: die Seele müsse sich auf jede Weise von den leiblichen Affekten frei machen und zur Wahrheit hingeleitet werden, die Wahrheit ist, wenn sie es nicht zu sein scheint. Alles Angenehme hat irgendeinen Haken, schreibt Aristoteles in seiner Politik, nur nicht die Tugend. Nur dann kann dem Menschen im Leben etwas angenehm sein, wenn ein gutes Gewissen – gleichsam die Quelle der wahren Freude – dabei ist, bekennt auch Epikur. Ein gut Stück der christlichen Lehre haben nicht wenige gelebt, besonders Sokrates, Diogenes und Epiktet. Wo nun aber Christus dasselbe voller gelehrt und gelebt hat, ist's nicht fast eine Ungeheuerlichkeit, dass die Christen seine Lehre nicht kennen, vernachlässigen oder gar verlachen?! Sollte es etwas geben, was dem Christentum noch näher kommt, so wollen wir ihm nachfolgen und jene Lehre preisgeben; kann sie aber einzig und allein einen wahren Christen machen, warum halten wir sie fast für veralteter und verbrauchter als die Bücher des Moses?! Das Erste aber ist, dass man weiß, was er gelehrt hat, das Zweite, danach leben. Denn ich glaube nicht, dass ein Christ dann sich Christ zu sein dünkt, wenn er spitzfindig, dunkel und verschroben über scholastische Probleme, wie Relation, Formalität und dergleichen, disputiert, sondern wenn er Christi Lehre und Leben hält und darstellt. Ich will niemand verdammen, der in jenen Spitzfindigkeiten eifrig und lobenswert seine Geisteskräfte übt, denn ich möchte niemand beleidigen, aber ich meine und, wenn ich nicht irre, mit Recht: jene reine und echte Philosophie Christi wird am glücklichsten aus den evangelischen und apostolischen Schriften geschöpft; wer in ihnen frommen Sinnes philosophiert, mehr betend als argumentierend, mehr bedacht auf sittliche Erneuerung als auf intellektuelle Geistesrüstung, der wird erfahren, dass alles, was zum Glück des Menschen und zu irgendeiner Lebensbetätigung gehört, hier [153] überliefert, besprochen und zu vollendetem Abschluss gebracht ist. Wollen wir etwas lernen, warum gefällt uns ein anderer Autor mehr als Christus selbst? Suchen wir eine Lebensregel, warum ziehen wir ein anderes Exempel dem Beispiel der Beispiele, Christus, vor? Wünschen wir eine Arznei gegen peinliche Gelüste des Herzens, warum glauben wir, es anderswo besser finden zu können? Möchten wir den trägen und erschlafften Sinn durch Lektüre munter machen, wo willst du gleiche wirksame und lebendige Feuersglut finden? Will man das Herz von den Mühseligkeiten dieses Lebens fernhalten, warum sucht man lieber andere Freuden? Warum wollen wir lieber aus menschlicher Wissenschaft Christi Weisheit lernen, als aus Christus selbst? Sein Versprechen, bei uns zu sein bis an der Welt Ende (Mt. 28,20) erfüllt er ganz besonders in diesen Schriften, in denen er noch heute uns lebt, atmet, spricht, fast hätte ich gesagt: wirkungsvoller als in seinen Erdentagen. Weniger sahen und hörten die Juden, als du in den evangelischen Schriften siehst und hörst; du brauchst nur Augen und Ohren aufzumachen.

Was sollen wir dazu sagen? Freundesbriefe bewahren wir auf, küssen sie, tragen sie bei uns, lesen sie immer wieder, und es gibt Tausende von Christen, die im übrigen zwar gelehrt sind, aber die evangelischen und apostolischen Schriften in ihrem ganzen Leben überhaupt nicht lesen. Die Muhammedaner halten ihre Lehren, die Juden lernen noch heute von Kind auf ihren Moses; warum machen wir es mit Christus nicht geradeso? Die Benediktiner halten, lernen und nehmen in sich auf eine Regel, die ein Mensch, ja, fast ein Ignorant geschrieben hat; die Augustiner kennen die Regel ihres Stifters, die Franziskaner verehren die Überlieferungen ihres Franziskus, halten sie hoch und tragen sie überallhin bei sich, sie fühlen sich nicht sicher, wenn sie nicht ein Buch in der Kutte tragen. Warum schätzen diese eine menschliche Regel höher als alle Christen ihre Regel, die Christus für alle hinterließ, die alle ohne Unterschied in der Taufe bekannt haben? Keine ist doch heiliger als sie, magst du auch zu den genannten Regeln noch so viele hinzufügen! Möchten doch, so wie Paulus (2. Kor. 3,13 ff.) [154] schrieb, dass für Moses das Gesetz vor dem nach ihm kommenden Evangelium seinen Glanz verloren habe, von allen Christen die Evangelien und Schriften der Apostel so heilig gehalten werden, dass die Heiligkeit aller Regeln vor ihnen verblasst! Wie hoch andere einen Albert den Großen, Alexander [von Hales], Thomas [von Aquin], Ägidius [Colonna], Richard [von St. Viktor], [Wilhelm von] Occam schätzen, ist ihre Sache, ich will niemandem an seiner Ehre etwas nehmen oder mit alteingewurzelten Studien der Menschen streiten; mögen sie noch so gelehrt, spitzfindig, sogar seraphisch sein, man muss doch bekennen, dass die evangelischen Schriften erst die volle Gewissheit geben. Paulus (1. Kor. 14,29 f.) will, dass man die Geister der Propheten prüfe, ob sie aus Gott sind; Augustin, der alle möglichen Bücher mit prüfendem Verstande las, stellt auch für seine Bücher keine höheren Ansprüche. Bei diesen Schriften allein verehre ich auch das, was ich nicht zu fassen vermag. *Diesen* Autor hat uns nicht eine Theologenschule, sondern der himmlische Vater selbst durch das Zeugnis seiner göttlichen Stimme bestätigt. Zweimal sogar, zuerst am Jordan in der Taufe, dann auf dem Berge Tabor bei der Verklärung. »Das ist,« so sprach er, »mein lieber Sohn, an dem ich Wohlgefallen habe, den höret.« O, sichere und wahrhaft, wie es bei den Scholastikern heißt, unzerbrechliche Autorität! Was heißt das: »den höret!?« Doch wohl: der ist der einzig richtige Lehrer, dessen Schüler allein sollt ihr sein. Mag jeder seinen Lieblingsautor noch so sehr herausstreichen, solche Worte sind einzig und allein von Christus gesagt. Auf ihn zuerst kam die Taube herab, die das Zeugnis des Vaters bestätigte. Seinen Geist spiegelt Petrus wider, dem der oberste Hirte einmal, zweimal und zum dritten Male seine Schafe zur Weide anvertraute (Joh. 21,15 ff.), zweifellos, damit er sie mit dem Futter der christlichen Lehre weide. Er ist in Paulus gleichsam wiedergeboren, den er selbst sein auserwähltes Rüstzeug und den berühmten Herold seines Namens nannte (Ap.-Gesch. 9,15). Johannes hat in seinen Schriften wiedergegeben, was er an Christi Brust aus jenem heiligen Quell geschöpft hatte. Wo findet sich – nicht um zu schmähen sage ich das – Ähnliches bei [Johannes Duns] Scotus oder Thomas, so sehr ich [155] bei jenem den Geist bewundere, bei diesem auch die Heiligkeit verehre. Warum philosophieren wir nicht alle in diesen großen evangelischen Autoren? Warum tragen wir sie nicht bei uns, haben sie immer in Händen, spüren, forschen, suchen beständig in ihnen? Warum wird mehr Lebenskraft auf Averroes als auf die Evangelien verwandt? Warum wendet man fast alle Zeit auf menschliche Verordnungen und einander widerstreitende Meinungen? Meinethalben wollen wir diese Dinge den weisen Herren Theologen überlassen, der große Theologe der Zukunft muss sicher aus den Evangelien lernen.

Alle, die wir in der Taufe auf Christi Worte uns eingeschworen haben, sollen, wenn anders es ein ernster Eid war, unter den Zärtlichkeiten der Eltern und Liebkosungen der Ammen mit Christi Lehre erfüllt werden. Denn das sitzt und haftet am tiefsten und festesten, was das kleine, ungebildete Stück Seelchen zuerst in sich einsaugt. »Christus« soll das erste Kindeslallen lauten, aus seinem Evangelium soll die erste Kindheit sich formen, ich möchte, er würde so von Anfang an verwertet, dass auch der Knabe ihn liebt. Dann sollen sich die Studien um ihn drehen, bis der reife Mann stark geworden ist in Christus. Bei anderen Studien tut einem oft die darauf verwandte Mühe leid, und oft kommt es vor, dass, wer sein ganzes Leben hindurch bis zum Tode für eine wissenschaftliche Behauptung gekämpft hat, im Tode selbst seinem Meister untreu wird; glücklich aber, wen der Tod beim Sinnen über den evangelischen Schriften ereilt! Also lasst uns alle von ganzem Herzen nach ihnen verlangen, sie hochhalten, beständig uns mit ihnen beschäftigen, sie küssen, auf ihnen schließlich sterben, nach ihnen unser Leben umformen, da ja das Studium zur Ethik führt. Wer sie nicht fassen kann – wer könnte es aber nicht, wenn er nur will? –, soll sie wenigstens verehren wie einen Schrein, in dem Christi göttliches Herz ruht. Zeigt jemand eine Fußspur von Christus, wie fallen die Christen vor ihr nieder und beten sie an! Aber warum verehren wir nicht lieber sein Leben atmendes Bild in diesen Büchern? Stellt jemand Christi Rock aus, wer läuft nicht bis ans Ende der Erde, um ihn küssen zu können? Aber magst du auch Christi ganzen [156] Hausrat vorweisen, nichts repräsentiert Christus deutlicher und wahrer als die evangelischen Schriften. Ein Holz- oder Steinbild von Christus schmücken wir aus Liebe zu ihm mit Edelsteinen und Gold, um so mehr verdienen jene Gold- und Edelsteinschmuck oder was es noch Kostbareres gibt, die uns Christus viel greifbarer darstellen als jene Bildchen. Denn das Bild gibt ja besten Falles nur die Figur seines Körpers wieder, aber jene stellen dir das lebendige Bild seines heiligen Sinnes dar, Christus selbst, redend, heilend, sterbend, auferstehend, kurz, so voll und ganz gegenwärtig, wie du ihn mit leiblichen Augen nicht so vollkommen sehen könntest. [...]

Aus: Desiderius Erasmus Roterodamus, Ausgewählte Werke. In Gemeinschaft mit Annemarie Holborn hg. von Hajo Holborn, München 1933; Nachdruck: München 1964, 139–149. Übersetzung von Walther Köhler, Desiderius Erasmus. Ein Lebensbild in Auszügen aus seinen Werken [Die Klassiker der Religion 12–13], Berlin 1917, 145–156; Seitenangaben und Anmerkungen der Herausgeber in eckigen Klammern.

Erasmus von Rotterdam: De immensa Dei misericordia concio / Predigt über die unermessliche Barmherzigkeit Gottes (1524)

Zeitgleich mit der Streitschrift gegen Luther »De libero arbitrio« ließ Erasmus im September 1524 auch seine essayistische Schrift »De immensa Dei misericordia concio« bei Johannes Froben in Basel drucken. Diese gibt sich den Anstrich einer Predigt, ist aber wohl in dieser Form nie gehalten worden. Erasmus setzt sich hier mit gnadentheologischen Überlegungen losgelöst von der Debatte mit Luther auseinander, was sich unter anderem darin zeigt, dass er seine Argumente nicht ausschließlich auf Bibelzitate aufbaut, sondern auch Gedanken z. B. aus der Vätertradition aufnimmt. Zeitgenössisch wurde die Schrift stark rezipiert, was sich unter anderem an den zahlreichen volkssprachlichen Übersetzungen des 16. Jahrhunderts ablesen lässt. In der Widmungsepistel an Christoph von Utenheim († 1527), den Bischof von Basel, wird als theologische Prämisse das Bekenntnis zum Heilsuniversalismus aus 1 Tim 2,4 aufgestellt: »Gott will, dass alle Menschen gerettet werden.« Mit dem Hinweis, dass alle von dem Thema der göttlichen Barmherzigkeit betroffen sind, beginnt Erasmus seine Ausführungen. Zunächst macht er auf zwei Grundübel des Menschseins aufmerksam, die die Erkenntnis der unermesslichen Barmherzigkeit Gottes erschweren: überhöhtes Selbstvertrauen und Verzweiflung, die mit biblischen und antiken literarischen Beispielen illustriert werden. Überlegungen zur Größe der göttlichen Barmherzigkeit folgt das »Herzstück« der »Concio«, in dem Erasmus den unterschiedlichen Gebrauch von »Barmherzigkeit« und ihre diversen Ausprägungen in der Heiligen Schrift erläutert. Als abschließenden Gedanken dieser Passage führt Erasmus die Lehre des von ihm überaus geschätzten Kirchenvaters Origenes (um 185–253) von der endgültigen Erlösung aller an, ohne diesen jedoch namentlich zu nennen. Vielmehr spricht er von einem »großen Autor«, dessen Lehre zwar von den orthodoxen Vätern verworfen worden sei, jedoch als Beweis dafür angesehen werden könne, wie viel der göttlichen Barmherzigkeit zugetraut werden kann.

Dass Erasmus sich vermutlich nicht ganz an Christoph von Utenheims Vorgabe hält, alles auszuklammern, was für oder gegen Luther interpretiert werden könnte, lässt eine Stelle vermuten, die später indiziert wurde. Offen wird hier Kritik an der Praxis des Ablasshandels und damit einhergehend am Klerus und an den Bettelorden, die teilweise im Ablasshandel tätig waren, geübt. Eingebettet ist die Passage in detaillierte Reflexionen zum Verdienstgedanken, den Erasmus ablehnt. Während seiner Ausführungen über den Vergebungswillen Gottes legt er auch seine positive Einschätzung der alttestamentlichen Schriften dar, indem er die Trennung Gottes in einen alttestamentlichen und einen neutestamentlichen verwirft und stattdessen beide Teile der Bibel als »glückliche Sintflut der Barmherzigkeit« bezeichnet.

Als letzten Gliederungspunkt greift Erasmus die Dimension der menschlichen Barmherzigkeit, die Nächstenliebe, auf: »Denn was ist die Liebe dem Nächsten gegenüber anderes als Barmherzigkeit?« Mit einem Gebet endet die Predigt.[1]

[47] Wenn diese so große Liebe, diese so große Barmherzigkeit mit der menschlichen Liebe und Barmherzigkeit, mit unseren Verdiensten verglichen wird, erschiene sie nicht zu Recht als jedes Maß überschreitend? Dies wird sich in der Tat als wahr herausstellen, wenn wir genau untersucht haben werden, wie jener ist, der uns so liebt, mit seiner Barmherzigkeit uns begleitet, und wie wir sind, die Gott einer so großen Ehre für würdig hält. Jeder kehre in sich selbst ein, nachdem ihm in der Taufe ein Name gegeben, nachdem dem Satan mit seinem Prunk abgeschworen worden ist, wie oft er auch als Deserteur des Treueeides zum Feind seines Bräutigams abfiel, wie oft er nach der vom Priester empfangenen Lossprechung der Vergehen zurückgefallen sei in noch schwerere, ja sogar, wie oft er am selben Tag zurückfällt in diese, welche er verwunschen hat. Niemand schmeichle sich, liebste Brüder, wer einen Raub oder Ehebruch begeht, wer neidet oder seinem Bruder gegenüber missgünstig ist, wer die Ehren dieser Welt sucht, verließ seinen Bräutigam Christus, wandte sich von seinem Vater ab, wurde seinem Reich untreu, floh vor seinem Herrn. [48] [...] Nun da ihr umso voller erkennt, wie weit die unermessliche Barmherzigkeit des Herrn offen steht, müsst ihr wissen, dass in den Heiligen Schriften das Wort der *Barmherzigkeit* bisweilen *Wohltätigkeit* meint, zwischenzeitlich die *zuvorkommende Gnade*, manchmal die *aufrichtende*, einige Male die *tröstende:* wiederum anderswo *heilend*, häufig aber *verzeihend* oder auch *strafend.* Denn nach meiner Meinung gehört das, was der Herr bei Lukas sagt: *Seid barmherzig wie auch euer Vater barmherzig ist* [Lk 6,36], vornehmlich in den Bereich der Wohltat. Sofern ja die Wohltat vollkommen ist, wenn jemand gegenüber seinen Feinden wohltätig ist. Deutlicher sagte dies Matthäus in einem ähnlichen Wort des Herrn: *Seid vollkommen,* sagt er, *wie auch euer himmlischer Vater vollkommen ist, der seine Sonne aufgehen lässt über Gute und Schlechte und regnet über Gerechte und Ungerechte.* [Mt 5,48.45] Da wir aber nichts haben, was wir nicht umsonst von Gott erhalten

---

[1] Die Herausgeber danken Frau Melanie Wurst, Frankfurt a. M., für diese Einleitung sowie für Auswahl und Übersetzung der folgenden Auszüge.

hätten, ist, was auch immer wir können oder sind, was auch immer wir besitzen, Barmherzigkeit Gottes. Ja sogar, was die Engel und was diese Welt schuf, ist die Barmherzigkeit Gottes. Wenn er sie für sich geschaffen hätte, hätte er durch Macht oder Weisheit gelobt werden können. Nun, da er dies alles aber für uns geschaffen hat, erkennen wir nicht die unermessliche Barmherzigkeit Gottes? Wem drehen sich die himmlischen Kreise, wem leuchten die Sonne bei Tag und der Mond mit den Sternen bei Nacht außer dem Menschen? Zu wessen Nutzen wurde all dies geschaffen, obschon es nichts war, wem machen die herabhängenden Wolken Schatten und wem bewässern sie die Felder? Für wen wehen die Winde, für wen fließen die Flüsse, sprudeln die Quellen hervor, branden die Meere, sind die Seen überschwemmt, für wen bringt die fruchtbringende Erde so viel an Lebewesen hervor, so viel Reichtum, wenn nicht für den Menschen? Denn nichts von allen Dingen unterwarf [Gott] nicht dem Menschen, er wollte, dass allein der Mensch ihm unterworfen sei. Wie beispielsweise auch Paulus Zeuge ist, wenn er an die Korinther schreibt: *Alles gehört euch, ihr aber gehört Christus, Christus aber Gott.* [1 Kor 3,22 f.] Und was Moses im Buch Genesis erzählt, wiederholt der achte Psalm, indem er Gottes Güte bewundert, der wegen seiner Barmherzigkeit so viel an Wohltaten gegenüber dem Menschen zusammentrug: *Was,* sagt er, *ist der Mensch, dass du seiner eingedenk bist, und der Sohn des Menschen, dass du häufig nach ihm siehst? Du hast ihn nur ein wenig geringer gemacht als die Engel, hast ihn mit Ruhm und Ehre gekrönt, hast ihn eingesetzt über die Werke deiner Hände. Alles hast du unter seine Füße gelegt, alle Schafe und Rinder, auch die Tiere des Feldes, die Vögel des Himmels und die Fische des Meeres.* [Ps 8,5–9] Ich will bis hierher sagen, was erhabener ist, wir verdanken auch die himmlischen Engel der Barmherzigkeit des Herrn. Es wäre ein leichtes Gewicht in meiner Rede, wenn nicht Paulus dies eindeutig lehrte, wenn er an die Hebräer schreibt, und nämlich über die Engel sagt: *Sind nicht alle dienstbare Geister, geschickt zum Dienst derentwegen, die das Erbe des Heils erhalten?* [Hebr 1,14] Und im Alten wie zugleich auch im Neuen Testament lesen wir häufig, dass durch die Hilfe der Engel Hungernde wieder belebt worden sind, Gefangene befreit, Gegenden beschützt, Übel abgewendet, mit freudiger Nachricht Fromme wiedererschaffen. Sogar der Herr selbst sagt im Evangelium: *Die Engel sehen immer das Antlitz des Vaters, der in den Himmeln ist.* [Mt 18,10] Was ist wunderbarer als diese Auszeichnung, dass den Menschlein die Engel als Erzieher beigegeben wurden? Daher, Mensch, was auch immer du hast, du hast alles, solange du in Christus bleibst, dies Ganze sollst du seiner Barmherzigkeit zuschreiben. Sonst tönt Paulus dir entgegen: *Was hast du, Mensch, was du nicht empfangen hast? Und wenn du es empfangen hast, was rühmst du dich, als ob du es nicht empfangen hättest?* [1 Kor 4,7] Ferner, was auch immer dir in anderen an Schlechtem zu sein scheint, erkenne die zuvorkommende Barmherzigkeit Gottes, worüber David nicht nur an einer Stelle sagt: *Und die Barmherzigkeit wird mir zuvorkommen.* [Vgl. Ps 59,11] Du bist nicht als Bastard geboren worden oder lahm oder blind, nicht arm, nicht stumpf an Begabung, wie viele geboren werden, [49] sag Dank der zuvorkommenden Barmherzigkeit. Was auch immer an Übeln dem Menschen passiert, dir hätte es passieren können, wenn nicht die Barmherzigkeit deines Gottes Schutz gegeben hätte. Wiederum bist du kein Ehebrecher, kein Lügner, kein Mörder, kein Frevler, wie es doch allzu viele sind. Erkenne die Barmherzigkeit Gottes, dies nämlich wärest du, wenn dich die Barmherzigkeit Gottes nicht geschützt hätte.

Als ein gewisser Physiognom über Sokrates sagte, dass er ein nach Ausschweifung strebender und der ungezügelten Begierde ergebener Mensch sei, und als seine Schüler, denen die unglaubliche Maßhaltung des Lehrers bekannt war, zum Teil jenen Menschen verlachten, zum Teil ihren Unmut äußerten, wies Sokrates diese zurecht und unterstützte jenen, indem er sagte: *Er hat es erraten. Das alles wäre ich, wenn nicht die Philosophie mich Maßhalten gelehrt hätte.* [Vgl. Cicero, Tusculanae Disputationes 4,80]

Aber was Sokrates der Philosophie zuschrieb, [50] schrieb der äußerst gute Mann Franziskus richtigerweise der göttlichen Barmherzigkeit zu. Als nämlich zu einer bestimmten Zeit sein Gefährte auf seinen Befehl hin ihm vorwarf, was auch immer an Tadel gegen einen verbrecherischen Menschen gesagt werden konnte, ihn Frevler, Mörder, Schmarotzer, Schänder und Giftmischer nannte, ertrug er es äußerst geduldig und beweinte sich selbst. Aber zu einer anderen Zeit sagte er dem Gefährten, der ihn fragte, warum er genötigt worden sei, solche Lügen gegen einen Unschuldigen vorzubringen, da nichts davon auf ihn zutreffe: *Nichts hast du erlogen, all dies wäre ich gewesen, und sogar noch um vieles mehr, wenn nicht die Barmherzigkeit Gottes ihren Sklaven vor diesen Übeln bewahrt hätte.* [Vgl. Bonaventura, Legenda maior Francisci 6]

Und es kommt uns die Barmherzigkeit Gottes nicht nur zuvor, die zur Gerechtigkeit aufruft, sondern sie hilft auch den sich Entschließenden, begleitet die Voranschreitenden, schließlich schenkt sie, dass wir vollenden, was die menschlichen Kräfte nicht verrichten konnten. Mir scheint der Apostel Paulus diese Art von Barmherzigkeit darzustellen, wenn er sowohl allgemein häufig, als auch besonders in den Grußformeln Dank und Frieden entbietet und in den Briefen an Timotheus auch noch die Barmherzigkeit hinzufügt. Denn ohne einer besseren Meinung, wenn jemand sie anführt, vorgreifen zu wollen, scheint sich mir die Gnade auf die Berufung zu beziehen, doch wir werden durch den Glauben berufen, das heißt durch die Möglichkeit zu glauben. Dieser Glaube ist eine umsonst geschenkte Gabe Gottes, und deswegen schulden diejenigen, denen diese zuteil wird, sie der göttlichen Barmherzigkeit. Barmherzigkeit hinsichtlich der Gnadengaben, die jedem auf verschiedene Weise zugeteilt werden gemäß dem Maßstab des Glaubens. Friede hinsichtlich der Rechtschaffenheit des ganzen Lebens, ohne den weder eine Freundschaft mit Gott bestünde, noch wahre Eintracht mit den Brüdern. Sooft wir aber herausgerissen werden aus Übeln, mit denen wir geschlagen sind, wollen wir, damit wir es nicht den Sternen, dem Glück oder unserer Klugheit zuschreiben, das Ganze der Barmherzigkeit Gottes zuschreiben. Niemand, der in den Fesseln der Sünden gefangen ist, könnte befreit werden, wenn nicht die göttliche Barmherzigkeit zu Hilfe käme.

Dies lehrt uns der Psalm 129: *Weil beim Herrn Barmherzigkeit ist und Loskaufung in Fülle, kauft er selbst Israel von all seinen Ungerechtigkeiten frei.* [Ps 130,7 f.] Ferner erklärt Paulus, dass die Barmherzigkeit Gottes auch körperlichen Übeln entreißt, wenn er an die Philipper schreibt, dass Epaphroditus bis zum Tode erkrankt war, *aber Gott sich seiner erbarmte, aber nicht nur seiner, sondern auch meiner, auf dass ich nicht Traurigkeit über Traurigkeit hätte.* [Phil 2,27] Und es besteht auch kein Unterschied zwischen der emporhebenden und der tröstenden Barmherzigkeit, außer dass wir aus den weggeräumten Übeln gehoben werden, von denen wir gedrückt wurden: außerdem ist die Barmherzigkeit Trösterin, so oft sie inmitten der Bedrängnis durch Beimischung von freudigen Dingen die Beschwerde der Widrigkeit mäßigt, *indem sie*, wie Paulus sagt, *mit der Versuchung einen Ausweg schafft, damit wir durchhalten können.* [1 Kor 10,13]

Und die Übel selbst werden häufig vom erbarmenden Gott geschickt, wodurch er uns entweder von begangenen Übeltaten reinigt oder vor denen zurückhält, die zu begehen wir uns anschicken, oder uns Gelegenheit zur Tugendübung schenkt. So wurde Abraham versucht, so wurde Ijob mit verschiedenen Übeln auf die Probe gestellt, so wurden die, die jemals ehrfürchtig in Christus Jesus gelebt haben, in dieser Welt wie Gold durch Feuer, durch verschiedene Versuchungen erprobt. Wo sind die, die gegen Gott murren, sooft eine körperliche Krankheit auf sie fällt oder der Tod der Kinder oder der Frau, sooft der Besitz durch eine Niederlage verringert wird, sooft die Ernten der Felder ausfallen, die nicht erkennen, dass dies äußerst sichere Zeichen des sich unser erbarmenden Gottes sind? Wir wollen eher hören, wie uns Salomon ermahnt: *Die Zucht des Herrn, mein Sohn, verachte nicht, noch falle ab, wenn du von ihm scharf getadelt wirst: wen der Herr liebt, den tadelt er, wie ein Vater, der an seinem Sohn Gefallen hat.* [Spr 3,11 f.] Denselben Spruch wiederholt Paulus mit etwas veränderten Worten an die Hebräer: *Wen der Herr liebt, weist er zurecht, aber er geißelt jeden Sohn, den er aufnimmt.* [Hebr 12,6] [51] Daher, teuerste Brüder, sooft der Sturm der Widerwärtigkeit hereinbricht, *haltet* gemäß dem Rat des Paulus *aus in der Züchtigung im Wissen, dass Gott sich euch wie Kindern zeigt.* [Hebr 12,7] Hört die Stimme des Vaters, der barmherzig seine Kinder ermahnt, im 88. Psalm: *Wenn sie meine Gerechtigkeiten entweihen und meine Gebote nicht beachten, werde ich ihre Ungerechtigkeiten mit der Rute heimsuchen. Meine Barmherzigkeit aber will ich ihm nicht entziehen, noch werde ich ihm in meiner Wahrheit schaden.* [Ps 89,32 f.] So drohte auch Paulus seinen Kindern, die er liebte, indem er sagte: *Was wollt ihr, dass ich mit der Rute zu euch komme oder im Geist der Milde und Sanftmut?* [1 Kor 4,21] Doch derselbe sagt: *Was geht es mich an, über die, die draußen sind, zu urteilen?* [1 Kor 5,12] Keine Stimme ist schärfer für die Kinder, als dass sie vom Vater hören: »Tut, was ihr wollt, es ist mir gleichgültig.« Freilich ist das die

Ausdrucksweise eines, der an die Verstoßung [seiner Kinder] denkt. Diese Nachgiebigkeit der Eltern ist härter als jeder Tadel. Wie grausam also die Nachsicht ist, so barmherzig ist der Tadel.

[...]

[54] Überhaupt ist gerade das, was die verdammten Seelen der Bösen in der Unterwelt ertragen, weniger als sie verdienen. Und es fehlten nicht die, die der göttlichen Barmherzigkeit so viel zuschreiben, dass sie glaubten, dass auch die gottlosen Dämonen und die verdammten Menschen irgendwann nach einer langen Zeitdauer in die Gnade zurückzunehmen sind. Diese Meinung, die sich auf einen großen Urheber [nämlich Origenes] stützt, wurde dennoch von den orthodoxen Vätern verworfen: sie wird hier nur von uns angeführt, damit wir aufzeigen, welch eine großartige Meinung sich äußerst gelehrte Männer über die Barmherzigkeit Gottes bildeten, die ihre Nächte und Tage in den Heiligen Schriften gewälzt haben, die fast nichts anderes singen, kundtun und feiern als die Barmherzigkeit Gottes.

[...]

[58] Lasst uns die barmherzige Macht anbeten und uns der mächtigen Barmherzigkeit erfreuen! Alles vermögen wir durch ihn, der uns mächtig macht, wenn wir nur in ihm bleiben: wir besitzen alles durch ihn, in dem die Gesamtheit alles Guten ist, in seiner überall uns schützenden, erhebenden, tröstenden und bereichernden Barmherzigkeit, wie der prophetische Psalm sagt: *Diejenigen, die auf den Herrn hoffen, wird er mit Barmherzigkeit umgeben.* [Ps 32,10] Diejenigen, die ihr Vertrauen auf die Gaben des Körpers setzten, auf Reichtümer, auf Rennwägen, auf Pferde, auf die weltliche Klugheit, auf ihre Verdienste und Taten, stehen vielen Übeln offen. Durch welchen Schutz ist der Gerechte aber sorglos? *Ich aber,* sagt er, [betrete dein Haus] *aufgrund der Fülle deiner Barmherzigkeit.* Und wenig später: *Herr, du hast uns wie mit einem Schild deines Wohlwollens umgeben.* [Ps 5,8.13]

Da du *Wohlwollen* hörst, erkennst du, dass das Vertrauen auf deine Verdienste ausgeschlossen ist. Wo uns die natürlichen Kräfte fehlen, wo die Verdienste uns verlassen, dort eilt die Barmherzigkeit zu Hilfe. Die Schilde der Krieger bedecken nur einen Teil des Körpers, der Schild der göttlichen Barmherzigkeit schützt uns rundherum ganz, von oben her gegen die Feuergeschosse der geistlichen Verdorbenheit, die uns aus den Himmeln bedrohen; von unten gegen die Verschlagenheit der Schlange, die unseren Fersen auflauert; von vorne, damit uns nicht unmittelbar Bevorstehendes verletze; von hinten, damit uns nicht Vergangenes wieder angreift; von rechts, damit der Erfolg der Dinge uns nicht hochmütig mache; von links, damit [uns] die Widerwärtigkeit nicht zu Boden ziehe. Auf diesen Schild vertrauend schreit jener: *Der Herr ist mein Helfer, ich werde nicht fürchten, was ein Mensch mir antut.* [Ps 118,6] Und anderswo: *Ich werde nicht fürchten die Tausende des mich umgebenden Volkes.* [Ps 3,7]

Aber beherzter sagt auch der Apostel Paulus, wenn er an die Römer schreibt: *Wenn Gott für uns ist, wer ist dann gegen uns?* [Röm 8,31] Der ausgezeichnete Krieger zieht die Rüstung des Glaubens an, die uns schützt, nicht im Vertrauen auf die Werke, sondern auf die göttliche Barmherzigkeit. Vertrauend auf diese Ausrüstung verachtet er nicht nur Enge, Hunger, Nacktheit, Gefahr, Verfolgung, sondern auch das Schwert des Tyrannen, der auf den sofort eintretenden Tod zielt. Nichts vermag die menschliche Grausamkeit, wo die Barmherzigkeit Gottes als Schützerin da ist. Ja vielmehr, was noch stärker ist, er verachtet außer dem Tod auch das Leben, die Engel, die Gewalten, die Tugenden, das nahe Bevorstehende, das Zukünftige, die Stärke, die Höhe, die Tiefe; schließlich jedes andere Geschöpf in den Himmeln oder auf Erden oder in der Unterwelt. Und dieser ist derjenige, der, sich seiner Schwäche bewusst, sich selbst ein tönernes Gefäß nannte: *Wir haben,* sagt er, *diesen Schatz in tönernen Gefäßen.* [2 Kor 4,7]

Woher bekommt daher diese zerbrechliche Scherbe soviel an Kraft? *Durch die Gnade Gottes,* sagt er, *bin ich das, was ich bin.* [1 Kor 15,10] Was ist die Gnade Gottes außer Barmherzigkeit Gottes? Wir wollen uns auch gerne mit Paulus wegen unserer Schwächen rühmen, damit uns die Kraft Christi innewohnt: so nämlich nützt es uns mehr, dass wir in der Betrachtung unseres Elendes die Barmherzigkeiten Gottes rühmen.

Und dennoch betrachte dich, wenn es gefällt, zwischendurch selbst, oh Mensch, in dem Teil, in dem du die übrigen Lebewesen übertriffst. Und auch wenn du dich selbst in den Vorzügen des Körpers messen sollst, siehst du, um wie viel geringer du bist als viele unvernünftige Lebewesen, an Größe übertreffen die Kamele, an Schnelligkeit die Tiger, an Kraft die Stiere, an Farbe die Schwäne, an Schmuck die Pfauen, an Gesundheit die Fische, wenn wir freilich dem Sprichwort [60] glauben, vielmehr fast an allem, an Sehschärfe die Luchse und Adler, an Geruchssinn die Geier, an Lebensdauer die Hirsche und Raben. Und dennoch, wenn jemand die Gaben des menschlichen Körpers betrachtet, findet er darin, weswegen er die Barmherzigkeit Gottes loben kann. Wie groß ist die Empfindsamkeit der Sinne, wie die Symmetrie der Glieder, wie geeignet die Werkzeuge zu verschiedenem Gebrauch? Doch über diese Dinge hat bereits ein Mann von einzigartiger Beredsamkeit, nämlich Lactanz, ein Buch herausgegeben, dem er den Titel *Über das Werk Gottes* gab. Dieses wird mit Nutzen gelesen, wenn wir uns daran erinnern, dass alles, was auch immer im Körper an Gutem ist, von der Barmherzigkeit Gottes kommt und dem Gehorsam gegenüber Gott geschuldet ist. Weiterhin wird, wer in den Gaben des Körpers gerühmt werden will, sofort hören: *Alles Fleisch ist Heu und all sein Ruhm ist wie die Blüte des Heus.* [Vgl. Jes 40,6] Ebenso dies: *Was brüstest du dich, Erde und Asche?* [Vgl. Sir 10,9] Nicht einmal an den Gaben des Geistes, durch welchen Teil der Mensch bewundernswerter ist, hat er, was er für sich in Anspruch nehmen kann. Wer den Körper erschuf, derselbe erschuf auch den Geist, den Körper formte er aus Schlamm, den Geist gab er durch einen Hauch seines Mundes ein. Und deswegen geht die Seele der übrigen Lebewesen zusammen mit ihrem Körper zugrunde, die unsere überlebt ihren Körper, bis sie ihn in der verheißenen Auferstehung wiedererlangt. Denn welch eine wirksame Sache die Seele selbst ist, erklärt der Tod selbst: sobald er fortgegangen ist, liegt ein nutzloser Kadaver da: wo ist die Wärme, wo die Farbe, wo die Bewegung, wo die Lebenskraft aller Sinne? Und dennoch macht die Seele, solange sie an einen so unglücklichen kleinen Körper gebunden ist, nichts außer durch die körperlichen Werkzeuge, die häufig ihrer angeborenen Kraft entgegenstehen. Wie bewundernswert sind Schnelligkeit und Scharfsinn des menschlichen Geistes? Wie unermesslich ist der Schatz des Gedächtnisses? Was ist so verborgen in den Geheimnissen der Natur oder im Himmel oder auf Erden, was der menschliche Geist nicht beobachtet, wahrnimmt und löst? Es ist groß, dass viele aus der Lage und der Bewegung der Gestirne vorhersagen, was einige Zeit später eintreten wird; aber es ist größer, dass nach dem Zeugnis des Paulus aus den geschaffenen Dingen die ewige Kraft und Göttlichkeit jenes Künstlers erkannt wurde [Vgl. Röm 1,20]. Wie groß ist aber die Wendigkeit des menschlichen Geistes, in einem wie kurzen Zeitrahmen überblickt der Verstand des Menschen wie viel gleichzeitig?

Aber wie groß ist die Kraft des Gedächtnisses, das so viele Formen der Dinge, so viele Bezeichnungen von Dingen, die dem Dienst der Sinne anvertraut sind, zuverlässig umfasst? Denn ich will hier nicht über die sprechen, die so viele schwierig zu durchdringende Wissenschaften, darüber hinaus so viele Sprachen gründlich gelernt haben und, was auch immer sie gelernt haben, behalten. Es bedenke jeder von euch bei sich, wie viele Gesichter von Menschen und Namen sein Gedächtnis umfasst, wie viele Formen von Lebewesen, Bäumen, Gräsern, Orten und unzähligen anderen Dingen er erkennt und aus dem Gedächtnis deren Bezeichnungen wiedergeben kann. Die Leute nennen dies die Gaben der Natur, obgleich sie in Wahrheit Geschenke der göttlichen Barmherzigkeit sind, die jedem zuteil werden, nicht wegen unserer Verdienste, sondern wegen seiner Güte.

Weil nun der verschwenderische Sohn dies alles vertan hat aus der zügellosen Begierde des menschlichen Willens heraus, wurde nicht nur nicht weggenommen, was gegeben wurde, sondern aus Gnade eine reichere Fülle an Gaben hinzugefügt. Durch das Gesetz unterrichtete er uns, durch den Sohn, den er uns ganz anheim gab, lehrte er uns die Geheimnisse seiner Weisheit, durch seinen Geist erfüllt er unsere Herzen mit verschiedenen Gaben, die die menschlichen Kräfte übersteigen. Er gibt das Verstehen der mystischen Schriften, die uns voranleuchten und uns in allen Übeln trösten; er gibt es, das Zukünftige voraus zu wissen, er gibt es in Zungen zu reden, Zaubermittel zu verachten, Krankheiten zu vertreiben, die Toten zu erwecken, die schändlichen Dämonen zu überwältigen, er gibt es, die Pforten der Unterwelt zu besiegen, er gibt es, Glieder Christi zu sein, Kinder Gottes, Teilhaber des himmlischen Reiches, das kein Ende haben wird.

Hier überdenke, wie du geschaffen wurdest, zu einem Teil ohne Zweifel aus Ton; dann, um wie viel unter die Beschaffenheit des Viehs dich die Sünde warf; wiederum, zu welcher Würde, zu [61] welchem Glück du gerufen bist, und du siehst, dass die Barmherzigkeiten des Herrn keine Zahl und kein Maß haben.

Was ist verachtenswerter als Mistkäfer? Doch der Mistkäfer ist rein, wenn er mit dem Schmutz des Sünders verglichen wird. Was ist höher als Engel? Wäre es nicht über jedes Maß, aus einem Mistkäfer einen Engel zu machen? Nun machte er den Menschen, der niedriger ist als der Mistkäfer, größer als den Engel, ich wagte zu sagen, er machte einen Gott. Warum nämlich sollte ich nicht zu sagen wagen, was die heilige Schrift wagt? *Ich sagte: ihr seid Götter und alle Söhne des Höchsten.* [Ps 81,6] Was auch immer aus Gott geboren wird, ist in gewisser Hinsicht Gott. Was auch immer an den Körper und Geist Christi angeklebt wird, kommt in die gleichnamige Gemeinschaft. Wenn hier nichts ist, was du deinen Verdiensten zuschreiben kannst, rühme die Barmherzigkeit Gottes, bete die Barmherzigkeit Gottes an, küsse die Barmherzigkeit Gottes! [62] Wenn hier irgendeiner versuchen sollte, irgendeinen kleinen Teil auch für sich in Anspruch zu nehmen, wird ihm der Apostel Paulus auf der Stelle widersprechen, da er dies alles der Gnade Gottes zuschreibt. All seine Briefe lassen das Wort Gnade erklingen, erkenne, so oft du es hörst, dass dir die Barmherzigkeit Gottes empfohlen wird.

Es ist Gnade, dass wir gereinigt wurden von den Sünden; es ist Gnade, dass wir glauben; es ist Gnade, dass durch den Geist seine Liebe ausgegossen ist in unsere Herzen, gemäß der wir das, was zur Frömmigkeit gehört, verrichten. *Wir aber sind nicht fähig, etwas von uns aus zu denken, als wenn es aus uns käme, sondern all unser Vermögen stammt von Gott.* [2 Kor 3,5] Wenn Paulus das Wahre sagte, wo sind die Unverschämten, die ihre guten Werke irgendjemandem verkaufen, als ob ihnen zuhause so viel übrig wäre, dass sie auch andere bereichern könnten? Bemitleidenswert sind sie, die ihre Wohltaten so verkaufen, verflucht, die in die Werke der Menschen Vertrauen setzen. Wer sich mit der ersteren Krankheit abmüht, höre, was in der Apokalypse die Laodicenische Kirche hört, *du sagst: Reich bin ich und wohlhabend, ich bedarf keiner Sache, und du weißt nicht, dass du elend und bemitleidenswert bist, arm, blind und nackt.* [Offb 3,17] Aber noch schlimmer sündigen die, die den übrigen aus dem Überfluss ihrer guten Werke Reichtümer versprechen. In der Tat, was rät der Heilige Geist? Es heißt: *Ich rate dir, von mir im Feuer geläutertes Gold zu kaufen, damit du wahrhaft reich wirst.* [Offb 3,18] Und du, der du dir deiner Armut bewusst bist, warum bettelst du von den Bettlern? *Wenn jemand,* sagt Jacobus, *der Weisheit bedarf, erbitte er sie von Gott, der allen reichlich gibt und keine Vorhaltungen macht. Jede sehr gute Gabe und jedes vollkommene Geschenk kommt von oben herab vom Vater der Gestirne.* [Jak 1,5.17] Und du willst von einem Menschen das Kleid guter Werke? Umso bemitleidenswerter ist der Nackte, je großartiger gekleidet er sich erscheint. Erkenne dein Elend, und die Barmherzigkeit ist bereitet. Bei den Menschen, die sich eine

Wohltat anrechnen, die einen stummen Dienst mit Zinsen zurückverlangen, ist nichts teurer, als was mit Bitten gekauft worden ist: Bei Gott ist nichts so unentgeltlich, als was mit zwei Hellern gekauft wird, mit Bitten und Vertrauen, da er ja das Geld selbst geschenkt hat, der so seine Barmherzigkeit verkaufen will.

Aus: De immensa Dei misericordia concio, hg. von C.S.M. Rademaker, in: Opera omnia Desiderii Erasmi Roterodami recognita et adnotatione critica instructa notisque illustrata, Bd. V-7, Leiden u. a. 2013, 47–62; Übersetzung von Melanie Wurst, Frankfurt a. M.; Seitenangaben und Anmerkungen der Herausgeber in eckigen Klammern.

Epistolae obscurorum virorum / Dunkelmännerbriefe (1515–1517)

Das satirische Großprojekt der »Dunkelmännerbriefe« erschien 1515 und 1517 in zwei Bänden mit fiktiven Verfasser-, Orts- und Druckerangaben. Tatsächlich wurde der erste Band im elsässischen Hagenau gedruckt und im Jahr darauf in Speyer um einen Anhang erweitert, während der zweite Band wiederum ein Jahr später gleichfalls in Speyer herauskam. Hauptsächliche Verfasser sind, wie erst eine Generation danach aufgedeckt wurde, die Humanisten Crotus Rubeanus (um 1480–nach 1537), von Luther abschätzig »des Cardinals zu Mentz Tellerlecker, Dotter [d. i. Doktor] Kroete« genannt, und Ulrich von Hutten (1488–1523). Über den Anteil weiterer Beiträger wird in der Forschung diskutiert. Der Titel steht in absichtlichem Gegensatz zu demjenigen, unter dem der Jurist, Humanist und Hebraist Johannes Reuchlin (1455–1522) 1515 die »Briefe berühmter Männer« (»Clarorum virorum epistolae«) veröffentlichte, die ihn bei seinem Kampf gegen die Vernichtung des nichtbiblischen jüdischen Schrifttums unterstützten. Ausgelöst wurde der Streit durch den zum Christentum konvertierten Juden Johannes Pfefferkorn (um 1469–um 1521), der 1507 die Konfiskation des genannten Schrifttums forderte. Nachdem Kaiser Maximilian (1508–1519) dieses Ansinnen zunächst aufnahm, beauftragte er dann doch den Mainzer Erzbischof Uriel von Gemmingen (1508–1514) mit der Prüfung der Sache. Dieser holte bei mehreren theologischen Fakultäten, darunter die Kölner, und weiteren Gelehrten Gutachten ein. Zu letzteren gehörten der Inquisitor Jakob van Hoogstraeten (um 1465–1527) aus dem Dominikanerorden und Reuchlin. Dieser sprach sich als einziger gegen die geforderte Maßnahme aus. Daraufhin entbrannte ein heftiger Kampf gegen Reuchlin, den viele Humanisten weniger aus Sympathie für das bedrohte jüdische Schrifttum als aus einer Missbilligung der traditionellen scholastischen Theologie heraus unterstützen. Nach langem Hin und Her endete die Sache 1520 mit der römischen Verurteilung Reuchlins und der Indizierung seines Buches »Augenspiegel«. Wenig später folgte die Bannandrohungsbulle gegen Luther.

Die »Dunkelmännerbriefe« geben sich aus als Schreiben eines Schüler- und Freundeskreises an den Kölner Theologen Ortwinus Gratius (um 1480–1542).

Ihre Namen sowie ihr mangelhaftes Latein weisen sie als Barbaren aus. Im ersten Teil steht die humanistische Kritik an der scholastischen Theologie und dem traditionellen Universitätsbetrieb im Mittelpunkt. Die Kölner Universität wird als Hochburg der »via antiqua« verspottet, an welcher Thomismus, Albertismus und Scotismus hoch im Kurs stehen. Im zweiten Teil hingegen tritt der Reuchlin-Streit in den Vordergrund.

[2, 29]

I, 15

Wilhelm Scherschleifferius grüßt Magister Ortwin
Ich wundere mich sehr, verehrter Herr, warum ihr mir nicht schreibt, und dennoch schreibt ihr anderen, die euch nicht so oft schreiben, wie ich euch schreibe. Wenn ihr mein Feind seid, weil ihr mir nicht mehr schreiben wollt, dann schreibt mir dennoch, warum ihr mir nicht mehr schreiben wollt, damit ich weiß, warum ihr mir nicht schreibt, obwohl ich euch immer schreibe, wie ich euch auch jetzt schreibe, obwohl ich weiß, dass ihr mir nicht zurückschreiben werdet. Gleichwohl bitte ich euch herzlich, dass ihr mir dennoch schreiben mögt, und wenn ihr mir einmal geschrieben habt, dann will ich euch zehnmal schreiben, weil ich gerne meinen Freunden schreibe, und ich möchte mich im Schreiben so üben, damit ich elegant Diktate und Briefe schreiben kann. Ich kann nicht denken, was der Grund ist, dass ihr mir nicht schreibt. Und ich habe mich neulich beklagt, als hier einige Kölner waren, und gefragt: »Was macht doch Magister Ortwin, dass er mir nicht schreibt? Er hat mir in zwei Jahren nicht geschrieben. Sagt ihm doch, dass er mir schreiben soll, weil ich lieber seine Briefe lesen möchte als Honig zu essen; und er war einmal mein hauptsächlicher Freund.« Und ich habe auch gefragt [30], wie es euch geht in jenem Streit mit dem Doktor Reuchlin. Da sagten sie, dass jener Jurist es versteht, euch mit seiner Kunst an der Nase herumzuführen. Da habe ich gewünscht, dass Gott euch seine Gnade geben möge, damit ihr Sieger werdet. Wenn ihr mir schreiben wollt, dann müsst ihr mir auch von jenem schreiben, weil ich es gerne wissen möchte. Diese Juristen kommen her und sagen: »Doktor Reuchlin hat ein gutes Geschäft, und die Theologen in Köln haben ihm Unrecht getan.« Und ich fürchte bei Gott, dass die Kirche in ein Ärgernis kommen kann, wenn jenes Buch »Augenspiegel« nicht verbrannt wird, weil es viele unehrfürchtige und gegen den katholischen Glauben gerichtete Aussagen enthält. Und wenn jener Jurist nicht zum Widerruf gezwungen wird, dann werden auch andere versuchen in theologischen Dingen zu schreiben, obwohl sie nichts wissen und weder im Weg des Thomas [von Aquin] noch im Weg Alberts [des Großen] noch des [Johannes Duns] Scotus studiert haben. Und sie sind auch nicht erleuchtet durch die Gnade des Heiligen Geistes. Denn ein

jeder muss in seiner Fakultät bleiben, und darf seine Sichel nicht an die Ernte eines anderen anlegen; denn der Schuster ist ein Schuster, der Schneider ein Schneider und der Schmied ein Schmied. Und es stünde nicht gut, wenn ein Schneider Schuhe oder Pantoffel machen wollte. Ihr müsst tapfer euch und die heilige Theologie verteidigen, und auch ich werde Gott für euch bitten, dass er euch seine Gnade zuteilen und euren Verstand erleuchten möge, wie er es bei den alten Vätern getan hat, damit der Teufel nicht mit seinen Dienern stärker ist als die Gerechtigkeit. Aber schreibt mir doch um Gottes willen, wie es euch geht; ihr macht mir große Angst und das sollt ihr nicht tun. Aber für jetzt empfehle ich euch dem Herrgott. Lebt wohl in Christus. Gegeben zu Frankfurt.

[2, 98]

II, 5

Bruder Johannes de Werdea an Magister Ortwin Gratius
Demütige und ehrerbietige Wünsche mit viel Glück. Verehrter Mann, ihr schreibt mir, dass ihr gehört habt, dass eure Sache schlecht steht und Johannes Reuchlin ein apostolisches [d. i. päpstliches] Verbot erlangt hat. Und ihr schreibt mir, dass ihr sehr fürchtet, dass er den Sieg über die Theologen und unseren heiligen Orden davontragen wird, und dass die Kirche Gottes Ärgernis haben wird. O Kleingläubiger, wollt ihr so eingeschüchtert sein, dass ihr gleich verzweifeln wollt? Als ich bei euch in Deventer war, wart ihr doch nicht so furchtsam, sondern hattet großen Mut. Ich weiß noch gut, wie ihr einmal die beiden »Füchse«, die zu euch kamen mit langen Messern, verprügelt habt, und ihr hattet nur einen Oberarm zur Verteidigung. Und doch habt ihr sie mit der Hilfe Gottes wirklich mit Erfolg so verprügelt, dass einer vor Angst sich verpisste. [99] Und es sahen viele Menschen und sagten: »Bei Gott, dieser Ortwin hat viel Mut.« Ihr müsst wissen, dass es hier an der Römischen Kurie nicht so ist wie anderswo und wie ihr denkt. Sondern einmal gewinnt einer und einmal verliert einer. Und wenn auch einer bisweilen zwei oder drei Urteile für sich hat, kann er dennoch den Prozess verlieren. Aber ihr könnt sagen: »Der Papst hat erlaubt, dass der Augenspiegel verkauft, gelesen und gedruckt werden darf.« Was ist nun? Wenn er erlaubt hat, kann er dann nicht wieder verbieten? Das folgt daraus nicht. Denn der Heiligste [d. i. der Papst] hat die Macht zu binden und zu lösen, und er kann nicht korrigiert werden. Da er die vollkommene Vollmacht hat, wie ihr aus dem Evangelium wisst, da ihr in der Heiligen Schrift wunderbar gefestigt seid. Aber ich will das Kirchenrecht anführen. Zuerst, weil der Papst die Herrschaft über die ganze Welt besitzt [...]. Und er kann allein den Kaiser absetzen, auch ohne ein Konzil [...]. Und der Papst untersteht nicht dem Gesetz, sondern ist das lebende Gesetz auf Erden [...]. Und wenn der Papst Gesetz ist, dann kann er machen, was er will, und muss auf

niemanden Rücksicht nehmen. Und obwohl er einmal »ja« gesagt hat, kann er dennoch später »nein« sagen. Und ihr müsst gute Zuversicht haben. Denn neulich hörte ich von einem Auditor der Rota [d. i. ein Richter des Päpstlichen Gerichtshofs], der ein bemerkenswerter Mann ist und große Erfahrung hat, dass es nicht möglich ist, dass der Papst gegen euch urteilen kann. Denn ihr habt die beste Sache, und das ist die Sache des Glaubens. Also seid stark im Krieg. Denn auch wenn diese Fantasten euch von jenem Verbot erzählen, müsst ihr nichts darauf geben; denn es hat keine Wirkung. Ich aber hoffe, dass ich euch gleich gute Nachrichten schreiben will. Denn der Herr Magister noster [d. i. Doktor der Theologie] Jakob von Hoogstraeten gibt sich viel Mühe. Neulich hatte er ein Gastmahl und lud viele alte und wohl erfahrene Höflinge ein und einen apostolischen Sekretär, der beim Heiligsten gerne gesehen ist, und einige Auditoren der Rota. Und er gab ihnen Rebhühner, Fasane, Hasen und frische Fische zu essen und den besten korsischen und auch griechischen Wein. Und alle sagten, er habe sie mit höchster Ehrerbietung behandelt, und sagten: »Bei Gott, dieser ist ein bemerkenswerter Theologe! Wir wollen uns auf seine Seite schlagen.« Und so hat er gute Hoffnung. Aber ich muss aufhören, weil der Bote nicht warten will. Gehabt euch wohl und grüßt mir alle Magistri nostri und Magister und Johann Pfefferkorn. Gegeben zu Rom.

Aus: Epistolae obscurorum virorum, hg. von Aloys Bömer, 2 Bde., Heidelberg 1924, Nachdruck: Aalen 1978; Übersetzung von Peter Walter. Seitenangaben und Bemerkungen der Herausgeber in eckigen Klammern.

Teil 2: Die Wittenberger Reformation

von Franz-Xaver Bischof und Volker Leppin

Einleitung

Vielfach wird »die« Reformation auf die an Luther orientierte Wittenberger Bewegung reduziert: Hier fing der wahrnehmbare Protest gegen die bisherige Kirche an. Und es war Martin Luther, an dessen Verurteilung durch Kirche und Reich sich über lange Zeit die Geister schieden. Das Wormser Edikt, das, dem päpstlichen Bann vom 3. Januar 1521 folgend, Martin Luther unter dem Datum des 8. Mai desselben Jahres in die Reichsacht setzte, bildete für das Reichsrecht die Wasserscheide. Wer es durchsetzte, galt als Verteidiger des alten Glaubens, wer sich als zögerlich oder gar unwillig zu seiner Durchführung erwies, setzte sich dem Verdacht aus, Anhänger der Reformation zu sein.

So klar es heute ist, dass die Vorgänge in Kursachsen nur verstehbar sind, wenn man sie im Zusammenhang mit den Ereignissen in Oberdeutschland (s. u. Nr. III.) und der Schweiz sieht, so deutlich ist es auch, dass die Wittenberger Bewegung von vielen Köpfen getragen war. An ihren Anfängen steht eine Reform des Theologiestudiums. Sie war von einem Kreis getragen, welcher sich um den »Frömmigkeitstheologen« Johannes von Staupitz, den Generalvikar des strengen Flügels der Augustinereremiten, geschart hatte. Unter dem Eindruck einer verstärkten Lektüre der Bibel und des Kirchenvaters Augustin entwickelte diese Gruppe, in der immer mehr Martin Luther als treibende Kraft in den Vordergrund trat, eine Theologie, die bewusst darauf drang, die Studenten durch Lektüre der Schrift und der Kirchenväter zu bilden und den Einfluss der aristotelischen Philosophie, der die scholastische Theologie geprägt hatte, zurückzudrängen. Letztere wurde dabei oft vereinseitigend wahrgenommen: Luther hatte in seiner Erfurter Studienzeit hauptsächlich die sogenannte *Via moderna* in einer Gestalt, die auf dem kritischen Philosophen und Theologen Wilhelm von Ockham († 1347) beruhte, kennengelernt. Die an Thomas von Aquin († 1274) orientierte Theologie hingegen war ihm kaum bekannt. So wandten er und zunehmend seine Gefährten – zögerlich, dann aber immer radikaler Andreas Karlstadt (1486–1541), auch Nikolaus von Amsdorff (1483–1565), ab 1518 der Humanist Philipp Melanchthon (1497–1560) – sich schroff gegen die hergebrachte Theologie.

Hierzu inspirierte sie auch die Lektüre der spätmittelalterlichen Mystik. Nirgendwo lässt sich in Deutschland in dieser Zeit eine so intensive Lektüre Johannes Taulers († 1361) nachvollziehen wie in Wittenberg. Bei ihm konnte man eine Spiritualität kennenlernen, die die Nähe zu Gott betonte und den Menschen von dem Druck, sein Heil durch eigene Werke zu erlangen, entlastete. Aus den mehrfachen Impulsen von Bibel, Kirchenvätern, Mystik und Frömmigkeitstheologie formte Luther im Gespräch mit seinen Kollegen eine Theologie, die um die vier Ausschließlichkeitsformeln kreiste: Solus Christus (Christus allein), sola gratia (allein aus Gnade), sola fide (allein durch den Glauben) und, als letztes, im Herbst 1519 klar formuliert: Sola scriptura (allein die Schrift). Zentrale Grundüberzeugung war die Rechtfertigungsbotschaft von der den Glaubenden umsonst geschenkten Gnade Gottes.

In einer sich immer mehr beschleunigenden Entwicklung, zum Teil auch durch die stark auf die Papstfrage fixierten Gegner vorangetrieben, bildeten diese aus einer Transformation des Mittelalters entstandenen Formeln eine deutliche Antithese zum alten Glauben und der herkömmlichen Frömmigkeitspraxis: Jedes Vertrauen auf menschliche Eigentätigkeit schien im Heilsgeschehen der Ausschließlichkeit von Christus, Gnade und Glauben entgegenzustehen. Und das Schriftprinzip wandte sich scharf gegen die kirchliche Tradition, am Ende gegen jegliche Form kirchlicher Lehrfestlegung – besonders durch den Papst. So war um 1520 eine Situation entstanden, in welcher auf der einen Seite Luther in seiner Adelsschrift (s. u. Nr. 2), die sich auch an den Kaiser wandte, zu einer umfassenden Reformation durch die weltlichen Herren aufrief und in der Schrift »*De captivitate Babylonica*« (s. u. Nr. 3) die Sakramentenlehre des Mittelalters einer scharfen Kritik unterzog, während auf der anderen Seite das schon an der Jahreswende 1517/18 eingeleitete Häresieverfahren mit der Bannandrohungsbulle vom 15. Juni 1520 vorangetrieben wurde. Als Luther diese am 10. Dezember 1521 verbrannte, statt den geforderten Widerruf zu leisten, und folgerichtig der angedrohte Bann auch vollzogen wurde, war deutlich, dass die Wege auseinandergingen: Luther war nun offiziell als Häretiker verurteilt, ihm wiederum war der Papst zum Antichrist geworden.

Die Unsicherheit seiner persönlichen Situation lässt sich erahnen, wenn man auf die berühmte Episode verweist, wie er nach dem Wormser Reichstag 1521 auf der Wartburg versteckt wurde, die er erst im Frühjahr 1522 wieder verließ. Zu Luthers Beschützer wurde, ohne sich offiziell auf die Seite der Reformation zu stellen, sein Landesherr Friedrich der Weise († 1525). Schon unter ihm konnte sich das reformatorische Denken ausbreiten und konnten erste reformatorische Maßnahmen ergriffen werden. Gestalt aber gewann die Kirchenbildung erst, als nach dem Ersten Speyerer Reichstag von 1526 Kurfürst Johann der Beständige († 1532) mit Hilfe von Visitationen das Kirchenwesen in Sachsen reorganisierte. Damit begann auch die enge Verbindung der lutherischen Reformation mit der weltlichen Obrigkeit, deren theologische Grundlage die Lehre vom allgemeinen

Priestertum war. Unter den gegebenen Bedingungen war dies, zumal nach den dramatischen Ereignissen des Bauernkrieges, die einzige Möglichkeit, der Neuformierung überhaupt Bestand zu verschaffen. Auch wenn auf dem Augsburger Reichstag von 1530 trotz aller Vorsicht nicht die Anerkennung durch den Kaiser erlangt werden konnte, sicherten insbesondere das Kurfürstentum Sachsen und die Landgrafschaft Hessen das Vorankommen der Reformation. In den dreißiger Jahren traten, gesichert durch das Abwehrbündnis des Schmalkaldischen Bundes, wichtige weitere Territorien – wie Brandenburg, das herzogliche Sachsen und Württemberg – hinzu, so dass die lutherische Reformation zu einer nicht mehr ignorierbaren Macht im Reich wurde.

Diese schien allerdings aufs Äußerste bedroht, als, kurz nach Luthers Tod am 18. Februar 1546, der Schmalkaldische Krieg ausbrach und zu einer vernichtenden Niederlage für die Schmalkaldener führte. Im Augsburger Interim von 1548 wurde ihnen eine Ordnung auferlegt, auf deren Grundlage zwar Priesterehe und Laienkelch zugestanden wurden, sie aber wesentliche Erneuerungen – wie etwa den Verzicht auf bestimmte Formen von Heiligenverehrung – aufgeben sollten. Doch hat eine Kehrtwende des bis dahin mit dem Kaiser verbündeten Moritz von Sachsen das Blatt gewendet. Die Geschehnisse mündeten schließlich in den Augsburger Religionsfrieden vom 25. September 1555. Er gewährte den »der Augsburgischen Konfession Verwandten«, nicht aber den Reformierten, Rechtsschutz gegenüber kriegerischen Übergriffen. Zugleich band er das Recht, die Konfession zu bestimmen, an den jeweiligen Landesherren (später: »*cuius regio, eius religio*« [»Wem das Land gehört, der darf die Religion bestimmen«]). Damit war das Erbe der Wittenberger Reformation reichsrechtlich gesichert. Eine klare Bestimmung, was »lutherisch« zu sein bedeutete, musste allerdings erst noch durch mehrere Debatten hindurch gefunden werden. Am Ende erreichte man 1577 mit der »Konkordienformel« eine weitgehende konsensuale Grundlage für das lutherische Bekenntnis.

LITERATUR

Albrecht Beutel (Hg.), Luther Handbuch, Tübingen ^{2}2010.

Martin Brecht, Martin Luther. 3 Bände, Stuttgart 1981–1987.

Irene Dingel, Die Wittenberger Reformation, in: Michael Plathow (Hg.), Lutherische Kirchen. Die Kirchen der Gegenwart 1, Göttingen 2007 (Bensheimer Hefte 107), 7–57.

Leif Grane, Contra Gabrielem. Luthers Auseinandersetzung mit Gabriel Biel in der Disputatio contra scholasticam theologiam, Kopenhagen 1962 (Acta theologica Danica 4).

Berndt Hamm, Der frühe Luther. Etappen reformatorischer Neuorientierung, Tübingen 2010.

Scott H. Hendrix, Recultivating the Vineyard. The Reformation Agendas of Christianization, Louisville/London 2004.

Hans J. Hillerbrand, The Division of Christendom. Christianity in the sixteenth century, Louisville u.a. 2007.

Erwin Iserloh, Martin Luther und der Aufbruch der Reformation (1517–1525), in: Handbuch für Kirchengeschichte, hg.v. Hubert Jedin. Bd. 4, Freiburg u.a. 1967, 3–114.

Thomas Kaufmann, Erlöste und Verdammte. Eine Geschichte der Reformation, München [3]2017.

Ders., Der Anfang der Reformation, Tübingen 2012 (Spätmittelalter, Humanismus, Reformation 67).

Ders., Konfession und Kultur. Lutherischer Protestantismus in der zweiten Hälfte des Reformationsjahrhunderts, Tübingen 2006 (Spätmittelalter und Reformation. Neue Reihe 29).

Natalie Krentz, Ritualwandel und Deutungshoheit. Die frühe Reformation in der Residenzstadt Wittenberg (Spätmittelalter, Humanismus, Reformation 74), Tübingen 2014.

Jens-Martin Kruse, Universitätstheologie und Kirchenreform. Die Anfänge der Reformation in Wittenberg 1516–1522, Mainz 2002 (Veröffentlichungen des Instituts für Europäische Geschichte Mainz 187).

Volker Leppin, Martin Luther, Darmstadt [3]2017.

Ders., Die Reformation, Darmstadt [2]2017.

Ders./Gury Schneider-Ludorff (Hg.), Das Luther Lexikon, Regensburg 2014.

Joseph Lortz, Die Reformation in Deutschland, Freiburg 1939/40.

Heiko A. Oberman, Werden und Wertung der Reformation, Tübingen [2]1979.

Henrik Otto, Vor- und frühreformatorische Tauler-Rezeption. Annotationen in Drucken des späten 15. und 16. Jahrhunderts, Gütersloh 2003 (Quellen und Forschungen zur Reformationsgeschichte 75).

Gottfried Seebaß, Geschichte des Christentums III: Spätmittelalter – Reformation – Konfessionalisierung, Stuttgart u.a. 2006.

1. Martin Luther, Die 95 Thesen gegen den Ablass vom 31. Oktober 1517

Am 31. Oktober 1517 sandte Luther seinem zuständigen Ortsbischof Hieronymus Schultz von Brandenburg (1507–1521) sowie Albrecht von Brandenburg, den Erzbischof von Magdeburg (1523–1545) und Mainz (1524–1545) eine Liste von 95 Thesen zu, in denen er sich gegen die Verkündigung des Ablasses wandte, die Albrecht in Auftrag gegeben hatte. Der Ablass gehörte theologisch in die Bußlehre: Die zeitlichen Strafen, die dem Büßenden zukamen, konnten durch den Papst erlassen oder reduziert werden. Entsprechende Briefe waren käuflich zu erwerben und wurden besonders attraktiv, seit die Bulle »Salvator noster« von Papst Sixtus IV. (1471–1484) vom 3. August 1476 auch die Möglichkeit eines Nachlasses der Fegefeuerstrafen eröffnet hatte. Albrecht von Mainz schrieb nun einen Papstablass aus, dessen Einkünfte der Errichtung des Petersdomes in Rom dienen sollten. Dass er die einkommenden Gelder zu guten Teilen auch für die Abzahlung eines Kredites nutzen wollte, der ihm die Bezahlung von Gebühren für die Ansammlung mehrerer Kirchenämter erlaubt hatte, war Luther zu diesem Zeitpunkt noch nicht bewusst. Ihn störte die Ablenkung von einer wahrhaften Bußgesinnung durch die Propagierung eines raschen Nachlasses von Sündenstrafen selbst im Fegefeuer für bloßes Geld. Dass der 31. Oktober in das Zentrum der lutherischen Gedächtniskultur gerückt ist, bringt mancherlei Probleme mit sich. Das vielleicht geringste ist, dass die Erzählung von einem »Thesenanschlag« erst durch Luthers Sekretär Georg Rörer (1492–1557) in die Welt gesetzt und von Melanchthon weiter geformt wurde. Luther selbst hatte die Ereignisse stets so berichtet, dass er sich erst nach dem Schreiben an die Bischöfe an die Öffentlichkeit gewagt habe. Gewichtiger ist, dass man die Thesen nicht ohne Weiteres als einen reformatorischen Text im Sinne der Rechtfertigungslehre interpretieren kann. Diese hat ihre endgültige Gestalt erst später gewonnen. Die Thesen von 1517 lassen sich noch ganz und gar vor dem Hintergrund spätmittelalterlicher Debatten erklären: Die Frömmigkeit des 14. und 15. Jahrhunderts war von zahlreichen Polaritäten geprägt. Unter anderem standen sich eine veräußerlichte Ritualisierung, die gute Leistungen zählen wollte, und eine zutiefst innerliche Frömmigkeit gegenüber, wie sie sich in mystischen Traktaten oder der Bewegung der *Devotio moderna* niederschlug. Von dieser Haltung war Luther durch seinen Beichtvater Staupitz und die Lektüre Taulers zutiefst geprägt. Das Bußverständnis, wie er es in den ersten beiden Thesen formulierte, verdankte sich zu großen Teilen dem spätmittelalterlichen Mystiker. Hieran gemessen konnte der veräußerlichte Ablass nur als groteske Abweichung von dem erscheinen, was die rechte Haltung gegenüber Gott erforderte. Freilich hat Luther, so sehr man in den Ablassthesen die spätmittelalterlichen Hintergründe erkennen kann, auch kräftig an Autoritäten seiner Zeit gerüttelt: Mehrere Thesen stellen sehr bewusst kritische, spitze Fragen an den Papst und die Reichweite seiner geistlichen Macht. Auch für diese Kritik gab es mittelalterliche Grundlagen, aber auf Seiten der alten Kirche entstand recht rasch der Eindruck, dass man die Auseinandersetzung mit Martin Luther eben auf die Papstfrage zuspitzen müsse. Bald trat diese dann auch in den Vordergrund des Prozesses, der aufgrund der Ablassthesen in die Wege geleitet wurde. Diese selbst fanden rasch durch Abschriften und Nachdrucke Verbreitung und Aufnahme – in einem solchen Ausmaß, dass Luther hiervon selbst förmlich überrollt wurde. Symbolisch wurden sie zum Anfangsdatum der Reformation. Inhaltlich gehören sie in eine Entwicklung, in der spätmittelalterliche Theologie so transformiert wurde, dass am Ende Überzeugungen entstanden, die keinen Raum mehr in der vom Papst geleiteten alten Kirche hatten.

1. Als unser Herr und Meister Jesus Christus sagte: »Tut Buße« usw. (Mt 4,17), wollte er, dass das ganze Leben der Gläubigen Buße sein sollte.
2. Dieses Wort kann nicht von der sakramentalen Buße verstanden werden, d. h. nicht von der Beichte und der Genugtuung, die durch das priesterliche Amt vollzogen wird.
3. Aber es zielt auch nicht auf das bloße innerliche Bußetun; dieses wäre vielmehr keine Buße, wirkte es nicht auch nach außen mancherlei Abtötung des Fleisches.
4. Daher bleibt auch die Strafe so lange, wie der Hass des Menschen gegen sich selbst, d. h. die wahre, innerliche Buße, bestehen bleibt, also bis zum Eintritt ins Himmelreich.
5. Der Papst will und kann keine Strafen erlassen außer solchen, die er nach seiner eigenen Entscheidung oder der der kirchlichen Satzungen auferlegt hat.
6. Der Papst kann keine Schuld anders erlassen als so, dass er erklärt und bestätigt, dass sie von Gott erlassen sei. Außerdem kann er sie in den ihm vorbehaltenen Fällen erlassen; wenn man ihn hier verachten würde, bliebe die Schuld voll bestehen.
7. Gott vergibt keinem seine Schuld, ohne ihn gleichzeitig ganz und gar demütig dem Priester als seinem Stellvertreter zu unterwerfen.

8. Die kirchlichen Bußsatzungen sind nur den Lebenden auferlegt; den Sterbenden darf nach ihnen nichts auferlegt werden.
9. Daher tut uns der Heilige Geist durch den Papst wohl, der in seinen Erlassen stets den Fall des Todes und der äußersten Not ausnimmt.
10. Jene Priester, die noch den Sterbenden kirchliche Bußstrafen für das Fegefeuer vorbehalten, handeln unwissend und schlecht.
11. Die Lehre, dass man kirchliche Bußstrafen in Strafen des Fegefeuers umwandeln könne, ist ein Unkraut, das augenscheinlich gesät wurde, als die Bischöfe schliefen[1].
12. Ehedem verhängte man die kirchlichen Strafen nicht nach, sondern vor der Lossprechung, um den Ernst der Reue daran zu prüfen.
13. Die Sterbenden werden durch den Tod von allem frei und sind den kirchlichen Satzungen bereits gestorben; denn deren Forderungen sind ihnen von Rechts wegen erlassen.
14. Ist die Gesundheit, d.h. die Liebe eines Sterbenden (zu Gott) noch unvollkommen, so muss das in ihm eine gewaltige Angst hervorrufen, und das umso mehr, je geringer die Liebe ist.
15. Diese Furcht und dieser Schrecken sind schon an sich – um von anderen Dingen zu schweigen – genug, um die Pein des Fegefeuers zu bereiten, denn sie reichen nahe an die Schrecken der Verzweiflung.
16. Zwischen der Hölle, dem Fegefeuer und dem Himmel besteht offenbar derselbe Unterschied wie zwischen Verzweifeln, fast Verzweifeln und seines Heiles sicher sein.
17. Es scheint nötig, für die Seelen im Fegefeuer einerseits den Schrecken zu mindern und andrerseits die Liebe (zu Gott) zu mehren.
18. Es scheint weder durch Vernunft noch durch Schriftgründe erwiesen, dass sie sich außerhalb des Zustandes befinden, wo man an Verdiensten oder (göttlicher) Liebe vermehrt Anteil bekommen kann.
19. Es scheint gleichfalls nicht oder zum mindesten nicht für alle diese Seelen erwiesen, dass sie ihrer Seligkeit sicher und gewiss sind, obschon wir daran keinen Zweifel hegen.
20. Wenn der Papst »vollkommenen Erlass aller Strafen« erteilt, dann meint er damit nicht einfach sämtliche Strafen, sondern nur diejenigen, die er selbst auferlegt hat.
21. Daher irren all die Ablassprediger, welche erklären, dass der Mensch durch den Ablass des Papstes von jeder Strafe los und frei werde.
22. Vielmehr erlässt er den Seelen im Fegefeuer keine einzige Strafe, die sie zu Lebzeiten nach kirchlichen Satzungen hätten büßen müssen.

---

[1] Vgl. Mt 13,25–30

23. Wenn es möglich wäre, irgendjemandem überhaupt alle Strafen zu erlassen, so gälte das zweifelsohne nur für die vollkommensten Menschen, d. h. für die allerwenigsten.
24. Folglich wird der größte Teil des Volkes betrogen, wenn man ihm schlankweg mit hohen Worten verspricht, es sei die Strafe los.
25. Dieselbe Gewalt, die der Papst über das Fegefeuer im Allgemeinen hat, hat jeder Bischof und Geistliche für seinen Sprengel oder Pfarrbezirk im Besonderen.
26. Der Papst tut sehr wohl daran, dass er nicht kraft seiner Schlüsselgewalt, die ihm hierfür gar nicht zusteht, sondern nur fürbittend den Seelen (im Fegefeuer) Nachlass gewährt.[2]
27. Man predigt Menschenlehre, wenn man sagt: sobald das Geld im Kasten klingt, entflieht die Seele (dem Fegefeuer).[3]
28. Das ist gewiss, dass Gewinn und Habgier zunehmen können, wenn das Geld im Kasten klingt; ob die Kirche mit ihrer Fürbitte Erfolg hat, steht dagegen bei Gott.
29. Wer weiß denn, ob alle Seelen, die im Fegefeuer sind, den Wunsch haben, daraus losgekauft zu werden? Man erzählt ja, dass dies beim heiligen Severin und Paschalis nicht der Fall gewesen sei.[4]
30. Niemand kann der Wahrhaftigkeit seiner Reue sicher sein; und noch viel weniger gilt das vom Resultat des vollkommenen Nachlasses.
31. Ein Mensch, der den Ablass in rechter Weise erwirbt, ist ebenso selten wie einer, der in rechter Weise Buße tut, d. h. er ist über die Maßen selten.
32. Wer glaubt, durch Ablassbriefe seines Heils sicher zu sein, wird auf ewig mit seinen Lehrmeistern verdammt werden.
33. Man hüte sich sehr vor den Lehrern, die den Ablass des Papstes als jene unschätzbare Gottesgnade bezeichnen, die den Menschen mit Gott versöhnt.
34. Die Ablassgnaden betreffen nämlich lediglich die von Menschen festgesetzten Strafen der sakramentalen Genugtuung.
35. Das heißt nicht christlich predigen, wenn man lehrt, dass zum Loskauf der Seelen (aus dem Fegefeuer) und zum Erwerb von Beichtprivilegien die Reue nicht erforderlich sei.
36. Jeder Christ, der wahrhaft Reue empfindet, hat einen Anspruch auf vollkommenen Erlass von Strafe und Schuld, auch ohne Ablassbrief.
37. Jeder wahre Christ, gleich ob lebendig oder tot, hat an allen Gütern Christi und der Kirche Anteil; Gott hat sie ihm auch ohne Ablassbrief gegeben.

---

[2] Luther bezieht sich hiermit auf die Bulle »Salvator noster«, die erklärte, der Papst könne »*per modum* suffragii«, fürbittweise, auch Verstorbenen Ablass zuwenden.

[3] Diesen Spruch verwandte angeblich der Ablassverkäufer Johannes Tetzel († 1519).

[4] Dies berichtet Johann von Paltz († 1511) in seinem »Supplementum Coelifodinae« über Severin und Paschasius – bei Luther liegt offenbar eine Namensverwechslung vor.

38. Trotzdem darf man den Erlass und den Anteil, die der Papst verleiht, keinesfalls verachten; denn sie sind, wie gesagt, die Bekanntgabe des Erlasses Gottes.
39. Es dürfte auch den gelehrtesten Theologen äußerst schwer fallen, vor dem Volk gleichzeitig den reichen Wert des Ablasses und wahre Reue zu preisen.
40. Die wahrhafte Reue sucht und liebt die Strafen; die Fülle der Ablässe aber lehrt sie zu hassen oder legt das zum mindesten nahe.
41. Der päpstliche Ablass ist nur mit äußerster Vorsicht zu verkündigen, damit das Volk nicht fälschlich meint, er sei mehr wert als die guten Werke der Liebe.
42. Man soll die Christen lehren, dass es die Meinung des Papstes nicht ist, dass der Erwerb von Ablass den Werken der Barmherzigkeit irgendwie vergleichbar sei.
43. Man soll die Christen lehren, dass es besser sei, den Armen etwas zu schenken und den Bedürftigen zu leihen, als Ablässe zu kaufen.
44. Denn durch ein Werk der Liebe wächst die Liebe im Menschen, und er wird besser; aber durch den Ablass wird er nicht besser, sondern nur von der Strafe freier.
45. Man soll die Christen lehren: wer einen Bedürftigen sieht und ihm nicht hilft, und statt dessen sein Geld für Ablass gibt, der hat sich nicht des Papstes Ablass, sondern Gottes Zorn erworben.
46. Man soll die Christen lehren, dass, wer keinen Überfluss besitzt, verpflichtet ist, das Notwendige für sein Hauswesen zu behalten und keineswegs für Ablass zu verschwenden.
47. Man soll die Christen lehren, dass der Kauf von Ablass freigestellt, nicht geboten ist.
48. Man soll die Christen lehren, dass der Papst die Gebete, die frommen Sinnes für ihn dargebracht werden, nötiger hat als das Geld, das man zu zahlen bereit ist, und er sie folglich bei der Erteilung von Ablass auch mehr begehrt.
49. Man soll die Christen lehren, dass des Papstes Ablass nützlich ist, wenn man nicht sein Vertrauen auf ihn setzt, dass er aber mehr als schädlich ist, wenn man seinetwegen aufhört, Gott zu fürchten.
50. Man soll die Christen lehren: Wenn der Papst wüsste, wie die Ablassprediger das Geld herauspressen, würde er den Petersdom lieber zu Asche verbrennen, als sie mit Haut, Fleisch und Knochen seiner Schafe aufzubauen.
51. Man soll die Christen lehren, dass der Papst nötigenfalls (wie es sein muss) auch bereit wäre, den Petersdom zu verkaufen, um das Geld vielen von denen zu geben, welchen es manche Ablassprediger ablocken.
52. Die Hoffnung ist eitel, durch Ablassbriefe selig zu werden, und wenn der Kommissar, ja wenn der Papst selbst seine Seele dafür zum Pfand setzen wollte.

53. Das sind Feinde Christi und des Papstes, die um der Ablasspredigt willen befehlen, dass das Wort Gottes in anderen Kirchen gänzlich verstumme.
54. Man beleidigt das Wort Gottes, wenn in einer Predigt dem Ablass die gleiche oder noch mehr Zeit eingeräumt wird als ihm.
55. Die Meinung des Papstes muss unbedingt die sein: Wenn der Ablass, der ein denkbar geringes Gut ist, mit einer Glocke und ein einziges Mal mit Gepränge und Zeremonien gefeiert wird, dann soll das Evangelium, welches das höchste Gut ist, mit hundert Glocken und mit hundertfachem Gepränge und Zeremonien gefeiert werden.
56. Der Schatz der Kirche, aus dem der Papst den Ablass austeilt, ist weder genügend klar gekennzeichnet noch kennt ihn das Volk Christi überhaupt.[5]
57. Es handelt sich offenbar nicht um einen zeitlichen Schatz; denn so etwas pflegen viele Prediger nicht so leichthin auszuschütten, sondern nur anzusammeln.
58. Er besteht aber auch nicht in den Verdiensten Christi und seiner Heiligen; denn diese wirken beständig ohne den Papst: Gnade für den inneren und Kreuz, Tod und Hilfe für den äußeren Menschen.
59. Der heilige Laurentius erklärte die Armen der Gemeinde für den Schatz der Kirche; aber er brauchte das Wort so, wie es damals üblich war.[6]
60. Wir erklären die Schlüssel der Kirche[7], die uns Christi Verdienst geschenkt hat, mit gutem Grund für diesen Schatz.
61. Es ist klar, dass zum Erlass von Strafen und in vorbehaltenen Fällen die Gewalt des Papstes an sich ausreichend ist.
62. Der wahre Schatz der Kirche ist das allerheiligste Evangelium von der Herrlichkeit und Gnade Gottes.
63. Dieser Schatz ist aber mit Recht allgemein verhasst; denn er macht aus den Ersten die Letzten.[8]
64. Dagegen ist der Schatz des Ablasses mit Recht allgemein beliebt; denn er macht aus den Letzten die Ersten.
65. Darum ist der Schatz des Evangeliums das Netz, mit dem man einst Menschen fing, die Reichtümer besaßen.
66. Der Schatz des Ablasses aber ist das Netz, mit dem man heute die Reichtümer der Menschen fängt.

---

[5] Die Lehre vom »*thesaurus ecclesiae*«, dem »Schatz der Kirche«, galt durch die Bulle »Unigenitus Dei Filius«, die Papst Clemens VI. (1342–1352) am 27. Januar 1343 erlassen hatte, als Grundlage der Ablasslehre.

[6] Laurentius, Märtyrer des 3. Jahrhunderts.

[7] Gemeint sind die traditionell auf das Bußsakrament gedeuteten Himmelsschlüssel nach Mt 16,19. Sie waren zugleich auch zum Zeichen der päpstlichen Würde geworden.

[8] Vgl. Mt 20,16.

67. Den Ablass, den die Ablassprediger als »größte Gnaden« ausschreien, kann man insofern tatsächlich dafür ansehen, als er ein großes Geschäft bedeutet.
68. Verglichen mit Gottes Gnade und der Verehrung des Kreuzes ist er aber in Wirklichkeit die allergeringste Gnade.
69. Die Bischöfe und Pfarrer sind verpflichtet, die Kommissare des päpstlichen Ablasses mit aller Ehrerbietung zuzulassen.
70. Aber noch mehr sind sie verpflichtet, alle Augen und Ohren darauf zu richten, dass sie nicht statt des päpstlichen Auftrags ihre eigenen Träume predigen.
71. Wer gegen den wahren Sinn des päpstlichen Ablasses redet, der sei verworfen und verflucht.
72. Wer aber gegen die frechen und mutwilligen Reden der Ablassprediger auf der Wacht steht, der sei gesegnet.
73. Wie der Papst mit Recht gegen die seinen Bannstrahl schleudert, die das Ablassunternehmen mit irgendwelchen Kniffen wirtschaftlich zu schädigen suchen,
74. so will er noch viel mehr die mit dem Bannstrahl treffen, die den Ablass vorschützen, um die heilige Liebe und Wahrheit zu schädigen.
75. Die Meinung, dass der päpstliche Ablass stark genug sei, einen Menschen selbst dann von der Schuld freizusprechen, wenn er, wäre es möglich, die Mutter Gottes geschändet hätte, ist heller Wahnsinn.[9]
76. Dagegen behaupte ich, dass der päpstliche Ablass nicht die kleinste lässliche Sünde aufheben kann, soweit es die Schuld angeht.
77. Dass man sagt, selbst Petrus könnte, wenn er noch Papst wäre, keine größeren Gnaden [als den Ablass] vergeben, ist eine Lästerung gegen den heiligen Petrus und gegen den Papst.
78. Ich behaupte dagegen, dass dieser und überhaupt jeder Papst größere Gnaden zu vergeben hat, nämlich das Evangelium, die Wirkungen des Geistes, die Gabe der Krankenheilung usw., wie 1 Kor 12,28 zu lesen ist.
79. Wenn man sagt, das Ablasskreuz mit dem Wappen des Papstes, das prächtig aufgerichtet wird, habe den gleichen Wert wie das Kreuz Christi, so ist das Gotteslästerung.
80. Die Bischöfe, Pfarrer und Theologen, die es zulassen, dass man vor dem Volke solche Reden führt, werden (einst) dafür zur Rechenschaft gezogen werden.
81. Diese freche Ablasspredigt macht es auch gelehrten Männern nicht leicht, das Ansehen des Papstes gegen Schmähungen und noch mehr gegen die spitzen Fragen der Laien in Schutz zu nehmen.

---

[9] Luther meinte, dass Tetzel eine solche Auffassung vertreten habe, was dieser aber bestritt.

82. Zum Beispiel: Warum räumt der Papst nicht das Fegefeuer aus, um der heiligen Liebe und um der Not der armen Seelen willen, d. h. aus dem allerzwingendsten Grund, wenn er gleichzeitig ungezählte Seelen dem elenden Geld für einen Kirchenbau zuliebe erlöst, also aus einem sehr geringfügigen Grunde?
83. Oder: Warum werden Totenmessen und Jahrestage der Verstorbenen weiter gefeiert, und warum gibt der Papst die Stiftungen, die man zu ihren Gunsten gemacht hat, nicht zurück und stellt ihre Rückerstattung nicht frei, wenn es doch sogar Sünde ist, für die (durch den Ablass) Erlösten weiter zu beten?
84. Oder: Seit wann gilt es bei Gott und dem Papst als fromm, einem Gottlosen und Feind (Gottes) die Erlösung einer frommen und von Gott geliebten Seele um des Geldes willen zu gestatten, diese fromme und geliebte Seele aber nicht um ihrer Not willen aus Liebe umsonst zu erlösen?
85. Oder: Die (alten) kirchlichen Bußbestimmungen sind tatsächlich und durch Nichtgebrauch an sich längst tot und abgeschafft. Warum hat sie dann der Ablass gewissermaßen wieder zum lebendigsten Leben erweckt, so dass sie heute noch für Geld abgelöst werden müssen?
86. Oder: Der Papst ist heute vermögender als der reichste Crassus[10]; warum baut er da nicht wenigstens diesen einen Petersdom lieber mit seinem eigenen Geld als mit dem seiner armen Gläubigen?
87. Oder: Was mag der Papst denen erlassen und mitteilen, die durch ihre vollkommene Reue ein Anrecht auf völligen Erlass und geistliche Gemeinschaft haben?
88. Oder: Wäre es nicht das Beste für die Kirche, wenn der Papst eben den Erlass und Anteil, wie er ihn (jetzt) einmal gibt, täglich hundertmal jedem Gläubigen zukommen ließe?
89. Oder: Wenn doch der Papst durch den Ablass mehr das Heil der Seelen als das Geld sucht, warum setzt er jetzt die früher gewährten Briefe und Ablässe außer Kraft, die doch ebenso wirksam sind?
90. Wenn man diese höchst bedenklichen Einwände der Laien allein mit Gewalt zum Schweigen bringen wollte, statt sie mit vernünftigen Gegengründen zu zerstreuen, so würde man die Kirche und den Papst damit nur zum Gespött ihrer Feinde und die Christenheit unglücklich machen.
91. Wenn man also den Ablass im Geist und Sinn des Papstes predigen wollte, ließen sich alle diese Einwände leicht beseitigen, oder vielmehr: sie würden nicht existieren.
92. Fort darum mit all den Propheten, die dem Volk Christi zurufen: Friede, Friede – und ist doch kein Friede (Jer 6,14; 8,11; Ez 13,10. 16)!
93. Wohl all den Propheten, die dem Volk Christi zurufen: Kreuz, Kreuz – und ist doch kein Kreuz!

---

10 Marcus Licinius Crassus († 53 v. Chr.) war für seinen Reichtum sprichwörtlich.

94. Man soll die Christen ermahnen, dass sie ihrem Haupte Christus durch Strafe, Tod und Hölle mit Freuden nachfolgen,
95. und so ihr Vertrauen eher darauf setzen, durch viel Leid als durch sicheren Frieden in den Himmel einzugehen.

Text nach: Luther deutsch, hg. v. Kurt Aland, Bd. 2, Göttingen ^{2}1981, 32–82 (lateinischer Originaltext: WA 1,233–238).

2. Martin Luther, An den christlichen Adel deutscher Nation von des christlichen Standes Besserung, Einleitung (1520)

Das Jahr 1520 wurde für Luther zu einem brisanten und zugleich überaus dynamischen und produktiven Jahr: In kurzer Abfolge brachte er wichtige Schriften heraus, die das reformatorische Programm erstmals umrissen, die sogenannten reformatorischen Hauptschriften: die Adelsschrift, *De captivitate Babylonica* und schließlich die Freiheitsschrift. Die Schrift an den christlichen Adel deutscher Nation bildete das entscheidende Scharnier zur Umsetzung von theologischer Neuorientierung in kirchliche Veränderung: Mit dem Gedanken des allgemeinen Priestertums, der in modifizierter Form im Zweiten Vatikanischen Konzil als »gemeinsames Priestertum« aus gemeinsamen Wurzeln (Schrift und Kirchenväter) auch römisch-katholisch wiederentdeckt wurde, begründete er, dass nun auch die Laien zur Kirchenveränderung aufgerufen seien. Das bedeutete in der konkreten Situation: die Fürsten, aber auch die städtischen Räte. Ihnen unterbreitete Luther einen umfassenden Maßnahmenkatalog zur Veränderung von Kirche und Bildung. Vieles war schon durch die »*Gravamina nationis Germanicae*« vorbereitet, mit denen vor allem die geistlichen Stände auf Reichstagen des späten Mittelalters eine Entlastung der Kirche in Deutschland gefordert hatten. Neben der Idee eines umfassenden freien – das hieß für Luther: nicht vom Papst gelenkten – Konzils erschien am Horizont seiner Überlegungen auch die Möglichkeit einer Nationalkirche, wie es sie in Ansätzen im 15. Jahrhundert schon in Frankreich, Spanien und England gab. Die Adelsschrift wurde in der frühen Phase der Reformation zu einer der meistgelesenen Flugschriften. Fürsten und städtische Räte sahen ihre Bemühungen um Verselbständigung der Kirche vielfach bestätigt und theologisch auf neue Weise begründet. Mit der Rechtfertigungslehre und dem aus ihr abgeleiteten Gedanken vom Priestertum aller Getauften gab Luther im Sinne einer »normativen Zentrierung« (Berndt Hamm) Impulse zu einer Veränderung, in der zahlreiche Bestrebungen unterschiedlicher Herkunft sich vereinigten und gebündelt wurden.

Die Not und Beschwerung, die alle Stände der Christenheit, vor allem die deutschen Lande, drückt, hat nicht allein mich, sondern jedermann bewegt, vielmals zu schreien und Hilfe zu begehren. Sie hat mich auch jetzt gezwungen, zu schreien und rufen, ob Gott jemand den Geist geben wollte, der elenden deutschen Nation seine Hand zu reichen. Es sind oft durch Konzile Anstrengungen unternommen, aber durch etlicher Menschen List behände verhindert und immer ärger geworden. Deren Tücke und Bosheit gedenke ich jetzt - Gott helfe mir - zu durchleuchten, auf dass sie, erkannt, hinfort nicht mehr so hinderlich und schädlich sein möchten. Gott hat uns ein junges, edles Blut zum Haupt gegeben[1] und damit viel Herzen zu großer guter Hoffnung erweckt; daneben will es sich ziemen, das Unsere dazuzutun und Zeit und Gnade nützlich zu gebrauchen.

Das erste, was in dieser Sache vornehmlich zu tun ist, ist, dass wir uns ja mit großem Ernst vorsehen und nicht etwas mit Vertrauen auf große Macht oder Vernunft anfangen, selbst wenn aller Welt Gewalt unser wäre. Denn Gott kann und will es nicht leiden, dass ein gutes Werk im Vertrauen auf eigene Macht und Vernunft angefangen werde. Er stößt es zu Boden, davor hilft nichts, wie im 33. Ps Vers 16 steht: »Es wird kein König bestehen durch seine große Macht und kein Heer durch die Größe seiner Stärke.« Und aus dem Grund, besorge ich, sei es vor Zeiten gekommen, dass die teuren Fürsten, Kaiser Friedrich der Erste[2] und der Zweite[3] und viel mehr deutsche Kaiser, vor welchen sich doch die Welt fürchtete, so jämmerlich von den Päpsten mit Füßen getreten und gedrückt worden sind. Sie haben sich vielleicht auf ihre Macht verlassen, mehr als auf Gott, darum haben sie fallen müssen. Und was hat zu unsern Zeiten den Blutsäufer Julius den Zweiten[4] so hoch erhoben, wenn nicht, wie ich besorge, dass Frankreich, die Deutschen und Venedig auf sich selbst gebaut haben. Es schlugen die Kinder Benjamin zweiundvierzigtausend Israeliten, deshalb weil diese sich auf ihre Stärke verließen (Ri 20).

Damit es uns nicht auch so mit diesem edlen Blut Karl V. ergehe, müssen wir gewiss sein, dass wir in dieser Sache nicht mit Menschen, sondern mit den Fürsten der Hölle handeln, die wohl mit Krieg und Blutvergießen die Welt erfüllen können, aber sich damit nicht überwinden lassen. Man muss hier die Sache mit einem Verzagen an leiblicher Gewalt, in demütigem Vertrauen auf Gott angreifen und mit ernstlichem Gebet Hilfe bei Gott suchen und nichts anderes in die Augen fassen als der elenden Christenheit Jammer und Not, unangesehen was böse Leute verdient haben. Wenn das nicht geschieht, so soll sich das Spiel wohl mit großem Glanz anfangen lassen, aber wenn man hineinkommt, sollen die bösen Geister eine solche Irrung zurichten, dass die ganze Welt im Blut schwimmen müsste und damit dennoch nichts ausgerichtet wäre. Darum lasst uns hier mit Furcht Gottes und weise handeln. Je größer die Gewalt, desto größeres Unglück,

---

1 Karl V. († 1558), 1519 zum römischen König gewählt.

2 Friedrich I. (1152–1190).

3 Friedrich II. (1212/15–1250).

4 Papst Julius II. (1503–1513).

wenn nicht in Gottesfurcht und Demut gehandelt wird. Haben die Päpste und Römer bisher durch Teufels Hilfe die Könige ineinander wirren können, so mögen sie es auch noch einmal tun, wenn wir ohne Gottes Hilfe mit unserer Macht und Kunst drein fahren.

Die Romanisten haben mit großem Eifer drei Mauern um sich gezogen, womit sie sich bisher beschützt haben, so dass niemand sie hat reformieren können, wodurch die ganze Christenheit gräulich gefallen ist.

Zum ersten: wenn man mit weltlicher Gewalt auf sie eingedrungen ist, haben sie festgesetzt und gesagt, weltliche Gewalt habe kein Recht über sie, sondern umgekehrt: die geistliche sei über die weltliche. Zum zweiten: hat man sie mit der Heiligen Schrift tadeln wollen, setzen sie dagegen, es gebühre niemand die Schrift auszulegen als dem Papst. Zum dritten: Droht man ihnen mit einem Konzil, so erdichten sie, es könne niemand ein Konzil berufen als der Papst. So haben sie uns die drei Ruten heimlich gestohlen, dass sie ungestraft sein können und sich in die sichere Befestigung dieser drei Mauern gesetzt, alle Büberei und Bosheit zu treiben, die wir denn jetzt sehen. Und selbst wenn sie ein Konzil machen mussten, haben sie doch dasselbe vorher dadurch matt gemacht, dass sie die Fürsten zuvor mit Eiden verpflichteten, sie bleiben zu lassen, wie sie seien. Dazu haben sie dem Papst volle Gewalt über alle Ordnung des Konzils gegeben, so dass es gleich gilt, es seien viele Konzile oder gar kein Konzil, abgesehen davon, dass sie uns nur mit Larven und Spiegelfechten betrügen. So gar gräulich fürchten sie um ihre Haut vor einem rechten, freien Konzil. Sie haben Könige und Fürsten damit schüchtern gemacht, so dass diese glauben, es wäre wider Gott, so man ihnen nicht in allen solchen boshaften, listigen Schreckgespinsten gehorchte.

Nun helfe uns Gott und gebe uns der Posaunen eine, womit die Mauern Jerichos umgeworfen wurden,[5] dass wir diese strohernen und papiernen Mauern auch umblasen und die christlichen Ruten, Sünden zu strafen, losmachen, des Teufels List und Trug an den Tag zu bringen, auf dass wir durch Strafe uns bessern und seine Huld wiedererlangen.

Wollen die erste Mauer zuerst angreifen!

Man hat es erfunden, dass Papst, Bischöfe, Priester und Klostervolk der geistliche Stand genannt wird, Fürsten, Herrn, Handwerks- und Ackerleute der weltliche Stand. Das ist eine sehr feine Erdichtung und Trug. Doch soll niemand deswegen schüchtern werden, und das aus dem Grund: alle Christen sind wahrhaftig geistlichen Standes und ist unter ihnen kein Unterschied außer allein des Amtes halber, wie Paulus 1 Kor 12,12–31 sagt, dass wir allesamt ein Leib sind, obwohl doch ein jegliches Glied sein eigenes Werk hat, womit es den andern dient. Das alles macht, dass wir eine Taufe, ein Evangelium, einen Glauben haben und auf gleiche Weise Christen sind, denn die Taufe, Evangelium und Glauben,

---

5 Jos 6.

die machen allein geistlich und Christenvolk. Dass aber der Papst oder Bischof salbt, Platten[6] macht, ordiniert, weiht, sich anders als Laien kleidet, kann einen Scheinheiligen und Ölgötzen machen, macht aber nimmermehr einen Christen oder geistlichen Menschen. Demnach werden wir allesamt durch die Taufe zu Priestern geweiht, wie Petrus 1 Petr 2,9 sagt: »Ihr seid ein königliches Priestertum und ein priesterliches Königreich«, und Offenbarung 5,10: »Du hast uns durch dein Blut zu Priestern und Königen gemacht.« Denn wenn nicht eine höhere Weihe in uns wäre, als der Papst oder Bischof gibt, so würde durch des Papstes und Bischofs Weihen nimmermehr ein Priester gemacht, er könnte auch weder Messe halten, noch predigen, noch von Sünden lossprechen.

Darum ist des Bischofs Weihe nichts anderes, als wenn er an Stelle und Person der ganzen Versammlung einen aus der Menge nähme – die alle gleiche Gewalt haben – und ihm beföhle, diese Gewalt für die andern auszuüben. Das ist gleich als wenn zehn Brüder, eines Königs Kinder und gleiche Erben, einen erwählten, das Erbe für sie zu regieren; sie wären ja alle Könige und von gleicher Gewalt, und doch wird einem zu regieren befohlen. Und damit ich es noch klarer sage: wenn ein Häuflein frommer Christenlaien gefangen und in eine Wüstenei gesetzt würden, die nicht einen von einem Bischof geweihten Priester bei sich hätten, und würden dort über die Sache einig, erwählten einen unter sich, er wäre verheiratet oder nicht, und beföhlen ihm das Amt: zu taufen, Messe zu halten, loszusprechen und zu predigen, der wäre wahrhaftig ein Priester, als ob ihn alle Bischöfe und Päpste geweiht hätten. Daher kommt es, dass in der Not ein jeglicher taufen und lossprechen kann, was nicht möglich wäre, wenn wir nicht alle Priester wären. Solch große Gnade und Gewalt der Taufe und des christlichen Standes haben sie uns durchs geistliche Recht[7] ganz zerstört und unbekannt gemacht. Auf diese Weise erwählten die Christen vor Zeiten ihre Bischöfe und Priester aus der Menge, die danach von andern Bischöfen ohne alles Prangen, das jetzt regiert, bestätigt wurden. So wurden Augustin[8], Ambrosius[9], Cyprian[10] Bischof.

Weil denn die weltliche Gewalt nun gleich mit uns getauft ist, denselben Glauben und Evangelium hat, so müssen wir sie Priester und Bischöfe sein lassen und ihr Amt als ein Amt rechnen, das da der christlichen Gemeinde gehöre und nützlich sei. Denn was aus der Taufe gekrochen ist, das kann sich rühmen, dass es schon zum Priester, Bischof und Papst geweiht sei, obwohl es nicht einem jeglichen ziemt, ein solches Amt auszuüben. Denn weil wir alle gleichmäßig Priester sind, darf sich niemand selbst hervortun und beanspruchen, ohne unsere Ein-

---

6 Tonsuren der Mönche.

7 Das mittelalterliche Kirchenrecht.

8 Augustin (354–430), Bischof von Hippo Regius in Nordafrika und Kirchenvater.

9 Ambrosius (339–397), Bischof von Mailand und Kirchenvater.

10 Cyprian († 258), Bischof von Karthago in Nordafrika.

willigung und Wahl das zu tun, wozu wir alle gleiche Gewalt haben. Denn was allgemein ist, kann niemand ohne der Gemeinde Willen und Befehl an sich nehmen. Und wenn es geschähe, dass jemand zu solchem Amt erwählt und danach um seines Missbrauchs Willen abgesetzt würde, so wäre er gleich wie vorher. Darum sollte ein Priesterstand in der Christenheit nicht anders sein als ein Amtmann: solange er im Amt ist, geht er vor; wenn er abgesetzt ist, ist er ein Bauer oder Bürger wie die andern. Ebenso wahrhaftig ist ein Priester nicht mehr Priester, wenn er abgesetzt wird. Aber nun haben sie *characteres indelebiles* erdichtet[11] und schwätzen, dass ein abgesetzter Priester dennoch etwas anderes sei als ein schlichter Laie. Ja, ihnen träumet, es könne ein Priester nimmermehr anderes als ein Priester, oder ein Laie werden; das sind alles von Menschen erdichtete Reden und Gesetze.

So folgt hieraus, dass Laien, Priester, Bischöfe und, wie sie sagen, »Geistliche« und »Weltliche« im Grunde wahrlich keinen anderen Unterschied haben als hinsichtlich des Amtes oder Werkes und nicht hinsichtlich des Standes. Denn sie sind alle geistlichen Standes, wahrhaftige Priester, Bischöfe und Päpste, aber nicht gleichen und einerlei Werkes, so wie auch unter den Priestern und Mönchen nicht ein jeglicher dasselbe Werk hat. Und das steht bei Paulus Röm 12,4–8, 1 Kor 12,12–31 und bei Petrus 1 Petr 2,9, wie ich oben gesagt habe, dass wir alle ein Leib des Hauptes Jesu Christi sind, ein jeglicher des andern Gliedmaß. Christus hat nicht zwei Leiber oder Leiber von zweierlei Art, einen weltlich, den andern geistlich: ein Haupt ist und einen Leib hat er.

Gleich wie nun die, die man jetzt geistlich oder Priester, Bischöfe oder Päpste nennt, von andern Christen nicht weiter noch würdiger geschieden sind, als dass sie mit dem Wort Gottes und den Sakramenten umgehen sollen – das ist ihr Werk und Amt –, ebenso hat die weltliche Obrigkeit das Schwert und die Ruten in der Hand, die Bösen damit zu strafen, die Frommen zu schützen.[12] Ein Schuster, ein Schmied, ein Bauer, ein jeglicher hat seines Handwerks Amt und Werk, und doch sind alle gleich geweihte Priester und Bischöfe, und ein jeglicher soll mit seinem Amt oder Werk den andern nützlich und dienstbar sein, so dass vielerlei Werke alle auf das Gemeinsame ausgerichtet sind, Leib und Seele zu fördern, gleich wie die Gliedmaßen des Körpers alle eines dem andern dienen.

Nun sieh, wie christlich das festgesetzt und gesagt sei: weltliche Obrigkeit sei nicht über die Geistlichkeit, solle sie auch nicht strafen. Das ist ebenso viel gesagt wie: Die Hand soll nichts dazu tun, wenn das Auge große Not leidet. Ist es nicht unnatürlich, geschweige denn unchristlich, dass ein Glied dem andern nicht helfen, seinem Verderben nicht wehren soll? Ja, je edler das Glied ist, desto mehr

---

11 Der *character indelebilis* bezeichnet ein dem in der katholischen Kirche geweihten Priester übertragenes »Prägemahl«, das die Gültigkeit seiner Amtshandlungen unabhängig von seiner persönlichen Beschaffenheit gewährleistet.

12 Vgl. Röm 13,1–7.

sollen ihm die andern helfen. Darum sage ich: Weil die weltliche Gewalt von Gott geordnet ist, die Bösen zu strafen und die Frommen zu schützen, so soll man ihr Amt frei unbehindert durch den ganzen Körper der Christenheit ohne Ansehen der Person gehen lassen, sie treffe Papst, Bischöfe, Pfaffen, Mönche, Nonnen oder was es ist. Wenn das ausreichend wäre, die weltliche Gewalt daran zu hindern, dass sie unter den christlichen Ämtern geringer ist als der Prediger und Beichtväter Amt oder der geistliche Stand, so sollte man auch die Schneider, Schuster, Steinmetze, Zimmerleute, Köche, Kellner, Bauern und alle zeitlichen Handwerke daran hindern, dass sie dem Papst, Bischöfen, Priestern, Mönchen Schuhe, Kleider, Haus, Essen, Trinken machten, oder ihnen Zins gäben. Lässt man aber diesen Laien ihre Werke unbehindert, was machen dann die römischen Schreiber mit ihren Gesetzen, dass sie sich dem Wirken weltlicher, christlicher Gewalt entziehen, dass sie nur ungehindert böse sein und erfüllen können, was Petrus gesagt hat: »Es werden falsche Meister unter euch erstehen und mit falschen, erdichteten Worten mit euch umgehen, euch im Sack zu verkaufen!«[13]

Drum soll weltliche christliche Gewalt ihr Amt frei unbehindert üben, unangesehen, ob es Papst, Bischof oder Priester sei, den sie trifft. Wer schuldig ist, der leide! Was das geistliche Recht dagegen gesagt hat, ist lauter erdichtete römische Vermessenheit. Denn so sagt Paulus Röm 13,1 allen Christen: »Eine jegliche Seele (ich halte dafür, des Papstes auch) soll Untertan sein der Obrigkeit, denn sie trägt nicht umsonst das Schwert, sie dienet Gott damit, zur Strafe der Bösen und zu Lob den Frommen«, auch Petrus: »Seid Untertan allen menschlichen Ordnungen um Gottes willen, der es so haben will.«[14] Er hat es auch verkündet, dass solche Menschen kommen würden, die die weltliche Obrigkeit verachten würden, wie denn durch das geistliche Recht geschehen ist.

So meine ich, diese erste papierne Mauer liege danieder, weil die weltliche Herrschaft ein Mitglied des christlichen Leibes geworden ist, und, obwohl sie ein leibliches Werk hat, doch geistlichen Standes ist, weshalb ihr Werk frei unbehindert in alle Gliedmaßen des ganzen Körpers gehen soll, strafen und antreiben, wo es die Schuld verdient oder die Not fordert, unangesehen der Päpste, Bischöfe, Priester, sie mögen drohen oder bannen, wie sie wollen. Daher kommt es, dass die schuldigen Priester, wenn man sie dem weltlichen Recht überantwortet, zuvor der priesterlichen Würde entsetzt werden, was doch nicht recht wäre, wenn nicht das weltliche Schwert über dieselben zuvor aus göttlicher Ordnung Gewalt hätte. Es ist auch zu viel, dass man im geistlichen Recht der Geistlichen Freiheit, Leib und Güter so hoch erhebt, gerade als wären die Laien nicht auch geistlich so gute Christen wie sie, oder als gehörten sie nicht zur Kirche. Warum ist dein Leib, Leben, Gut und Ehre so frei und nicht das meine, da wir doch gleiche Christen sind, gleiche Taufe, Glauben, Geist und alle Dinge haben? Wird ein Priester er-

---

[13] 2 Petr 2,1. 3.

[14] 1 Petr 2,13.

schlagen, so liegt ein Land im Interdikt[15], warum nicht auch, wenn ein Bauer erschlagen wird? Wo kommt solch großes Unterscheiden unter den gleichen Christen her? Allein aus Menschengesetzen und -erdichten!

Es kann auch kein guter Geist gewesen sein, der solche Ausnahme erfunden und die Sünde geradezu unsträflich gemacht hat. Denn so wir schuldig sind, wider den bösen Geist, seine Werke und Worte zu streiten und ihn zu vertreiben, wie wir können - wie uns Christus und seine Apostel gebieten -, wie kämen wir denn dazu, dass wir stillhalten und schweigen sollten, wenn der Papst oder die Seinen teuflische Worte oder Werke vornähmen? Sollten wir um der Menschen willen göttliches Gebot und Wahrheit zerstören lassen, der wir in der Taufe mit Leib und Leben beizustehen geschworen haben? Fürwahr, wir wären an allen Seelen schuldig, die dadurch verlassen und verführt würden! Darum muss das der Hauptteufel selbst gesagt haben, was im geistlichen Recht steht: »Wenn der Papst so schädlich böse wäre, dass er gleich die Seelen in großer Menge zum Teufel führte, könnte man ihn dennoch nicht absetzen.«[16] Auf diesen verfluchten, teuflischen Grund bauen sie zu Rom und meinen, man solle eher alle Welt zum Teufel fahren lassen, als ihrer Schurkerei widerstreben. Wenn es daran genug wäre, dass einer über den andern steht, dass er deshalb nicht zu strafen sei, dürfte kein Christ den andern strafen, da Christus gebietet, ein jeglicher solle sich für den Untersten und Geringsten halten[17].

Wo Sünde ist, da ist schon keine Ausflucht mehr vor der Strafe, wie auch Gregor der Große[18] schreibt, dass wir wohl alle gleich seien, aber die Schuld mache einen dem andern untertan. Nun sehen wir, wie sie mit der Christenheit umgehen. Sie nehmen sich die Freiheit ohne allen Beweis aus der Schrift, mit eigenem Frevel, die Gott und die Apostel dem weltlichen Schwert unterworfen haben, dass zu besorgen ist, es sei des Endchrists oder seines nächsten Vorläufers Spiel.

Die andere Mauer ist noch loser und untüchtiger, dass sie allein Meister der Schrift sein wollen, ob sie schon ihr Leben lang nichts darin lernen. Sie beanspruchen für sich allein die Obrigkeit, gaukeln uns mit unverschämten Worten vor, der Papst könne nicht im Glauben irren, er sei böse oder fromm, können aber nicht einen Buchstaben (des Beweises) dafür vorzeigen. Daher kommt es, dass so viele ketzerische und unchristliche, ja unnatürliche Gesetze im geistlichen Recht stehen, wovon jetzt nicht nötig ist zu reden. Denn weil sie der Meinung sind, der Heilige Geist verlasse sie nicht, sie seien so ungelehrt und böse, wie sie könnten, werden sie so kühn, festzusetzen, was sie nur wollen. Und wenn das ginge, wozu

---

15 Interdikt ist das Verbot der Ausübung von Sakramenten für eine bestimmte Zeit oder in einem bestimmten Gebiet.

16 Luther bezieht sich hier aus das Decretum Gratiani, prima pars, distinctio 40, caput 6.

17 Mt 18,4; Lk 9,48.

18 Papst Gregor der Große (590–604), in der westlichen Tradition als Kirchenvater verehrt.

wäre die Heilige Schrift nötig oder nütze? Lasst sie uns verbrennen und an den ungelehrten Herrn zu Rom begnügen, die der Heilige Geist innehat, der doch nichts als fromme Herzen innehaben kann. Wenn ich es nicht gelesen hätte, wäre es mir unglaublich gewesen, dass der Teufel zu Rom solch unangemessene Dinge verwenden und Anhänger gewinnen sollte.

Doch damit wir nicht mit Worten gegen sie fechten, wollen wir die Schrift herbringen. Paulus sagt 1 Kor 14,30: »So jemand etwas Besseres offenbar wird, ob er schon sitzt und dem andern im Gotteswort zuhöret, so soll der erste, der da redet, stillschweigen und weichen.« Was wäre dies Gebot nütze, wenn allein dem zu glauben wäre, der da redet oder obenan sitzt. Auch Christus sagt Joh 6,45, dass alle Christen von Gott gelehrt werden sollen. So kann es ja geschehen, dass der Papst und die Seinen böse sind und nicht rechte Christen sind und auch nicht, von Gott gelehrt, das rechte Verständnis haben, während umgekehrt ein geringer Mensch das rechte Verständnis habe: Warum sollte man ihm denn nicht folgen? Hat der Papst nicht vielmals geirrt? Wer sollte der Christenheit helfen, wenn der Papst irrt, solange nicht einem andern, der die Schrift für sich hätte, mehr als ihm geglaubt würde?

Drum ist es eine frevelhaft erdichtete Fabel, und sie können auch keinen Buchstaben aufbringen, womit sie beweisen, dass es dem Papst allein zustehe, die Schrift auszulegen oder ihre Auslegung zu bestätigen. Sie haben sich die Gewalt dazu selbst genommen. Und wenn sie vorgeben, es wäre Petrus diese Gewalt gegeben, als ihm die Schlüssel gegeben worden seien,[19] ist es offenbar genug, dass die Schlüssel nicht allein Petrus, sondern der ganzen Gemeinde gegeben sind. Dazu sind die Schlüssel nicht zur Lehre oder zum Regiment, sondern allein um die Sünde zu binden oder zu lösen verordnet, und es ist bloßes erdichtetes Zeug, was sie sich anderes und weiter aus den Schlüsseln zuschreiben. Dass aber Christus Lk 22,32 zu Petrus sagt: »Ich habe für dich gebeten, dass dein Glaube nicht aufhöre«, kann sich nicht auf den Papst erstrecken, da der größere Teil der Päpste ohne Glauben gewesen ist, wie sie selbst bekennen müssen. Ebenso hat Christus auch nicht allein für Petrus gebeten, sondern auch für alle Apostel und Christen, wie er Joh 17,9. 20 sagt: »Vater, ich bitte für sie, die du mir gegeben hast, und nicht allein für sie, sondern für alle, die durch ihr Wort an mich glauben.« Ist das nicht klar genug geredet?

Denk doch bei dir selbst: Sie müssen bekennen, dass fromme Christen unter uns sind, die den rechten Glauben, Geist, Verständnis, Wort und Meinung Christi haben. Ja, warum sollte man denn derselben Wort und Verständnis verwerfen und dem Papst folgen, der weder Glauben noch Geist hat? Hieße das doch den ganzen Glauben und die christliche Kirche verleugnen! Weiter: es kann ja nicht der Papst allein recht haben, wenn der Artikel recht ist: »Ich glaube an eine heilige christliche Kirche.« Oder wir müssen so beten: »Ich glaube an den Papst zu Rom«,

---

19 Mt 16,13–20.

und so die christliche Kirche ganz auf einen Menschen reduzieren, was nichts anderes als teuflischer und höllischer Irrtum wäre.

Überdies sind wir doch alle Priester, wie droben gesagt ist, haben alle einen Glauben, ein Evangelium, einerlei Sakrament, wie sollten wir denn nicht auch Macht haben, wahrzunehmen und zu urteilen, was da Recht oder Unrecht im Glauben wäre? Wo bleibt das Wort des Paulus, 1 Kor 2,15: »Ein geistlicher Mensch richtet alle Dinge und wird von niemand gerichtet«, und 2 Kor 4,13: »Wir haben alle einen Geist des Glaubens.« Wie sollten wir denn nicht ebenso gut wie ein ungläubiger Papst fühlen, was dem Glauben gemäß oder unpassend ist? Aus diesem allen und vielen andern Sprüchen sollen wir mutig und frei werden und den Geist der Freiheit (wie ihn Paulus nennt) nicht von erdichteten Worten der Päpste abschrecken lassen, sondern frisch hindurch alles, was sie tun oder lassen, nach unserm gläubigen Verständnis der Schrift richten und sie zwingen, dem besseren, und nicht ihrem eigenen Verständnis zu folgen. Musste doch vor Zeiten Abraham auf seine Sara hören,[20] die ihm doch härter unterworfen war, als wir jemand auf Erden, ebenso war die Eselin Bileams auch klüger als der Prophet selbst.[21] Hat Gott da durch eine Eselin gegen einen Propheten geredet, warum sollte er nicht noch durch einen frommen Menschen gegen den Papst reden können? Ebenso straft Paulus Petrus als einen Irrenden, Gal 2,11–21. Darum gebührt einem jeden Christen, dass er sich des Glaubens annehme, ihn zu verstehen und zu verfechten und alle Irrtümer zu verdammen.

Die dritte Mauer fällt von selbst, wenn diese ersten zwei fallen. Denn wenn der Papst wider die Schrift handelt, sind wir schuldig, der Schrift beizustehen, ihn zu strafen und zu zwingen nach dem Wort Christi, Mt 18,15–17: »Sündiget dein Bruder wider dich, so gehe hin und sag es ihm zwischen dir und ihm allein; höret er dich nicht, so nimm noch einen oder zwei zu dir; höret er die nicht, so sag es der Gemeinde; höret er die Gemeinde nicht, so halte ihn wie einen Heiden.« Hier wird einem jeglichen Glied befohlen, für das andere zu sorgen; wie viel mehr sollen wir dazu tun, wenn ein die Gemeinde regierendes Glied übel handelt, welches durch sein Handeln den andern viel Schaden und Ärgernis gibt! Soll ich ihn denn vor der Gemeinde verklagen, so muss ich sie ja versammeln.

Sie haben auch keinen Grund in der Schrift, dass es allein dem Papst gebühre, ein Konzil zu berufen oder zu bestätigen, außer allein ihre eigenen Gesetze, die nicht weiter gelten, als sofern sie nicht der Christenheit und Gottes Gesetzen schädlich sind. Wenn nun der Papst straffällig ist, hören solche Gesetze schon auf, weil es der Christenheit schädlich ist, ihn nicht durch ein Konzil zu strafen.

So lesen wir Apg 15,6, dass das Konzil der Apostel nicht Petrus einberufen hat, sondern alle Apostel und die Ältesten. Wo das nun Petrus allein gebührt hätte, wäre das nicht ein christliches Konzil, sondern ein ketzerisches Con-

---

[20] 1 Mose 21,12.

[21] 4 Mose 22,28.

ciliabulum gewesen. Auch das berühmteste Konzil zu Nicäa[22] hat der Bischof von Rom weder berufen noch bestätigt, sondern der Kaiser Konstantin[23]; und nach ihm haben viel andere Kaiser dasselbe getan, was doch die allerchristlichsten Konzile gewesen sind. Aber sollte der Papst allein die Gewalt haben, so müssten diese alle ketzerisch gewesen sein. Ich finde auch nichts Besonderes, wenn ich die Konzile ansehe, die der Papst gemacht hat, was drinnen ausgerichtet ist.

Darum, wenn es die Not erfordert und der Papst der Christenheit ärgerlich ist, soll der erste, der kann, als ein treues Glied des ganzen Körpers, dafür sorgen, dass ein rechtes, freies Konzil werde. Das vermag niemand so gut wie das weltliche Schwert, besonders weil sie nun auch Mitchristen sind, Mitpriester, Mitgeistliche, mitmächtig in allen Dingen, und man ihr Amt und Werk, das sie von Gott über jedermann haben, frei gehen lassen soll, wo es not und nütze ist zu gehen. Wäre das nicht ein unnatürliches Vorhaben: Wenn in einer Stadt ein Feuer aufginge und jedermann stillstehen sollte, immer weiter brennen lassen, was da brennen kann, allein deshalb, weil sie nicht die Macht des Bürgermeisters hätten oder weil das Feuer vielleicht an des Bürgermeisters Haus anfing? Ist hier nicht ein jeglicher Bürger schuldig, die andern zu bewegen und zusammenzurufen? Um wie viel mehr soll das in der geistlichen Stadt Christi geschehen, wenn ein Feuer des Ärgernisses sich erhebt, es sei an des Papstes Regiment oder wo es wolle. Dasselbe geschieht auch, wenn die Feinde eine Stadt überfielen: da verdient der Ehre und Dank, der die andern als erster alarmiert. Warum sollte denn der nicht Ehre verdienen, der die höllischen Feinde verkündet und die Christen erweckt und zusammenruft?

Dass sie aber ihre Gewalt rühmen, der zu widerstehen es sich nicht zieme, ist gar nichts geredet. Es hat niemand in der Christenheit Gewalt, Schaden anzurichten oder zu verbieten, dem Schaden zu wehren. Es ist keine Gewalt in der Kirche, außer zur Besserung. Darum, wenn der Papst die Gewalt gebrauchen wollte, der Abhaltung eines freien Konzils zu wehren, womit die Besserung der Kirche verhindert würde, so sollen wir ihn und seine Gewalt nicht ansehen. Und wenn er bannen und donnern würde, sollte man das als eines tollen Mannes Vernehmen verachten und ihn, in Gottes Zuversicht, seinerseits bannen und in die Enge treiben, wie man vermag. Denn solche vermessene Gewalt ist nichts, er hat sie auch nicht und sie wird bald mit einem Spruch der Schrift widergelegt. Denn Paulus sagt 2 Kor 10,8: »Gott hat uns Gewalt gegeben, die Christenheit nicht zu verderben, sondern zu bessern.« Wer will über diesen Spruch hüpfen? Des Teufels und Endchrists Gewalt ist es, die da dem wehret, was zur Besserung der

---

[22] Das Erste Ökumenische Konzil von Nizäa, 325: Hier wurden die Grundlagen der Trinitätslehre gelegt.

[23] Konstantin der Große (306–337), beendete die Christenverfolgungen und gilt in der Tradition als erster christlicher Kaiser.

Christenheit dienet. Darum ist ihr gar nicht zu folgen, sondern mit Leib und Gut und allem, was wir vermögen, zu widerstehen.

Und wo gleich ein Wunderzeichen für den Papst wider die weltliche Gewalt geschähe oder jemand eine Plage widerführe, wie sie rühmen, dass es etliche Male geschehen sei, soll man das nicht anders achten, als durch den Teufel geschehen, wegen unseres Mangels an Glauben zu Gott, wie das Christus Mt 24,24 verkündigt hat: »Es werden in meinem Namen falsche Christen und falsche Propheten kommen, Zeichen und Wunder tun, dass sie auch die Auserwählten verführen möchten«; und Paulus sagt 2 Thess 2,9 f[24], dass der Endchrist durch Satan mächtig in falschen Wunderzeichen sein werde.

Darum lasset uns das festhalten: Christliche Gewalt vermag nichts wider Christus; wie Paulus 2 Kor 13,8 sagt: »Wir vermögen nichts wider Christus, sondern für Christus zu tun.« Tut sie aber etwas wider Christus, so ist sie des Endchrists und Teufels Gewalt, selbst wenn sie Wunder und Plagen regnete und hagelte. Wunder und Plagen beweisen nichts, besonders in dieser letzten, ärgsten Zeit, von welcher falsche Wunder in aller Schrift verkündet sind.[25] Darum müssen wir uns an die Worte Gottes mit festem Glauben halten, so wird der Teufel seine Wunder wohl lassen.

Hiermit, hoffe ich, soll das falsche, lügenhafte Schrecken, womit uns die Römer nun lange Zeit schüchterne und blöde Gewissen gemacht haben, darniederliegen. Ebenso wird feststehen, dass sie mit uns allen gleich dem Schwert unterworfen sind, die Schrift nicht durch lauter Gewalt ohne Kunst auszulegen Macht haben, und keine Gewalt haben, einem Konzil zu wehren oder es nach ihrem Mutwillen zu berauben, zu verpflichten und ihm seine Freiheit zu nehmen, und wenn sie das tun, dass sie wahrhaftig des Endchrists und Teufels Gemeinschaft sind, nichts von Christus haben außer dem Namen.

Text nach: Luther deutsch, hg. v. Kurt Aland, Bd. 2, Göttingen ^{2}1981, 157–170 (frühneuhochdeutscher Originaltext: WA 6,405–415).

---

24 Die Stelle 2 Thess 2 ist der klassische Text für die Antichristlehren des Mittelalters und auch Luthers – obwohl hier wörtlich kein Antichrist vorkommt.

25 Mt 24,24.

3. Luther, De captivitate Babylonica ecclesiae. Praeludium / Von der baylonischen Gefangenschaft. Ein Vorspiel (Auszüge)

Kurz nach der Adelsschrift, im Oktober 1520, erschien Luthers Schrift über die babylonische Gefangenschaft der Kirche, an der er seit August zu arbeiten begonnen hatte und die vorrangig an Humanisten und Kleriker gerichtet war. Der Titel nahm eine schon im Mittelalter gelegentlich gebrauchte Polemik auf: die Kirche erschien ver- und entfremdet, gefangen von Anliegen, die nicht mehr wesentlich die ihren waren. Zentral war für Luther hier die Sakramentenlehre. Im Mittelalter hatte sich allmählich die Siebenzahl der Sakramente – Taufe, Eucharistie, Buße, Firmung, Weihe, Ehe, letzte Ölung (Krankensalbung) – herausgebildet. Letztgültig definiert wurde sie auf dem Zweiten Konzil von Lyon 1274. Diese Gruppe kirchlicher Handlungen wurde mit einer von Augustin herrührenden Definition als konstituiert durch *res* (die Sache, die vermittelt wird: Gottes Gnade) und *signum* (sichtbares Zeichen) verstanden. Hiervon ließ auch Luther sich leiten, aber in einer spezifischen Durchführung der reformatorischen Theologie, wie sie sich in den Exklusivpartikeln äußerte. Dabei ging es ihm nicht allein, wie gelegentlich vermutet, um die Suche nach einem biblischen Beleg für diese oder jene Handlung. Vielmehr war nach seiner Definition für ein Sakrament bestimmend, dass ein äußeres Zeichen mit einem Verheißungswort (*promissio*) zusammenkam. Das sollte die Glaubenden gewiss machen, dass Gott seine Gnadengabe mit eben diesem Zeichen verband. Gewiss konnte er sich hier nur bei Taufe und Abendmahl sein. Im Blick auf die Buße schwankte er, rechnete sie aber im Sinne einer Rückkehr zur Taufe den Sakramenten zu. Allen anderen herkömmlichen Sakramenten bestritt er den sakramentalen Charakter – ohne sie deswegen unbedingt als kirchliche Handlungen verwerfen zu müssen. Die Schrift brachte so die Forderung nach einem aus der Rechtfertigungslehre folgenden radikalen Umbau des Weges der Heilsvermittlung mit sich. Bis heute bildet die Zahl der Sakramente ein konfessionsunterscheidendes Merkmal.

Ob ich will oder nicht, ich werde gezwungen, von Tag zu Tag gelehrter zu werden, weil mir so viele und so große Meister um die Wette keine Ruhe lassen und mich ständig in Atem halten. Über den Ablass habe ich vor zwei Jahren geschrieben, aber so, dass es mir jetzt außerordentlich leid tut, dass dieses Büchlein so herausgegangen ist. Denn damals konnte ich von diesem Aberglauben – der römischen Tyrannei – noch nicht lassen und meinte deshalb, dass der Ablass nicht ganz zu verwerfen sei; ich sah doch, dass er einhellig bei so vielen Menschen Billigung fand. Und das war kein Wunder, denn damals quälte ich mich allein an diesem Felsblock. Aber später – und das danke ich Silvester[1] und anderen Brüdern, die solchen Ablass eifrig verteidigten – verstand ich, dass der Ablass nichts anderes als der reine Betrug der römischen Heuchler ist, durch welchen sie den Glauben an Gott ebenso wie den Besitz der Menschen zugrunde richten. Ach, wenn ich nur die Buchhändler dazu bringen und alle meine Leser überreden könnte, alle meine Büchlein vom Ablass zu verbrennen und statt all dem, was ich darüber geschrieben habe, diesen Satz anzunehmen: *Der Ablass ist der römischen Heuchler Nichtsnutzigkeit.*

Danach haben Eck[2] und Emser[3] samt ihren Mitverschwornen begonnen, mich über den Primat des Papstes zu unterrichten. Deswegen bekenne ich auch hier, damit ich gegen so gelehrte Männer nicht undankbar bin, dass ich durch ihre Mühe große Fortschritte gemacht habe. Denn wenn ich gleich leugnete, dass das Papsttum göttlichen Ursprungs ist, so habe ich (bis dahin) doch zugegeben, dass es aus menschlichem Recht stammt. Als ich aber die überaus subtilen Subtilitäten dieser vornehmen Stutzer sah und hörte, mit denen sie ihren Abgott künstlich aufrichten (ich bin ja in diesen Dingen nicht so ganz ungelehrig), weiß ich jetzt und bin gewiss, dass das Papsttum das babylonische Reich und die Herrschaft Nimrods, des gewaltigen Jägers ist.[4] Damit nun meinen Freunden alles zum Guten ausschlägt, bitte ich auch hier die Buchhändler und die Leser, das, was ich darüber geschrieben habe, zu verbrennen und dafür diesen Satz anzunehmen: *Das Papsttum ist die wilde Jagd des römischen Bischofs.* Das wird aus Ecks, Emsers und Alfelds[5] zu Leipzig Sätzen bewiesen.

Jetzt führt man mich in Bezug auf den Empfang des Abendmahls unter beiderlei Gestalt und einige andere hochwichtige Dinge in die Schule. Bisher habe ich Narr gemeint, dass es schön wäre, wenn durch ein allgemeines Konzil beschlossen würde, dass das Abendmahl den Laien unter beiderlei Gestalt gegeben

---

1 Silvester Mazzolini Prierias (1456–1523) verfasste im Luther-Prozess ein Gutachten gegen den Angeklagten. Dieses selbst ist zwar nicht erhalten, aber sein »*De potestate papae dialogus*«, mit dem Luther sich scharf auseinandersetzte.

2 Johannes Eck (1486–1543), Luthers schärfster Widersacher, 1519 in der Leipziger Disputation sein direktes Gegenüber.

3 Hieronymus Emser (1478–1527).

4 1 Mose 10,8 f.

5 Augustin von Alfeld († 1535).

würde.[6] Darüber will mich der überaus gelehrte Bruder eines Besseren belehren und sagt, dass es weder von Christus noch den Aposteln geboten oder geraten sei, den Laien (das Sakrament) in beiderlei Gestalt darzureichen. Darum sei es dem Urteil der Kirche anheimgestellt, was hier zu tun oder zu lassen sei; dem solle man sich beugen. So seine Worte.

Nun fragst du vielleicht, welche Tollheit diesen Menschen leitet oder gegen wen er schreibt, da ich doch den Gebrauch des Abendmahls unter einerlei Gestalt nicht verworfen und es dem Urteil der Kirche überlassen habe, den Gebrauch des Sakraments unter beiderlei Gestalt anzuordnen. Das versucht er selbst zu verfechten und will doch eben damit gegen mich streiten. Darauf antworte ich, dass diese Art zu disputieren alle die an sich haben, die gegen Luther schreiben: sie stellen eine Behauptung auf, die sie dann anfechten, oder sie erdichten etwas, gegen das sie dann losziehen.

Weil ich nun sehe, dass sie Zeit und Papier genug haben, will ich mir Mühe geben, dass sie genug zu schreiben bekommen. Ich will ihnen nämlich zuvorkommen: Während diese Großmäuler noch über eine meiner Ketzereien (denn dafür halten sie es) als glorreiche Sieger triumphieren, will ich mittlerweile eine neue vorbringen. Denn auch ich will, dass solche hervorragenden Kriegsführer mit vielen Ruhmestiteln geziert werden. Während sie sich darüber aufregen, dass ich den Genuss des Sakraments in beiderlei Gestalt lobe, und sie von dieser großen und an sich sehr wichtigen Sache völlig mit Beschlag belegt sind, will ich deshalb fortfahren und nunmehr zu zeigen versuchen, dass alle die gottlos sind, die den Laien den Genuss des Abendmahls in beiderlei Gestalt verweigern. Um das möglichst sinnvoll zu tun, will ich ein Vorspiel von der Gefangenschaft der römischen Kirche anfangen. Zu seiner Zeit will ich mehr bieten, wenn die überaus gelehrten Papisten erst dieses Buch »überwunden« haben werden.

Grundsätzlich und als erstes muss ich verneinen, dass es sieben Sakramente gibt, und kann zur Zeit drei dafür setzen: die Taufe, die Buße, das Brot. Und diese alle sind uns durch die römische Kurie in elende Gefangenschaft geraten, und die Kirche ist all ihrer Freiheit beraubt. Allerdings: wenn ich mich nach der Schrift richten will, kenne ich nur ein einziges Sakrament und drei sakramentale Zeichen. Davon mehr zu seiner Zeit. Aber jetzt zuerst

Über das Sakrament des Brotes:

Ich will also sagen, wie ich beim Nachdenken über die Verwaltung dieses Sakraments weitergekommen bin. Denn zu der Zeit, als ich den Sermon von dem

---

[6] Im hohen Mittelalter entwickelte sich unter Laien eine Scheu, den Kelch bei der Eucharistie in Empfang zu nehmen. Theologisch wurde mit Hilfe der Konkomitanzlehre erklärt, dass jedes Element den ganzen Christus enthalte, also auch die Einnahme der Hostie. Dies wurde so zum verbreiteten Usus, gegen den sich aber schon im 15. Jahrhundert die hussitische Bewegung in Böhmen wandte.

Abendmahl herausgab[7], hielt ich mich noch an den allgemeinen Brauch, kümmerte mich auch nicht um des Papstes Recht oder Unrecht. Aber jetzt, wo man mich herausgefordert hat und mir keine Ruhe lässt, ja mich vielmehr mit Gewalt in diesen Streit zerrt, will ich frei heraus sagen, was ich davon halte, mögen nun die Papisten alle zusammen lachen oder weinen.

Es gibt zwei Stellen, welche hiervon ganz klar handeln: die Evangelien beim Bericht über das letzte Mahl des Herrn und Paulus 1 Kor 11. Die wollen wir ansehen. Denn Matthäus, Markus und Lukas stimmen darin überein, dass Christus allen Jüngern das ganze Sakrament gegeben hat. Und dass Paulus (den Genuss des Abendmahls in) beiderlei Gestalt überliefert hat, ist sicher. Es ist also keiner jemals so unverschämt gewesen, dass er etwas anderes gesagt hätte. Nimm noch hinzu, was Matthäus berichtet: nicht vom Brot habe Christus gesagt: »Esset alle davon«, sondern vom Kelch: »Trinket alle daraus«[8]. Und ebenso sagt Markus nicht: »sie aßen alle davon«, sondern: »sie tranken alle daraus«[9]. Sie setzen also beide den Hinweis auf die Allgemeinheit zum Kelch und nicht zum Brot, so als ob der Heilige Geist dieses künftige Schisma vorhergesehen hätte, das den Genuss des Kelches einigen verbietet, von dem doch Christus wollte, dass er allen gemeinsam sein sollte. Mit was für einer Leidenschaft, meinst du, würden sie gegen uns wüten, wenn sie das Wörtlein »alle« beim Brot und nicht beim Kelch gefunden hätten! Gar keine Ausflucht würden sie uns gönnen, sie würden schreien, uns zu Ketzern machen und als Schismatiker verdammen. Aber weil es unsere Auffassung stützt und nicht die ihre, lassen sie sich durch keinen logischen Schluss bewegen, die als Menschen mit ganz freiem Willen auch in den Dingen, die Gott angehen, ändern und wieder ändern und alles in Unordnung bringen.

Ich bekenne, dass ich durch diesen Grund, der mir unüberwindlich ist, überwunden bin und weder gelesen noch gehört oder gefunden habe, was ich dagegen sagen könnte. Denn hier steht das Wort und Beispiel Christi absolut fest, und er sagt es nicht, als ob er es nur zuließe, sondern gebietend: »Trinket alle daraus.« Denn wenn alle trinken sollen, dann kann das nicht allein als zu den Priestern gesagt verstanden werden. So ist es ganz gewiss gottlos, die Laien, die es begehren, davon auszuschließen, selbst wenn es ein Engel vom Himmel täte[10]. Denn wenn sie sagen, es sei dem Willen der Kirche anheimgestellt, in welcher Gestalt sie (das Abendmahl) austeilen wolle, so wird das ohne Grund gesagt und ohne Schriftbeleg vorgewendet und wird ebenso leicht widerlegt, wie es behauptet wurde. Wenn man aber den Laien eine Gestalt verweigern kann, dann

---

[7] Ein Sermon von dem hochwürdigen Sakrament des heiligen wahren Leichnams Christi, 1519.

[8] Mt 26,27.

[9] Mk 14,23.

[10] Gal 1,8.

kann man ihnen nach dem gleichen Willen der Kirche auch einen Teil der Taufe und der Buße entziehen, weil überall der gleiche Grundsatz und die gleiche Macht gilt. Wie darum die ganze Taufe und die ganze Absolution erteilt werden, so soll auch das ganze Sakrament des Brotes allen Laien gegeben werden, wenn sie es begehren.

Was mich aber am meisten bedrängt und mich ganz gefangen hält, ist, dass Christus sagt: »Das ist mein Blut, das für euch und für viele vergossen wird zur Vergebung der Sünden.«[11] Hier siehst du ganz klar, dass das Blut allen gegeben wird, für deren Sünde es vergossen ist. Wer darf aber sagen, dass es nicht für die Laien vergossen ist? Oder siehst du nicht, zu wem er redet, während er den Kelch gibt? Gibt er ihn nicht allen? Sagt er nicht, es sei für alle vergossen? Er sagt: »Für euch!«

Ich beschwöre dich aber, was besteht für ein Zwang, was für fromme Bedenken können wir haben und wozu dient es, den Laien (den Genuss des Abendmahls in) beiderlei Gestalt, d.h. das sichtbare Zeichen, zu verwehren? Dabei gestehen ihnen doch alle das Sakrament als solches zu – allerdings ohne das Zeichen. Gestehen sie ihnen nun das Sakrament als solches zu, was ja das Wesentliche ist, warum nicht auch das Zeichen, das von geringerer Bedeutung ist? Denn in jedem Sakrament ist das Zeichen, soweit es nur ein Zeichen ist, von unvergleichlich geringerer Bedeutung als das Sakrament selbst. Was hindert es also, so frage ich, das Unwesentlichere zu geben, wo man doch das Wesentliche gibt? Mir scheint, das hat der zürnende Gott geschehen lassen, um damit eine Ursache für die Trennung in der Kirche zu geben. Das soll ein Hinweis darauf sein, dass wir das wahre Sakrament längst verloren haben und um des äußeren Zeichens willen, dessen, was ganz unwesentlich ist, gegen die einzig wichtige Sache ankämpfen, so wie einige für die äußerlichen Kirchenbräuche und gegen die Liebe streiten. Ja, diese Ungeheuerlichkeit scheint zu einer Zeit entstanden zu sein, als wir gegen die christliche Liebe anfingen, auf den Reichtum dieser Welt ganz versessen zu sein, damit uns Gott durch dieses schreckliche Zeichen zu verstehen gäbe, dass wir die äußerlichen Zeichen höher achten als die Dinge selbst. Was für eine Torheit wäre es, wenn du zwar zugäbest, dass dem Täufling der Glaube der Taufe gegeben wird, wolltest ihm aber verwehren, dass ihm auch das Zeichen dieses Glaubens, nämlich das Wasser, gegeben würde.

Zuletzt bleibt Paulus unüberwunden, der allen den Mund verstopft, wenn er 1 Kor 11,23 sagt: »Ich habe es vom Herrn empfangen, was ich euch gegeben habe.« Nicht sagt er, wie es der Bruder[12] in seiner Phantasie zusammenlügt: was ich euch erlaubt habe. Es ist auch nicht wahr, dass er ihnen um ihres Streites willen beiderlei Gestalt zugelassen habe. Erstens zeigt es der Text selbst, dass um die beiderlei Gestalt gar kein Streit gewesen ist, sondern wegen der Gleichgül-

[11] Mt 26,28.

[12] Alfeld.

tigkeit der Reichen und des Neides der Armen, wie der Text klar zeigt, wenn er sagt: »Einer ist hungrig, der andere ist trunken, und ihr beschämt die, die da nichts haben.«[13] Dann redet er nicht von seiner erstmaligen Lehrüberlieferung, denn er sagt nicht: Ich empfange es vom Herrn und gebe es euch, sondern: »Ich habe empfangen und habe gegeben«, nämlich am Anfang meiner Verkündigung, lange vor diesem Streit. Damit bringt er deutlich zum Ausdruck, dass er ihnen beiderlei Gestalt gegeben habe.

Vorwärts, ihr Papstschmeichler! Erhebt euch wie ein Mann, gebt euch Mühe, verteidigt euch gegen den Vorwurf der Gottlosigkeit, der Tyrannei, der Beleidigung des Evangeliums, der ungerechten Schmähung der Brüder, die ihr als Ketzer ausschreit – sie, die sich an die so offenbare und mächtige Schrift halten, im Gegensatz zu euren törichten Hirngespinsten. Ist überhaupt einer von beiden als Ketzer und Rottengeist zu bezeichnen, so sind es nicht die Böhmen, nicht die Griechen[14] (weil die sich ja auf das Evangelium verlassen), sondern ihr Römer seid Ketzer und gottlose Rottengeister, weil ihr euch einzig eurer Einbildungen rühmt – gegen die klare Schrift Gottes! Wascht euch von diesem Vorwurf rein, ihr Herren!

Was ist aber lächerlicher und dem Kopf dieses Bruders gemäßer, als dass er sagt, Paulus habe einer einzelnen Kirche, nämlich den Korinthern, solches geschrieben und zugelassen, nicht aber der ganzen Kirche. Woher beweist er das? Aus seinem üblichen Schatzkämmerlein, nämlich aus seinem eigenen gottlosen Kopf. Wenn die ganze Kirche diesen Brief als für sie geschrieben auffasst, liest und ihm in allem folgt, warum dann nicht auch in diesem Stück? Denn wenn wir zugeben, dass ein Brief des Paulus oder eine einzige Stelle daraus sich nicht an die Gesamtkirche wendet, so ist die ganze Vollmacht des Paulus erledigt. Denn die Korinther werden sagen: was Paulus (im Brief an) die Römer vom Glauben lehrt, gehe sie nichts an. Was kann wohl Gotteslästerlicheres oder Unsinnigeres erdacht werden als dieser Unsinn? Das sei ferne, das sei ferne, dass es auch nur einen einzigen Buchstaben im ganzen Paulus gibt, den nicht die ganze allgemeine Kirche befolgen und bewahren sollte! Diese Meinung haben auch unsere Vorfahren nicht gehabt bis auf diese gefährlichen Zeiten, von denen Paulus geweissagt hat, dass Gotteslästerer, Blinde und ganz Unverständige aufstehen würden. Einer von denen und deren vornehmster ist dieser Bruder.

So komme ich zu dem Schluss: es ist gottlos und tyrannisch, den Laien das Abendmahl in beiderlei Gestalt zu verwehren. Es steht auch nicht in der Macht eines Engels, geschweige denn des Papstes oder eines Konzils. Ich lasse mich

---

13 1 Kor 11,21 f.

14 Die griechisch-orthodoxe Kirche, mit der seit 1054 ein Schisma bestand.

dabei durch das Konzil zu Konstanz[15] nicht beirren. Wenn dessen Autorität so viel bedeutet, warum gilt nicht das Konzil zu Basel[16] genau so viel, welches das Gegenteil festsetzt? Die Böhmen dürfen beiderlei Gestalt empfangen, was mit vielem Disputieren dort erreicht wurde, wie die vorhandenen Konzilsakten ausweisen.[17] Das führt nun dieser Schmeichler in seiner Unkenntnis an, um seine Hirngespinste zu beweisen. So weise verfährt er in allen Dingen!

Das ist die erste Gefangenschaft dieses Sakraments. Sie erstreckt sich auf dessen Substanz und Ganzheit, die uns die römische Tyrannei genommen hat. Nicht, dass die gegen Christus sündigen, die (das Abendmahl in) einer Gestalt gebrauchen. Denn Christus hat nicht geboten, irgendeine Gestalt zu gebrauchen, sondern hat das dem Willen jedes einzelnen anheimgestellt und gesagt: »So oft ihrs tut, so tut das zu meinem Gedächtnis.« Aber die sündigen, die verbieten, dass beiderlei Gestalt denen gegeben werde, die es freiwillig so nehmen wollen. Die Schuld liegt nicht bei den Laien, sondern bei den Priestern. Das Sakrament gehört nicht den Priestern, sondern allen. So sind auch die Priester nicht Herren darüber, sondern Diener, die beiderlei Gestalt denen geben sollen, die und so oft sie es begehren. Wenn sie den Laien dieses Recht entziehen und mit Gewalt abschlagen, so sind sie Tyrannen, und die Laien sind ohne Schuld, sei es dass ihnen einer oder beiderlei Gestalt fehlt. Sie müssen einstweilen im Glauben und dem Verlangen nach dem ganzen Sakrament bewahrt bleiben. Ebenso sind sie als Diener schuldig, dem die Taufe und Absolution zu geben, der sie begehrt, als einem, der ein Recht darauf hat. Wenn sie es aber nicht geben, so hat sie dann derjenige, der es begehrt, im Glauben vollkommen erlangt, und sie werden vor Christus als unnütze Knechte angeklagt werden. (Das ist dann) so wie die heiligen Väter vor Zeiten in der Wüste in all den Jahren das Sakrament unter keinerlei Gestalt empfangen haben.

Deshalb gehe ich nicht so weit, dass (das Abendmahl) mit Gewalt in beiderlei Gestalt eingenommen werden müsste, als ob uns eine Notwendigkeit des Gebotes zu dieser Form des Abendmahls zwänge. Sondern ich unterweise das Gewissen, dass ein jeder die römische Tyrannei leide und wisse, dass ihm wegen seiner Sünde sein volles Recht im Sakrament mit Gewalt genommen ist. Allein das will ich, dass niemand die römische Tyrannei rechtfertige, als ob sie recht getan hätte,

---

15 Konzil zu Konstanz 1414–1418. Eine wichtige Aufgabe war es, die in drei Papstobödienzen gespaltene Kirche wieder zusammenzuführen. Zur Klärung des Glaubens wurde aber auch ein Prozess gegen Jan Hus geführt und dieser 1415 verbrannt.

16 Das Konzil von Basel nahm ab 1431 die Ideen von Konstanz, die die Oberhoheit des Konzils über den Papst in Notsituationen vertraten, auf und wendete sie ins Grundsätzliche. Die Verlagerung des päpstlichen Teils des Konzils nach Ferrara und Florenz aber nahm dem Baseler Konzil Anerkennung und Stärke. Schließlich versandete es. Im Gedächtnis blieb es als Höhepunkt des Konziliarismus.

17 1433 gestand das Baseler Konzil den Böhmen in den »Kompaktaten« den Laienkelch zu.

wenn sie den Laien eine Gestalt verbietet, sondern dass wir sie verfluchen und ihr nicht zustimmen. Trotzdem sollen wir sie ertragen, nicht anders, als wären wir beim Türken gefangen, bei dem wir gar keine Gestalt gebrauchen dürften. Das ist es, was ich gesagt habe: Ich fände es schön, wenn durch den Beschluss eines allgemeinen Konzils solche Gefangenschaft aufgehoben und uns die christliche Freiheit aus den Händen des römischen Tyrannen wiedergegeben und einem jeden sein Wille, es zu begehren und zu gebrauchen, gelassen würde, wie es bei der Taufe und Buße geschieht. Aber jetzt zwingt er uns Jahr für Jahr mit gleicher Tyrannei, nur eine Gestalt zu empfangen. So ganz ist die Freiheit erloschen, die uns von Christus gegeben ist; so hat er unsere abgrundtiefe Verachtung verdient.

Die zweite Gefangenschaft dieses Sakramentes ist nicht (ganz) so schlimm, soweit es das Gewissen betrifft. Aber es ist überaus gefährlich, daran zu rühren, geschweige sie zu verdammen. Hier werde ich ein Wyclifit und unter unzähligen Bezeichnungen zum Ketzer werden.[18] Was denn? Nachdem der römische Bischof aufgehört hat, ein Bischof zu sein, und ein Tyrann geworden ist, fürchte ich mich gar nicht vor seinen sämtlichen Dekreten. Denn ich weiß, dass es nicht in seiner Gewalt steht, auch nicht in der eines allgemeinen Konzils, neue Glaubensartikel aufzustellen. Als ich die scholastische Theologie in mich aufnahm, gab mir Pierre d'Ailly[19] Anlass zum Nachdenken. Beim vierten Buch der »Sentenzen«[20] disputiert er überaus scharfsinnig, es sei viel glaubwürdiger und man brauchte viel weniger dieser überflüssigen Wunder vorauszusetzen, wenn man glaubte, auf dem Altar wären wahres Brot und wahrer Wein und nicht allein die bloßen Akzidentien – wenn nicht die Kirche das Gegenteil festgesetzt hätte. Als ich danach sah, was für eine Kirche das ist, die solches bestimmt, nämlich die thomistische, das heißt die des Aristoteles[21], da bin ich beherzter geworden. Wenn

---

18 John Wyclif († 1384), Reformer in England. Jan Hus hat in vielem an ihn angeknüpft, entsprechend wurden in Konstanz auch seine Lehren verurteilt.

19 Pierre d'Ailly († 1420), scholastischer Theologe in Paris, später Bischof und Kardinal.

20 Die Sentenzensammlung des Petrus Lombardus († 1160), eine nach theologischen Themen sortierte Zusammenstellung von Zitaten von Theologen der Kirchenväterzeit, war das theologische Grundlehrbuch des Mittelalters.

21 Hintergrund ist die Transsubstantiationslehre, die 1215 auf dem Vierten Laterankonzil dogmatisiert und in der Folgezeit insbesondere durch Thomas von Aquin († 1274) entfaltet wurde. Ihre Basis ist die aristotelische Unterscheidung der wesentlichen Substanz eines Gegenstandes von dessen veränderlichen Eigenschaften, den Akzidentien. In der Eucharistie bleiben hiernach die Akzidentien von Brot und Wein erhalten, während darunter die Substanz des Brotes in die des Leibes Christi verwandelt wird. Schon im 11. Jahrhundert war debattiert worden, ob diese philosophische Erklärung haltbar sei: Nach Aristoteles (gest. 322 v. Chr.) waren die Akzidentien so sehr von der Substanz abhängig, dass der Gedanke, diese könne verschwinden, die Akzidentien aber erhalten bleiben, unplausibel schien. Neben der Transsubstantationslehre wurden vor allem die Annihilation (die Substanz des Brotes wird

ich zuerst auch im Zweifel war, so habe ich schließlich mein Gewissen doch in der ersten Auffassung befestigt: Es ist wahres Brot und wahrer Wein. Die Gegenwart des wahren Fleisches und des wahren Blutes Christi darin ist nicht anders oder geringer als – deren Behauptung nach – unter ihren Akzidentien. Das habe ich getan, weil ich sah, dass die Meinungen der Thomisten, ob sie nun vom Papst oder einem Konzil bestätigt sind, dennoch eben nur Meinungen bleiben und nicht zu Glaubensartikeln werden würden, auch wenn ein Engel vom Himmel etwas anderes verordnete. Denn was ohne Schriftgrundlage oder ohne erwiesene Offenbarung gesagt wird, mag wohl als eine Meinung hingehen, muss aber nicht notwendig geglaubt werden. Diese Meinung des Thomas aber ist ohne Schriftgrundlage wie ohne Vernunftbegründung und so ungesichert, dass ich meine, er habe weder seine Philosophie noch seine Dialektik verstanden. Denn Aristoteles redet weit anders von den Akzidentien und dem, was ihnen zugrunde liegt, als der heilige Thomas, so dass es mir für einen so gelehrten Mann bedauerlich erscheint, dass er seine Ansichten in Glaubenssachen nicht nur nach Aristoteles überliefert, sondern auch noch versucht hat, auf dem, den er nicht verstanden hat, etwas aufzubauen. Ein unglückseliger Bau auf einem unglückseligen Fundament!

Ich habe also nichts dagegen: Wer will, mag beiderlei Ansichten beibehalten. Darauf allein kommt es mir jetzt an, dass ich die Gewissenszweifel aus dem Wege räume. Niemand soll sich fürchten, der Ketzerei schuldig zu sein, wenn er glaubt, dass auf dem Altar wahres Brot und wahrer Wein sind. Sondern er soll wissen, dass es ihm ohne Gefahr für seine Seligkeit freisteht, sich eins von beiden vorzustellen, zu meinen und zu glauben, weil hier eben keine Glaubensnotwendigkeit vorliegt. Jedoch will ich jetzt meine Auffassung weiter verfolgen. Erstens will ich die nicht hören, auch nicht im geringsten achten, die da schreien werden, das sei wyclifitisch, hussitisch, ketzerisch und gegen den Beschluss der Kirche. Denn das tun ja nur die, die ich im Ablassstreit, in der Auseinandersetzung über den freien Willen und die Gnade Gottes, die guten Werke und die Sünde usw. auf mancherlei Weise als Ketzer überführt habe. Wenn nämlich Wyclif einmal Ketzer gewesen ist, dann sind sie zehnmal Ketzer und es wäre fein, von den Ketzern und törichten Sophisten[22] getadelt und gescholten zu werden; ihnen aber zu gefallen, ist die größte Gottlosigkeit. Außerdem können sie ihre Ansichten nicht anders beweisen und die ihnen entgegengesetzten Auffassungen können sie nicht anders zurückweisen, als dass sie sagen: Das ist wyclifitisch, hussitisch, ketzerisch. Denn diese faule Rede haben sie stets im Maule und anderes nicht. Verlangt man von ihnen einen Schriftbeweis, so sagen sie: Wir sind dieser Meinung, und die

vernichtet und durch die des Leibes Christi ersetzt) und Konsubstantiation (die Substanz des Leibes Christi tritt neben die des Brotes) vertreten.

[22] Die Sophisten waren eine für ihre oftmals leere Redekunst bekannte Gruppe antiker Philosophen. Der Spottname war Luthers gängiges Schimpfwort für die Scholastiker.

Kirche (d. h. wir selbst) hat es so beschlossen. So wagt es diese in Bezug auf den Glauben verworfene und unglaubwürdige Gesellschaft, uns unter Berufung auf die Kirche ihre Phantasien als Glaubensartikel vorzusetzen!

Ich habe aber für meine Auffassung eine starke Begründung, vor allem diese: den göttlichen Worten darf keine Gewalt angetan werden, weder durch einen Menschen noch durch einen Engel, sondern sie sollen – soweit wie nur möglich – in der allereinfachsten Bedeutung genommen werden. Und wo uns nicht ein eindeutiger Umstand zwingt, sollen sie in ihrer wörtlichen und eigentlichen Bedeutung aufgefasst werden, damit man den Gegnern keine Gelegenheit bietet, mit der ganzen Schrift ihr Spiel zu treiben. So auch hier: weil die Evangelisten klar schreiben, dass Christus das Brot genommen und gesegnet habe, und weil die Apostelgeschichte und der Apostel Paulus es auch nachher Brot nennen, so muss man das vom wahren Brot verstehen und vom wahren Wein und vom wahren Kelch. Denn auch sie behaupten nicht, dass sich der Kelch verwandle. Eine Transsubstantiation also, die durch eine göttliche Macht geschähe, vorauszusetzen, ist nicht nötig; man muss sie vielmehr für ein erdichtetes Menschengebilde ansehen, weil sie sich weder auf die Schrift, noch auf einen vernünftigen Grund stützt, wie wir sehen werden.

Die Kirche hat mehr als zwölfhundert Jahre recht geglaubt, nie und nirgends haben die heiligen Väter die Transsubstantiation (was schon ein recht ungeheuerliches Wort ist und erträumt) erwähnt, bis die sogenannte Philosophie des Aristoteles in diesen letzten dreihundert Jahren in der Kirche überhand genommen hat.

Warum kann Christus seinen Leib nicht in der Substanz des Brotes erhalten, ebenso wie er ihn (nach der Kirchenlehre) in den Akzidentien erhält? Siehe, das Eisen und Feuer, zwei Substanzen, werden in einem glühenden Eisen so vermischt, dass jeder Teil Eisen und Feuer (zugleich) ist. Warum kann nicht der verklärte Leib Christi viel eher ebenso in allen Teilen der Substanz des Brotes sein?

Was sollen wir hierzu sagen, wenn wir den Aristoteles und menschliche Lehren zu Richtern über so hohe und göttliche Dinge machen? Warum verwerfen wir nicht solchen Vorwitz und bleiben schlicht bei den Worten Christi und sind bereit, nicht zu wissen, was da geschehe, und sind zufrieden damit, dass kraft der Worte der Leib Christi da ist? Ist es denn nötig, dass wir die Art und Weise des göttlichen Handelns gänzlich begreifen?

Dass wir aber nicht zu sehr ins Philosophieren kommen: Scheint nicht Christus diesem Vorwitz fein entgegenzutreten, wenn er vom Wein nicht gesagt hat: »*Das* ist mein Blut«, sondern »*Dieser* ist mein Blut«[23]? Und noch viel klarer (wird es dadurch), dass er das Wort »Kelch« mit hinzunimmt und sagt: »Dies ist

---

23 Mt 26,28.

der Kelch des Neuen Testaments in meinem Blut«[24]. Sieht man denn nicht, dass er uns im schlichten Glauben behalten wollte, und dass wir lediglich glaubten, sein Blut sei in dem Kelch? Fürwahr, wenn ich nicht begreifen kann, auf welche Weise das Brot der Leib Christi sein kann, will ich doch meinen Verstand gefangen nehmen unter den Gehorsam Christi[25] und schlicht bei seinen Worten bleiben, und glaube fest nicht allein, dass der Leib Christi in dem Brot ist, sondern das Brot der Leib Christi ist. Denn zu dieser Auffassung bringen mich die Worte, wo er sagt: »Er nahm das Brot, dankte, brach es und sprach: Nehmet, esset, das (das heißt: das Brot, das er genommen und gebrochen) ist mein Leib«[26]. Und Paulus spricht: »Das Brot, das wir brechen, ist das nicht die Gemeinschaft des Leibes Christi?«[27] Er sagt nicht: in dem Brot ist, sondern: das Brot selbst ist die Gemeinschaft des Leibes Christi. Was liegt daran, ob die Philosophie das nicht versteht? Der Heilige Geist ist mehr als Aristoteles. Versteht sie denn überhaupt etwas von der Transsubstantiation dieser Dinge, da sie doch selber zugesteht, dass hier die ganze Philosophie zusammenstürzt?

Und wie es sich mit Christus verhält, so verhält es sich auch mit dem Sakrament. Denn es ist nicht nötig, dass die menschliche Natur verwandelt werden muss, wenn die Gottheit in der Menschheit leiblich wohnen soll – als ob die Gottheit an die Akzidentien der menschlichen Natur gebunden wäre. Sondern beide Naturen bleiben zugleich unversehrt bestehen, und so wird mit Recht gesagt: Dieser Mensch ist Gott, dieser Gott ist Mensch. Und wenn die Philosophie das schon nicht versteht, so versteht es doch der Glaube. Gottes Wort hat eine größere Vollmacht, als unser Verstand es fassen kann! In dem Sakrament ist also der wahre Leib und das wahre Blut. Es ist nicht nötig, dass sich das Brot oder der Wein in eine andere Substanz verwandele, so dass Christus unter den Akzidentien eingeschlossen sei. Sondern beides bleibt zugleich bestehen, wie es in Wahrheit heißt: »Dieses Brot ist mein Leib; dieser Wein ist mein Blut« und umgekehrt. So will ich es einstweilen zur Ehre der heiligen Worte Gottes verstehen. Ich will nicht dulden, dass ihnen durch menschliche Spitzfindigkeiten Gewalt geschieht und sie umgedeutet werden. Jedoch lasse ich es anderen zu, eine abweichende Meinung zu haben. Sie sollen uns nur nicht zwingen, dass wir ihre Meinung (wie oben gesagt) wie Glaubensartikel annehmen.

Die dritte Gefangenschaft dieses Sakramentes ist der überaus gottlose Missbrauch, durch den es gekommen ist, dass heute in der Kirche fast nichts mehr verbreitet ist, fester geglaubt wird, als dass die Messe ein gutes Werk und ein Opfer ist. Dieser Missbrauch hat andere unzählige Missbräuche nach sich gezogen, bis der Glaube an das Sakrament ganz erloschen ist und sie aus dem

---

[24] 1 Kor 11,25.

[25] Vgl. 2 Kor 10,5.

[26] 1 Kor 11,23 f.

[27] 1 Kor 10,16.

göttlichen Sakrament lauter Jahrmärkte, Krämerei und gewinnsüchtige Verträge gemacht haben. Daher werden die Teilhaberschaften, die Bruderschaften,[28] die Fürbitten, die Verdienste, die Jahresfeiern, die Gedenktage und dergleichen Händel mehr in der Kirche verkauft, durch Verträge erhandelt und verglichen, und an diesen hängt die ganze Nahrung der Priester und Mönche.

Ich rühre da ein heißes Eisen an, eine Sache, die vielleicht nicht zu erschüttern ist, weil sie durch jahrhundertelangen Gebrauch festgewurzelt und unter der Zustimmung aller angenommen, so eingenistet ist, dass es nötig wäre, den größten Teil der Bücher, die heute maßgebend sind, und schier die ganze äußere Gestalt der Kirche abzutun und zu verändern. Man müsste eine gänzlich andere Art der Zeremonien einführen oder vielmehr, man müsste sie auf ein geringes Maß zurückführen. Aber mein Christus lebt, und man muss mit größerer Sorgfalt das Wort Gottes befolgen als aller Menschen und Engel Gedanken. Ich will meines Amtes walten und die Sache ans Licht bringen. Wie ich die Wahrheit umsonst empfangen habe, so will ich sie ohne Missgunst weitergeben.[29] Im Übrigen soll jeder für seine Seligkeit Sorge tragen. Ich will allen Fleiß darauf verwenden, dass keiner vor dem Gericht Christi die Schuld für seinen Unglauben, und daran, dass er die Wahrheit nicht gewusst hätte, auf mich abwälzen kann.

Zuerst, um sicher und erfolgreich zu der wahren und freien Erkenntnis dieses Sakraments zu gelangen, müssen wir uns vor allen Dingen darum bemühen, alles das abzutun, was zu der ersten und schlichten Stiftung dieses Sakraments aus menschlicher Andacht und Eifer hinzugetan worden ist: als da sind die Messgewänder, Zierate, Gesänge, Gebete, Orgeln, Lichter und die ganze Pracht der sichtbaren Dinge. Lasst uns unsere Augen und Gemüt allein auf die reine Stiftung Christi richten und auf nichts anderes sehen als auf das Wort Christi, durch das er das Sakrament eingesetzt, vollbracht und uns anbefohlen hat. Denn in diesem Wort und sonst in gar keinem anderen liegt die Kraft, Natur und das ganze Wesen der Messe. Alles andere ist menschlicher Eifer, zum Worte Christi hinzugekommen, ohne den die Messe sehr gut gehalten werden und bestehen kann. Die Worte, mit denen Christus dieses Sakrament eingesetzt hat, sind folgende:

»Da sie aber aßen, nahm Jesus das Brot, dankte und brach's und gab es seinen Jüngern und sprach: Nehmet, esset; das ist mein Leib, der für euch gegeben wird. Und er nahm den Kelch, dankte und gab ihnen den und sprach: Trinket alle daraus; das ist der Kelch, das neue Testament in meinem Blut, das für euch und für viele vergossen wird zur Vergebung der Sünden. Solches tut zu meinem Gedächtnis.«[30]

---

[28] Im späten Mittelalter versammelten sich Laien zu »Bruderschaften«, welche fromme Zwecke verfolgten. Vielfach diente hierzu die Finanzierung eines Priesters zum Lesen der Messe.

[29] Vgl. Mt 10,8.

[30] Vgl. Mt 26,26–28.

Diese Worte überliefert auch der Apostel 1 Kor 11,23–25, und erklärt sie weitläufiger. Auf diese müssen wir uns stützen, auf sie müssen wir uns wie auf einen festen Felsen gründen, wenn wir nicht durch jeden Hauch einer (neuen) Lehre[31] umgeworfen werden wollen, wie es bisher durch gottlose Lehren von Leuten, die der Wahrheit feind sind,[32] geschehen ist. Denn in diesen Worten fehlt nichts, was für die Vollkommenheit, den Gebrauch und Nutzen dieses Sakraments nötig ist. Es gibt auch nichts, was überflüssig und uns nicht nötig zu wissen wäre. Denn wer diese Worte streicht und dennoch von der Messe redet oder lehrt, der lehrt ungeheure Gottlosigkeiten, wie es durch die geschehen ist, die ein *opus operatum*[33] und Opfer daraus gemacht haben.

So bleibt es demnach zuerst und unfehlbar dabei, dass die Messe oder das Sakrament des Altars ein Testament Christi ist, das er bei seinem Tode zur Austeilung an seine Gläubigen hinterlassen hat. Denn so lauten seine Worte: »Dieser Kelch ist das neue Testament in meinem Blut.« Es bleibe, sage ich, diese Wahrheit das unerschütterliche Fundament, auf das wir alles bauen wollen, was noch gesagt werden muss. Denn das wirst du sehen, wie wir alle Gottlosigkeiten der Menschen zunichte machen werden, die diesem überaus teuren Sakrament angetan worden sind. So sagt nun der wahrhaftige Christus mit Wahrheit: dies sei das neue Testament in seinem Blut, für uns vergossen. Ich wiederhole das nicht ohne Grund: es handelt sich um keine geringe Sache, sondern sie will tief eingeprägt sein.

Wir wollen also (zunächst) danach fragen, was ein Testament ist! Dann werden wir auch zugleich wissen, was die Messe ist, wie sie zu gebrauchen, was ihr Nutzen, was ihr Missbrauch ist. Ein Testament ist ohne Zweifel das Versprechen eines Sterbenden, in dem er seine Erbschaft vermacht und Erben einsetzt. Ein Testament setzt also erstens den Tod des Erblassers voraus, danach das Versprechen der Erbschaft und die Benennung eines Erben. Denn in diesem Sinne behandelt Paulus weitläufig, Röm 4, Gal 3 und 4 und Hebr 9, das Testament. Das sehen wir auch klar an diesen Worten Christi. Von seinem Tode spricht er, wenn er sagt: »Das ist mein Leib, der gegeben wird; das ist mein Blut, das vergossen wird.« Die Erbschaft benennt er und bezeichnet sie, wenn er sagt: »Zur Vergebung der Sünden.« Die Erben aber setzt er ein, wenn er sagt: »Für euch und für viele«, das heißt: für die, die das Versprechen des Erblassers annehmen und ihm glauben. Denn der Glaube macht hier zu Erben, wie wir sehen werden.

Du siehst also, dass die Messe (wie wir sie nennen) eine von Gott gegebene Verheißung der Vergebung der Sünden ist. Es ist eine solche Verheißung, die

---

[31] Vgl. Eph 4,14.

[32] Vgl. Tit 1,14.

[33] Die Lehre vom »gewirkten Werk« besagte, dass der äußere Vollzug der Eucharistie allein, unabhängig von der subjektiven Beteiligung der Vollziehenden und Empfangenden, heilswirksam sei. Damit war für Luther das *sola fide* in Frage gestellt.

durch den Tod des Sohnes Gottes bekräftigt wird. Denn eine Verheißung und ein Testament unterscheiden sich durch nichts anderes, als dass ein Testament zugleich den Tod dessen voraussetzt, der das Versprechen gegeben hat. Und der Erblasser ist dasselbe wie einer, der bei seinem Tode ein Versprechen gibt; wer aber ein Versprechen gibt, ist (um es einmal so zu sagen) ein Erblasser, der am Leben bleibt. Dieses Testament Christi ist in allen Verheißungen Gottes von Anfang der Welt an vorgebildet. Ja, alle alten Verheißungen haben in dieser neuen zukünftigen Verheißung in Christus ihre Kraft. Was sie auch immer vermocht haben, das hing an ihr. Daher sind diese Worte in der Schrift sehr gebräuchlich: Vertrag, Bund und Testament des Herrn. Dadurch wurde angedeutet, dass Gott dermaleinst sterben würde. »Denn wo ein Testament ist, da muss noch der Tod eintreten des, der das Testament gemacht hat«, Hebr 9,16: Gott aber hat ein Testament gemacht, deswegen hat er sterben müssen. Er konnte aber nicht sterben, wenn er nicht ein Mensch war. So ist eben in dem Wort »Testament« ganz kurz beides zusammengefasst: die Menschwerdung wie auch der Tod Christi.

Daraus ist an und für sich schon klar, was der rechte Brauch und was der Missbrauch, was eine würdige und was eine unwürdige Vorbereitung zur Messe ist. Denn ist sie, wie gesagt, eine Verheißung, so darf man nicht mit eigenen Werken, Kräften und Verdiensten hinzutreten, sondern allein mit dem Glauben. Denn wo das Wort des verheißenden Gottes ist, da ist der Glaube des Menschen nötig, der diese Verheißung ergreift. Es ist also klar, dass der Glaube der Anfang unserer Seligkeit ist. Der Glaube aber hängt am Wort des verheißenden Gottes, der ohne all unser Zutun uns umsonst und mit unverdienter Barmherzigkeit zuvorkommt und uns das Wort seiner Verheißung anbietet. »Er sandte sein Wort und machte sie so gesund«.[34] Aber er hat nicht unsere Werke angenommen und uns so erlöst. Das Wort Gottes ist das allererste; dem folgt der Glaube, dem Glauben die Liebe. Die Liebe endlich tut jedes gute Werk, denn »sie tut nichts Böses, ja sie ist des Gesetzes Erfüllung«.[35] Aber der Mensch kann auf keine andere Weise mit Gott übereinkommen oder handeln als durch den Glauben. Das bedeutet, dass nicht der Mensch durch irgendwelche seiner Werke, sondern Gott durch seine Verheißung das Heil schafft. Alles hängt, wird getragen und erhalten »durch sein kräftiges Wort«,[36] durch das er uns geschaffen hat, »damit wir wären die Erstlinge seiner Kreatur«.[37]

So hat er dem Adam, der nach dem Falle wieder aufgerichtet werden sollte, diese Verheißung gegeben und zur Schlange gesagt: »Ich will Feindschaft setzen zwischen dir und der Frau, und zwischen deinem Samen und ihrem Samen.

[34] Ps 107,20.

[35] Röm 13,10.

[36] Hebr 1,3.

[37] Jak 1,18.

Derselbe soll dir den Kopf zertreten, und du wirst ihn in die Ferse stechen.«[38] In diesem Worte der Verheißung ist Adam mit den Seinen wie in Gottes Schoß getragen und durch den Glauben an diese Verheißung erhalten worden und wartete mit Geduld auf die Frau, die der Schlange den Kopf zertreten sollte, wie Gott verheißen hat. In diesem Glauben und in dieser Hoffnung ist er auch gestorben und wusste nicht, wann und welcher Art die Verheißung sein würde, aber er zweifelte nicht daran, dass sie sich erfüllen würde. Denn weil es die Wahrheit Gottes ist, errettet eine solche Verheißung auch in der Hölle die Gläubigen, die auf sie warten. Darauf folgte die andere Verheißung, dem Noah gegeben, bis Abraham. Ihm wurde zum Zeichen des Bundes der Regenbogen gegeben. Durch den Glauben an diese Verheißung erlangten er und seine Nachkommen einen gnädigen Gott. Danach hat er Abraham versprochen, dass »alle Geschlechter auf Erden in seinem Samen sollten gesegnet sein«[39]. Und das ist der Schoß Abrahams, in welchen seine Nachkommen aufgenommen sind. Danach hat er Mose und den Kindern Israel, besonders dem David, eine ganz deutliche Verheißung von Christus gegeben. Durch sie hat er endlich geoffenbart, was für eine Verheißung den Alten geschehen war.

So ist es schließlich zu der allervollkommensten Verheißung, zu der des Neuen Testaments, gekommen, in welcher mit klaren Worten das Leben und Seligkeit umsonst verheißen und denen geschenkt werden, die der Verheißung glauben. Er unterscheidet auch mit einem deutlichen Zeichen zwischen diesem Testament und dem alten, wenn er sagt: das *neue* Testament. Denn das alte Testament, durch Mose gegeben, war nicht eine Verheißung der Vergebung der Sünden oder der ewigen Güter, sondern der zeitlichen, nämlich des Landes Kanaan, wodurch niemand geistlich erneuert wurde, die himmlische Erbschaft anzutreten. Daher musste auch ein unvernünftiges Tier (in Anspielung auf den Kreuzestod Christi) geschlachtet werden, durch dessen Blut das Testament bekräftigt wurde. Also: wie das Blut, so auch das Testament, wie das Opfertier, so auch die Verheißung! Aber hier sagt er: »Das neue Testament in meinem Blut«, nicht in einem fremden, sondern in seinem eigenen Blut, womit durch den Geist die Gnade verheißen wird, Vergebung der Sünden zu erhalten und die Erbschaft zu empfangen.

Die Messe ist demnach ihrem Wesen nach eigentlich nichts anderes als die oben genannten Worte Christi: »Nehmet hin und esset« usw., so als ob er sagte: Siehe, du sündiger und verdammter Mensch, aus lauter und unverdienter Liebe, mit der ich dich liebe – der Vater aller Barmherzigkeit will es so haben – verheiße ich dir mit diesen Worten, ehe du irgend etwas verdient und verlangt hast, Vergebung aller deiner Sünden und das ewige Leben. Und auf dass du dieser meiner unwiderruflichen Verheißung ganz gewiss seiest, will ich meinen Leib

---

38 1 Mose 3,15.

39 1 Mose 12,3.

dahingeben und mein Blut vergießen und diese Verheißung mit dem Tode selbst bekräftigen und beides (den Leib und das Blut) zum Zeichen und Gedächtnis dieser Verheißung hinterlassen. Sooft du davon Gebrauch machst, sollst du meiner gedenken und diese meine Liebe und Güte gegen dich preisen, loben und danksagen.

Daraus siehst du, dass für eine würdige Messe nichts anderes gefordert wird als der Glaube, der sich fest auf die Verheißung verlässt, der daran glaubt, dass Christus in diesen seinen Worten die Wahrheit redet, und nicht zweifelt, ihm seien diese unermesslichen Güter geschenkt. Auf diesen Glauben folgt bald von selbst die angenehmste Bewegung des Herzens, durch die der Geist des Menschen weit und kräftig gemacht wird (das ist die Liebe, durch den heiligen Geist im Glauben an Christus geschenkt), dass er zu Christus, einem so milden und gütigen Erblasser, hingerissen und gänzlich ein anderer und neuer Mensch wird. Denn wer würde nicht innig weinen, ja vor Freude an Christus fast sterben, wenn er ganz ohne Zweifel glauben kann, dass diese unschätzbare Verheißung Christi ihm zusteht? Wie sollte man einen solchen Wohltäter nicht liebhaben, der dem Unwürdigen, der weit anderes verdient hätte, solchen Reichtum und diese ewige Erbschaft anbietet, verheißt und schenkt, ehe man darum bittet?

Darum ist das unser ganzes großes Elend, dass wir viele Messen in der Welt haben und niemand oder nur wenige diese Verheißungen und diesen angebotenen Reichtum erkennen, betrachten und annehmen. Dabei sollte in der Messe fürwahr nichts anderes mit größerem, ja mit ausschließlichem Eifer betrieben werden, als dass wir diese Worte, diese Verheißungen Christi, die wahrhaftig die Messe selbst sind, uns vor Augen hielten, sie bedächten und wiederholten, um durch diese tägliche Gedächtnisfeier den Glauben daran zu üben, zu nähren, zu vermehren und zu stärken. Denn das ist es, was er gebietet, wenn er sagt: »Das tut zu meinem Gedächtnis.« Das sollte auch der Prediger tun, dass er diese Verheißung dem Volk treulich einprägte und anempfehle, um ihren Glauben daran zu erwecken.

Denn Gott (wie gesagt) hat mit den Menschen niemals anders gehandelt, handelt auch (jetzt) nicht anders mit ihnen als durch das Wort der Verheißung. Wir hingegen können mit Gott niemals anders handeln als durch den Glauben an das Wort seiner Verheißung. Unserer Werke achtet er nicht, bedarf ihrer auch nicht; mit denen handeln wir vielmehr gegen die Menschen und mit den Menschen und uns selbst. Aber dessen bedarf er, dass er von uns in seinen Verheißungen als getreu angesehen, mit Geduld erwartet und in Glaube, Hoffnung und Liebe verehrt wird. So kommt es, dass er seine Ehre in uns behauptet: nicht durch unser Laufen, sondern durch sein Erbarmen, Verheißen und Schenken empfangen und haben wir alles Gute.[40] Siehe, das ist wahrhaft der Gottesdienst und die Anbetung, die wir in der Messe vollbringen sollen. Aber wenn die Worte der

[40] Röm 9,16.

Verheißung nicht weitergegeben werden, was für eine Übung des Glaubens kann man dann haben? Wer hofft ohne Glauben? Wer hat (Gott) lieb? Was für einen Gottesdienst gibt es ohne Glauben, ohne Hoffnung, ohne Liebe? Deshalb ist kein Zweifel, dass heutzutage alle Priester und Mönche samt den Bischöfen und allen ihren Oberen Götzendiener sind und wegen ihrer Unkenntnis, Missbrauch und Verspottung der Messe, d. h. des Sakraments, d. h. der Verheißung Gottes in einem hochgefährlichen Stande leben.

Jeder sieht leicht ein, dass diese zwei Dinge zugleich nötig sind, die Verheißung und der Glaube. Denn ohne Verheißung kann nichts geglaubt werden. Ohne Glauben aber ist die Verheißung nutzlos, weil sie durch den Glauben aufrechterhalten und erfüllt wird. Aus diesem allen wird ein jeder leicht folgern können, dass man zur Messe allein mit diesem Glauben gehen und hinzutreten kann, weil sie ja nichts anderes ist als eine Verheißung. Was ohne den Glauben an Gebetlein, Vorbereitungen, Werken, Zeichen und Gebärden mitgebracht wird, das ist alles mehr ein Reizmittel zur Gottlosigkeit als ein frommer Dienst. Denn gewöhnlich ist es so, dass man – so vorbereitet – meint, man ginge würdig zum Altar; dabei ist man doch wegen seines Unglaubens, den man mit sich bringt, zu keiner Zeit oder zu keinem Werk ungeschickter. Wie viel Messpriester kannst du täglich und allenthalben sehen, die sich elendiglich eines großen Verbrechens schuldig fühlen, wenn sie nicht recht gekleidet waren oder die Hände nicht gewaschen oder beim Gebet gestockt und dadurch ein wenig gefehlt hatten. Aber dass sie die Messe selbst, d. h. die göttliche Verheißung nicht hochachten noch an sie glauben, deswegen haben sie nicht im Geringsten ein schlechtes Gewissen. O dieser schmachvolle Aberglaube unserer absolut gottlosen und undankbaren Zeit!

Es gibt demnach keine würdige Vorbereitung und keinen rechten Gebrauch als allein den Glauben, mit dem der Messe, d. h. der göttlichen Verheißung, geglaubt wird. Wer daher zum Altar gehen oder das Sakrament empfangen will, der hüte sich, dass er nicht leer vor dem Angesicht seines Herrgotts erscheint. Der wird aber leer sein, wenn er nicht den Glauben an die Messe, d. h. dieses neue Testament, besitzt. Mit was für einer Gottlosigkeit könnte er sich wohl schwerer an der Wahrheit Gottes versündigen? Denn durch diesen seinen Unglauben macht er ihn, soviel an ihm ist, zu einem Lügner und einem, der leere Verheißungen gibt. Es ist demnach am allersichersten, mit keiner anderen Absicht zur Messe zu gehen, als ob du hingehen wolltest, sonst eine andere Verheißung Gottes zu hören. Das heißt du sollst bereit sein, nicht viel zu tun und mitzubringen, sondern alles zu glauben und anzunehmen, was dir dort verheißen oder als Verheißung durch den Dienst des Priesters verkündigt wird. Wenn du nicht mit dieser Absicht kommst, so bleibe lieber weg, denn du gingest ohne Zweifel zum Gericht dahin.

Mit Recht habe ich also behauptet, dass die ganze Kraft der Messe in den Worten Christi liegt, mit denen er verspricht, dass die Vergebung der Sünden allen denen geschenkt werde, die da glauben, sein Leib sei für sie dahingegeben und sein Blut sei für sie vergossen. Und deswegen ist für die, die die Messe hören wollen, nichts nötiger, als dass sie diese Worte fleißig und voll Glauben betrachten; tun sie das nicht, so ist alles andere umsonst. Das ist allerdings wahr, dass Gott in der Regel zu jeder Verheißung ein Zeichen als ein Andenken oder Denkmal seiner Verheißung dazuzusetzen pflegt, damit sie umso treuer behalten würde und umso wirkungsvoller (an seine Verheißung) erinnerte. So hat Gott auch in der Messe, der wichtigsten aller Verheißungen, ein Zeichen als ein Denkmal der so großen Verheißung hinzugesetzt: seinen eigenen Leib und sein eigenes Blut in dem Brot und Wein, wie er sagt: »Das tut zu meinem Gedächtnis.« Ebenso fügt er auch in der Taufe zu den Worten der Verheißung als Zeichen das Untertauchen in das Wasser hinzu. Daraus erkennen wir, dass uns bei jeder Verheißung Gottes zweierlei angeboten wird: das Wort und das Zeichen, so dass wir daraus ersehen, das Wort ist das Testament, das Zeichen aber das Sakrament. So ist auch in der Messe das Wort Christi das Testament, Brot und Wein aber sind das Sakrament. Und wie mehr Kraft in dem Wort als in dem Zeichen liegt, so auch mehr im Testament als im Sakrament. Denn der Mensch kann das Wort oder das Testament haben und gebrauchen ohne das Zeichen oder ohne das Sakrament. »Glaube«, sagt Augustin, »so hast du gegessen.«[41] Aber wem wird geglaubt, als dem Worte dessen, der es verheißt? So kann ich täglich, ja zu jeder Stunde die Messe haben, indem ich sooft ich will, mir die Worte Christi vorhalten und durch sie meinen Glauben speisen und stärken kann. Das ist recht geistlich essen und trinken.

Nun ist es zweierlei, was uns so anzufechten pflegt, dass wir die Früchte der Messe nicht empfangen. Das eine ist, dass wir Sünder und solcher großen Dinge wegen unserer absoluten Nichtigkeit unwürdig sind. Das andere: Wenn wir schon würdig wären, so sind doch die Dinge so erhaben, dass unsere kleinmütige Natur sie nicht zu begehren oder zu hoffen wagt. Denn wer würde nicht mehr vor der Sündenvergebung und dem ewigen Leben zurückschrecken, als sie zu begehren, sobald er die Größe der Dinge, die durch sie kommen, recht erwägt: nämlich Gott zum Vater zu haben, sein Kind und Erbe aller Güter Gottes zu sein? Gegen diese zweifache Kleinmütigkeit musst du das Wort Christi ergreifen und es viel stärker im Auge behalten als diese Gedanken deiner Schwachheit. Denn »groß sind die Werke des Herrn; wer ihrer achtet, der hat viel eitel Lust daran«[42]; der da »mächtig ist zu geben mehr, als wir begehren oder verstehen«[43]. Denn wenn sie nicht unsere Würdigkeit und unsere Fassungskraft und all unsere Gedanken überträfen, dann wären sie nicht göttlich. Christus macht uns deshalb Mut, wenn er sagt: »Fürchte dich nicht, du kleine Herde! Denn es ist eures Vaters Wohlgefallen,

[41] So der Kirchenvater Augustin in seinem »Tractatus in Iohannis Evangelium« 25,12.

[42] Ps 111,2.

[43] Eph 3,20.

euch das Reich zu geben!«[44] Denn dieser unbegreifliche Überfluss Gottes, der über uns durch Christus ausgegossen ist, bewirkt, dass wir ihn wiederum über alle Dinge inbrünstig lieben, mit dem höchsten Vertrauen zu ihm treten, alles gering achten und bereit sind, alles für ihn zu leiden. Daher wird auch dieses Sakrament mit Recht ein Brunnen der Liebe genannt.

Nimm dir dafür ein Beispiel an den Menschen: Wenn ein reicher Herr nämlich einem armen Bettler oder einem unwürdigen und bösen Knechte tausend Goldstücke vermachte, würde dieser sie bestimmt mit Freudigkeit fordern und annehmen und weder seiner Unwürdigkeit noch der Größe des Vermächtnisses achten. Wenn ihm auch jemand entgegenträte und ihm seine Unwürdigkeit oder die Größe des Vermächtnisses vor Augen hielte, was meinst du, was er dazu sagen würde? Er würde sagen: »Was geht das dich an? Was ich bekomme, das bekomme ich nicht nach meinem Verdienst oder auf Grund eines besonderen Rechtes. Ich weiß, dass ich unwürdig bin und mehr empfange als ich verdient habe, ja ich habe das Gegenteil verdient. Auf Grund des Testaments und fremder Güte verlange ich, was ich verlange. Hat er es nicht für unrecht gehalten, so viel einem so Unwürdigen zu vermachen, warum soll ich denn meiner Unwürdigkeit wegen es anzunehmen verschmähen? Ja, vielmehr darum greife ich desto mehr nach solch unverdienter und fremder Gnade, je unwürdiger ich bin.« Mit solchen Gedanken muss eines jeden Gewissen gegen alle Zweifel und Gewissensbisse gewappnet sein, diese Verheißung Christi mit festem Glauben zu erlangen. Nach Kräften muss man sich hüten, nicht im Vertrauen auf die Beichte, das Gebet oder die Vorbereitung zum Sakrament zu gehen, sondern an diesem allen verzagen und im stolzen Vertrauen auf Christus hinzutreten, der es verheißen hat. Denn, wie zur Genüge gesagt, hier soll allein das Wort der Verheißung im reinen Glauben regieren, der einzig und allein eine ausreichende Vorbereitung ist.

Hieraus sehen wir, aus was für einem mächtigen Zorn Gottes es kam, dass gottlose Lehrer uns die Worte dieses Testaments verborgen und dadurch (soweit es an ihnen lag) den Glauben selbst ausgelöscht haben. Nun ist leicht zu sehen, was auf dem Erlöschen des Glaubens notwendig folgen musste, nämlich der ganz und gar gottlose Aberglaube an die Werke. Denn wo der Glaube untergeht und das Wort vom Glauben verstummt, da entstehen alsbald an dessen Stelle menschliche Werke und Satzungen von Werken. Durch diese sind wir wie durch eine babylonische Gefangenschaft aus unserm Vaterland vertrieben worden, nachdem man uns all unseren wertvollen Besitz genommen hat. So ist es mit der Messe gegangen: durch die Lehre gottloser Menschen ist sie in ein »gutes Werk«, das sie selbst ein »*opus operatum*« nennen, verwandelt worden, durch welches sie sich anheischig machen, bei Gott alles zu vermögen. Von hier aus ist es weitergegangen bis zu diesem äußersten Wahnsinn: Weil sie erlogen haben, die Messe wirke kraft ihres äußeren Vollzuges (als »opus operatum«), haben sie noch

[44] Lk 12,32.

hinzugesetzt, sie wäre auf jeden Fall für andere nützlich, selbst wenn sie dem schädlich sei, der sie ohne Glauben darbringe. Und auf diesen Sand haben sie ihre Zuwendungen, ihre Teilhaber- und Bruderschaften, Jahresgedächtnisse und dergleichen unendliche gewinn- und verdienstbringende Dinge gegründet.

Gegen diese Gespinste wirst du kaum bestehen – denn sie sind stark und viele, und sie sind ganz fest eingewurzelt – wenn du nicht ganz beharrlich im Auge behältst, was die Messe ist und dich energisch an die vorangegangenen Ausführungen erinnerst. Du hast gehört, dass die Messe nichts anderes ist als eine göttliche Verheißung oder ein Vermächtnis Christi, durch das Sakrament seines Leibes und Blutes zugeeignet. Ist das wahr, dann siehst du auch ein, dass sie unter gar keinen Umständen ein Werk sein kann und dass darin nichts geschehen oder durch das Bemühen eines anderen etwas erreicht werden kann, als allein durch den Glauben. Der Glaube aber ist kein Werk, sondern der Lehrmeister und das Leben der Werke. Denn wer ist auch nur so unsinnig, dass er eine empfangene Verheißung oder ein geschenktes Vermächtnis ein gutes Werk nennt, das er seinem Erblasser dadurch tut, dass er es annimmt? Wo ist der Erbe, der sich einbildet, seinem Vater, der ihm etwas vermacht, etwas Gutes zu tun, dadurch dass er die Testamentsurkunde mit der Erbschaft annimmt? Wie können wir also so verwegen sein, dass wir um das göttliche Vermächtnis zu empfangen, so kommen, als wollten wir Gott damit ein gutes Werk tun? Übersteigt diese Unkenntnis des Testaments und diese Gefangenschaft eines so hohen Sakraments nicht alle Tränen? Wo wir wegen der empfangenen Gaben dankbar sein sollten, da kommen wir hoffärtig und wollen geben, was wir nehmen sollten, verspotten mit unerhörter Verkehrtheit die Barmherzigkeit des Gebers, indem wir das als ein Werk geben, was wir als eine Gabe empfangen, so dass der Erblasser nun nicht mehr seine Guttaten austeilt, sondern die unsrigen empfängt. Wehe dieser Gottlosigkeit!

Wer ist aber jemals so toll gewesen, dass er die Taufe für ein gutes Werk hielt. Oder welcher Täufling glaubte, dass er ein Werk verrichtete, das er für sich und andere Gott darbrächte und zuteil werden ließe? Ist nun in einem Sakrament und Testament kein gutes Werk, woran man andere teilhaben lassen kann, so wird auch in der Messe keins sein. Denn auch sie ist nichts anderes als ein Testament und Sakrament. Daher ist es ein ausgemachter und gottloser Irrtum, die Messe für Sünden, für Genugtuungen, für Verstorbene oder sonst für eigene oder fremde Bedürfnisse zu opfern oder zuzueignen. Dass das absolut wahr ist, verstehst du ganz leicht, wenn du standhaft daran festhältst, dass die Messe eine göttliche Verheißung ist, die niemandem nutzen, keinem zugeeignet, niemandem zugewiesen noch mitgeteilt werden kann als allein dem, der mit eigenem Glauben glaubt. Denn wer kann Gottes Verheißung, die den Glauben eines jeden einzeln fordert, für einen andern empfangen oder ihm zueignen? Kann ich denn einem anderen Gottes Verheißung geben, auch wenn er nicht glaubt? Oder kann ich für einen anderen glauben? Oder kann ich machen, dass ein anderer glaubt? Das müsste aber geschehen, wenn ich die Messe einem anderen zueignen und mitteilen kann, weil in der Messe nichts ist als diese zwei Dinge: Gottes Verheißung und des Menschen Glaube, der da empfängt, was Gott verheißt. Ist das wahr, so kann ich auch für andere das Evangelium hören und glauben, kann ich für den einen getauft und kann ich für einen anderen von Sünden erlöst werden, kann ich auch für einen anderen das Sakrament des Altars empfangen. Ich kann auch – um ihre Sakramente durchzugehen – für einen anderen eine Ehefrau nehmen, für einen anderen Priester, für einen anderen gefirmt werden, für einen anderen die letzte Ölung bekommen.

Kurz, warum hat denn Abraham nicht für alle Juden geglaubt? Warum wird von jedem einzelnen Juden der Glaube an dieselbe Verheißung gefordert, an die Abraham geglaubt hat? Es ist also unüberwindlich wahr: Wo Gottes Verheißung ist, da steht ein jeder für sich selbst und wird eines jeden eigener Glaube gefordert, es wird ein jeder für sich selber Rechenschaft geben und seine Last tragen, so wie in Mk 16,16 gesagt ist: »Wer da glaubet und getauft wird, der wird selig werden; wer aber nicht glaubet, der wird verdammt werden.« Also kann ein jeder die Messe nur sich selbst durch seinen eigenen Glauben zunutze machen und kann sie auf keine Weise jemand anders mitteilen. Ebenso kann der Priester keinem für einen anderen das Sakrament reichen, sondern er reicht es einem jeden besonders. Denn die Priester sind beim Weihen und Verwalten (des Sakraments) unsere Diener, durch die wir nicht ein gutes Werk darbringen oder aktiv anderen zuteil werden lassen, sondern durch sie empfangen wir passiv die Verheißungen und das Zeichen, wie es bisher bei den Laien geblieben ist. Denn man sagt nicht, dass sie damit etwas Gutes tun, sondern dass sie es empfangen. Aber die Priester sind auf ihre gottlosen Wege abgeirrt und haben sich ein gutes Werk daraus gemacht, dass sie aus dem Sakrament und Testament Gottes mitteilen und darbringen, wo es doch ein empfangenes Gut sein sollte.

Du könntest aber einwenden: Was? Willst du denn Brauch und Ansicht aller Kirchen und Klöster umkehren, bei denen die Messe so viele Jahrhunderte in Geltung stand, sind auf sie doch die Jahresgedächtnisse, Fürbitten, die Zuwendungen, die Anteilgaben usw., d. h. die allerergiebigsten Renten und Einkünfte gegründet. Hierauf antworte ich: Das ist es eben, was mich angetrieben hat, über die Gefangenschaft der Kirche zu schreiben. Denn so ist das hochwürdige Testament Gottes durch die Ansichten und Lehren gottloser Leute, die uns unter Hintansetzung des Wortes Gottes ihres eigenen Herzens Gedanken vorgetragen und die Welt verführt haben, so ist also dieses Testament in die Knechtschaft ruchlosen Gewinns gezwungen worden. Was kümmert mich die große Zahl und die Macht der Irrenden? Die Wahrheit ist stärker als sie alle. Kannst du Christus verleugnen, der da lehrt, dass die Messe ein Testament und Sakrament sei, so will ich ihnen recht geben. Weiter, wenn du sagen kannst, dass der ein gutes Werk tut, der das im Testament Vermachte empfängt oder das Sakrament der Verheißung dazu gebraucht, so will ich meine Meinung gern verdammen. Weil du aber keins von beiden kannst, was zauderst du da noch, den großen Haufen, der ins Verderben läuft, zu verlassen, Gott die Ehre zu geben und seine Wahrheit zu bekennen, dass nämlich heute alle Priester eine verkehrte Auffassung haben, wenn sie die Messe für ein Werk halten, womit sie ihren eigenen Nöten oder denen anderer – Lebendiger oder Toter – zu Hilfe kommen können. Ich rede unerhörte und verblüffende Dinge. Betrachtest du aber, was die Messe ist, so wirst du erkennen, dass ich wahr geredet habe. Das hat alles unsere gar zu große Sicherheit bewirkt, durch die wir den gegen uns ausbrechenden Zorn Gottes nicht gemerkt haben.

Diesem allen muss man, weil es so hartnäckig Wurzel geschlagen hat, standhaft und beständig die Worte und das Beispiel Christi entgegenhalten. Denn wenn wir nicht daran festhalten, dass die Messe eine Verheißung und Testament Christi ist, wie die Worte klar lauten, so verlieren wir das ganze Evangelium und allen Trost. Wir sollen nichts höher als diese Worte gelten lassen, »wenn schon ein Engel vom Himmel etwas anderes lehren würde«[45]. Und in diesen Worten steht nichts vom Werk oder vom Opfer. Weiter steht auch das Beispiel Christi auf unserer Seite. Denn Christus hat beim letzten Mahl, als er dieses Sakrament stiftete und dieses Testament begründete, es nicht Gott seinem Vater dargebracht oder als ein gutes Werk für andere verrichtet, sondern er saß bei Tisch und legte einem jeden das gleiche Testament vor und reichte ihnen das Zeichen dar. Die Messe ist nun desto christlicher, je näher und gleichförmiger sie der allerersten Messe ist, die Christus beim Abendmahl hielt. Aber die Messe Christi war ganz einfach, ohne alle Pracht mit Kleidern, Gebärden, Gesängen und anderen Zeremonien. Christus hätte sie also nicht vollständig eingesetzt, wenn sie als ein Opfer hätte dargebracht werden sollen.

Nicht, dass jemand die ganze Kirche tadeln soll, welche die Messe mit vielen anderen Bräuchen geziert und erweitert hat; sondern das wollen wir, dass sich niemand durch solch äußerlichen Glanz der Zeremonien irreleiten und durch den vielfältigen Pomp den Zugang zu dieser ganz einfachen Messe verbauen lässt und in Wahrheit eine Art »Transsubstantiation« treibt, wenn er die Messe in ihrer Einfachheit aus den Augen verliert und an den vielen äußerlichen Zutaten des Gepränges hängen bleibt. Denn was über das Wort und Beispiel Christi hinaus hinzukommt, ist eine äußerliche Zutat zur Messe, deren jede wir nicht höher achten sollen als jetzt die Monstranzen (wie sie sie nennen) und die Altartücher, in denen die Hostien aufbewahrt werden. Wie es darum im Widerspruch zueinander steht, ein Testament auszuteilen, eine Verheißung zu empfangen und ein Opfer zu opfern, so widerspricht es sich, dass die Messe ein Opfer sein soll, weil wir jene empfangen, dieses aber geben. Nun kann aber etwas nicht zugleich empfangen und gegeben werden und auch nicht von demselben zugleich gegeben

45 Gal 1,8.

und empfangen werden, ebenso wenig, wie das Gebet und die erlangte Sache dasselbe sein können, oder beten und das Erbetene nehmen.

Von daher kann jeder leicht verstehen, was oft bei Gregor dem Großen gesagt wird: Die Messe eines schlechten Priesters ist nicht geringer zu achten als die eines guten.[46] Die Messe des heiligen Petrus ist nicht besser gewesen als die des Verräters Judas (wenn sie beide Messen gehalten hätten). Denn mit diesem Deckmantel wollen viele ihre Unfrömmigkeit bemänteln und haben daher den Unterschied zwischen dem *opus operatum* und dem *opus operantis* erfunden, damit sie auf diese Weise selbst unbeschadet ein schlimmes Leben führen, und dennoch in Anspruch nehmen können, anderen Gutes zu tun. Gregor hat tatsächlich recht, nur verstehen sie ihn falsch. Denn es ist ganz wahr, dass durch gottlose Priester nicht weniger vom Testament und Sakrament gegeben und empfangen wird als selbst durch die Allerheiligsten. Denn wer wollte daran zweifeln, dass das Evangelium auch durch Gottlose verkündigt wird? Nun ist aber die Messe ein Teil des Evangeliums, ja die Summe und eine Zusammenfassung des Evangeliums. Denn was ist das ganze Evangelium anderes als die frohe Botschaft von der Vergebung der Sünden? Was lang und breit über die Sündenvergebung und die Barmherzigkeit Gottes gesagt werden kann, das ist kurz in dem Wort des Testaments zusammengefasst. Daher sollten auch die Predigten vor dem Volk nichts anderes sein als Auslegungen über die Messe, d. h. Erklärungen der göttlichen Verheißungen dieses Testaments; denn das hieße den Glauben lehren und recht die Kirche erbauen. Aber die jetzt die Messe auslegen, die gaukeln und betrügen mit Allegorien über von Menschen erdachte Zeremonien.

Wie deshalb ein gottloser (Priester) taufen kann, d. h. das Wort der Verheißung und das Zeichen des Wassers an den Täufling heranbringen, so kann er auch die Verheißung dieses Sakraments den Teilnehmern darreichen und es mit ihnen nehmen, wie Judas der Verräter beim (letzten) Mahl des Herrn. Es bleibt trotzdem allezeit dasselbe Sakrament und Testament, das im Gläubigen sein Werk (d. h. die Seligkeit) und im Ungläubigen das fremde Werk (d. h. die Verdammung) wirkt. Aber mit dem Opfer verhält es sich ganz anders. Denn weil nicht die Messe, sondern die Gebete Gott geopfert werden, ist es klar, dass die Opfer eines gottlosen Priesters nichts gelten. Sondern (wie derselbe Gregor sagt) wenn ein Unwürdiger geschickt wird, um zu bitten, so wird der Richter zu größerer Strafe herausgefordert. Darum darf man dies beides nicht vermengen: die Messe und das Gebet, das Sakrament und das Werk, das Testament und das Opfer. Denn das eine kommt von Gott zu uns durch den Dienst des Priesters und fordert Glauben; das andere kommt von unserm Glauben zu Gott durch den Priester und bittet um Erhörung, jenes steigt herunter, dieses steigt hinauf. Darum erfordert jenes nicht notwendig einen würdigen und frommen Priester,

[46] Diese Lehre hat Gregor der Große wie die meisten Theologen seit Augustin der Sache nach vertreten. Das von Luther verwandte Zitat lässt sich aber nicht wörtlich nachweisen.

aber dieses fordert es; denn Gott erhöret die Sünder nicht; er kann durch Böse Gutes tun, aber er nimmt keines Bösen Werk an, wie er an Kain gezeigt hat (1 Mose 4,5). Und in Spr 15,8 heißt es: »Der Gottlosen Opfer ist dem Herrn ein Gräuel«, und Röm 14,23: »Was nicht aus dem Glauben geht, ist Sünde.«

Damit wir aber mit diesem ersten Teil zu Ende kommen, denn auch das übrige – wo immer der Verderber sich erhoben hat – wollen wir ans Licht bringen, kommen wir aus all diesen Gründen zu dem Schluss, wem zugute die Messe eingesetzt ist und wer würdig kommuniziert: nämlich allein die, welche traurige, angefochtene, betrübte, verwirrte und irrige Gewissen haben. Denn weil das Wort der göttlichen Verheißung dieses Sakraments die Sündenvergebung anbietet, so tritt getrost der hinzu, der von seinen Sünden geängstigt wird, sei es durch die Reue über begangene, sei es durch die Versuchung zu künftigen. Denn dieses Testament Christi ist die einzige Arznei für vergangene und zukünftige Sünden. Nur musst du mit ungezweifeltem Glauben daran festhalten und glauben, dass dir aus Gnade gegeben werde, was die Worte des Testaments sagen. Wenn du das nicht glaubst, kannst du dein Gewissen niemals, nirgends, mit keinen Werken und keinem noch so großem Eifer zur Ruhe bringen. Denn allein der Glaube ist des Gewissens Friede, der Unglaube aber ist allein des Gewissens Beunruhigung.

Text nach: Luther deutsch, hg. v. Kurt Aland, Bd. 2, Göttingen ^{2}1981, 171–201 (lateinischer Originaltext: WA 6,497–526).

4. Martin Luther, Von der Freiheit eines Christenmenschen (1520)

Nachdem der Häresieprozess Luthers mit Rücksicht auf die Kaiserwahl zwischenzeitlich stagniert hatte, nahm er rasch wieder Fahrt auf. Im Laufe des Jahres 1520 ahnte Luther, dass eine Verurteilung unausweichlich sein würde, und am 15. Juni 1520 wurde dann auch die Bannandrohungsbulle erlassen. Sie gab Luther die Möglichkeit, binnen sechzig Tagen nach Bekanntwerden einen Widerruf zu leisten. Dies wollte und konnte er aus Überzeugung nicht – doch sorgten Berater für einen letzten Versuch, Frieden herbeizuführen. In eigener Verantwortung riet der päpstliche Kammerherr Karl von Miltitz Luther, eine Schrift zu verfassen, die geeignet sei, sich mit dem Papst zu versöhnen. Diese sollte der Reformator vordatieren, um den Eindruck zu erwecken, er habe sie noch ohne Kenntnis der Bannandrohungsbulle verfasst. Tatsächlich formulierte Luther nun im Oktober / November 1520 einen Sendbrief an Papst Leo X. (1513–1521) und setzte darunter das Datum des 6. Septembers. Beigelegt hat er eine Schrift, die er als »gantz summa eyniß Christlichen leben« (WA 7,11,9 f) bezeichnete: die Freiheitsschrift. In einer bis heute unübertroffenen Weise umschrieb er darin die christliche Existenz im Horizont der Rechtfertigungslehre: befreit von aller Last, etwas für das eigene Heil zu tun – und zugleich gebunden in der Liebe zum Nächsten. Die intensive Erbauungsschrift, die Luther in deutscher wie lateinischer Sprache vorlegte, macht auch deutlich, worin das Geheimnis von Luthers öffentlicher Wirkung lag: Vieles darin knüpfte sehr unmittelbar an die gewohnte Sprache und Bildlichlichkeit der Frömmigkeitsliteratur des späten Mittelalters an. Dies aber verband sich mit dem Nimbus eines Autors, der als Häretiker gebrandmarkt wurde und für eine Erneuerung der Kirche einstand. So gewann die Schrift rasch Verbreitung und kann bis heute als Zusammenfassung der reformatorischen Rechtfertigungslehre gelten.

Jesus.

Zum ersten: Damit wir gründlich erkennen können, was ein Christenmensch sei und wie es um die Freiheit beschaffen sei, die ihm Christus erworben und gegeben hat, wovon Paulus viel schreibt, will ich diese zwei Leitsätze aufstellen:

Ein Christenmensch ist ein freier Herr über alle Dinge und niemand untertan.

Ein Christenmensch ist ein dienstbarer Knecht aller Dinge und jedermann untertan.

Diese zwei Leitsätze sind klar: Paulus, 1 Kor 9,19: »Ich bin frei von jedermann und habe mich eines jedermanns Knecht gemacht«, ebenso Röm 13,8: »Seid niemand etwas schuldig, außer dass ihr euch untereinander liebet.« Liebe aber, die ist dienstbar und untertan dem, was sie lieb hat. So heißt es auch von Christus, Gal 4,4: »Gott hat seinen Sohn gesandt, von einer Frau geboren, und dem Gesetz untertan gemacht.«

Zum zweiten: Um diese zwei sich widersprechenden Reden von der Freiheit und von der Dienstbarkeit zu verstehen, sollen wir daran denken, dass ein jeglicher Christenmensch von zweierlei Natur ist: geistlicher und leiblicher. Nach der Seele wird er ein geistlicher, neuer, innerlicher Mensch genannt, nach dem Fleisch und Blut wird er ein leiblicher, alter und äußerlicher Mensch genannt. Und um dieses Unterschiedes willen werden von ihm in der Schrift Dinge ausgesagt, die geradewegs gegeneinander sind, so wie ich jetzt von der Freiheit und der Dienstbarkeit geredet habe.

Zum dritten: Wenn wir uns den inwendigen, geistlichen Menschen vornehmen, um zu sehen, was dazu gehöre, dass er ein frommer, freier Christenmensch sei und heiße, so ist es offenbar, dass ihn kein äußerliches Ding frei noch fromm machen kann, wie es auch immer genannt werden mag. Denn seine Frömmigkeit und Freiheit und umgekehrt seine Bosheit und Gefängnis sind nicht leiblich noch äußerlich. Was hilft es der Seele, dass der Leib ungefangen, frisch und gesund ist, isst, trinkt, lebt wie er will? Umgekehrt: was schadet das der Seele, dass der Leib gefangen, krank und matt ist, hungert, dürstet und leidet, wie er nicht gern wollte? Von diesen Dingen reicht keines bis an die Seele, sie zu befreien oder gefangen zu nehmen, fromm oder böse zu machen.

Zum vierten: Ebenso hilft es der Seele nichts, ob der Leib heilige Kleider anlegt, wie die Priester und Geistlichen tun, auch nicht, ob er in den Kirchen und heiligen Stätten sei, auch nicht, ob er mit heiligen Dingen umgehe, auch nicht, ob er leiblich bete, faste, wallfahre und alle guten Werke tue, die durch und in dem Leibe ewiglich geschehen könnten. Es muss noch ganz etwas anderes sein, was der Seele Frömmigkeit und Freiheit bringe und gebe. Denn alle diese obengenannten Stücke, Werke und Weisen kann auch ein böser Mensch an sich haben und üben, ein Scheinheiliger und Heuchler. Auch entsteht durch solches Verhalten kein anderes Volk als lauter Scheinheilige. Umgekehrt schadet es der Seele nichts, wenn der Leib unheilige Kleider trägt, an unheiligen Orten ist, isst, trinkt, nicht wallfährt, nicht betet und alle die Werke unterlässt, die die obengenannten Scheinheiligen tun.

Zum fünften hat die Seele kein anderes Ding, weder im Himmel noch auf Erden, worin sie lebe, fromm, frei und Christ sei als das heilige Evangelium, das Wort Gottes, von Christus gepredigt, wie er selbst Joh 11,25 sagt: »Ich bin die

Auferstehung und das Leben, wer an mich glaubt, der lebet ewiglich«; ebenso 14,6: »Ich bin der Weg, die Wahrheit und das Leben«; ebenso Mt 4,4: »Der Mensch lebet nicht vom Brot allein, sondern von allen Worten, die da aus dem Mund Gottes gehen.« So müssen wir nun gewiss sein, dass die Seele alle Dinge außer dem Worte Gottes entbehren kann, und ohne das Wort Gottes ist ihr mit keinem Ding geholfen. Wo sie aber das Wort hat, so bedarf sie auch keines andern Dinges mehr, sondern sie hat in dem Wort Genüge: Speise, Freude, Friede, Licht, Kunst, Gerechtigkeit, Wahrheit, Weisheit, Freiheit und alle Güter über die Maßen. So lesen wir im Psalter, besonders im 119. Psalm, dass der Prophet nach nichts anderem schreit als nach dem Gotteswort. Und in der Schrift wird es für die allerhöchste Plage und Gottes Zorn gehalten, wenn er sein Wort von den Menschen nimmt, umgekehrt für keine größere Gnade, als wenn er sein Wort hinsendet, wie im Ps 107,20 steht: »Er hat sein Wort ausgesandt und machte sie gesund.« Und Christus ist um keines andern Amts willen, als das Wort Gottes zu predigen, gekommen, auch sind alle Apostel, Bischöfe, Priester und der ganze geistliche Stand allein um des Wortes willen berufen und eingesetzt, obwohl es jetzt leider anders zugeht.

Zum sechsten fragst du aber: Welches ist denn das Wort, das solche große Gnade gibt, und wie soll ich es gebrauchen? Antwort: Es ist nichts anderes als die von Christus geschehene Predigt, wie sie das Evangelium enthält. Diese soll so beschaffen sein und ist so, dass du deinen Gott zu dir reden hörest, wie all dein Leben und Werke vor Gott nichts seien und du mit all dem, was in dir ist, ewiglich verderben musst. Wenn du das recht glaubst, wie du schuldig bist, so musst du an dir selber verzweifeln und bekennen, dass der Spruch Hos 13,9 wahr sei: »O Israel, in dir ist nichts denn dein Verderben, allein aber in mir steht deine Hilfe.« Damit du aber aus dir heraus und von dir frei, das ist aus deinem Verderben herauskommen mögest, so setzt er dir seinen lieben Sohn Jesus Christus vor und lässt dir durch sein lebendiges, tröstliches Wort sagen: Du sollst dich ihm mit festem Glauben ergeben und frisch auf ihn vertrauen. Ebenso sollen dir um dieses Glaubens willen alle deine Sünden vergeben sein, soll all dein Verderben überwunden sein und du gerecht, wahrhaftig, in Frieden, fromm sein, sollen alle Gebote erfüllet und du von allen Dingen frei sein, wie Paulus Röm 1,17 sagt: »Ein gerechtfertigter Christ lebt nur aus seinem Glauben«; und Röm 10,4: Christus ist das Ende und die Fülle aller Gebote denen, die an ihn glauben.

Zum siebenten: Darum sollte das billig aller Christen einziges Werk und Übung sein, dass sie sich das Wort und Christus wohl einprägten, diesen Glauben stetig übten und stärkten. Denn kein andres Werk kann einen Christen machen, wie Christus, Joh 6,28 f., zu den Juden sagt. Als sie ihn fragten, was sie für Werke tun sollten, dass sie göttliche und christliche Werke täten, sprach er: »Das ist das einzige göttliche Werk, dass ihr an den glaubt, den Gott gesandt hat«, welchen Gott der Vater allein auch dazu verordnet hat. Darum ist ein rechter Glaube an Christus ein ganz überschwänglicher Reichtum, denn er bringet alle Seligkeit mit sich und nimmt alle Unseligkeit fort, wie Mk 16,16 sagt: »Wer da glaubt und getauft ist, der wird selig; wer nicht glaubt, der wird verdammt.« Darum sah der Prophet Jesaja den Reichtum dieses Glaubens an und sprach: Gott wird eine kurze Summe machen auf Erden, und die kurze Summe wird wie eine Sintflut die Gerechtigkeit einflößen;[1] das heißt: der Glaube, in welchem in Kürze die Erfüllung aller Gebote besteht, wird im Überfluss alle gerecht machen, die ihn haben, so dass sie nichts darüber hinaus bedürfen, um gerecht und fromm zu sein. So sagt Paulus Röm 10,10: »Dass man von Herzen glaubt, das macht einen gerecht und fromm.«

Zum achten: Wie geht es aber zu, dass der Glaube allein fromm machen und ohne alle Werke so überschwänglichen Reichtum geben kann, obwohl uns doch in der Schrift so viele Gesetze, Gebote, Werke, Stände und Weisen vorgeschrieben sind? Hier ist eifrig zu merken und ja mit Ernst zu behalten, dass allein der Glaube ohne alle Werke fromm, frei und selig macht, wovon wir hernach mehr hören werden, und ist zu wissen, dass die ganze Heilige Schrift in zweierlei Wort geteilt wird, welche sind: Gebote oder Gesetze Gottes und Verheißungen oder Zusagen. Die Gebote lehren und schreiben uns mancherlei gute Werke vor, aber damit sind sie noch nicht geschehen. Sie weisen wohl, sie helfen aber nicht, lehren, was man tun soll, geben aber keine Stärke dazu. Darum sind sie nur dazu geordnet, dass der Mensch darin sein Unvermögen zum Guten sehe und an sich selbst verzweifeln lerne. Und darum heißen sie auch das alte Testament und gehören alle ins Alte Testament. Wie das Gebot: »Du sollst nicht böse Begierde haben« beweist, dass wir allesamt Sünder sind und kein Mensch ohne böse Begierde zu sein vermag, er tue, was er will. Daraus lernt er an sich selbst verzagen und anderswo Hilfe zu suchen, dass er ohne böse Begierde sei und so das Gebot durch einen andern erfülle, was er aus sich selbst nicht vermag. Ebenso sind auch alle andern Gebote uns (zu erfüllen) unmöglich.

Zum neunten: Wenn nun der Mensch aus den Geboten sein Unvermögen gelernt und empfunden hat, dass ihm nun angst wird, wie er dem Gebot Genüge tue (da doch das Gebot erfüllet werden muss oder er muss verdammt sein), so ist er recht gedemütigt und in seinen Augen zunichte geworden, findet nichts in sich, wodurch er fromm werden könne. Dann kommt das andere Wort, die göttliche Verheißung und Zusage, und spricht: Willst du alle Gebote erfüllen, deine böse Begierde und Sünde los werden, wie die Gebote erzwingen und fordern, siehe da, glaube an Christus, in welchem ich dir alle Gnade, Gerechtigkeit, Frieden und Freiheit zusage. Glaubst du, so hast du, glaubst du nicht, so hast du nicht.[2] Denn was dir mit allen Werken der Gebote unmöglich ist, deren viele sind und von denen doch keines nütze sein kann, das wird dir durch den Glauben leicht und kurz. Denn ich habe in Kürze alle Dinge in den Glauben gestellt, damit,

[1] Jes 10,22 f.

[2] Vgl. Jes 7,9.

wer ihn hat, alle Dinge haben und selig sein soll; wer ihn nicht hat, soll nichts haben. So geben die Zusagen Gottes, was die Gebote fordern, und vollbringen, was die Gebote befehlen, auf dass es alles Gottes eigen sei: Gebot und Erfüllung. Er befiehlt allein, er erfüllt auch allein. Darum sind die Zusagen Gottes Wort des neuen Testaments und gehören auch ins Neue Testament.

Zum zehnten: Nun sind diese und alle Gottesworte heilig, wahrhaftig, gerecht, friedlich, frei und aller Güte voll. Darum: wer ihnen mit einem rechten Glauben anhängt, dessen Seele wird mit ihm so ganz und gar vereinigt, dass alle Tugenden des Wortes auch der Seele eigen werden und durch den Glauben die Seele so durch das Gotteswort heilig, gerecht, wahrhaftig, friedlich, frei und aller Güte voll, ein wahrhaftiges Kind Gottes wird, wie Joh 1,12 sagt: »Er hat ihnen Macht gegeben, Gottes Kinder zu werden, die an seinen Namen glauben.«

Hieraus ist leicht zu verstehen, warum der Glaube so viel vermag und dass keine guten Werke ihm gleich sein können. Denn kein gutes Werk hängt so an dem göttlichen Wort wie der Glaube, kann auch nicht in der Seele sein; sondern allein das Wort und der Glaube regieren in der Seele. Wie das Wort ist, so wird hierdurch auch die Seele, so wie das Eisen aus der Vereinigung mit dem Feuer glutrot wie das Feuer wird. So sehen wir, dass ein Christenmensch an dem Glauben genug hat; er bedarf keines Werkes, dass er fromm sei. Bedarf er denn keines Werkes mehr, so ist er gewiss von allen Geboten und Gesetzen entbunden; ist er entbunden, so ist er gewiss frei. Das ist die christliche Freiheit, der einzige Glaube, der da macht, nicht dass wir müßig gehen oder übel tun können, sondern dass wir keines Werkes bedürfen, zur Frömmigkeit und Seligkeit zu gelangen, wovon wir hernach mehr sagen wollen.

Zum elften: Weiter ist es mit dem Glauben so beschaffen, dass der, welcher dem andern glaubt, ihm darum glaubt, weil er ihn für einen frommen, wahrhaftigen Mann hält, welches die größte Ehre ist, die ein Mensch dem andern antun kann, wie es umgekehrt die größte Schmach ist, wenn er ihn für einen nichtsnutzigen, lügenhaften, leichtfertigen Mann hält. So ist es auch, wenn die Seele fest Gottes Wort glaubt: dann hält sie ihn für wahrhaftig, fromm und gerecht, womit sie ihm die allergrößte Ehre tut, die sie ihm tun kann. Denn da gibt sie ihm recht, da lässt sie ihm recht, da ehrt sie seinen Namen und lässt mit sich handeln, wie er will, denn sie zweifelt nicht, dass er fromm und wahrhaftig in allen seinen Worten sei. Umgekehrt kann man Gott keine größere Unehre antun, als ihm nicht zu glauben, womit die Seele ihn für einen Untüchtigen, Lügenhaften, Leichtfertigen hält und ihn, soviel an ihr ist, mit solchem Unglauben verleugnet und einen Abgott ihres eigenen Sinns im Herzen wider Gott aufrichtet, als wollte sie es besser wissen als er. Wenn Gott dann sieht, dass ihm die Seele Wahrhaftigkeit zuerkennt und ihn so durch ihren Glauben ehret, so ehret er sie wiederum und hält sie auch für fromm und wahrhaftig, und sie ist auch fromm und wahrhaftig durch solchen Glauben. Denn dass man Gott die Wahrheit und Frömmigkeit zuerkenne, das ist Recht und Wahrheit und macht recht und wahrhaftig, weil es wahr ist und recht, dass Gott die Wahrheit gegeben werde. Das tun die nicht, die nicht glauben und sich doch mit vielen guten Werken umtreiben und mühen.

Zum zwölften: Nicht allein gibt der Glaube so viel, dass die Seele dem göttlichen Wort gleich wird, aller Gnaden voll, frei und selig, sondern er vereinigt auch die Seele mit Christus wie eine Braut mit ihrem Bräutigam. Aus dieser Ehe folgt, wie Paulus sagt, dass Christus und die Seele ein Leib werden.[3] Ebenso werden ihnen auch beider Güter, Glück, Unglück und alle Dinge gemeinsam, so dass das, was Christus hat, der gläubigen Seele eigen ist und was die Seele hat, wird Christi eigen. Christus hat alle Güter und Seligkeit: die sind der Seele eigen; die Seele hat alle Untugend und Sünde auf sich: die werden Christi eigen. Hier erhebt sich nun der fröhliche Wechsel und Streit: weil Christus Gott und Mensch zugleich ist, welcher noch nie gesündigt hat, und seine Frömmigkeit unüberwindlich, ewig und allmächtig ist, so müssen, wenn er sich der gläubigen Seele Sünde durch ihren Brautring (das ist der Glaube) selbst zu eigen macht und nicht anders tut, als hätte er sie getan, die Sünden in ihm verschlungen und ersäuft werden. Denn seine unüberwindliche Gerechtigkeit ist allen Sünden zu stark. So wird die Seele von allen ihren Sünden nur durch ihre Verlobungsgabe, das ist des Glaubens halber, ledig und frei und mit der ewigen Gerechtigkeit ihres Bräutigams Christi begabt. Ist nun das nicht ein fröhlicher Hausstand, da der reiche, edle, fromme Bräutigam Christus das arme, verachtete, böse Hürlein zur Ehe nimmt und sie von allem Übel frei macht, sie mit allen Gütern zieret? So ist es nicht möglich, dass die Sünden sie verdammen, denn sie liegen nun auf Christus und sind in ihm verschlungen. So hat sie so eine reiche Gerechtigkeit in ihrem Bräutigam, dass sie abermals wider alle Sünden bestehen kann, selbst wenn sie auf ihr lägen. Davon sagt Paulus 1 Kor 15,57: »Gott sei Dank, der uns eine solche Überwindung in Christus Jesus gegeben hat, in welcher der Tod mit der Sünde verschlungen ist.«

Zum dreizehnten: Hier siehst du abermals, aus welchem Grunde dem Glauben so viel billig zugeschrieben wird, dass er alle Gebote erfüllt und ohne alle andern Werke fromm macht. Denn du siehst hier, dass er allein das erste Gebot erfüllet, wo geboten wird: Du sollst deinen Gott ehren. Wenn du nun bloße gute Werke wärest vom Scheitel bis zur Sohle, so wärest du dennoch nicht fromm und gäbest Gott noch keine Ehre, und erfülltest so das allererste Gebot nicht. Denn Gott kann nicht geehrt werden, es sei denn, ihm werde Wahrheit und alles Gute zugeschrieben, wie er es denn wahrlich ist. Das tun aber keine guten Werke, sondern allein der Glaube des Herzens.

Darum ist er allein die Gerechtigkeit des Menschen und aller Gebote Erfüllung. Denn wer das erste Hauptgebot erfüllt, der erfüllt gewiss und leicht auch alle andern Gebote. Die Werke aber sind tote Dinge, können Gott nicht ehren noch

[3] Eph 5,30.

loben, obwohl sie geschehen können und sich tun lassen, Gott zu Ehre und Lob. Aber wir suchen hier den, der nicht getan wird wie die Werke, sondern den Selbsttäter und Werkmeister, der Gott ehrt und die Werke tut. Das ist niemand als der Glaube des Herzens, der ist das Haupt und das ganze Wesen der Frömmigkeit. Darum ist es eine gefährlich finstere Rede, wenn man lehrt, die Gebote Gottes mit Werken zu erfüllen, wo doch die Erfüllung *vor* allen Werken durch den Glauben geschehen sein muss und die Werke nach der Erfüllung folgen, wie wir hören werden.

Zum vierzehnten: Um weiter zu sehen, was wir in Christus haben und welch ein großes Gut ein rechter Glaube sei, ist zu wissen, dass Gott vor und in dem Alten Testament sich alle erste männliche Geburt, von Menschen und Tieren, ausnahm und vorbehielt. Und die erste Geburt war kostbar und hatte zwei große Vorteile vor allen andern Kindern: nämlich die Herrschaft und Priesterschaft oder das Königreich und das Priestertum. So war auf Erden das zuerst geborene Knäblein ein Herr über alle seine Brüder und ein Pfaffe oder Papst vor Gott.[4] Durch dieses Bild wird Jesus Christus bedeutet, der eigentlich eben diese erste männliche Geburt Gottes des Vaters von der Jungfrau Maria ist. Darum ist er ein König oder Priester, doch geistlich, denn sein Reich ist nicht irdisch noch im Irdischen, sondern in geistlichen Gütern, als da sind Wahrheit, Weisheit, Friede, Freude, Seligkeit usw. Damit ist aber zeitliches Gut nicht ausgenommen, denn es sind ihm alle Dinge unterworfen in Himmel, Erde und Hölle, obwohl man ihn nicht sieht – das liegt daran, dass er geistlich, unsichtbar regiert.

So besteht auch sein Priestertum nicht in den äußerlichen Gebärden und Kleidern, wie wir sie bei den Menschen sehen, sondern es besteht im Geiste unsichtbar so, dass er vor Gottes Augen ohne Unterlass für die Seinen eintritt und sich selbst opfert und alles tut, was ein frommer Priester tun soll. Er bittet für uns, wie Paulus Röm 8,28 sagt, ebenso lehrt er uns inwendig im Herzen, welches zwei eigentliche, rechte Ämter eines Priesters sind, denn so bitten und lehren auch äußerliche, menschliche, zeitliche Priester.

Zum fünfzehnten: Wie nun Christus die erste Geburt mit ihrer Ehre und Würdigkeit hat, so teilt er sie mit allen seinen Christen, dass sie durch den Glauben auch alle Könige und Priester mit Christus sein müssen, wie Petrus 1 Petr 2,9 sagt: »Ihr seid ein auserwähltes Geschlecht, das königliche Priestertum.« Und das geht so zu, dass ein Christenmensch durch den Glauben so hoch über alle Dinge erhoben wird, dass er aller Dinge geistlich ein Herr wird, denn es kann ihm kein Ding an der Seligkeit Schaden zufügen. Ja, es muss ihm alles untertan sein und helfen zur Seligkeit, wie Paulus Röm 8,28 lehrt: Alle Dinge müssen den Auserwählten zu ihrem Besten helfen, es sei Leben, Sterben, Sünde, Frömmigkeit, Gutes oder Böses, wie man es nehmen will. Ebenso heißt es 1 Kor 3,21 f.: »alles ist euer, es sei Welt oder Leben oder Tod, es sei Gegenwärtiges oder

---

4 2 Mose 34,19 f; 4. Mose 3,11–13.

Zukünftiges« usw. Nicht dass wir aller Dinge leiblich mächtig sind, sie zu besitzen oder zu gebrauchen, wie die Menschen auf Erden, denn wir müssen leiblich sterben und niemand kann dem Tode entfliehen. Ebenso müssen wir auch vielen anderen Dingen unterliegen, wie wir an Christus und seinen Heiligen sehen. Denn dies ist eine geistliche Herrschaft, die da in der leiblichen Unterdrückung regiert, das ist, ich kann mich ohne alle Dinge der Seele nach bessern, so dass auch der Tod und Leiden mir dienen und zur Seligkeit nützlich sein müssen. Das ist eine gar hohe, ehrliche Würdigkeit und eine rechte, allmächtige Herrschaft, ein geistliches Königreich, da kein Ding, es sei gut oder böse, mir zum Guten dienen muss, wenn ich glaube, und ich bedarf seiner doch nicht, sondern mein Glaube ist mir genug. Siehe, was ist das für eine köstliche Freiheit und Gewalt der Christen!

Zum sechzehnten: Überdies sind wir Priester, das ist noch viel mehr als König zu sein, deshalb, weil das Priestertum uns würdig macht, vor Gott zu treten und für andere zu bitten. Denn vor Gottes Augen zu stehen und zu bitten, gebührt niemand als den Priestern. Also hat uns Christus erworben, dass wir geistlich füreinander eintreten können und bitten, wie ein Priester leiblich vor das Volk tritt und bittet. Wer aber nicht an Christus glaubt, dem dient kein Ding zum Guten; er ist ein Knecht aller Dinge, muss sich über alle Dinge ärgern. Dazu ist sein Gebet nicht angenehm, kommt auch nicht vor Gottes Augen. Wer kann nun die Ehre und Höhe eines Christenmenschen ausdenken? Durch sein Königreich ist er aller Dinge mächtig, durch sein Priestertum ist er Gottes mächtig, denn Gott tut, was er bittet und will, wie da im Psalter geschrieben steht: »Gott tut den Willen derer, die ihn fürchten und erhört ihr Gebet«;[5] zu dieser Ehre kommt er nur allein durch den Glauben und durch kein Werk. Daraus sieht man klar, wie ein Christenmensch frei von allen Dingen und über alle Dinge ist, so dass er keiner guten Werke dazu bedarf, dass er fromm und selig sei; sondern der Glaube bringt es ihm alles im Überfluss. Und wenn er so töricht wäre und meinte, durch ein gutes Werk fromm, frei, selig oder ein Christ zu werden, so verlöre er den Glauben mit allen Dingen, so wie der Hund, der ein Stück Fleisch im Mund trug und nach dem Abbild im Wasser schnappte, damit Fleisch und Abbild verlor.

Zum siebzehnten fragst du: Was ist denn für ein Unterschied zwischen den Priestern und Laien in der Christenheit, wenn sie alle Priester sind? Antwort: Es ist dem Wörtlein »Priester«, »Pfaffe«, »geistlich« und dergleichen Unrecht geschehen, dass sie von der allgemeinen Menge auf die kleine Gruppe bezogen worden sind, die man jetzt den »geistlichen Stand« nennt. Die Heilige Schrift gibt keinen andern Unterschied, als dass sie die Gelehrten oder Geweihten *ministros, servos, oeconomos* nennt, das heißt Diener, Knechte, Verwalter, die den andern Christus, den Glauben und christliche Freiheit predigen sollen. Denn wenn wir auch alle auf gleiche Weise Priester sind, so können wir doch nicht alle dienen

5 Ps 145,19.

oder verwalten und predigen. So sagt Paulus 1 Kor 4,1: »Wir wollen für nichts mehr von den Menschen gehalten sein als Christi Diener und Haushalter des Evangeliums.« Aber nun ist aus der Haushaltung eine solche weltliche, äußerliche, prächtige, furchtbare Herrschaft und Gewalt geworden, dass ihr die rechte weltliche Macht auf keine Weise gleichen kann, gerade als wären die Laien etwas anderes als Christenleute. Damit ist das ganze Verständnis christlicher Gnade, Freiheit, Glaubens und alles, was wir von Christus haben, und Christus selbst fortgenommen, wir haben dafür viel Menschengesetz und -werk bekommen, sind ganz zu Knechten der alleruntüchtigsten Leute auf Erden geworden.

Zum achtzehnten: Aus dem allen lernen wir, dass es nicht genug gepredigt sei, wenn man Christi Leben und Werk obenhin und nur als eine Historie und Chronikengeschichte predigt, geschweige denn, wenn man ganz von ihm schweigt und das geistliche Recht oder andere Menschengesetze und -lehren predigt. Es gibt auch viele, die Christus so predigen und lesen, dass sie ein Mitleid über ihn zum Ausdruck bringen, mit den Juden zürnen oder sonst mehr kindische Art darin üben. Aber er soll und muss so gepredigt sein, dass mir und dir der Glaube draus erwachse und erhalten werde. Dieser Glaube wächst dadurch und wird erhalten, wenn mir gesagt wird, warum Christus gekommen sei, wie man ihn gebrauchen und genießen soll, was er mir gebracht und gegeben hat. Das geschieht, wenn man die christliche Freiheit recht auslegt, die wir von ihm haben, und wie wir Könige und Priester sind, aller Dinge mächtig, und dass alles, was wir tun, vor Gottes Augen angenehm und erhört sei, wie ich bisher gesagt habe. Denn wenn ein Herz Christus so hört, muss es von ganzem Grunde fröhlich werden, Trost empfangen und süß werden gegen Christus, ihn wiederum lieb zu haben. Dahin kann es nimmermehr mit Gesetzen oder Werken kommen. Denn wer will einem solchen Herzen Schaden tun oder es erschrecken? Fällt die Sünde und der Tod daher, so glaubt es, Christi Frömmigkeit sei sein und seine Sünden seien nimmer sein, sondern Christi; so muss die Sünde verschwinden vor Christi Frömmigkeit in dem Glauben, wie droben gesagt ist. Er lernt mit dem Apostel dem Tod und der Sünde Trotz bieten und zu sagen: »Wo ist nun, du Tod, dein Sieg? Wo ist nun, du Tod, dein Stachel? Dein Stachel ist die Sünde. Aber Gott sei Lob und Dank, der uns den Sieg gegeben hat durch Jesus Christus, unsern Herrn. Der Tod ist verschlungen in den Sieg« usw.[6]

Zum neunzehnten: Das sei nun genug gesagt von dem innerlichen Menschen, von seiner Freiheit und der Hauptgerechtigkeit, welche keines Gesetzes noch guten Werkes bedarf; ja, ihr ist es schädlich, wenn jemand sich anmaßen wollte, dadurch gerechtfertigt zu werden. Nun kommen wir aufs andere Teil, auf den äußerlichen Menschen. Hier wollen wir allen denen antworten, die sich an den vorigen Reden ärgern und zu sprechen pflegen: Ei, wenn denn der Glaube alle Dinge ist und allein genug gilt, um fromm zu machen, warum sind denn die guten

[6] 1 Kor 15,54–57.

Werke geboten? So wollen wir guter Dinge sein und nichts tun! Nein, lieber Mensch, nicht so! Es wäre wohl so, wenn du nur ein innerlicher Mensch wärest und ganz geistlich und innerlich geworden. Das aber geschieht bis am Jüngsten Tag nicht. Es ist und bleibt auf Erden nur ein Anheben und Zunehmen, welches in jener Welt zu Ende gebracht wird. Daher nennt es der Apostel *primitias spiritus*,[7] d. h. die ersten Früchte des Geistes; darum gehört hierher, was droben gesagt ist: Ein Christenmensch ist ein dienstbarer Knecht und jedermann Untertan, d. h. sofern er frei ist, braucht er nichts zu tun; sofern er Knecht ist, muss er allerlei tun. Wie das zugehe, wollen wir sehen.

Zum zwanzigsten: Obwohl der Mensch innerlich hinsichtlich der Seele durch den Glauben genügend gerechtfertigt ist und alles hat, was er haben soll, außer dass dieser Glaube und dieses Genügen immer zunehmen müssen bis in jenes Leben, so bleibt er doch noch in diesem leiblichen Leben auf Erden und muss seinen eigenen Leib regieren und mit Menschen umgehen. Da fangen nun die Werke an. Hier darf er nicht müßig gehen, da muss fürwahr der Leib mit Fasten, Wachen, Arbeiten und mit aller mäßigen Zucht getrieben und geübt sein, dass er dem innerlichen Menschen und dem Glauben gehorsam und gleichförmig werde, ihn nicht hindere noch ihm widerstrebe, wie es seine Art ist, wenn er nicht gezwungen wird. Denn der innerlichste Mensch ist mit Gott eins, fröhlich und lustig um Christi willen, der ihm so viel getan hat, und alle seine Lust besteht darin, dass er umgekehrt Gott auch umsonst in freier Liebe dienen möchte. Da findet er in seinem Fleisch einen widerspenstigen Willen, der will der Welt dienen und suchen, was ihn gelüstet. Das kann der Glaube nicht leiden und stellt sich ihm mit Lust entgegen, ihn zu dämpfen und ihm zu wehren, wie Paulus sagt: »Ich habe Lust an Gottes Willen nach meinem inneren Menschen; da finde ich einen andern Willen in meinem Fleisch, der will mich mit Sünden gefangennehmen.«[8] Ebenso 1 Kor 9,27: »Ich züchtige meinen Leib und zähme ihn, auf dass ich nicht selbst verwerflich werde, der ich die andern lehren soll.« Ebenso Gal 5,24: »Alle, die Christus angehören, kreuzigen ihr Fleisch mit seinen bösen Lüsten.«

Zum einundzwanzigsten: Aber diese Werke dürfen nicht in der Absicht geschehen, dass der Mensch dadurch vor Gott fromm werde – denn die falsche Absicht kann der Glaube nicht leiden, der allein die Frömmigkeit vor Gott ist und sein darf –, sondern nur in der Absicht, dass der Leib gehorsam werde und gereinigt von seinen bösen Lüsten und dass das Auge nur auf die bösen Lüste sehe, um sie auszutreiben. Denn weil die Seele durch den Glauben rein ist und Gott liebt, wollte sie gern, dass alle Dinge auch so rein wären, vor allem ihr eigner Leib, und jedermann Gott mit ihr liebte und lobte. So geschieht es, dass der Mensch wegen seines eigenen Leibes nicht müßig gehen kann und deswegen viele gute Werke üben muss, damit er ihn kontrolliere. Und doch sind die Werke nicht das

---

7 Röm 8,23.

8 Röm 7,22 f.

rechte Gut, wodurch er vor Gott fromm und gerecht sei, sondern er tue sie aus freier Liebe umsonst, Gott zu gefallen, nichts anderes dabei gesucht noch angesehen, als dass es Gott so gefällt, dessen Willen er gerne aufs allerbeste täte. Daraus kann denn ein jeder selbst Maß und Verständnis nehmen, den Leib zu kasteien. Denn er fastet, wacht, arbeitet soviel, wie er sieht, dass es dem Leib nötig sei, um seinen Mutwillen zu dämpfen. Die anderen aber, die meinen, mit Werken fromm zu werden, haben auf die Kasteiung nicht Acht, sondern sehen nur auf die Werke und meinen, wenn sie derselben nur viele und große tun, so sei es wohlgetan und sie würden fromm. Zuweilen zerbrechen die Köpfe und verderben ihre Leiber darüber; das ist eine große Torheit und ein falsches Verständnis christlichen Lebens und Glaubens, dass sie ohne Glauben durch Werke fromm und selig werden wollen.

Zum zweiundzwanzigsten: Damit wir dafür etliche Gleichnisse geben: Man soll die Werke eines Christenmenschen, der durch seinen Glauben und aus lauterer Gnade Gottes umsonst gerechtfertigt und selig geworden ist, nicht anders ansehen, als wie die Werke Adams und Evas im Paradies gewesen wären, von denen 1 Mose 2,15 geschrieben steht, dass Gott den geschaffenen Menschen ins Paradies setzte, damit er dasselbe bearbeiten und hüten sollte. Nun war Adam von Gott fromm und gut geschaffen, ohne Sünde, dass er durch sein Arbeiten und Hüten nicht erst fromm und gerechtfertigt zu werden brauchte; doch damit er nicht müßig ginge, gab ihm Gott zu schaffen, das Paradies zu bepflanzen, zu bebauen und zu bewahren. Dies wären gänzlich freie Werke gewesen, um keines Dinges Willen getan, als allein Gott zu gefallen und nicht um Frömmigkeit zu erlangen (die er zuvor hatte); das wäre auch uns allen von Natur angeboren gewesen. So steht es auch mit dem Werk eines gläubigen Menschen, welcher durch seinen Glauben wieder ins Paradies gesetzt und von neuem geschaffen ist. Er bedarf keiner Werke, um fromm zu werden, sondern solche freien Werke sind ihm befohlen, damit er nicht müßig gehe und seinen Leib abmühe und bewahre, allein Gott zu gefallen.

Das ist weiter gleich, wie wenn ein geweihter Bischof Kirchen weihet, firmt oder sonst seines Amtes Werk übt: diese Werke machen ihn nicht zu einem Bischof. Ja, wenn er nicht vorher zum Bischof geweiht wäre, so taugte keines dieser Werke und es wäre eitel Narrenwerk. So wird auch ein Christ, der, durch den Glauben geweiht, gute Werke tut, durch dieselben nicht besser oder mehr zu einem Christen geweiht (was durch nichts als die Zunahme des Glaubens geschieht). Ja, wenn er nicht zuvor glaubte und Christ wäre, so gälten alle seine Werke nichts, sondern wären eitel närrische, sträfliche, verdammliche Sünden.

Zum dreiundzwanzigsten: Darum sind die zwei Sprüche wahr: Gute, fromme Werke machen nimmermehr einen guten, frommen Mann, sondern ein guter, frommer Mann macht gute, fromme Werke, und: Böse Werke machen nimmermehr einen bösen Mann, sondern ein böser Mann macht böse Werke. Es ist so, dass stets die Person zuvor, vor allen guten Werken gut und fromm sein muss und die guten Werke von der frommen, guten Person folgen und ausgehen, so wie Christus sagt: »Ein böser Baum trägt keine gute Frucht, ein guter Baum trägt keine böse Frucht.«[9] Nun ist es offenbar, dass die Früchte nicht den Baum tragen, ebenso wachsen auch die Bäume nicht auf den Früchten, sondern umgekehrt: die Bäume tragen die Früchte, und die Früchte wachsen auf den Bäumen. Wie nun die Bäume früher sein müssen als die Früchte und die Früchte die Bäume weder gut noch böse machen, sondern die Bäume die Früchte machen, so muss der Mensch selbst zuvor fromm oder böse sein, ehe er gute oder böse Werke tut. Und seine Werke machen ihn nicht gut oder böse, sondern er macht gute oder böse Werke. Das gleiche sehen wir in allen Handwerken. Ein gutes oder schlechtes Haus macht keinen guten oder schlechten Zimmermann, sondern ein guter oder schlechter Zimmermann macht ein schlechtes oder gutes Haus. Kein Werk macht einen Meister danach wie das Werk ist, sondern wie der Meister ist, dementsprechend ist auch sein Werk. So sind die Werke des Menschen auch: wie es mit ihm im Glauben oder Unglauben steht, danach sind seine Werke gut oder böse, und nicht umgekehrt: wie seine Werke stehen, danach sei er fromm oder gläubig. So wie die Werke nicht gläubig machen, machen sie auch nicht fromm. Aber wie der Glaube fromm macht, macht er auch gute Werke. Wenn denn die Werke niemanden fromm machen und der Mensch zuvor fromm sein muss, ehe er wirkt, so ist offenbar, dass allein der Glaube aus lauterer Gnade, durch Christus und sein Wort, die Person zur Genüge fromm und selig macht und dass kein Werk, kein Gebot einem Christen zur Seligkeit nötig sei. Er ist vielmehr frei von allen Geboten und tut alles, was er tut, aus lauterer Freiheit umsonst. Er sucht damit in nichts seinen Nutzen oder Seligkeit, denn er ist durch seinen Glauben und Gottes Gnade schon satt und selig, sondern er sucht nur, darin Gott zu gefallen.

Zum vierundzwanzigsten: Dem, der ohne Glauben ist, ist umgekehrt kein gutes Werk zur Frömmigkeit und Seligkeit förderlich. Keine bösen Werke machen ihn böse und verdammt, sondern der Unglaube, der die Person und den Baum böse macht, der tut böse und verdammte Werke. Wenn man darum fromm oder böse wird, fängt dies nicht bei den Werken an, sondern bei dem Glauben, wie der weise Mann sagt: »Anfang aller Sünde ist von Gott weichen und ihm nicht trauen.«[10] Ebenso lehrt auch Christus, dass man nicht bei den Werken anfangen darf, und sagt: »Entweder setzt einen guten Baum, so wird die Frucht gut, oder setzt einen bösen Baum, so wird die Frucht böse«[11], als wollte er sagen: wer gute Früchte haben will, muss zuvor bei dem Baum anfangen und denselben gut setzen. Wer also gute Werke tun will, darf nicht bei den Werken anfangen, sondern bei der Person, die die Werke tun soll. Die Person aber macht niemand gut als allein der Glaube, und niemand macht sie böse als allein der Unglaube. Das

[9] Mt 7,18.

[10] Sir 10,14 f.

[11] Mt 12,33.

ist wohl wahr: Die Werke machen einen vor den Menschen fromm oder böse, das heißt, sie zeigen äußerlich an, wer fromm oder böse sei, wie Christus Mt 7,20 sagt: »An ihren Früchten sollt ihr sie erkennen.« Aber das ist alles scheinbar und äußerlich, was viele Leute irre macht, die schreiben und lehren, wie man gute Werke tun und fromm werden soll. Dabei denken sie doch nie an den Glauben, gehen dahin und immer führt ein Blinder den andern. Sie martern sich mit vielen Werken und kommen doch nie zu der rechten Frömmigkeit. Über sie sagt Paulus 2 Tim 3,5.7: »Sie haben einen Schein der Frömmigkeit, aber die Kraft ist nicht da, gehen hin und lernen immer und immer, und kommen doch nimmer zur Erkenntnis der wahren Frömmigkeit.« Wer nun nicht mit diesen Blinden irren will, muss weiter sehen als auf die Werke, Gebote oder Lehre der Werke: er muss vor allen Dingen auf die Person sehen, wie die fromm werde. Die wird es aber nicht durch Gebot und Werk, sondern durch Gottes Wort (das ist, durch seine Verheißung der Gnade) und den Glauben fromm und selig, auf dass seine göttliche Ehre bestehe, dass er uns nicht durch unsere Werke, sondern durch sein gnädiges Wort umsonst und aus lauter Barmherzigkeit selig mache.

Zum fünfundzwanzigsten: Aus diesem allen ist leicht zu verstehen, wie gute Werke zu verwerfen und nicht zu verwerfen sind und wie man alle Lehren verstehen soll, die gute Werke lehren. Denn wo die falsche Klausel und die verkehrte Meinung drin ist, dass wir durch die Werke fromm und selig werden wollen, sind sie schon nicht gut und ganz verdammlich. Denn so sind sie nicht frei und schmähen die Gnade Gottes, die allein durch den Glauben fromm und selig macht. Das vermögen die Werke nicht und nehmen es sich doch vor zu tun, und greifen damit der Gnade in ihr Werk und ihre Ehre. Darum verwerfen wir die guten Werke, nicht um ihrer selbst willen, sondern um desselben bösen Zusatzes und falscher, verkehrter Meinung willen, welche macht, dass sie nur gut scheinen, und sind doch nicht gut. Sie betrügen sich und jedermann damit wie die reißenden Wölfe in Schafskleidern.

Aber dieser böse Zusatz und die verkehrte Meinung über die Werke ist unüberwindlich, wo der Glaube nicht ist. Sie müssen in diesem Werkheiligen sein, bis der Glaube komme und zerstöre sie; die Natur vermag sie von sich selbst nicht auszutreiben, ja, auch nicht zu erkennen, sondern sie hält sie für ein köstliches, seliges Ding, darum werden auch so viele Menschen dadurch verführet.

Deshalb: Obwohl es gut ist, von Reue, Beichte, Genugtuung zu schreiben und predigen,[12] so sind dies, wenn man nicht weiter bis zum Glauben gelangt, gewiss ganz teuflische, verführerische Lehren. Man muss nicht eines allein predigen, sondern alle beide Worte Gottes. Die Gebote soll man predigen, die Sünder zu erschrecken und ihre Sünden zu offenbaren, dass sie Reue haben und sich bekehren. Aber dabei soll es nicht bleiben, man muss das andere Wort, die Zusage

---

12 Reue des Herzens (*contritio cordis*), Beichte des Mundes (*confessio oris*) und Genugtuung des Werkes (*satisfactio operis*) waren seit der Antike die konstitutiven Bestandteile der Buße.

der Gnade auch predigen, den Glauben zu lehren, ohne welchen die Gebote, Reue und alles andere vergebens geschieht. Es sind wohl noch Prediger geblieben, welche Sündenreue und Gnade predigen, aber sie streichen die Gebote und Zusagen Gottes nicht so heraus, dass man lerne, woher und wie Reue und Gnade komme. Denn die Reue fließt aus den Geboten, der Glaube aus den Zusagen Gottes, und so wird der Mensch durch den Glauben an die göttlichen Worte gerechtfertigt und erhoben, der durch die Furcht vor dem Gebote Gottes gedemütigt und zur Selbsterkenntnis gekommen ist.

Zum sechsundzwanzigsten: Das sei von den Werken allgemein gesagt und von denen, die ein Christenmensch gegen seinen eignen Leib üben soll. Nun wollen wir von mehr Werken reden, die er anderen Menschen gegenüber tut. Denn der Mensch lebt nicht allein in seinem Leibe, sondern auch unter andern Menschen auf Erden. Darum kann er ihnen gegenüber nicht ohne Werke sein, er muss ja mit ihnen zu reden und zu schaffen haben, obwohl ihm keines von diesen Werken zur Frömmigkeit und Seligkeit not ist. Darum soll seine Absicht in allen Werken frei und nur darauf gerichtet sein, dass er anderen Leuten damit diene und nütze sei, nichts anderes sich vorstelle, als was den andern not ist. Das heißt dann ein wahrhaftiges Christenleben, und da geht der Glaube mit Lust und Liebe ins Werk, wie Paulus die Galater lehrt.[13] Im Brief an die Philipper lehrt er sie, nachdem er sie gelehrt hatte, wie sie durch ihren Glauben in Christus alle Gnade und Genüge hätten, dann weiter und sagt: »Ich vermahne euch alles Trostes, den ihr in Christus habt, und alles Trostes, den ihr von unserer Liebe zu euch habt, und aller Gemeinschaft, die ihr mit allen geistlichen, frommen Christen habt, ihr wollt mein Herz vollkommen erfreuen, und das damit, dass ihr hinfort eines Sinnes sein wollet, einer gegen den andern Liebe erzeigen, einer dem andern dienen und ein jeglicher acht haben nicht auf sich, noch auf das Seine, sondern auf den andern, und was dem not sei.«[14] Siehe, da hat Paulus ein christliches Leben klar darauf ausgerichtet, dass alle Werke dem Nächsten zugute gerichtet sein sollen, weil ein jeder für sich selbst an seinem Glauben genug hat und ihm alle andern Werke und das Leben übrig sind, seinem Nächsten damit aus freier Liebe zu dienen. Dazu führt er Christus als Beispiel an und sagt: »Seid so gesinnt, wie ihrs an Christus seht, welcher, ob er wohl in göttlicher Gestalt war und für sich selbst genug hatte und ihm sein Leben, Wirken und Leiden nicht not war, dass er dadurch fromm oder selig würde, dennoch hat er sich alles dessen entäußert und Knechtsgestalt angenommen, alles getan und gelitten, nichts angesehen als unser Bestes und ist so, ob er wohl frei war, doch um unsertwillen ein Knecht geworden.«[15]

---

[13] Gal 5,6.

[14] Phil 2,1–4.

[15] Phil 2,5–7.

Zum siebenundzwanzigsten: Also soll ein Christenmensch sich wie Christus, sein Haupt, auch voll und satt an seinem Glauben genügen lassen, den immer mehren, welcher sein Leben, Frömmigkeit und Seligkeit ist, der ihm alles gibt, was Christus und Gott hat – wie oben gesagt ist und wie Paulus Gal 2,20 sagt: »Was ich noch im Fleisch lebe, das lebe ich im Glauben an Christus, Gottes Sohn.« Und wenn er nun auch ganz frei ist, soll er sich wiederum willig zu einem Diener machen, seinem Nächsten zu helfen, mit ihm verfahren und handeln, wie Gott mit ihm durch Christus gehandelt hat. Und das alles soll er umsonst tun, nichts darin suchen als göttliches Wohlgefallen und so denken: Wohlan, mein Gott hat mir unwürdigem, verdammten Menschen ohne alle Verdienste, rein umsonst und aus eitel Barmherzigkeit durch und in Christus vollen Reichtum aller Frömmigkeit und Seligkeit gegeben, dass ich hinfort nichts mehr brauche, als zu glauben, es sei so. Ei, so will ich diesem Vater, der mich mit seinen überschwänglichen Gütern so überschüttet hat, umgekehrt frei, fröhlich und umsonst tun, was ihm wohlgefällt, und gegen meinen Nächsten auch ein Christ werden, wie Christus es mir geworden ist, und nichts mehr tun, als was ich nur sehe, dass es ihm not, nützlich und selig sei, weil ich doch durch meinen Glauben alle Dinge in Christus genug habe. Siehe, so fließt aus dem Glauben die Liebe und Lust zu Gott und aus der Liebe ein freies, williges, fröhliches Leben, dem Nächsten umsonst zu dienen. Denn so wie unser Nächster Not leidet und dessen, was wir übrig haben, bedarf, so haben wir vor Gott Not gelitten und seiner Gnade bedurft. Wie uns darum Gott durch Christus umsonst geholfen hat, so sollen wir durch den Leib und seine Werke nichts anderes tun, als dem Nächsten zu helfen. So sehen wir, ein wie hohes, edles Leben ein christliches Leben sei, das leider jetzt nicht allein in aller Welt daniederliegt, sondern auch nicht mehr bekannt ist oder gepredigt wird.

Zum achtundzwanzigsten: So lesen wir Lk 2,22, dass die Jungfrau Maria nach den sechs Wochen zur Kirche ging und sich nach dem Gesetz reinigen ließ, wie alle andern Frauen, obwohl sie doch nicht gleich ihnen unrein noch derselben Reinigung schuldig war, ihrer auch nicht bedurfte. Aber sie tat es aus freier Liebe, dass sie die andern Frauen nicht verachtete, sondern bei der Menge bliebe.

So ließ Paulus Timotheus beschneiden,[16] nicht weil es nötig gewesen wäre, sondern damit er den schwachgläubigen Juden nicht Ursache zu bösen Gedanken gäbe; umgekehrt wollte er Titus nicht beschneiden lassen, als man darauf dringen wollte, er müsste beschnitten sein, und dies wäre nötig zur Seligkeit.[17] Und Christus disputierte, als von seinen Jüngern der Zinspfennig gefordert wurde, mit Petrus, ob nicht Königskinder frei davon wären, Zins zu geben.[18] Und als Petrus ja sagte, hieß er ihn doch an das Meer hingehen und sprach: »Damit wir ihnen nicht Ärgernis geben, so gehe hin; den ersten Fisch, den du fängst, den nimm, und in

---

16 Apg 16,3.

17 Gal 2,3.

18 Mt 17,24–27.

seinem Maul wirst du einen Pfennig finden, den gib für mich und dich.«[19] Das ist ein feines Beispiel zu dieser Lehre, wo Christus sich und die Seinen freie Königskinder nennt, die keiner Sache bedürfen, und sich doch freiwillig unterwirft, dient und den Zins gibt. Soviel wie nun das Werk für Christus nötig war und zu seiner Frömmigkeit oder Seligkeit gedient hat, so viel sind alle seine anderen und seiner Christen Werke ihnen zur Seligkeit nötig (nämlich gar nicht), sondern sie sind alle freie Dienste, zum Wohlgefallen und zur Besserung der andern. So sollten auch aller Priester, Klöster und Stifte Werke beschaffen sein: dass ein jeglicher seines Standes und Ordens Werk allein darum täte, den andern zu willfahren und seinen Leib zu regieren, den andern, die auch ihre Leiber kontrollieren sollten, ein Beispiel zu geben, ebenso zu handeln. Doch sollte man sich allezeit vorsehen, dass man sich nicht vornehme, dadurch fromm und selig zu werden. Das ist allein des Glaubens Vermögen. Auf diese Weise gebietet auch Paulus Röm 13,1–7 und Tit 3,1, dass sie weltlicher Gewalt untertan und zur Verfügung sein sollen, nicht weil sie dadurch fromm werden sollen, sondern damit sie den andern und der Obrigkeit damit freiwillig dienten und ihren Willen aus Liebe und Freiheit täten. Wer nun dieses Verständnis hätte, der könnte sich leicht in die unzähligen Gebote und Gesetze des Papstes, der Bischöfe, der Klöster, der Stifte, der Fürsten und Herren einfinden, die etliche tolle Prälaten so behandeln, als wären sie zur Seligkeit nötig, und nennen es Gebote der Kirche, obwohl mit Unrecht. Denn ein freier Christ spricht so: Ich will fasten, beten, dies und das tun, was geboten ist, nicht weil ich dessen bedarf oder dadurch fromm und selig werden wollte, sondern ich will es dem Papst, Bischof, der Gemeinde oder meinem Mitbruder, Herrn zu Willen, Exempel und Dienst tun und leiden, so wie Christus viel größere Dinge mir zu Willen getan und gelitten hat, was für ihn viel weniger nötig war. Und obschon die Tyrannen unrecht tun, solches zu fordern, so schadet es mir doch nicht, weil es nicht wider Gott ist.

Zum neunundzwanzigsten: Hieraus kann ein jeglicher ein sicheres Urteil und Unterscheidung über alle Werke und Gebote entnehmen, auch darüber, welches blinde, tolle oder rechtgesinnte Prälaten seien. Denn ein Werk, das nicht darauf gerichtet ist, dem andern zu dienen oder seinen Willen zu leiden (sofern dieser nicht zwingt, wider Gott zu handeln), ist nicht ein gutes christliches Werk. Daher kommt es, dass ich Sorge habe, wenige Stifte, Kirchen, Klöster, Altäre, Messen, Testamente seien christlich, ebenso wie die Fasten und Gebete, die gesondert an etliche Heiligen gerichtet werden. Denn ich fürchte, dass in dem Ganzen jeder nur das Seine sucht, und meint, damit seine Sünden zu büßen und selig zu werden; das kommt alles aus Unkenntnis des Glaubens und christlicher Freiheit. Und etliche blinde Prälaten treiben die Menschen dahin und preisen solches Treiben, schmücken es mit Ablass und lehren den Glauben nimmermehr. Ich rate dir aber: Willst du etwas stiften, beten, fasten, so tu es nicht in der

[19] Mt 17,27.

Absicht, dass du dir etwas Gutes tun wollest, sondern gib es frei dahin, damit andere Leute es genießen können, und tu es ihnen zugute, so bist du ein rechter Christ. Was sollen dir deine Güter und guten Werke, die dir übrig sind, deinen Leib zu regieren und zu versorgen, wenn du am Glauben genug hast, in dem dir Gott alle Dinge gegeben hat? Siehe, so müssen Gottes Güter aus einem in den andern fließen und allgemein werden, so dass ein jeder sich seines Nächsten so annehme, als wäre er es selbst. Aus Christus fließen sie in uns, der sich unser in seinem Leben angenommen hat, als wäre er das gewesen, was wir sind. Aus uns sollen sie in die fließen, die ihrer bedürfen. Das muss auch so ganz geschehen, dass ich auch meinen Glauben und Gerechtigkeit für meinen Nächsten vor Gott einsetzen muss, seine Sünden zudecken, sie auf mich nehmen und mich nicht anders verhalten, als wären sie mein eigen, ganz wie Christus uns allen getan hat. Siehe, das ist die Natur der Liebe, wo sie wahrhaftig ist. Da ist sie aber wahrhaftig, wo der Glaube wahrhaftig ist. Darum spricht der heilige Apostel der Liebe, 1 Kor 13,5, zu, dass sie nicht das Ihre sucht, sondern was des Nächsten ist.

Zum dreißigsten: Aus dem allen folgt der Schluss: ein Christenmensch lebt nicht in sich selbst, sondern in Christus und seinem Nächsten, in Christus durch den Glauben, im Nächsten durch die Liebe. Durch den Glauben fährt er über sich in Gott, aus Gott fährt er durch die Liebe wieder unter sich und bleibt doch immer in Gott und göttlicher Liebe, gleich wie Christus Joh 1,51 sagt: »Ihr werdet den Himmel offen sehen und die Engel Gottes hinauf und herab fahren auf des Menschen Sohn.«

Siehe, das ist die rechte, geistliche, christliche Freiheit, die das Herz frei macht von allen Sünden, Gesetzen und Geboten, welche alle andere Freiheit übertrifft wie der Himmel die Erde. Gott gebe uns, das recht zu verstehen und zu behalten! Amen.

Text nach: Luther deutsch, hg. v. Kurt Aland, Bd. 2, Göttingen ^{2}1981, 251–274 (frühneuhochdeutscher Originaltext: WA 7,20–38).

5. Martin Luther, Das Magnificat verdeutscht und ausgelegt (1521)

Das »solus Christus« der reformatorischen Theologie führte im Zuge der Entwicklungen auch zu einer harschen Kritik an der Heiligenverehrung: Deren Fürbittfunktion wurde als eine Form von Religiosität kritisiert, die auf andere Mächte und Kräfte hoffte als allein auf Christus. Dies verband sich mit der Kritik an der Vorstellung, dass es irgendwelche Menschen geben könne, die durch ihre Taten aus der allgemeinen Sündigkeit der Menschheit herausgehoben sein könnten. So sehr Luther weiter einzelne Heiligengestalten – wie etwa Elisabeth von Thüringen oder Bernhard von Clairvaux – schätzte und hervorhob, so wichtig war es ihm doch, dass ihr Wirken nicht die reformatorische Botschaft von der Rechtfertigung allein durch den Glauben in Frage stellte. Umgekehrt konnten hervorgehobene Gestalten der Christentumsgeschichte geradezu zu Exempeln dieser Rechtfertigungslehre werden. Das machte Luther in seiner Auslegung des Magnificat, des Lobgesangs Mariens aus Lk 1,46–55, deutlich. Der biblische Text, der die Erhöhung der Niedrigen preist, passte auf Maria und auf die neue reformatorische Theologie. So hat Luther mitten in den Auseinandersetzungen um seine Theologie einen Text verfasst, der in zarten Tönen Maria auch in der reformatorischen Frömmigkeit einen besonderen Platz gab.

Lk 1,
46 Meine Seele erhebt Gott den Herrn.
47 Und mein Geist freut sich in Gott, meinem Heiland.
48 Denn er hat mich, seine geringe Magd, angesehen; darum werden mich selig preisen Kindeskinder ewiglich.
49 Denn er hat große Dinge an mir getan, der da mächtig ist und dessen Name heilig ist.
50 Und seine Barmherzigkeit währt von einem Geschlecht zum andern, bei allen, die ihn fürchten.
51 Er wirkt gewaltig mit seinem Arm, und zerstreut, die hoffärtig sind in ihres Herzens Sinn.
52 Er stößt die Gewaltigen vom Thron, und erhebt die Niedrigen.

53 *Die Hungrigen füllt er mit Gütern und die Reichen lässet er leer.*
54 *Er gedenkt der Barmherzigkeit und hilft seinem Diener Israel auf.*
55 *Wie er geredet hat zu unsern Vätern, Abraham und seinen Kindern in Ewigkeit.*

Vorrede und Eingang

Um diesen heiligen Lobgesang ordentlich zu verstehen, ist (darauf) zu achten, dass die hochgelobte Jungfrau Maria aus eigner Erfahrung redet, in welcher sie durch den heiligen Geist erleuchtet und gelehrt worden ist. Denn es kann niemand Gott noch Gottes Wort recht verstehen, er habe es denn unmittelbar vom Heiligen Geist. Niemand kann es aber vom Heiligen Geist haben, wenn er es nicht erfährt, versucht und empfindet. Und in dieser Erfahrung lehrt der Heilige Geist als in seiner eigenen Schule, außerhalb derer nichts gelehrt wird als nur leere Worte und Geschwätz. So lehrt der Heilige Geist die heilige Jungfrau, indem sie an sich selbst erfahren hat, dass Gott in ihr so große Dinge wirkt, obwohl sie doch gering, unansehnlich, arm und verachtet gewesen ist, diese reiche Kunst und Weisheit, dass Gott ein solcher Herr sei, der nichts anderes zu schaffen habe, als nur zu erhöhen, was niedrig ist, zu erniedrigen, was da hoch ist, und kurz: zu zerbrechen, was da gemacht ist, und (ganz zu) machen, was zerbrochen ist.

Denn so wie er im Anfang aller Kreaturen die Welt aus nichts schuf, weswegen er »Schöpfer« und »allmächtig« heißt, so bleibt er unverändert dabei, auf solche Art zu wirken; und alle seine Werke bis ans Ende der Welt sind noch so beschaffen, dass er aus dem, das nichts, gering, verachtet, elend, tot ist, etwas Kostbares, Ehrenvolles, Seliges und Lebendiges macht. Umgekehrt macht er alles, was etwas, kostbar, ehrenvoll, selig, lebendig ist, zunichte, gering, verachtet, elend und sterbend. Auf diese Weise kann keine Kreatur wirken, sie vermag nicht etwas aus nichts zu machen. Seine (Gottes) Augen sehen so nur in die Tiefe, nicht in die Höhe, wie Dan 3,31 sagt: »Du sitzt über den Cherubim und siehst in die Tiefe«, und Ps 138,6: »Der Herr ist hoch und sieht auf das Niedrige und die Stolzen kennt er von ferne.« Ebenso Ps 113,5: »Wo ist ein solcher Gott wie der unsere, der da sitzt in höchster Höhe und auf das Niedrige sieht im Himmel und auf Erden?« Denn weil er der Allerhöchste und nichts über ihm ist, kann er nicht über sich sehen, kann auch nicht neben sich sehen. Weil ihm niemand gleich ist, muss er notwendig in sich selbst und unter sich sehen, und je tiefer jemand unter ihm ist, desto besser sieht er ihn.

Aber die Welt und die Menschenaugen tun das Gegenteil, sie sehen nur über sich, wollen unbedingt hoch fahren, wie Spr 30,13 steht: »Es ist ein Volk, dessen Augen in die Höhe sehen und seine Augenlider sind in die Höhe gerichtet.« Das erfahren wir täglich, wie jedermann nur über sich hinaus zur Ehre, zur Gewalt, zum Reichtum, zur Gelehrsamkeit, zu gutem Leben und allem, was groß und hoch ist, hinstrebt. Und wo solche Menschen sind, hängt ihnen jedermann an, da läuft man hinzu, da dient man gern, da will jedermann sein und der Höhe teilhaftig werden, so dass nicht umsonst so wenig Könige und Fürsten in der Schrift als fromm beschrieben sind. Umgekehrt will niemand in die Tiefe sehen, wo Armut, Schmach, Not, Jammer und Angst sind, davon wendet jedermann die Augen ab. Und wo solche Leute sind, läuft jedermann von ihnen weg, da flieht, da scheut, da verlässt man sie und denkt niemand daran, ihnen zu helfen, beizustehen und zu machen, dass sie auch etwas sind. Sie müssen so in der Tiefe und niedrigen, verachteten Masse bleiben. Hier ist kein Schöpfer unter den Menschen, der aus dem Nichts etwas machen wolle, wie doch Paulus Röm 12,16 lehrt und sagt: »Liebe Brüder, trachtet nicht nach hohen Dingen, sondern haltet euch herunter zu den niedrigen.«

Darum bleibt Gott allein solches Ansehen, das in die Tiefe, Not und Jammer sieht, und er ist allen denen nahe, die in der Tiefe sind, wie 1 Petr 5,5 sagt: »Den Hohen widerstehet er, den Niedrigen gibt er Gnade.« Und aus diesem Grund fließt nun die Liebe und das Lob Gottes. Es kann ja niemand Gott loben, er habe ihn denn zuvor lieb. Ebenso kann ihn niemand lieben, er sei ihm denn aufs lieblichste und allerbeste bekannt. Ebenso kann er uns nicht so bekannt werden, außer durch seine Werke, die er an uns erweist, die wir gefühlt und erfahren haben. Wo aber erfahren wird, dass er ein solcher Gott ist, der in die Tiefe sieht und nur den Armen, Verachteten, Elenden, Jammervollen, Verlassenen hilft und denen, die gar nichts sind, da wird er (dem Menschen) so von Herzen lieb, da geht das Herz über vor Freude, hüpft und springt vor großem Wohlgefallen, das es an Gott bekommen hat. Und da ist dann der Heilige Geist, der hat in einem Augenblick solch überschwängliche Kunst und Lust durch die Erfahrung gelehrt.

Darum hat Gott auch uns allen den Tod auferlegt und seinen allerliebsten Kindern und Christen das Kreuz Christi mit unzähligen Leiden und Nöten gegeben. Ja, er lässt sie auch zuweilen in Sünde fallen, auf dass er ja viel in die Tiefe zu sehen hätte, vielen helfen, viel wirken, sich als einen rechten Schöpfer erweisen und damit sich bekannt, lieblich und löblich machen könnte. Darin widerstrebt ihm leider doch die Welt mit ihren fehlsichtigen Augen ohne Unterlass und hindert ihn an seinem Sehen, Wirken, Helfen, Erkenntnis, Liebe und Lob, und beraubt ihn aller solcher Ehre, und dazu sich selbst ihrer Freude, Lust und Seligkeit. So hat er auch seinen einzigen liebsten Sohn Christus selbst in die Tiefe alles Jammers geworfen, und an ihm vortrefflich erwiesen, worauf sein Sehen, Werk, Hilfe, Art, Rat und Willen gerichtet sei. Deshalb bleibt auch Christus, darin vortrefflich erfahren, voller Bekenntnis, Liebe und Lob Gottes ewiglich, wie der Ps 21,7 sagt: »Du erfreust ihn mit Freude vor deinem Angesicht.« Das heißt, dass er dich sieht und erkennt. Davon spricht auch Ps 45,18, dass alle Heiligen nichts anderes tun werden, als Gott im Himmel loben, dass er sie in ihrer Tiefe angesehen und sich dort ihnen bekannt, lieblich und löblich gemacht hat.

So tut es auch hier die zarte Mutter Christi. Sie lehrt uns mit dem Exempel ihrer Erfahrung und mit Worten, wie man Gott erkennen, lieben und loben soll. Denn weil sie sich hier mit fröhlichem, springendem Geist rühmet und Gott lobt, er habe sie angesehen, obwohl sie niedrig und nichts gewesen sei, muss man glauben, dass sie arme, verachtete, geringe Eltern gehabt hat. Damit wir es um der Einfältigen willen deutlich vor Augen stellen: Es gab ohne Zweifel in Jerusalem wie auch noch in vielen anderen Städten reiche, hübsche, junge, gelehrte und im ganzen Land aufs ehrenvollste angesehene Töchter der obersten Priester und Ratsherren (wie jetzt die Töchter der Könige, Fürsten und Reichen). Auch zu Nazareth, in ihrer Heimatstadt, ist sie nicht die Tochter der obersten Regenten, sondern die eines einfachen, armen Bürgers gewesen, auf welche niemand groß gesehen noch acht gehabt hat. Und sie ist unter ihren Nachbarn und deren Töchtern ein schlichtes Mägdlein gewesen, das sich um Vieh und Haus gekümmert hat. Sie ist ohne Zweifel nicht mehr gewesen, als es jetzt eine arme Hausmagd, die tut, was man sie im Hause zu tun heißt, sein mag.

Denn so hat Jesaja verkündigt: »Es wird eine Rute aufgehen von dem Stamm Jesse und ein Zweig aus seiner Wurzel Frucht bringen, auf welchem wird ruhen der Geist des Herrn.«[1] Der Stamm und die Wurzel ist das Geschlecht Jesse oder Davids, sonderlich die Jungfrau Maria, die Rute und der Zweig ist Christus. Wie es nun nicht vorherzusehen, ja unglaublich ist, dass aus einem dürren, faulen Stamm und Wurzeln eine schöne Rute und Zweig wachse, so war es auch nicht vorherzusehen, dass Maria, die Jungfrau, eines solchen Kindes Mutter werden sollte. Denn ich meine, sie sei nicht allein deshalb ein Stamm und eine Wurzel genannt, weil sie übernatürlich, in unversehrter Jungfrauschaft, eine Mutter geworden ist, wie es übernatürlich ist, dass eine Rute aus einem toten Baumstumpf wächst, sondern auch deshalb, weil der königliche Stamm und das Geschlecht Davids, welches einmal zu Davids und Salomons Zeiten in großer Ehre, Gewalt, Reichtum und Glück grünte und blühte, auch vor der Welt ein hohes Ding war. Aber zum Schluss, als Christus kommen sollte, hatten die Priester diese Ehre an sich gebracht und regierten allein, und war das königliche Geschlecht Davids vor Armut und Verachtung wie ein toter Baumstumpf, so dass nicht mehr Hoffnung noch Anschein da war, dass von ihm wieder ein König zu großen Ehren kommen sollte. Und eben als diese Unansehnlichkeit am weitesten entwickelt war, kommt Christus und wird von dem verachteten Stamm, von dem geringen armen Mädchen geboren. So wächst der Zweig und die Blume daher von der Person, welche Herrn Hannas' und Kaiphas'[2] Töchter nicht würdig geachtet hätten, dass sie ihre geringste Magd sein sollte. So gehen Gottes Werke und Augen in die Tiefe, Menschengesicht und -werk nur in die Höhe.

Das ist nun die Ursache ihres Lobgesangs. Den wollen wir nun von Wort zu Wort hören.

---

1 Jes 11,1 f.

2 Hohepriester zur Zeit Jesu. Kaiphas war Schwiegersohn des Hannas (vgl. Joh 18,13).

Meine Seele erhebt Gott den Herrn:
Das Wort kommt aus großer Begeisterung und überschwänglicher Freude. Darin erhebt sich ihr Gemüt und inwendiges Leben ganz im Geist. Darum sagt sie nicht: Ich erhebe Gott, sondern: »meine Seele«, als wollte sie sagen: Mein Leben und alle meine Sinne schweben in Gottes Liebe, Lob und hohen Freuden, so dass ich, meiner selbst nicht mächtig, mehr erhoben werde, als mich selbst zu Gottes Lob erhebe, wie all denen geschieht, die im Geist mit göttlicher Süßigkeit erfüllt werden, dass sie mehr fühlen, als sie sagen können. Denn es ist kein Menschenwerk, Gott mit Freuden loben. Es ist mehr ein fröhliches Leiden und allein ein Gotteswerk, das sich nicht mit Worten lehren, sondern nur durch eigene Erfahrung kennen lernen lässt, wie David Ps 34,9 sagt: »Schmecket und sehet, wie freundlich der Herr ist, wohl dem, der auf ihn trauet.« Erst setzt er Schmecken, dann das Sehen, deshalb weil es sich nicht ohne eigene Erfahrung und Fühlen erkennen lässt, zu welcher doch niemand kommt, es sei denn, er traue Gott mit ganzem Herzen, wenn er in der Tiefe und Not ist. Darum schließt David sogleich an: »Wohl dem, der auf ihn trauet«, denn dieser wird Gottes Werk in sich erfahren und so zum Empfinden der Süßigkeit und dadurch zu allem Verstehen und zur Erkenntnis kommen.

Wir wollen ein Wort nach dem andern erwägen. Das erste: »Meine Seele.« Die Schrift teilt den Menschen in drei Teile, wie Paulus 1 Thess 5,23 sagt: »Gott, der ein Gott des Friedens ist, der heilige euch durch und durch, so dass euer Geist ganz samt Seele und Leib unsträflich bewahrt bleibe auf die Ankunft unseres Herrn Jesus Christus.« Und ein jegliches dieser drei wird samt dem ganzen Menschen auf eine andere Weise in zwei Stücke aufgeteilt, welche Geist und Fleisch heißen. Das ist eine Teilung nicht der Natur, sondern der Eigenschaft nach. Das heißt: die Natur hat drei Stücke – Geist, Seele, Leib – und diese können allesamt gut oder böse sein, denn das heißt Geist und Fleisch sein, wovon jetzt nicht zu reden ist.

Das erste Stück, der Geist, ist der höchste, tiefste, edelste Teil des Menschen, mit dem er fähig ist, unbegreifliche, unsichtbare, ewige Dinge zu fassen, und ist, kurz gesagt, das Haus, in dem Glaube und Gottes Wort wohnen. Davon sagt David Ps 51,12: »Herr, gib mir einen neuen, gewissen Geist«, d. h. einen aufrechten, starken Glauben; umgekehrt sagt er von den Ungläubigen Ps 78,37: »Ihr Herz war nicht fest an ihm, sie hielten nicht treulich an seinem Bunde.«

Das zweite, die Seele, ist ebenderselbe Geist der Natur nach, aber doch mit einer anderen Aufgabe, nämlich mit der, dass er den Leib lebendig macht und durch ihn wirkt. Dies wird in der Schrift oft für »das Leben« genommen. Denn der Geist kann wohl ohne den Leib leben, aber der Leib lebt nicht ohne den Geist. Dies Stück sehen wir, wie es auch im Schlaf und ohne Unterlass lebt und wirkt. Und seine Art ist nicht, die unbegreiflichen Dinge zu fassen, sondern was die Vernunft erkennen und ermessen kann. Die Vernunft ist nämlich hier das Licht in diesem Hause, und wenn der Geist nicht, mit dem Glauben als mit einem höheren Licht erleuchtet, dieses Licht der Vernunft regiert, kann sie nie ohne Irrtum sein. Denn sie ist zu gering, über göttliche Dinge zu handeln. Diesen zwei Stücken spricht die Schrift viele Dinge zu, wie Weisheit und Erkenntnis, die Weisheit dem Geist, die Erkenntnis der Seele, danach auch Hass, Liebe, Lust, Gräuel und dergleichen.

Das dritte ist der Leib mit seinen Gliedern; dessen Werke sind nur Betätigung und Gebrauch dessen, was die Seele erkennt und der Geist glaubt. Und damit wir ein Gleichnis dafür aus der Schrift anzeigen: Mose machte ein Tabernakel mit drei unterschiedlichen Gebäuden.[3] Das erste hieß »Allerheiligstes«, darin wohnt Gott und darin war kein Licht. Das zweite hieß »Heiliges«, darin stand ein Leuchter mit sieben Röhren und Lampen. Das dritte hieß der »Vorhof«, das war öffentlich unter dem Himmel im Sonnenlicht. In diesem Bild ist ein Christenmensch abgebildet: Sein Geist ist das Allerheiligste, Gottes Wohnung im finsteren Glauben ohne Licht; denn er glaubt, was er nicht sieht, fühlt oder begreift. Seine Seele ist das Heilige, da sind sieben Lichter, d. h. allerlei Verstand, Unterscheidungsgabe, Wissen und Erkenntnis der leiblichen, sichtbaren Dinge. Sein Körper ist der Vorhof, der ist jedermann offenbar, dass man sehen kann, was er tut und wie er lebt.

Nun bittet Paulus 1 Thess 5,23, Gott, der ein Gott des Friedens ist, wolle uns heilig machen, nicht in einem Stück allein, sondern ganz und gar, durch und durch, so dass Geist, Seele und Leib und alles heilig sei. Über die Ursache dieses Gebetes wäre viel zu sagen; in Kürze: Wenn der Geist nicht mehr heilig ist, so ist nichts mehr heilig. Nun besteht der größte Streit und die größte Gefahr hinsichtlich der Heiligkeit des Geistes, welche nur in dem bloßen, lauteren Glauben stehet, weil der Geist nicht mit begreiflichen Dingen umgeht, wie gesagt ist. So kommen falsche Lehrer und locken den Geist heraus; einer gibt das Werk vor, der andere die Weise, fromm zu werden. Sofern der Geist hier nicht bewahrt wird und weise ist, fällt er heraus und folgt, verfällt auf die äußerlichen Werke und Weisen, meint damit fromm zu werden: Rasch ist der Glaube verloren und der Geist tot vor Gott.

Da fangen denn mancherlei Sekten und Orden an, dass der eine ein Kartäuser-, der andere ein Barfüßermönch[4] wird, der eine mit Fasten, der andere mit Beten, einer mit dem, der andere mit einem anderen Werk selig werden will. Das sind doch allesamt selbst erwählte Werke und Orden, von Gott nie geboten, nur von Menschen erdacht, neben denen sie nimmermehr den Glauben beherzigen. Sie lehren immer weiter auf die Werke zu bauen, so lange, bis sie so tief darein kommen, dass sie darüber uneins werden, ein jeder will das Beste sein und

[3] Vgl. 2 Mose 26,33 f.; 40,1–33.

[4] Bezeichnung für unterschiedliche strenge Formen des asketischen Lebens in Bettelorden, meist bezogen auf Franziskaner und Kapuziner.

verachtet den anderen, wie sich jetzt unsere Observanten brüsten und aufblasen.[5] Gegen solche Werkheiligen und fromm scheinenden Lehrer bittet Paulus hier und sagt, Gott sei ein Gott des Friedens und der Einigkeit, welchen solche uneinigen, unfriedfertigen Heiligen nicht haben noch behalten können. Es sei denn, dass sie ihre Sache fallenlassen und allesamt im Geist und Glauben zusammenkommen und erkennen, dass die Werke nur Unterschiede, Sünde und Unfrieden machen, aber allein der Glaube fromm macht, einig und friedfertig, wie es Ps 133,1 heißt: »Siehe wie fein und lieblich ist es, dass Brüder einträchtig beieinander wohnen.«

Der Friede kommt auf keine andere Weise, als wenn man lehrt, wie kein Werk, keine äußerliche Weise, sondern nur der Glaube fromm, gerecht und selig mache, das heißt gute Zuversicht auf die uns versprochene, unsichtbare Gnade Gottes, wovon ich im Sermon von den guten Werken viel gesagt habe.[6] Und wo der Glaube nicht ist, da müssen viele Werke sein, woraus dann Unfriede und Uneinigkeit folgt, so dass kein Gott mehr dableibt. Darum begnügt sich Paulus hier nicht damit zu sagen: dass »euer Geist, eure Seele« usw., sondern: »euer ganzer Geist«[7]. Darauf kommt es ganz an, das bedeutet so viel, als wollte er sagen: Lasst euch durch keine Lehre von den Werken irremachen, der gläubige Geist hat es allein ganz und gar. Es liegt nur am Glauben des Geistes. Diesen das ganze Erbe besitzenden Geist bitte ich, wolle Gott euch vor den falschen Lehren behüten, die durch Werke Zuversicht auf Gott machen wollen. Das sind doch falsche Gewissen, weil sie solche Zuversicht nicht bloß auf Gottes Gnade bauen.

Wenn nun solcher das ganze Erbe besitzender Geist erhalten wird, kann danach auch die Seele und der Leib ohne Irrtum und böse Werke bleiben. Sonst, wenn der Geist glaubenslos ist, ist es unausweichlich, dass die Seele und das ganze Leben unrecht und in die Irre gehe, wenn sie auch gute Absicht und gute Meinung aufwende und eigene Andacht und Wohlgefallen dabei habe. So sind deshalb um solchen Irrtums und falscher »guter Meinung« der Seele Willen auch alle Werke des Leibes böse und verworfen, auch wenn sich jemand totfastete und die Werke aller Heiligen täte. Darum ist es nötig, dass uns Gott zum ersten den Geist, danach Seele und Leib behüte, damit wir nicht umsonst wirken und leben und so rechtschaffen heilig werden, nicht allein von den öffentlichen Sünden frei, sondern viel mehr noch von den falschen und scheinheiligen guten Werken.

Das sei für jetzt genug zur Erklärung der zwei Worte »Seele« und »Geist« gesagt, deshalb weil sie in der Schrift sehr häufig sind. Danach steht das Wörtlein »Magnificat« d.h. »groß machen«, »erheben« und »viel von ihm halten« als von dem, der große und viele und gute Dinge vermöge, wisse und tun wolle, wie in diesem Lobgesang folgt. Gleich wie das Wort »Magnificat« wie ein Titel eines

---

5 »Observanten« ist in mehreren Bettelorden die Bezeichnung für diejenigen, die eine besonders strenge Befolgung der Ordensregel fordern und leben.

6 Martin Luther, Sermon von den guten Werken (1520).

7 1 Thess 5,23.

Buches anzeigt, wovon darin geschrieben sei, so zeigt Maria auch mit diesem Wort an, wovon ihr Lobgesang lauten soll: nämlich von großen Taten und Werken Gottes, unseren Glauben zu stärken, alle Geringen zu trösten, und alle hohen Menschen auf Erden zu schrecken. Auf diesen dreifachen Gebrauch oder Nutzen müssen wir den Lobgesang ausgerichtet sein lassen und verstehen; denn sie hat ihn nicht für sich allein, sondern für uns alle gesungen, auf dass wir ihr nachsingen sollen.

Nun kann es nicht sein, dass jemand aufgrund solcher großen Taten Gottes erschrecke oder sich tröste, es sei denn, dass er nicht allein glaube, Gott vermöge und wisse große Taten zu tun. Sondern er muss auch glauben, dass er so tun wolle und eine Liebe habe, solches zu tun. Ja, es ist auch nicht genug, dass du glaubst, er wolle mit andern und nicht mit dir große Taten tun und dich so von solcher göttlichen Tat ausnehmen, wie die tun, welche Gott in ihrer Macht nicht fürchten und die, welche in ihrer Drangsal kleinmütig verzagen. Denn ein solcher Glaube ist nichts und ganz tot, wie ein von einer Fabel hervorgerufener Wahn. Sondern du musst dir seinen Willen über dich ohne alles Wanken, ohne alles Zweifeln vor Augen stellen, so dass du fest glaubst, er werde und wolle auch mit dir große Dinge tun. Dieser Glaube lebt und webt, der dringt durch und ändert den ganzen Menschen; der zwingt dich, dass du in Furcht sein musst, wenn du hoch bist, und getrost sein, wenn du niedrig bist. Und je höher du bist, desto mehr musst du in Furcht sein, je tiefer du unterdrückt bist, desto mehr kannst du dich trösten, was keiner von jenen »Glauben« tut. Wie willst du dich in Todesnöten verhalten? Da musst du ja nicht allein glauben, dass er dir helfen könne und es zu tun wisse, sondern auch wolle; da doch ein ganz unsäglich großes Werk geschehen muss, damit du vom ewigen Tod erlöst, ewig selig und Gottes Erbkind wirst. Dieser Glaube vermag alle Dinge, wie Christus sagt, der besteht allein, der kommt auch in die Erfahrung göttlicher Werke, und dadurch in die göttliche Liebe und so in Lob und Gesang Gottes, dass der Mensch Großes von Gott hält und ihn recht groß macht.

Denn Gott wird nicht von uns in *seiner* Natur groß gemacht, der unwandelbar ist, sondern in *unserer* Erkenntnis und Empfindung, d. h. wenn wir viel von ihm halten und ihn für groß erachten, zuallererst nach seiner Güte und Gnade. Darum sagt die heilige Mutter nicht: »meine Stimme« oder »mein Mund«, auch nicht »meine Hand,« auch nicht »meine Gedanken«, auch nicht »meine Vernunft« oder »Wille« macht den Herrn groß. Denn es gibt viele, die Gott mit lauter Stimme preisen, mit kostbaren Worten predigen, viel von ihm reden, disputieren, schreiben und malen, viele, die sich über ihn Gedanken machen und durch die Vernunft nach ihm trachten und spekulieren, dazu viele, die ihn mit falscher Andacht und Willen erheben. Sondern so sagt sie: »meine Seele macht ihn groß«, das heißt: mein ganzes Leben, Weben, Sinn und Kraft halten viel von ihm, so dass sie gleichsam in ihn verzückt und sich in seinem gnädigen guten Willen emporgehoben fühlt wie der folgende Vers zeigt. Auf diese Weise sehen wir, wenn uns jemand etwas besonders Gutes tut, dass unser ganzes Leben sich gleichsam auf ihn zu bewegt, und sprechen: O, ich halte viel von ihm, d. h. eigentlich: Meine Seele macht ihn groß. Wie viel mehr wird solche lebendige Bewegung sich regen, wenn wir Gottes Güte empfinden, die in seinen Werken überschwänglich groß ist, dass uns alle Worte und Gedanken zu wenig werden, und das ganze Leben und die Seele sich bewegen lassen müssen, als wollt es alles gern singen und sagen, was in uns lebt.

Aber hierbei sind nun zweierlei falsche Geister, die das Magnificat nicht recht singen können: die ersten, die ihn Gott nicht eher loben, solange er ihnen nichts Gutes tut, wie David Ps 49,19 sagt: »Sie loben dich, wenn du ihnen wohltust.« Diese scheinen Gott sehr zu loben. Aber weil sie niemals Unterdrückung und die Tiefe leiden wollen, können sie niemals die rechten Werke Gottes erfahren und deshalb auch nimmermehr Gott recht lieben noch loben. So ist jetzt alle Welt voll Gottesdienstes und -lobes mit Singen, Predigen, Orgeln und Pfeifen, und das Magnificat wird herrlich gesungen. Aber daneben ist es zum Erbarmen, dass solch kostbarer Gesang so ganz ohne Kraft und Saft von uns behandelt werden soll, die wir nicht eher singen, als wenn es uns gut geht. Wo es aber schlecht geht, ist das Singen aus, da hält man nichts mehr von Gott, wir meinen, Gott könne oder wolle nichts mit uns wirken; darum muss das Magnificat auch draußen bleiben.

Die anderen sind noch gefährlicher, die auf die andere Seite weichen, die sich mit Gottes Gütern erheben und dieselben nicht der reinen Güte Gottes zusprechen. Sie wollen auch was dran haben, wollen deswegen geehrt und in Ansehen vor anderen Menschen gehalten sein, schauen ihr großes Gut an, das Gott mit ihnen gewirkt, klammern sich daran und nehmen sich seiner an als des ihren und halten sich den anderen gegenüber, die so etwas nicht haben, für etwas Besonderes. Hier ist fürwahr ein glatter, schlüpfriger Stand. Gottes Güter machen von Natur hoffärtige und selbstgefällige Herzen. Darum ist es hier nötig, auf das letzte Wörtlein zu achten: »Gott«. Denn Maria sagt nicht: »Meine Seele macht sich selbst groß« oder »hält viel von sich«. Sie wollte auch gar nichts von sich gehalten haben. Sondern allein Gott macht sie groß, dem schreibt sie es ganz allein zu. Sie nimmt es von sich weg und trägt es allein völlig wieder hin zu Gott, von dem sie es empfangen hatte. Denn wenn sie auch solch überschwängliche Tat Gottes in sich empfand, war sie doch und blieb so gesinnt, dass sie sich nicht über den geringsten Menschen auf Erden erhob, und wo sie es getan hätte, wäre sie mit Lucifer in den Höllenabgrund gefallen.

Sie hat nicht anders gedacht: Wenn eine andere Magd solche Güter von Gott hätte, wollte sie ebenso fröhlich sein und ihr es ebenso wohl gönnen wie sich selbst, ja sich allein solcher Ehre unwürdig und alle anderen würdig achten. Sie wäre auch noch ganz zufrieden gewesen, wenn Gott solche Güter von ihr genommen und vor ihren Augen einer anderen gegeben hätte. So ganz und gar hat sie sich nichts von dem allen angemaßt und Gott seine Güter frei, ledig und zueigen gelassen, ist nicht mehr als eine fröhliche Herberge und willige Wirtin dieses Gastes gewesen. Deshalb hat sie das alles auch ewig behalten. Siehe, das bedeutet Gott allein groß machen, nur von ihm allein groß denken und für uns nichts beanspruchen. Daraus sieht man, welch großen Anlass sie gehabt hätte, zu fallen und zu sündigen, so dass es kein kleineres Wunder ist, wie sie sich der Hoffart und Anmaßung enthalten, als dass sie solche Güter bekommen hat. Meinst du nicht, was das für ein wundersames Herz sei? Sie findet sich als eine Gottesmutter über alle Menschen erhoben und bleibt doch so einfältig und gelassen, dass sie deshalb nicht eine geringe Dienstmagd für geringer als sich gehalten hätte. O wir armen Menschen, wenn wir ein wenig Gut, Gewalt oder Ehre haben, ja ein wenig hübscher als andere sind, könnten wir uns nicht einem geringeren gleich machen und gibt es kein Maß für das Ansichraffen: Was wollten wir tun, wenn wir große, hohe Güter hätten?

Deshalb lässt uns Gott auch arm, unglücklich bleiben, weil wir seine edlen Güter nicht unbefleckt lassen; wir können (wenn wir sie besitzen) nicht von uns das gleiche meinen, wie vorher, sondern lassen den Sinn immer mit wachsen und abnehmen, je nachdem die Güter kommen oder gehen. Aber dieses Herz Marias steht zu aller Zeit fest und gleich, lässt Gott in sich nach seinem Willen wirken, nimmt nicht mehr davon als einen guten Trost, Freude und Zuversicht in Gott. So sollten wir auch tun, das wäre ein rechtes Magnificat gesungen.

Denn er hat die Niedrigkeit seiner Magd angesehen. Darum werden mich seligpreisen alle Kindeskinder:

Das Wörtlein »humilitas« haben etliche hier zur »Demut« gemacht, als hätte die Jungfrau Maria ihre Demut angeführt und sich deren gerühmt. Daher kommt es, dass sich etliche Prälaten auch »humiles« (Demütige) nennen, was gar weit von der Wahrheit entfernt ist. Denn vor Gottes Augen kann sich niemand einer guten Sache ohne Sünde und Verderben rühmen. Man darf sich vor ihm keiner Sache mehr rühmen, als seiner lauteren Güte und Gnade, der er uns Unwürdigen erweist, damit nicht unser, sondern allein Gottes Liebe und Lob in uns bestehe und uns erhalte, wie Salomon Spr 25,6 f. lehrt: »Prange nicht vor dem König und tritt nicht an den Ort der Großen. Denn es ist dir besser, man sage zu dir, tritt hier herauf, als dass du vor den Fürsten erniedrigt wirst.« Wie sollte man denn dieser reinen, richtigen Jungfrau solche Vermessenheit und Hochmut zuschreiben, dass sie sich ihrer Demut vor Gott rühmte, welches die allerhöchste Tugend ist – und niemand erachtet oder rühmet sich als demütig, als wer der Allerhochmütigste ist. Gott erkennt allein die Demut, richtet auch und offenbart sie allein, so dass der Mensch niemals weniger von der Demut weiß, als eben wenn er recht demütig ist.

Der Schriftgebrauch ist, dass sie »humiliare« »erniedrigen« und »zunichte machen« nennt; und deshalb heißen die Christen in der Schrift an vielen Orten »pauperes, afflicti, humiliati«, »arme, nichtige, verworfene Leute«, wie Ps 116,10: »Ich werde aber sehr geplagt.« So ist »humilitas« nichts anderes als ein verachtetes, unansehnliches, niedriges Wesen oder Stand, wie es die armen, kranken, hungrigen, durstigen, gefangenen, leidenden und sterbenden Menschen sind, wie es Hiob in seiner Anfechtung war und David in seiner Verstoßung aus dem Reich, und Christus mit allen Christen in ihren Nöten. Das sind die Tiefen, von denen oben die Rede ist, dass Gottes Augen nur in die Tiefe sehen und die Augen der Menschen nur in die Höhe, das heißt, sie sehen nach dem ansehnlichen, glänzenden, prächtigen Wesen und Stand. Darum heißt Jerusalem in der Schrift eine Stätte, über der Gott seine Augen offen hält,[8] d. h. die Christenheit liegt in der Tiefe und ist vor der Welt unansehnlich, deshalb sieht Gott sie an und hat seine Augen stets über ihr, wie er Ps 32,8 sagt: »Ich will dich mit meinen Augen leiten.«

Ebenso sagt auch Paulus 1 Kor 1,27 f: »Gott erwählt alles, was töricht vor der Welt ist, auf dass er alles zuschanden mache, was da klug ist vor der Welt; und erwählt, was da schwach und untüchtig ist, auf dass er alles zuschanden mache, was da stark und gewaltig ist. Er erwählt, was da nichts ist vor der Welt, auf dass er alles zunichte mache, was etwas ist vor der Welt.« Und damit macht er die Welt zur Narrheit mit aller Weisheit und Vermögen und gibt eine andere Weisheit und Vermögen. Weil es denn nun seine Art ist, in die Tiefe, auf die unansehnlichen Dinge zu sehen, habe ich das Wörtlein »humilitas« mit »Nichtigkeit« oder »unansehnliches Wesen« verdeutscht, so dass die Meinung Marias die sei: Gott hat auf mich armes, verachtetes, unansehnliches Mägdlein gesehen und hätte wohl reiche, hohe, edle, mächtige Königinnen, Fürsten und großer Herren Töchter gefunden. Er hätte doch wohl (z. B.) Hannas' und Kaiphas' Töchter finden können, welche die Obersten im Lande gewesen sind, aber er hat seine lauteren, gütigen Augen auf mich geworfen und eine so geringe, verschmähte Magd dazu gebraucht, damit sich niemand vor ihm rühme, dass er dessen würdig gewesen wäre oder sei. Und ich muss auch bekennen, dass es lauter Gnade und Güte ist und gar nichts mein Verdienst oder Würdigkeit.

Nun haben wir oben genug gesagt, wie die zarte Jungfrau unansehnlichen Wesens und Standes gewesen und ganz unversehens zu dieser Ehre gekommen sei, dass sie Gott so übergnädig angesehen hat. Und deshalb rühmt sie sich nicht ihrer Würdigkeit noch ihrer Unwürdigkeit, sondern allein des göttlichen Ansehens, welches so übergütig und übergnädig ist, dass er auch eine so geringe Magd angesehen hat und so herrlich und ehrenvoll ansehen wollte. Deshalb tun diejenigen ihr Unrecht, die sagen, sie habe sich nicht ihrer Jungfrauschaft, sondern ihrer Demut gerühmt: sie hat sich weder ihrer Jungfrauschaft noch ihrer Demut gerühmt, sondern allein des gnädigen, göttlichen Ansehens. Darum liegt das Schwergewicht nicht auf dem Wörtlein »humilitatem« (Nichtigkeit), sondern in dem Wörtlein »respexit« (er hat angesehen). Denn ihre Nichtigkeit ist nicht zu loben, sondern Gottes Ansehen. Das ist so, wie wenn ein Fürst einem armen Bettler die Hand reicht: Dann ist nicht des Bettlers Nichtigkeit, sondern des Fürsten Gnade und Güte zu preisen.

---

[8] Sach 12,4.

Damit aber solcher falscher Wahn vertrieben und die rechte Demut von der falschen geschieden werde, wollen wir ein wenig abschweifen und von der Demut reden, denn in Bezug darauf wird von vielen sehr geirrt. »Demut« nennen wir auf Deutsch, was Paulus auf griechisch *tapeinophrosyne* nennt, d. h. einen Willen und eine Geneigtheit zu geringen, verachteten Dingen.

Nun findet man hier viele, die das Wasser in den Brunnen tragen. Das sind die, die sich mit geringen Kleidern, Personen, Gebärden, Stätten, Worten darstellen, auch derselben gedenken und damit umgehen, jedoch in der Absicht, dadurch auch vor den Hohen, Reichen, Gelehrten, Heiligen als gut angesehen zu werden, als die, welche gern mit geringen Dingen umgehen. Denn wenn sie wüssten, dass man davon nichts halten wollte, ließen sie es wohl bleiben: Das ist eine gemachte Demut. Denn ihr arglistiges Auge sieht nur auf den Lohn und den Erfolg der Demut, und nicht auf die geringen Dinge an sich ohne den Lohn und den Erfolg. Darum ist die Demut zu Ende, wo der Lohn und der Erfolg nicht mehr in die Augen springt. Solche darf man nicht als die bezeichnen, die einen Willen und ein Herz zu den geringen Dingen haben, sondern sie haben nur die Gedanken, den Mund, die Hand, das Kleid und die Gebärde dabei, das Herz aber sieht über sich nach hohen, großen Dingen, zu denen es durch solch demütiges Blendwerk zu kommen gedenkt: und diese achten sich selbst für demütige, heilige Leute.

Die wahrhaft Demütigen sehen nicht auf die Folgen der Demut, sondern mit einfältigem Herzen sehen sie auf die niedrigen Dinge, gehen gern damit um und werden selbst niemals gewahr, dass sie demütig sind. Da quillt das Wasser aus dem Brunnen, da folgt von selbst, ungesucht, dass sie geringe Gebärde, Worte, Stätte, Personen, Kleider führen und tragen. Sie meiden, wo sie können, hohe und große Dinge; davon sagt David Ps 131,1: »Herr, mein Herz ist nicht hoffärtig und meine Augen sind nicht stolz« usw., und Hi 22,29: »Wer sich erniedrigt, der wird zu Ehren kommen, und wer seine Augen niederschlägt, der wird genesen.« Darum geschieht es auch, dass denselben die Ehre allezeit unversehens widerfährt, und ihre Erhöhung wird ihnen zuteil, ohne dass sie daran denken. Denn sie haben sich einfältig an ihrem geringen Wesen genügen lassen und nie nach der Höhe getrachtet. Aber die falschen Demütigen wundert es, dass ihre Ehre und Erhöhung so lange ausbleibt und ihr heimlicher, falscher Hochmut lässt sich nicht an seinem geringen Wesen genügen, denkt heimlich nur höher und höher.

Darum weiß rechte Demut, wie ich gesagt habe, niemals, dass sie demütig ist; denn wenn sie es wüsste, so würde sie von dem Ansehen der schönen Tugend hochmütig. Sondern sie haftet mit Herz, Mut und allen Sinnen an den geringen Dingen, die hat sie ohne Unterlass in ihren Augen, das sind ihre Bilder, mit denen sie umgeht; und weil sie die in ihren Augen hat, kann sie sich selbst nicht sehen, noch ihrer selbst gewahr werden, viel weniger der hohen Dinge innewerden. Darum muss ihr die Ehre und Höhe unversehens zukommen und sie diese in Gedanken finden, die der Ehre und Höhe ganz fremd und entgegen sind. So sagt Lk 1,29, dass der Gruß des Engels Maria in ihren Augen verwunderlich war, und sie bedachte, was das für ein Gruß wäre, den sie nie erwartet hatte. Wäre der Gruß der Tochter des Kaiphas gebracht worden, würde die sich nicht gedacht haben, was das für ein Gruß wäre, hätte ihn alsbald angenommen und gedacht: Ei, das ist gut Ding und wohlgetan.

Umgekehrt weiß falsche Demut niemals, dass sie Hochmut ist, denn wenn sie das wüsste, würde sie bald von dem Ansehen der hässlichen Untugend demütig. Sondern sie haftet mit Herz, Mut und Sinn an den hohen Dingen, die hat sie ohne Unterlass in ihren Augen. Das sind ihre Bilder, mit denen sie umgeht, und weil sie damit umgeht, kann sie sich selber nicht sehen noch ihrer selbst gewahr werden. Darum kommt ihr die Ehre nicht unbedacht noch unversehens, sondern findet gleichartige Gedanken; aber die Schande und Erniedrigung kommt ihr unversehens und mitten hinein in viele ganz andere Gedanken.

Deshalb ist es nichts nütze, dass man Demut auf die Weise lehre, dass man sich geringe, verachtete Dinge vor Augen stellt; umgekehrt wird niemand davon hochmütig, dass man ihm hohe Dinge vor Augen stellt. Nicht die Bilder, sondern die Sehweise muss man abtun. Wir müssen hier unter hohen und niedrigen Bildern leben, aber, wie Christus sagt, das Auge muss ausgestochen werden.[9] Mose sagt nicht, dass Adam und Eva nach dem Fall andere Dinge als vorher gesehen haben, sondern er sagt, ihre Augen seien auf getan worden, dass sie sich nackt sahen;[10] obwohl sie doch vorher auch nackt waren und es nur nicht gewahr wurden. So müssen nicht die Dinge, sondern *wir* verwandelt werden, im Gemüt und Sinn, alsdann wird es sich von selbst lernen, hohe Dinge zu verachten und zu fliehen, niedrige Dinge zu achten und zu suchen: Da ist die Demut auf allen Seiten grundgut und beständig und wird doch ihrer selbst niemals gewahr. Das geht mit Freuden zu, und das Herz bleibt gleich und eines, wie sich die Dinge auch wandeln oder ergeben, hoch oder niedrig, groß oder klein.

O, es liegt ein ganz großer Hochmut unter den demütigen Kleidern, Worten und Gebärden verborgen, von denen die Welt jetzt so voll ist. Die verachten sich selbst so, dass sie dennoch von jedermann unverachtet sein wollen, die fliehen Ehre so, dass sie dennoch damit gejagt sein wollen, die meiden hohe Dinge, dass man sich ihrer dennoch annehme, sie preise und ihr Ding nicht das Geringste sein lasse.

Aber hier diese Jungfrau zeigt nicht mehr als ihre Nichtigkeit, darin sie gern gelebt hat und geblieben ist, sie hat nie an Ehre oder Höhe gedacht, ist auch nicht innegeworden, dass sie demütig gewesen sei. Die Demut ist so edel und so kostbar, dass sie eine Selbstbetrachtung nicht leiden kann, sondern das ist allein dem göttlichen Blick vorbehalten, wie der Ps 113,6 sagt: »Er sieht auf das Niedrige im Himmel und auf Erden.« Denn wer da seine Demut sehen könnte, der könnte über sich selbst und seine Seligkeit urteilen und Gottes Gericht wäre schon erledigt, weil wir wissen, dass Gott die Demütigen gewiss selig macht. Deshalb

---

9 Mt 5,29; 18,9.

10 1 Mose 3,7.

muss Gott sich selbst vorbehalten, sie zu erkennen und anzusehen und sie vor uns verbergen, in dem er uns geringe Dinge, bei denen wir uns selbst anzusehen vergessen, vorhält und uns darin übt. Dazu dienen nun so viel Leiden, Sterben und allerlei Ungemach auf Erden, damit wir zu schaffen und die falsche Betrachtungsweise aufzugeben Mühe und Arbeit haben.

Nun ersehen wir aus diesem Wörtlein »humilitas« klar, dass die Jungfrau Maria ein verachtetes, geringes, unangesehenes Mägdlein gewesen ist, womit sie Gott gedient und nicht gewusst hat, dass ihr unansehnlicher Stand vor Gott so hoch angesehen wäre. Damit werden wir getröstet, damit wir, obwohl wir gern erniedrigt und verachtet sein sollen, doch darin nicht verzagen, als sei Gott zornig über uns, sondern vielmehr hoffen, dass er uns gnädig sei. Allein deswegen sollen wir besorgt sein, dass wir nicht willig genug und gern in solcher Niedrigkeit sind, dass vielleicht das falsche Auge nicht zu weit offen stehe und uns mit heimlichem Suchen der Höhe oder eigenen Wohlgefallens betrüge, wodurch die Demut ganz in Trümmer geht. Denn was hilft es den Verdammten, dass sie auf die niedrigste Stufe herabgedrückt sind, wenn sie nicht gern und willig darin sind? Und was schadet es allen Engeln, dass sie aufs höchste erhoben sind, wo sie doch nicht mit falscher Lust daran haften? Kurz gesagt: Dieser Vers lehrt uns recht Gott erkennen, dadurch dass er anzeigt, Gott sehe auf die Niedrigen und Verachteten. Und der erkennt Gott recht, der weiß, dass Gott auf die Niedrigen sieht, wie droben gesagt ist, und aus der Erkenntnis folgt dann Liebe und Zutrauen zu Gott, dass sich der Mensch ihm willig ergibt und folgt. Davon spricht Jer 9,23 f: »Niemand rühme sich seiner Stärke, Reichtums oder Weisheit, sondern wer sich rühmen will, der rühme sich, dass er mich erkennt und weiß«; wie auch Paulus lehrt: »Wer sich rühmet, der rühme sich des Herrn.«[11]

Nachdem die Mutter Gottes ihren Gott und Heiland mit bloßem, reinem Geist so gelobt und sich von seinen Gütern nichts angemaßt hat und ihm damit recht von seiner Güte gesungen hat, kommt sie nun in rechter Ordnung auch dazu, seine Werke und Güter zu loben. Denn, wie gesagt, man darf sich nicht an die Güter Gottes klammern und sich ihrer bemächtigen, sondern muss durch sie hinauf zu ihm dringen, an ihm allein hängen und von seiner Güte viel halten. Dann kann man ihn auch in seinen Werken loben, in welchen er uns solche Güte zum Lieben, Vertrauen und Loben erzeigt hat, so dass die Werke nichts anderes sind als reiche Ursache, seine reine Güte, die über uns regiert, zu lieben und zu loben.

Sie beginnt aber bei sich selbst und singt, was er ihr getan hat. Damit lehrt sie uns zwei Stücke. Das erste: ein jeder soll darauf Acht haben, was Gott mit *ihm* wirkt, vor allen Werken, die er mit anderen tut. Denn es wird niemandes Seligkeit darin bestehen, was er mit einem anderen, sondern was er mit dir wirkt. So ist es im letzten Kapitel des Johannesevangeliums: Als Petrus von Johannes sprach: »Was wird aber mit diesem?« antwortet ihm Christus und sagt: »Was geht es dich

[11] 2 Kor 10,10.

an? Folge du mir nach!«[12] Das ist, als wollte er sagen: die Werke des Johannes werden dir nicht helfen; du musst selbst dran und warten, was ich mit dir tun will. Trotzdem regiert jetzt ein gräulicher Missbrauch in der Welt mit Austeilen und Verkaufen guter Werke. Etliche vermessene Geister wollen andern Leuten helfen, besonders denen, die ohne eigene Gotteswerke leben oder sterben, gerade als hätten sie zu viel gute Werke, obwohl doch Paulus 1 Kor 3,8 klar sagt: »Ein jeglicher wird Lohn empfangen nach seiner Arbeit«, ohne Zweifel nicht nach eines andern Arbeit.

Es wäre zu leiden, wenn sie für andere Leute beteten oder ihre Werke Gott als eine Fürbitte vortrügen. Da sie aber nicht anders als mit einem Geschenk damit verfahren, ist es ein schändliches Vorhaben. Und, was erst das Allerärgste ist: Sie geben ihre Werke ab, von denen sie selbst nicht wissen, wie sie vor Gott gelten. Denn Gott sieht nicht die Werke, sondern das Herz und den Glauben an, durch den er auch mit uns wirkt. Darauf geben sie gar nicht Acht, bauen nur auf die äußerlichen Werke, verführen sich selbst und jedermann damit. Das reißt auch soweit ein, dass sie die Leute bereden, Mönchskutten im Sterben anzuziehen, geben vor, wer in solchem heiligen Kleid sterbe, der habe Ablass von Sünden und werde selig; sie fangen an, die Leute nicht allein mit fremden Werken, sondern auch mit fremden Kleidern selig zu machen. Ich meine: Achtet man nicht darauf, wird sie der böse Geist noch so weit führen, dass sie die Leute mit Klosterspeisen, -behausung und -begräbnis zum Himmel führen. Hilf Gott, welch handgreifliche Finsternisse sind mir das, dass eine Mönchskutte fromm und selig machen kann. Wozu ist da der Glaube nötig? Lasst uns alle Mönch werden oder alle in Kutten sterben! Auf die Weise sollte wohl alles Tuch nur zu Mönchskutten verbraucht werden. Hüte dich, hüte dich vor den Wölfen in solchen Schafskleidern, sie zerreißen und verführen dich.

Dem denke nach, dass Gott mit dir auch wirke und dass du deine Seligkeit nur auf die Werke, die Gott in dir allein wirkt, und auf keine anderen stellst, wie du hier die Jungfrau Maria tun siehst. Wenn du dir aber durch anderer Fürbitte dazu helfen lässt, ist es recht und wohl getan: füreinander sollen wir alle bitten und tun. Aber niemand soll sich ohne eigenes göttliches Werk auf anderer Werke verlassen, sondern mit allem Eifer seiner und Gottes wahrnehmen, nicht anders, als wären er und Gott allein im Himmel und auf Erden und hätte Gott mit niemand anders als mit ihm zu schaffen. Und danach mag er auch auf anderer Werke sehen.

Das andere, das sie (Maria) hierin lehrt: Ein jeder soll der erste in Gottes Lob sein wollen und seine Werke, die in ihm geschehen, hervorheben und danach (Gott) auch in den Werken anderer loben. So lesen wir, dass Paulus und Barnabas den Aposteln ihre Gotteswerke verkündigten und sie umgekehrt die ihren.[13]

---

[12] Joh 21,21 f.

[13] Apg 15,12.

Genau das gleiche taten sie mit der Erscheinung nach der Auferstehung Christi.[14] Da fängt dann eine gemeinsame Freude und Lob zu Gott an, wenn ein jeglicher des anderen Gnade und doch seine am ersten preiset, auch wenn sie geringer sei, als die des andern. Er begehrt nicht der erste oder vorderste in den Gütern zu sein, sondern in Lob und Liebe Gottes. Denn ihnen war an Gott und seiner bloßen Güte genug, wie gering auch die Gabe sei; so ganz richtig einfältig ist ihr Herz. Aber die Selbst- und Eigensüchtigen sehen krumm und scheel, wenn sie gewahr werden, dass sie in Bezug auf die Güter nicht die Höchsten und Besten sind, murren statt zu loben, dass sie andren gleich oder geringer sind; wie die im Evangelium Mt 20,11 f., die wider den Hausvater murrten, nicht dass er ihnen Unrecht täte, sondern dass er sie den anderen mit dem Tagelohn gleichstellte.

So findet man jetzt viele, die Gottes Güte nicht loben, weil sie nicht sehen, dass sie so viel haben wie Petrus oder sonst ein Heiliger oder wie dieser und jener auf Erden. Sie meinen, wenn sie auch so viel hätten, wollten sie auch wohl Gott loben und lieben. Sie achten es gering, dass sie doch mit Gütern Gottes überschüttet sind, die sie nicht erkennen, als da sind Leib, Leben, Vernunft, Gut, Ehre, Freunde und das Sonnenlicht mit allen Kreaturen. Diese würden, selbst wenn sie alle Güter Mariens hätten, doch darin Gott nicht erkennen und loben; denn wie Christus, Lk 16,10, sagt: »Wer im Geringsten treu ist, der ist auch im Großen treu, und wer im Geringsten unrecht ist, der ist auch im Großen unrecht.« Darum sind sie es wert, dass ihnen das Viele und Große nicht zuteilwird, weil sie das Kleine und Wenige verschmähen. Lobten sie aber Gott im Kleinen, so würde ihnen das Große auch im Überfluss zuteil. Das liegt daran, dass sie über sich sehen und nicht unter sich. Wenn sie unter sich sähen, würden sie viele finden, die ihnen vielleicht nicht zur Hälfte gleich sind und doch wohl mit Gott zufrieden sind und ihn loben. Ein Vogel singt und ist fröhlich in dem, was er kann, und murrt nicht, dass er nicht reden kann. Ein Hund springt fröhlich und ist zufrieden, obgleich er nicht Vernunft besitzt. Alle Tiere lassen sich begnügen und dienen Gott mit Liebe und Lob, nur das schalkhafte, eigennützige Auge des Menschen, das ist unersättlich und ist doch ungeeignet dazu, dass es voll würde: um seines Undanks und Hochmuts willen, dass es obenan sitzen und der Beste sein will, es will nicht Gott ehren, sondern von ihm geehrt sein.

Als erstes Werk Gottes in ihr bekennet sie (Maria): Es sei, dass Gott sie angesehen hat; welches auch das größte ist, woran die andern alle hangen und aus ihm alle fließen. Denn wenn es dahin kommt, dass Gott sein Angesicht zu jemand wendet, um ihn anzusehen, so ist da bloße Gnade und Seligkeit, da müssen alle Gaben und Werke folgen. So lesen wir 1 Mose 4,5, dass er Abel ansah und sein Opfer. Aber Kain und sein Opfer sah er nicht an. Daher kommen die häufigen Gebete im Psalter, dass Gott sein Angesicht zu uns wenden, es nicht verbergen, über uns erleuchten wolle und dergleichen. Und wie sie selbst auch das für das

---

14 Lk 24,34 f.

Größte achtet, zeigt sie damit, dass sie spricht: »Darum werden mich seligpreisen Kindeskinder«.

Merke die Worte: sie sagt nicht, man werde ihr viel Gutes nachsagen, ihre Tugend preisen, ihre Jungfrauschaft oder Demut erheben, oder etwa ein Liedlein von ihrer Tat singen, sondern allein davon, dass sie Gott angesehen hat, davon wird man sagen, sie sei selig. Das heißt doch Gott die Ehre so rein geben, dass es nicht reiner sein könnte. Deshalb zeigt sie auf das Ansehen und sagt: »Siehe, von nun an werden mich seligpreisen« usw., das heißt, von der Zeit an, in der Gott meine Nichtigkeit angesehen hat, werde ich selig genannt werden. Darin wird nicht sie gelobt, sondern Gottes Gnade über sie; ja, sie wird verachtet und verachtet sich selbst in dem, dass sie sagt, ihre Nichtigkeit sei von Gott angesehen. Darum rühmt sie auch ihre Seligkeit, ehe sie die Werke erzählet, die Gott ihr getan habe, und schreibt sie allesamt ganz dem göttlichen Ansehen ihrer Nichtigkeit zu.

Aus dem können wir lernen, welches die rechte Ehre sei, mit der man sie ehren und ihr dienen solle. Wie muss man zu ihr sagen? Siehe die Worte an, so lehren sie dich so zu sagen: O du selige Jungfrau und Mutter Gottes, wie bist du so gar nichts und gering, verachtet gewesen, und Gott hat dich doch so ganz gnädig und reichlich angesehen und große Dinge in dir gewirkt. Du bist derer ja keines würdig gewesen und dennoch ist über all dein Verdienst weit und hoch die reiche, überschwängliche Gnade Gottes in dir. O wohl dir, selig bist du von der Stunde an bis in Ewigkeit, die du einen solchen Gott gefunden hast! usw. Du brauchst nicht zu denken, dass sie das ungern höre, dass man sie solcher Gnade unwürdig nennt. Denn sie hat ohne Zweifel nicht gelogen, als sie selbst ihre Unwürdigkeit und Nichtigkeit bekannte, welche Gott gar nicht aus ihrem Verdienst, sondern aus lauter Gnade angesehen habe.

Die unnützen Schwätzer hört sie ungern, die viel von ihrem Verdienst predigen und schreiben, womit sie ihre große, eigene Kunst beweisen wollen und nicht sehen, wie sie das Magnificat unterdrücken, die Mutter Gottes Lügen strafen und die Gnade Gottes verkleinern. Denn so viel würdiges Verdienst man ihr zulegt, so viel bricht man der göttlichen Gnade ab und mindert des Magnificats Wahrheit. Der Engel grüßt sie auch nur als »Hochbegnadete«, und dass der Herr mit ihr wäre, so dass sie gebenedeit wäre unter allen Frauen. Darum sind alle die, welche ihr viel Lob und Ehre aufdrängen und alles das auf ihr bleiben lassen, nicht weit davon, dass sie einen Abgott aus ihr machen; gerade als wäre es ihr darum zu tun, dass man *sie* ehret und von *ihr* sich Gutes versähe, obwohl sie es doch von sich weist und *Gott* in ihr gelobt haben will und durch sich jedermann zu guter Zuversicht auf *Gottes* Gnade bringen will.

Wer sie darum recht ehren will, muss sie nicht allein sich vor Augen stellen, sondern sie vor Gott und weit unter Gott stellen und sie und ihre Nichtigkeit (wie sie sagt) dort ansehen. Danach muss er sich der überschwänglichen Gnade Gottes verwundern, der einen solchen geringen, nichtigen Menschen so reichlich, gnädig ansieht, umfängt und segnet. Dann wirst du aus dem Anblick bewegt werden Gott zu lieben und in solchen Gnaden zu loben und dadurch angereizt werden, dich von solchem Gott alles Guten zu versehen, der geringe, verachtete, nichtige Menschen so gnädig ansieht und nicht verschmäht, so dass dein Herz so gegen Gott in Glauben, Liebe und Hoffnung gestärkt werde. Was meinst du, das ihr lieber begegnen mag, als wenn du durch sie so zu Gott kommst und an ihr lernst auf Gott zu vertrauen und zu hoffen, wenn du auch verachtet und vernichtet wirst, wo immer das geschehe, im Leben oder im Sterben? Sie will nicht, dass du zu *ihr* kommest, sondern durch sie zu *Gott*.

Umgekehrt sollst du dich vor allem hohen Wesen fürchten lernen, wonach die Menschen trachten, wenn du siehst, dass Gott auch in seiner Mutter kein hohes Ansehen fand und haben wollte. Aber die Künstler, die uns die selige Jungfrau so abmalen und darstellen, dass nichts Verachtetes, sondern eitel große, hohe Dinge an ihr zu sehen sind, was tun sie anderes, als dass sie uns der Mutter Gottes allein gegenüberstellen und nicht sie Gott gegenüber, womit sie uns furchtsam und verzagt machen und das tröstliche Gnadenbild verhängen, wie man mit den Bildern in der Fastenzeit tut. Denn es bleibt kein Beispiel da, dessen wir uns trösten können, sondern sie wird über alle Beispiele hinausgehoben, so sie doch das allervornehmste Beispiel der Gnade Gottes sein sollte und gerne wollte, alle Welt zur Zuversicht auf die göttliche Gnade zu reizen, zu Lieb und Lob, dass alle Herzen durch sie eine solche Auffassung von Gott gewönnen, die mit aller Zuversicht sprechen könnte: Ei, du selige Jungfrau und Mutter Gottes, wie hat uns Gott in dir erzeigt einen großen Trost, weil er deine Unwürdigkeit und Nichtigkeit so gnädig angesehen hat, wodurch wir künftig gemahnt werden, er werde uns arme, nichtige Menschen, deinem Beispiel nach, auch nicht verachten und gnädig ansehen.

Meinst du, wenn David, Petrus, Paulus, Maria Magdalena und ihresgleichen durch die große Gnade, die ihnen unwürdig zu aller Menschen Trost gegeben ist, Beispiele sind, die Zuversicht zu Gott und den Glauben zu stärken, dass nicht auch die selige Mutter Gottes gern und billig aller Welt ein solch Beispiel wäre? Nun kann sie es bei den überflüssigen Lobpredigern und unnützen Schwätzern nicht sein, die aus diesem Vers nicht anzeigen, wie in ihr der überschwängliche Reichtum Gottes mit ihrer tiefen Armut, die göttliche Ehre mit ihrer Nichtigkeit, die göttliche Würdigkeit mit ihrer Verächtlichkeit, die göttliche Größe mit ihrer Kleinheit, die göttliche Güte mit ihrem Unverdienst, die göttliche Gnade mit ihrer Unwürdigkeit zusammengekommen sind: woraus Lust und Liebe zu Gott erwüchse in aller Zuversicht. Zu diesem Zweck sind auch ihr und aller Heiligen Leben und Taten beschrieben. Aber nun findet man wohl etliche, die bei ihr wie bei einem Gott Hilfe und Trost suchen, dass ich Sorge habe, es sei jetzt mehr Abgötterei in der Welt, als je gewesen. Das sei diesmal genug.

Text nach: Luther deutsch, hg. v. Kurt Aland, Bd. 5, Göttingen ^{4}1990, 274–287, 291–304 (frühneuhochdeutscher Originaltext: WA 7,564–556. 559–570).

6. Philipp Melanchthon, Einleitung zu den Loci communes

Seit er im Jahre 1518 eine Professur an der Wittenberger *artes*-Fakultät angetreten hatte, gehörte Philipp Melanchthon zu den wichtigsten Mitstreitern Martin Luthers. Schon bei seiner Berufung nach Wittenberg war er ein angesehener Humanist. Dieses Erbe brachte er in die Wittenberger Reformation ein und erhielt es auch aufrecht, als durch den Streit zwischen Luther und Erasmus von Rotterdam († 1536) viele Humanisten Abstand von dem Wittenberger Reformator nahmen. Obwohl er selbst an der *artes*-Fakultät verankert war, wurde Melanchthon einer der einflussreichsten Theologen des Wittenberger Lagers. Als solcher verfasste er mehrere Bekenntnisschriften und vertrat die an Luther orientierte Reformation immer wieder in Religionsgesprächen. Schon 1521 legte er das erste Lehrbuch der neuen Theologie vor, das zugleich prägend für die theologische Methodik wurde. Melanchthon löste sich von der systematisch durchstrukturierten Form der mittelalterlichen Summen und Sentenzenkommentare, die die Theologie in einem an Aristoteles geschulten logisch kohärenten Zusammenhang entfalteten. Stattdessen nahm er die humanistische, ebenfalls in Aristoteles wurzelnde Methode der *loci* (»Orte«) auf: Leitend für die Gliederung wurden bestimmte biblische Begriffe. Zu ihnen trug er jeweils die entscheidenden biblischen Stellen zusammen und erläuterte sie möglichst nah am Original. Das Werk wurde rasch zum bedeutendsten theologischen Buch der lutherischen Reformation. Mehrere Auflagen hat Melanchthon selbst noch bearbeitet und immer weiter ausgefeilt. Dann wurde die Methode im Luthertum fortgeführt, aber auch im Katholizismus aufgegriffen (Melchior Cano [1509–1560]).

Man pflegt in den einzelnen Wissenschaften gewisse Hauptpunkte herauszusuchen, in denen das Ganze jeder Wissenschaft zusammengefasst wird und die gleichsam als Ziel gelten, auf das wir alle Studien ausrichten. Wir sehen in der Theologie, dass das auch die alten (Väter) machten – freilich selten und mäßig.

Von den Jüngeren (versuchten sich darin Johannes) Damascenus[1] und (Petrus) Lombardus beide mit unbrauchbaren Entwürfen. Denn der Damaszener philosophiert zu viel, der Lombarde wollte lieber Meinungen der Menschen zusammentragen als die Meinung der Schrift mitteilen. Obwohl ich die Studenten nicht, wie vorher gesagt, mit dieser Art von Summen aufhalten will, halte ich es dennoch für fast notwendig, wenigstens anzuzeigen, an welchen Hauptpunkten der Lehrinhalte das Ganze hängt, damit man einsieht, worauf die Studien ausgerichtet werden müssen.

Ungefähr folgende Hauptpunkte der theologischen Inhalte gibt es:

Gott
der Eine
der Dreifache
die Schöpfung
der Mensch, die Kräfte des Menschen
die Sünde
die Frucht der Sünde, die Laster
die Strafen
das Gesetz
die Verheißungen
die Erneuerung durch Christus
die Gnade
die Früchte der Gnade
der Glaube
die Hoffnung
die Liebe
die Vorherbestimmung
die sakramentalen Zeichen
die Stände der Menschen
die Obrigkeit
die Bischöfe
die Verdammnis
die Glückseligkeit

Wie unter diesen (Hauptthemen) einige ganz und gar unbegreiflich sind, so gibt es wiederum einige, von denen Christus wollte, dass sie im ganzen Volk der Christen sehr (genau) gehört werden. Die Geheimnisse der Gottheit sollten wir lieber anbeten als sie zu erforschen. Ja, sie können nicht ohne große Gefahr untersucht werden, was nicht selten auch heilige Männer erfahren haben. Gott, der Höchste und Größte, hat den Sohn in Fleisch gehüllt, damit er uns von der Betrachtung seiner Majestät zur Betrachtung des Fleisches und so (zur Betrachtung) unserer Hinfälligkeit hinleite. So schreibt auch Paulus an die Korinther, dass Gott durch die Torheit der Predigt, ohne Zweifel also auf eine neue Art und Weise erkannt werden wollte, da er nicht erkannt werden konnte in Weisheit durch Weisheit.[2] Daher besteht kein Grund, warum wir viel Mühe auf jene höchsten Hauptthemen: Gott, die Einheit, die Dreieinigkeit Gottes, das Geheimnis der Schöpfung, die Art und Weise der Menschwerdung verwenden. Ich frage dich, was haben schon in so vielen Jahrhunderten die scholastischen Theologen erreicht, als sie sich ausschließlich mit diesen Hauptthemen beschäftigten? Sind sie

[1] Johannes von Damaskus († vor 754), wichtige Autorität der Orthodoxie, insbesondere im Bilderstreit des 8. Jahrhunderts.

[2] 1 Kor 1,18–21.

nicht in ihren Erörterungen, wie jener sagt, hohl geworden, weil sie das ganze Leben lang über Allgemeinbegriffe, Formalitäten, Anmerkungen und ich weiß nicht welche anderen nichtssagenden Worte schwatzten, die sie aufzeichneten. Man hätte ihre Torheit unbeachtet lassen können, wenn uns nicht unterdessen jene dummen Erörterungen das Evangelium und die Wohltaten Christi verdunkelt hätten. Selbst wenn ich Lust hätte, in einer belanglosen Frage mein Talent unter Beweis zu stellen, könnte ich leicht umstürzen, was immer sie als Beweise für die Dogmen des Glaubens aufgeführt haben und in diesen scheinen sie sich viel eher für gewisse Irrlehren stark zu machen als für die katholischen Dogmen.

Wer die anderen Hauptthemen aber nicht kennt: die Macht der Sünde, das Gesetz, die Gnade, von dem sehe ich nicht ein, wie ich ihn einen Christen nennen könnte. Denn aus ihnen wird eigentlich Christus erkannt. Denn das heißt Christus erkennen: seine Wohltaten erkennen, nicht, was diese lehren: seine Naturen, die Art und Weisen der Menschwerdung betrachten. Wenn man nicht weiß, zu welchem Nutzen Christus das Fleisch annahm und ans Kreuz geschlagen wurde, was nützte es, seine Historie zu kennen? Oder aber genügt es einem Arzt, die Formen, Farben und Umrisse der Kräuter zu kennen, (aber) ihre natürliche Heilkraft zu kennen, darauf kommt es nicht an? So müssen wir Christus, der uns als Heilmittel und – um ein Wort der Schrift zu gebrauchen – als Heil gegeben worden ist, auf eine andere Art erkennen, als es die Scholastiker uns vorführen.

Dies ist schließlich die christliche Erkenntnis, zu wissen, was das Gesetz fordert, woher man die Kraft holen kann, das Gesetz zu erfüllen, woher man die Gnade für die Sünde bekommen kann, wie man den ins Wanken gekommenen Sinn gegen Teufel, Fleisch und Welt aufrichtet, wie man das zerschlagene Gewissen tröstet. Freilich lehren das die Scholastiker? Hat Paulus etwa in dem Brief an die Römer, als er einen Abriss der christlichen Lehre verfasste, über die Geheimnisse der Dreieinigkeit, über die Art und Weise der Menschwerdung, über die aktive Schöpfung und die passive Schöpfung philosophiert? Aber was behandelt er? Doch sicherlich das Gesetz, die Sünde, die Gnade, von welchen Hauptthemen allein die Erkenntnis Christi abhängt. Wie oft bezeugt Paulus, dass er den Gläubigen eine reiche Erkenntnis Christi wünscht! Denn er sah voraus, dass es geschehen werde, dass wir, wenn die Heilsthemen aufgegeben wurden, die Seelen zu kalten und christusfremden Disputen hinlenken würden.

Deshalb werden wir eine Art und Weise von Hauptwahrheiten skizzieren, die dir Christus ans Herz legen, die das Gewissen stärken, die den Geist gegen den Satan aufrichten. Die meisten suchen in der Schrift nur Leitsätze über Tugenden und Laster, aber so eine Sichtweise ist mehr philosophisch, als christlich.

Text nach: Philipp Melanchthon, Loci communes 1521. Lateinisch-Deutsch, hg. v. Horst Georg Pöhlmann, Gütersloh ^{2}1997, 17–25.

7. Melanchthon, Unterscheidt zwischen weltlicher und Christlicher Fromkeyt

Noch ehe Luther im Jahre 1523 seine Schrift »Von weltlicher Oberkeit, wie weit man ihr Gehorsam schuldig sei« veröffentlicht hatte, die als Grundlage seiner »Zwei-Reiche-« bzw. »Zwei-Regimente-Lehre« gilt, hat Melanchthon 1522 in einer kleinen Schrift seinerseits Gedanken zu Zuordnung von weltlicher und geistlicher Gewalt veröffentlicht. Das Problem war nicht neu, sondern im Mittelalter vielfach – meist als Lehre von den zwei Schwertern (in Anlehnung an Lk 22,38) – verhandelt worden. Vor reformatorischem Hintergrund war nun neu zu fragen, wie die Betonung des unmittelbaren Wirkens Christi an den Glaubenden sich auf deren Verhältnis zur weltlichen Gewalt auswirken würde. Melanchthon tat dies unter Aufwendung all seiner humanistischen Gelehrsamkeit.

Die Heilige Schrift schreibt von zweierlei Gerechtigkeit, eine heißt göttliche, die andere weltliche. Paulus nennt die weltliche Gerechtigkeit an die Kolosser »*stoicheia kosmu*«[1], Ordnung der Welt. Diese besteht in äußerlicher Zucht, Ehrbarkeit, Benehmen, Sitten und Bräuchen, und die Vernunft kann diese begreifen. Ja, sie ist der Vernunft von Gott eingepflanzt, wie dem Baum eingepflanzt ist, dass er diese oder jene Frucht trägt. Ebenso ist dem Menschen die Überzeugung eingepflanzt, man soll niemandem Schaden zufügen, man soll allgemeinen Frieden halten, man soll jedermann Höflichkeit erweisen. So weit erstreckt sich die menschliche Gerechtigkeit, wie menschliche Vernunft von sich selbst aus sehen kann.

Es kann aber die menschliche Vernunft von sich selbst aus nichts gewiss in Bezug auf Gott schlussfolgern. Denn wenn sie schon einräumt, dass ein Gott sei, und hört, dass er richten werde und diejenigen selig machen wolle, die ihn verehren, lässt sich die Vernunft dennoch nicht bewegen, sich vor seinem Gericht zu entsetzen. Und sie bildet sich ein, die Hölle sei nicht so heiß, Gott sei nicht so grausam, weil sie sieht, dass sehr großes Unrecht oft – wie sie meint – ungestraft bleibt.

---

1 Kol 2,8.

Viel weniger kann die Vernunft begreifen, dass Gott die Sünde verzeiht. Sie hält ihn nicht für so freundlich und so gut, dass er sich unserer so sehr annehme. Sie gewinnt auch nicht den Eindruck, dass Gott so nahe um uns und bei uns ist, dass er in jeder Not seine Augen auf uns hat, sondern sie erdichtet sich einen Gott, der droben sitzt und uns schaffen lässt, was wir können. Wie die Poeten Jupiter beschreiben: Als ihn Thetis suchte, war er nicht daheim, sondern in einem Wirtshaus in Äthiopien.[2] Und die Kreter haben Jupiter ohne Ohren gemalt, womit sie zu verstehen gaben, dass er uns nicht erhört.[3] Und dies sind fürwahr weise Leute gewesen, haben die Natur der menschlichen Vernunft richtig gesehen und Gott gemalt, wie die Vernunft sich ihn vorstellt. So sagt auch Gott im Psalter: »Der Heiden Götter haben Augen und sehen nicht, haben Ohren und hören nicht.«[4] Dagegen ist es für uns nötig, einen Gott zu haben, den wir deshalb haben, dass er uns sehe und höre.

Weil nun die Vernunft dies nicht vermag oder begreift, hat Gott seinen Sohn ins Fleisch geworfen, dass er uns des Vaters Willen vor Augen hält und unsere Blindheit und erdichtete Einbildung von Gott zusammen mit allen Sünden, die aus solch einer Blindheit folgen, wegnehme und den Heiligen Geist ausgieße, damit wir zur wahren Erkenntnis Gottes kämen. Dazu hilft uns keines unserer Werke oder Verdienste.

Dies ist nun die göttliche Gerechtigkeit in uns, die Christus mit dem Heiligen Geist in uns wirkt: Unser Herz wird vom Heiligen Geist bewegt, so dass es wegen unserer Sünden vor dem großen Zorn Gottes erschrickt und die Gnade und Verzeihung der Sünde durch Christus ergreift. Und es empfängt dann Trost und gewinnt eine sichere, fröhliche, herzhafte Zuversicht zu Gott. Es ergibt sich bereitwillig in allen Anfechtungen Gott und erwartet Gutes von ihm. Es merkt, dass er allezeit auf uns achtgibt, in aller Kreatur um uns wirkt und alle Kreatur ernährt, schützt und erhält. Das schlussfolgert das Herz über Gott gewiss, wenn der Heilige Geist da ist, der von Gott in uns auf diese Weise Zeugnis gibt, Joh 16,13–15 und Röm 8,16. Dieses gewisse Schlussfolgern nennt Paulus im zweiten Brief an die Kolosser »*plerophorias*«[5].

Solche Gotteserkenntnis und solcher Glaube ist die göttliche Gerechtigkeit in uns, die Gott vor allem fordert, wie er Joh 17,3 sagt: »Dies ist das ewige Leben, dass man den Vater und Christus kennt.« Und Habakuk sagt: »Der Gerechte lebt seines Glaubens.«[6] Ein solcher Glaube wirkt in uns ein demütiges Herz, das fühlt, wie wir zu Recht allen Kreaturen unterworfen sein sollen, so wie Christus der niedrigste unter allen Menschen geworden ist, Jes 53,3. Denn wenn das Herz

---

[2] Homer, Ilias 1, 413–427.

[3] Plutarch, Isis und Osiris 75E.

[4] Ps 115,54 f.; 135,16 f.

[5] Kol 2,2.

[6] Hab 2,4; zitiert Röm 1,17.

sieht, was es mit Recht vor Gott verdient hat und wie gnädig es doch beschenkt ist, dann kann es sich nicht zurückhalten. Es muss sich selbst tadeln und jedermann unterwerfen, jedermann dienen usw. Und wie der Heilige Geist rein ist, so wird es ein keusches, reines Herz, das vor unkeuscher Lust und Begierde erschrickt. So spricht Gott, er will einen neuen Bund schließen, Jer 31,31–33, und seine Gebote nicht auf eine Tafel, sondern in unsere Herzen schreiben, damit wir ihn kennen. Und er sagt Jes 45, er wolle Kinder machen, die Gott lehre.[7]

Hier siehst du, auf welche Weise ein christliches Herz tüchtig ist. Wo das nun ist, da ist Gott. Daneben gibt es eine äußerliche Gerechtigkeit oder Zucht, die uns vor Gott nicht rechtfertigt. Denn die rechte Gerechtigkeit, die soll Leben sein. Darum ist allein der Geist Christi in uns lebendige Gerechtigkeit. Äußerliche Ordnungen zergehen mit dem Leib und haben kein Leben. Darum können sie auch weder Leben noch Gerechtigkeit geben, Kol 2. Wo folglich nur solche äußerliche Gerechtigkeit ist, da ist nur Heuchelei.

Die äußerliche Gerechtigkeit ist erstens ganz in der Gewalt begriffen, welche die Schrift »das Schwert« nennt. Und wie uns Gott dem Schwert unterworfen hat, so fordert er auch äußerliche Zucht und Sitten, welche die weltliche Obrigkeit einsetzt, um Frieden zu erhalten. Und jeder ist der weltlichen Obrigkeit Gehorsam schuldig, sofern sie nichts gegen Gott zu tun gebietet, wenn sie auch schon ohnehin mit Gewalt vorgeht, denn Christus sagt: »Wer dich dringt eine Meile zu gehen, mit dem gehe zwei.«[8]

Zweitens ist die äußerliche Gerechtigkeit von Gott gebotene Kindererziehung, die man »*paidagogia*« nennt. Diese ist keine göttliche Gerechtigkeit, sondern eine äußerliche Übung, jedoch von Gott den Eltern befohlen, damit sie die Kinder vor groben Sünden bewahren. Wie wenn man Kinder oder dumme Leute gewöhnt, zu fasten, zu beten, zur Kirche zu gehen, in bestimmter Kleidung zu gehen, Gal 4,10 f. Was das Schwert nicht fordert, lässt Gott frei, doch soll man auch da der Liebe dienen, z. B. wo Kinder oder schwache Gewissen sind, soll man ihnen in ihrer Schwachheit dienen.

Wenn nun aber Prediger kommen und vorgeben, die göttliche Gerechtigkeit bestehe in Fasten oder solchen Sachen, oder die weltliche Obrigkeit fordert solches, als wären es Dinge, darauf die Christenheit steht, sollen wir widerstreben und bekennen, was christliche Gerechtigkeit ist und darüber unser Leben lassen. Denn wir sollen uns nicht mit Gewalt wehren.

In den Zehn Geboten ist das alles enthalten. Denn das erste fordert den Glauben, indem Gott spricht: »Ich bin Gott dein Herr.«[9] Weil er sich unser Herr nennt, will er mit uns zu tun haben. Ebenso »Ich bin ein starker Eiferer, der der

---

7 Gemeint Jes 59,1?

8 Mt 5,41.

9 Ex 20,2; Dtn 5,6.

Väter Missetat straft und übt Barmherzigkeit«[10], und er will, dass man sich zu ihm wende, ob er straft oder hilft.

Das zweite Gebot fordert, dass man seinen Namen dazu gebrauche und rühme, dass er der Helfer und Richter ist, wie geschrieben steht Joel 2: »Wer den Namen Gottes anruft, dem wird geholfen.«[11]

Das dritte Gebot fordert, dass Gott allein in uns wirkt.
Das vierte unterwirft uns den Eltern und jeder Obrigkeit.
Das fünfte fordert Liebe,
das sechste Keuschheit,
das achte Liebe.
Das neunte und zehnte fordern ein von allen fleischlichen Begierden reines Herz.
Solche Reinheit bringt der Heilige Geist mit sich.

Text nach: Melanchthon deutsch, hg. v. Michael Beyer, Stefan Rhein, Günther Wartenberg, Bd. 2, Leipzig 1997, 12–16 (frühneuhochdeutscher Originaltext: Melanchthon-Studienausgabe 1,171–175).

[10] Ex 20,5 f.; Dtn 5,9.

[11] Joh 3,5.

8. Martin Luther, Sendbrief vom Dolmetschen (1530)

Mit keinem Werk wird Luther von der Nachwelt so verbunden wie mit der Bibelübersetzung: Während seines Aufenthaltes auf der Wartburg 1521/22 übertrug er das gesamte Neue Testament aus dem Griechischen ins Deutsche. Im »Septembertestament« lag das Ergebnis der Öffentlichkeit vor. Dies war keineswegs die erste Übertragung der Bibel ins Deutsche, aber die Sprachkraft und die Verbindung mit der Aufsehen erregenden Luthersache brachten ihm einen rasanten Erfolg. Nach und nach hat Luther dann in gelehrter Kleinarbeit zusammen mit seinen Wittenberger Mitstreitern das Projekt einer vollständigen Bibelübersetzung vollendet – 1534 war diese abgeschlossen, wurde aber immer weiter intensiven Revisionen unterzogen. Der altgläubigen Seite wurde rasch deutlich, dass sich hier eine besondere Stärke der reformatorischen Bewegung zeigte. Schon 1527 brachte Hieronymus Emser eine revidierte Fassung von Luthers Neuem Testament heraus, um dem katholischen Publikum auch einen ihm angemessenen Zugang zur Bibel zu eröffnen. Ins Zentrum der Rechtfertigungslehre führte die Kritik von altgläubiger Seite, dass Luthers Übersetzung von Röm 3,28 mit der Wendung »alleyn durch den glawben« in den griechischen Text ein »allein« hineinlese, das sich im Original gar nicht fand – dass also die reformatorische Rechtfertigungslehre sich ihre biblische Grundlage gewissermaßen erschlich. Auf diesen Vorwurf reagierte Luther mit seinem »Sendbrief vom Dolmetschen«. Die wichtigste Grundidee war dabei die Orientierung der Übersetzung an der Zielsprache: das Original sollte nicht einfach Wort für Wort übertragen werden, sondern so, dass in der Sprache der Lesenden der Sinn des Textes so deutlich wie möglich verstehbar war.

Dem ehrbaren und klugen N., meinem geneigten Herrn und Freunde.

Gnade und Friede in Christus. Ehrbarer, kluger, lieber Herr und Freund! Ich habe Eure Zuschrift empfangen mit den zwei Fragen, darin Ihr Unterrichtung durch mich begehrt: Erstens, warum ich im Brief an die Römer im dritten Kapitel die Worte des Paulus: »Arbitramur hominem iustificari ex fide absque operibus« so verdeutscht habe: »Wir halten (dafür), dass der Mensch gerecht werde ohne des Gesetzes Werke, allein durch den Glauben.«[1] Ihr weist dabei darauf hin, wie die Papisten sich über die Maßen unnütz ereifern, weil im Text des Paulus nicht das Wort »sola« (allein) stehet und solcher Zusatz von mir in Gottes Wort nicht zu leiden sei usw. Zum zweiten, ob auch die verstorbenen Heiligen für uns bitten, weil wir lesen, dass ja die Engel für uns bitten usw.[2] Auf die erste Frage (wo es Euch beliebt) mögt Ihr Euren Papisten von mir aus so antworten:

Zum ersten, wenn ich, D. Luther, das hätte erwarten können, dass die Papisten alle gemeinsam so geschickt wären, dass sie *ein* Kapitel in der Schrift recht und gut verdeutschen könnten, so wollte ich mich fürwahr demütig gezeigt und sie um Hilfe und Beistand gebeten haben, das Neue Testament zu verdeutschen. Aber weil ich gewusst habe und noch vor Augen sehe, dass von ihnen keiner recht weiß, wie man übersetzen oder deutsch reden soll, habe ich sie und mich solcher Mühe enthoben. Das merkt man aber wohl, dass sie aus meinem Übersetzen und Deutsch (überhaupt erst) deutsch reden und schreiben lernen, und mir so meine Sprache stehlen, wovon sie zuvor wenig gewusst haben. Sie danken mir aber nicht dafür, sondern gebrauchen sie viel lieber wider mich. Aber ich gönne es ihnen wohl; denn es tut mir doch wohl, dass ich auch meine undankbaren Jünger, dazu meine Feinde, reden gelehrt habe.

Zum zweiten mögt Ihr sagen, dass ich das Neue Testament verdeutscht habe, nach meinem besten Vermögen und Gewissen. Damit habe ich niemand gezwungen, dass er es lese, sondern es jedem freigelassen, und es allein denen zu Dienst getan, die es nicht besser machen können. Es ist niemand verboten, ein besseres zu machen. Wer es nicht lesen will, der lasse es liegen. Ich bitte und preise niemand darum. Es ist mein Testament und meine Übersetzung – und soll mein bleiben und sein. Hab ich drinnen irgendwie fehlgegriffen – dessen ich mir noch nicht bewusst bin, wie ich freilich ungern auch nur einen Buchstaben absichtlich falsch übersetzt haben wollte –, will ich die Papisten nicht als Richter darüber ertragen. Denn sie haben zur Zeit noch zu lange Ohren dazu, und ihr »Ika ika« ist zu schwach, mein Verdolmetschen zu beurteilen. Ich weiß wohl, und sie wissen es weniger als Müllers Vieh, was für Kunst, Fleiß, Vernunft, Verstand zum guten Übersetzer gehört; denn sie haben es nicht versucht.

Es heißt: Wer am Wege bauet, der hat viele Meister. So geht es mir auch. Diejenigen, die noch nie haben recht reden können, geschweige denn übersetzen, die sind allzumal meine Meister, und ich muss für sie alle Jünger sein. Und wenn ich sie hätte fragen sollen, wie man die ersten zwei Worte Mt 1,1 »Liber generationis« hätte verdeutschen sollen, so hätte von ihnen keiner Gack dazu zu sagen gewusst, und sie kritisieren mir nun das ganze Werk, die feinen Gesellen. So ging es Hieronymus auch, als er die Bibel verdolmetschte.[3] Da war alle Welt sein

1 Röm 3,28.

2 Hi 33,23–26.

3 Hieronymus († 419), Kirchenvater und Übersetzer der Vulgata.

Meister, er allein war es, der nichts konnte, und diejenigen beurteilten dem guten Mann sein Werk, die ihm nicht genug gewesen wären, dass sie ihm die Schuhe hätten wischen sollen. Darum gehört große Geduld dazu, wenn jemand etwas öffentlich Gutes tun will. Denn die Welt will Meister Klügling bleiben und muss immer das Ross vom Schwanz her aufzäumen, alles meistern und selbst nichts können. Das ist ihre Art, von der sie nicht lassen können.

Ich wollte dennoch gern den Papisten sehen, der sich hervortäte, und etwa einen Brief des Paulus oder einen Propheten verdeutschte, ohne Luthers Deutsch und Dolmetschen dazu zu gebrauchen: Da sollte man ein feines, schönes, löbliches Deutsch oder Dolmetschen sehen! Denn wir haben ja den Sudler zu Dresden gesehen, der mein Neues Testament gemeistert hat[4] – ich will seinen Namen in meinen Büchern nicht mehr nennen; er hat nun auch seinen Richter, und ist sonst wohl bekannt –, der bekennt, dass mein Deutsch süß und gut sei. Er sah wohl, dass er es nicht besser machen konnte, und wollte es doch zuschanden machen, legte also los, und nahm sich mein Neues Testament vor, fast Wort für Wort, wie ich es gemacht habe, strich meine Vorrede, Anmerkungen und Namen weg, schrieb seinen Namen, Vorrede und Anmerkungen dafür hin und verkaufte so mein Neues Testament unter seinem Namen. Ei, liebe Kinder, wie geschah mir da so wehe, da sein Landesfürst mit einer gräulichen Vorrede verdammte und verbot, des Luthers Neues Testament zu lesen, und doch gleichzeitig gebot, des Sudlers Neues Testament zu lesen, welches doch eben dasselbe ist, das der Luther gemacht hat!

Und dass nicht jemand hier denke, ich lüge: so nimm Dir beide Testamente vor, das von Luther und das des Sudlers; vergleiche sie miteinander, so wirst Du sehen, wer in allen beiden der Übersetzer sei. Denn was er an wenigen Stellen geflickt und geändert hat, so kann ich es doch wohl leiden, obwohl es mir nicht alles gefällt. Es schadet mir nicht besonders, soweit es den Text betrifft. Darum habe ich auch nie dagegen schreiben wollen, sondern habe über die große Weisheit lachen müssen, dass man mein Neues Testament so gräulich verlästert, verdammt, verboten hat, weil es unter meinem Namen ausgegangen ist, es aber doch hat lesen müssen, als es unter eines andern Namen ausgegangen ist. Trotzdem: was das für eine Tugend sei, einem andern sein Buch verlästern und schänden, danach dasselbe stehlen und unter eigenem Namen dennoch ausgehen lassen, und so durch fremde verlästerte Arbeit eigenes Lob und Namen suchen, das lass ich seinen Richter finden. Mir ist indes genug und bin froh, dass meine Arbeit, wie Paulus Phil 3,18 auch rühmet, auch durch meine Feinde gefördert, und des Luthers Buch ohne Luthers Namen, unter seiner Feinde Namen, gelesen werden muss. Wie könnte ich mich besser rächen?

Und auf dass ich wieder zur Sache komme: Wenn Euer Papist sich sehr unnütz machen will mit dem Wort »sola« = »allein«, so sagt ihm rasch Folgendes:

---

4 Hieronymus Emser (1478–1527).

Doktor Martinus Luther will es so haben, und sagt: Papist und Esel sei dasselbe. Denn wir wollen nicht Schüler noch Jünger der Papisten sein, sondern ihre Meister und Richter, wollen auch einmal stolz sein und prahlen mit den Eselsköpfen. Und wie Paulus wider seine tollen Heiligen sich rühmet,[5] so will ich mich auch wider diese meine Esel rühmen. Sie sind Doktoren? Ich auch. Sie sind gelehrt? Ich auch. Sie sind Prediger? Ich auch. Sie sind Theologen? Ich auch. Sie sind Disputatoren? Ich auch. Sie sind Philosophen? Ich auch. Sie sind Dialektiker? Ich auch. Sie halten Vorlesungen? Ich auch. Sie schreiben Bücher? Ich auch.

Ich will weiter rühmen: Ich kann Psalmen und Propheten auslegen; das können sie nicht. Ich kann übersetzen; das können sie nicht. Ich kann die Heilige Schrift lesen; das können sie nicht. Ich kann beten; das können sie nicht. Und dass ich mich zu ihnen herablasse: ich kann ihre eigene Dialektik und Philosophie besser, als sie selbst allesamt, und weiß dazu fürwahr, dass keiner von ihnen ihren Aristoteles verstehet. Und ist einer unter ihnen allen, der ein Vorwort oder Kapitel im Aristoteles recht versteht, so will ich mich stoßen lassen. Ich behaupte jetzt nicht zu viel; denn ich bin in all ihrer Kunst erzogen und erfahren von Jugend auf, weiß sehr wohl, wie tief und weit sie ist. Ebenso wissen sie auch gut, dass ich das alles weiß und kann, was sie können. Dennoch handeln die heillosen Leute gegen mich, als wäre ich ein Gast in ihrer Kunst, der allererst heute Morgen gekommen wäre, und noch nie gesehen oder gehört hätte, was sie lehren oder können. So gar herrlich prangen sie herein mit ihrer Kunst und lehren mich, was ich vor zwanzig Jahren an den Schuhen zerrissen habe, dass ich auch mit jener Dirne auf all ihr Plärren und Schreien singen muss: »Ich hab's (schon) vor sieben Jahren gewusst, dass Hufnägel Eisen sind.«

Das sei auf Eure erste Frage geantwortet. Und ich bitte Euch: Antwortet diesen Eseln auf ihr unnützes Geplärre vom Wort »sola« ja nichts anderes oder gar mehr, als so viel: Luther will es so haben und sagt, er sei ein Doktor über alle Doktoren im ganzen Papsttum. Da soll es bei bleiben, ich will sie künftig schlechterdings verachten und verachtet haben, solange sie solche Leute (ich wollt sagen Esel) sind. Denn es sind solche unverschämte Tröpfe unter ihnen, die auch ihre eigene, der Sophisten, Kunst nie gelernt haben, wie Doktor Schmied[6] und Doktor Rotzlöffel[7] und seinesgleichen: und stellen sich mir gleichwohl in dieser Sache entgegen, die nicht allein über die Sophisterei (hinausgeht), sondern auch (wie Paulus 1 Kor 1,20 sagt) über aller Welt Weisheit und Vernunft ist. Allerdings braucht ein Esel nicht viel zu singen, man erkennt ihn ohnehin schon an den Ohren.

Euch aber und den Unsern will ich anzeigen, warum ich das Wort »sola« habe gebrauchen wollen, obwohl Röm 3,28 nicht »sola«, sondern »solum« oder »tan-

[5] 2 Kor 11,22 f.

[6] Johannes Fabri/Faber (1478–1541).

[7] Gemeint ist Johannes Cochlaeus (1479–1555).

tum« von mir gebraucht ist. So fein sehen die Esel meinen Text an; aber doch habe ich es sonst anderswo als »sola fide« gebraucht, und will auch beides, »solum« und »sola«, haben. Ich hab mich beim Übersetzen darum bemüht, dass ich reines und klares Deutsch bieten möchte. Und es ist uns wohl oft begegnet, dass wir vierzehn Tage, drei, vier Wochen ein einziges Wort gesucht und (danach) gefragt haben, haben es aber dennoch zuweilen nicht gefunden. Beim Buch Hiob mühten wir uns, M. Philippus Melanchthon, Aurogallus[8] und ich so, dass wir in vier Tagen zuweilen kaum drei Zeilen fertigbringen konnten. Mein Lieber, jetzt wo es verdeutscht und fertig ist, kann es ein jeder lesen und meistern. Jetzt läuft einer mit den Augen durch drei, vier Blätter hindurch, und stößt nicht einmal an; er wird aber nicht gewahr, welche Steine und Klötze da gelegen haben. Wo er jetzt drüber hingeht wie über ein gehobeltes Brett, da haben wir schwitzen und uns ängstigen müssen, ehe wir denn solche Steine und Klötze aus dem Wege räumten, auf dass man so fein dahergehen könnte. Es ist gut pflügen, wenn der Acker gereinigt ist; aber den Wald und die Wurzelstöcke ausroden und den Acker zurichten, da will niemand heran. Es ist bei der Welt kein Dank zu verdienen. Kann doch Gott selber mit der Sonne, ja mit Himmel und Erde, noch mit seines eigenen Sohnes Tod keinen Dank verdienen; sie ist und bleibt Welt in des Teufels Namen, weil sie ja nicht anders will.

So habe ich hier Röm 3,28 sehr wohl gewusst, dass im lateinischen und griechischen Text das Wort »solum« nicht steht, das hätten mich die Papisten nicht zu lehren brauchen. Wahr ist es, diese vier Buchstaben »sola« stehen nicht drinnen. Diese Buchstaben sehen die Eselsköpfe an, wie die Kühe ein neues Tor, sehen aber nicht, dass die Absicht des Textes gleichwohl das »sola« in sich hat, und wenn man es klar und deutlich verdeutschen will, so gehöret es hinein. Denn ich habe deutsch, nicht lateinisch noch griechisch reden wollen, da ich mir beim Übersetzen deutsch zu reden vorgenommen hatte. Das ist aber die Art unserer deutschen Sprache: wenn sie von zwei Dingen redet, deren man eines bejaht und das andere verneint, so gebraucht man das Wort »solum« = »allein« (nur) neben dem Wort »nicht« oder »kein«. Z. B. wenn man sagt: »Der Bauer bringt allein Korn, und kein Geld«; »Nein, ich hab wahrlich jetzt nicht Geld, sondern allein Korn«; »Ich hab allein gegessen und noch nicht getrunken«; »Hast du allein geschrieben, und es nicht durchgelesen«? Und dergleichen auf unzählige Weise im täglichen Gebrauch.

In all diesen Redewendungen – wenn es die lateinische oder griechische Sprache auch nicht tut, so tut es doch die deutsche – ist es ihre Art, dass sie das Wort »allein« (nur) hinzusetzt, auf dass das Wort »nicht« oder »kein« desto vollständiger und deutlicher sei. Denn obwohl ich auch sage: »Der Bauer bringt Korn und kein Geld«, so klingt doch das Wort »kein Geld« nicht so vollständig und deutlich, wie wenn ich sage: »Der Bauer bringt allein Korn und kein Geld«; hier

---

8 Matthäus Aurogallus († 1543) war Hebräischprofessor in Wittenberg.

hilft das Wort »allein« dem Wort »kein« so viel, dass es eine vollständige deutsche, klare Rede wird. Denn man muss nicht die Buchstaben in der lateinischen Sprache fragen, wie man deutsch reden soll, wie diese Esel tun; sondern man muss die Mutter im Hause, die Kinder auf der Gasse, den einfachen Mann auf dem Markt danach fragen, und denselben auf das Maul sehen, wie sie reden, und danach übersetzen. Dann verstehen sie es und merken, dass man deutsch mit ihnen redet.

Z.B. wenn Christus sagt: Ex abundantia cordis os loquitur[9]: wenn ich den Eseln folgen soll, die werden mir die Buchstaben vorlegen, und so übersetzen: »Aus dem Überfluss des Herzens redet der Mund.« Sage mir, ist das deutsch geredet? Welcher Deutsche versteht so etwas? Was ist »Überfluss des Herzens« für ein Ding? Das kann kein Deutscher sagen, es sei denn, er wollte sagen, dass einer ein allzu großes Herz habe, oder zu viel Herz habe, obwohl das auch noch nicht richtig ist. Denn »Überfluss des Herzens« ist kein Deutsch; so wenig wie das Deutsch ist: »Überfluss des Hauses«, »Überfluss des Kachelofens«, »Überfluss der Bank«, sondern so redet die Mutter im Haus und der Mann auf der Straße: »Wes das Herz voll ist, des geht der Mund über.« Das heißt gut deutsch geredet. Darum habe ich mich bemüht, es aber leider nicht immer erreicht oder getroffen. Denn die lateinischen Buchstaben hindern über alle Maßen, sehr gutes Deutsch zu reden.

Ebenso, wenn der Verräter Judas Mt 26,8 sagt: Ut quid perditio haec? und Mk 14,4: Ut quid perditio ista unguenti facta est? Folge ich den Eseln und Buchstabilisten, so muss ich es so verdeutschen: »Warum ist diese Verlierung der Salben geschehen«? Was ist das aber für Deutsch? Welcher Deutsche redet so: »Verlierung der Salben ist geschehen«? Und wenn er es richtig versteht, so denkt er, die Salbe sei verloren, und er müsse sie etwa wieder suchen; obwohl das auch noch dunkel und ungewiss klingt. Wenn das nun gutes Deutsch ist, warum treten sie nicht hervor und machen uns ein solches feines, hübsches deutsches Neues Testament und lassen des Luthers Testament liegen? Ich meine, sie sollten ihre Kunst nur an den Tag bringen. Aber der deutsche Mann redet so: Ut quid etc.: »Was soll doch solche Verschwendung? Nein, es ist schade um die Salbe.« Das ist gutes Deutsch. Daraus erkennt man, dass Magdalena mit der verschütteten Salbe verschwenderisch umgegangen sei und Schaden angerichtet habe. Das war des Judas Meinung: denn er dachte, bessere Verwendung zu schaffen.

Ebenso, wenn der Engel Lk 1,28 Maria grüßt und sagt: »Gegrüßet seist du, Maria, voll Gnaden, der Herr mit dir.« Wohlan, so ist es bisher schlicht, den lateinischen Buchstaben entsprechend verdeutschet worden. Sage mir aber, ob das auch gutes Deutsch sei? Wo redet der deutsche Mann so: »Du bist voll Gnaden«? Und welcher Deutsche verstehet, was damit gesagt sei: »voll Gnaden«? Er muss an ein Fass voll Bier oder Beutel voll Geld denken. Darum habe ich es verdeutscht:

---

[9] Mt 12,34; Lk 6,45.

»du Holdselige«; damit ein Deutscher sich desto besser vorstellen kann, was der Engel mit seinem Gruß meinet. Aber hier wollen die Papisten toll werden über mich, dass ich den Engelsgruß verdorben habe, obwohl ich damit noch nicht das beste Deutsch getroffen habe. Ich hätte das beste Deutsch hier nehmen und den Gruß so verdeutschen sollen: »Gott grüße dich, du liebe Maria« – denn so viel will der Engel sagen, und so würde er geredet haben, wenn er sie auf deutsch hätte grüßen wollen – ich meine, sie (Luthers Gegner) sollten sich wohl vor großer Schwärmerei für die liebe Maria selbst erhängt haben, weil ich den Gruß so zunichte gemacht hätte.

Aber was frage ich danach, ob sie toben oder rasen? Ich will es nicht wehren, dass sie verdeutschen, was sie wollen. Ich will aber auch verdeutschen, nicht wie sie wollen, sondern wie ich will. Wer es nicht haben will, der lasse mich stehen, und behalte seine Meisterschaft für sich; denn ich will sie weder sehen noch hören. Sie brauchen für mein Dolmetschen nicht die Verantwortung zu übernehmen noch Rechenschaft abzulegen. Das hörst Du wohl, ich will sagen: »Du holdselige Maria«, »du liebe Maria«; und lasse sie sagen: »du voll Gnaden Maria«. Wer Deutsch kann, der weiß wohl, welch ein herzlich feines Wort das ist: die liebe Maria, der liebe Gott, der liebe Kaiser, der liebe Fürst, der liebe Mann, das liebe Kind. Und ich weiß nicht, ob man das Wort »lieb« auch so herzlich und sinnentsprechend in lateinischer oder in andern Sprachen ausdrücken kann, dass es so ins Herz dringe und klinge, durch alle Sinne, wie es das in unserer Sprache tut.

Denn ich meine, Lukas, als ein Meister in der hebräischen und griechischen Sprache, habe das hebräische Wort, das der Engel gebrauchte, mit dem griechischen »*kecharitomene*« treffen und deutlich machen wollen. Und ich denke mir, der Engel Gabriel habe mit Maria geredet, wie er mit Daniel redet, und nennt ihn (in Hebräisch) »*chamudoth*« und »*isch chamudoth*«, »vir desideriorum«, das heißt: »du lieber Daniel«.[10] Denn das ist Gabriels Weise zu reden, wie wir im Buch Daniel sehen. Wenn ich nun den Buchstaben nach, nach der Eselskunst, das Wort des Engels verdeutschen sollte, müsste ich so sagen: »Daniel, du Mann der Begehrungen« oder: »Daniel, du Mann der Lüste.« Oh, das wäre ein schönes Deutsch! Ein Deutscher hört wohl, dass »Mann«, »Lüste« oder »Begehrungen« deutsche Worte sind, obwohl es nicht reine deutsche Worte sind, sondern »Lust« und »Begier« wären wohl besser. Aber wenn sie so zusammengestellt werden: »du Mann der Begehrungen«, so weiß kein Deutscher, was gemeint ist; er denkt, dass Daniel vielleicht voll böser Lust stecke. Das hieße dann fein übersetzt. Darum muss ich hier die Buchstaben fahren lassen und erforschen, wie der deutsche Mann das ausdrückt, was der hebräische Mann mit »*isch chamudoth*« meint. Da finde ich, dass der deutsche Mann so sagt: »du lieber Daniel«, »du liebe Maria«, oder: »du holdselige Magd«, »du maidliche Jungfrau«, »du zarte Frau« und dergleichen. Denn wer übersetzen will, muss einen großen Vorrat an Worten haben,

---

[10] Dan 9,23; 10,11. 19.

damit er die Wahl haben könne, wenn eines nicht an allen Stellen recht klingen will.

Und was soll ich viel und lange vom Dolmetschen reden? Sollte ich für alle Worte in meiner Übersetzung die Ursachen und (die zu Grunde liegenden) Gedanken anzeigen, müsste ich wohl ein Jahr daran zu schreiben haben. Was Übersetzen für Kunst und Mühe sei, das habe ich wohl erfahren; darum will ich keinen Papstesel noch Maulesel, die nichts versucht haben, hierin zum Richter oder Tadler leiden. Wer mein Dolmetschen nicht will, der lasse es beiseite; der Teufel danke dem, der es ungerne hat, oder es ohne meinen Willen und Wissen schulmeistert. Solls geschulmeistert werden, so will ich es selber tun; wo ich es selber nicht tue, da lasse man mir mein Dolmetschen in Frieden, und mache ein jeder, was er will, für sich selbst, und habe ein gutes Jahr.

Das kann ich mit gutem Gewissen bezeugen, dass ich meine höchste Treue und Fleiß darin erwiesen und nie Hintergedanken gehabt habe; denn ich habe keinen Heller dafür genommen, noch gesucht, noch damit gewonnen. Ebenso habe ich dabei nicht meine Ehre gesucht, das weiß Gott, mein Herr, sondern habe es den lieben Christen zu Dienst getan und zu Ehren einem, der droben sitzt, der mir alle Stunde so viel Gutes tut, dass, wenn ich tausendmal so viel und fleißig übersetzt hätte, ich dennoch nicht eine Stunde verdienet hätte zu leben oder ein gesundes Auge zu haben. Es ist alles aus seiner Gnade und Barmherzigkeit, was ich bin und habe; ja, es ist aus seinem teuren Blut und sauren Schweiß, darum soll es auch (so Gott will) alles ihm zu Ehren dienen, mit Freuden und von Herzen. Lästern mich die Sudler und Papstesel, wohlan, so loben mich die frommen Christen, samt ihrem Herrn Christus. Und ich bin allzu reichlich belohnet, wo mich nur ein einziger Christ als einen treuen Arbeiter anerkennt. Ich frage nach Papsteseln nichts. Sie sind nicht wert, dass sie meine Arbeit anerkennen sollen; und es sollte mir im Grund meines Herzens leid sein, dass sie mich lobten. Ihr Lästern ist mein höchster Ruhm und Ehre. Ich will doch ein Doktor, ja auch ein ausbündiger Doktor sein, und sie sollen mir den Namen nicht nehmen bis an den Jüngsten Tag, das weiß ich fürwahr.

Doch habe ich umgekehrt die Buchstaben nicht allzu frei fahren lassen, sondern mit großer Sorgfalt samt meinen Gehilfen darauf geachtet. Wo es etwa auf eine Stelle ankommt, habe ich es nach den Buchstaben behalten, und bin nicht so frei davongegangen, wie z.B. Joh 6,27, wo Christus spricht: »Diesen hat Gott der Vater versiegelt.« Da wäre wohl besseres Deutsch gewesen: »diesen hat Gott der Vater gezeichnet«, oder: »diesen meinet Gott der Vater.« Aber ich habe eher der deutschen Sprache Abbruch tun wollen, als von dem Wort weichen. Ah, es ist Dolmetschen ja nicht eines jeglichen Kunst, wie die tollen Heiligen meinen. Es gehört ein recht, frommes, treues, fleißiges, furchtsames, christliches, gelehrtes, erfahrenes, geübtes Herz dazu. Darum meine ich, dass kein falscher Christ noch Rottengeist treulich übersetzen könne.

Das sei vom Dolmetschen und der Art der Sprache gesagt. Aber nun habe ich nicht allein der Art der Sprache vertraut und bin ihr gefolgt, dass ich Römer 3,28 »solum« (»allein«) hinzugesetzt habe; sondern der Text und die Absicht des Paulus fordern und erzwingen das mit Gewalt. Denn er behandelt ja daselbst das Hauptstück christlicher Lehre, nämlich dass wir durch den Glauben an Christus, ohne alle Werke des Gesetzes, gerecht werden, und schneidet alle Werke so ganz ab, dass er auch sagt: die Werke des Gesetzes (das doch Gottes Gesetz und Wort ist) helfen nicht zur Gerechtigkeit, und setzt zum Exempel Abraham, dass dieser so ganz ohne Werke gerecht geworden sei. So habe ihm auch das höchste Werk, das damals neu von Gott vor und über allen andern Gesetzen und Werken geboten wurde, nämlich die Beschneidung, ihm nicht zur Gerechtigkeit geholfen. Er sei vielmehr ohne die Beschneidung und ohne alle Werke gerecht geworden durch den Glauben, wie Paulus Röm 4,2 sagt: »Ist Abraham durch Werke gerecht geworden, so mag er sich rühmen, aber nicht vor Gott.« Wenn man aber alle Werke so ganz abschneidet, da muss ja die Meinung sein, dass *allein* der Glaube gerecht mache. Und wer deutlich und dürre von solchem Abschneiden der Werke reden will, der muss sagen: *allein* der Glaube und nicht die Werke machen uns gerecht. Das erzwingt die Sache von selbst neben dem Charakter der Sprache.

Ja, sagen sie, es klingt ärgerlich, und die Leute lernen daraus verstehen, dass sie keine guten Werke zu tun brauchen. Lieber, was soll man sagen? Ist es nicht viel ärgerlicher, dass Paulus selbst nicht bloß sagt: »allein der Glaube«, sondern sagt es noch deutlicher, und stößt dem Fass den Boden aus und sagt: »ohne des Gesetzes Werke«? und Gal 2,16: »Nicht durch die Werke des Gesetzes«, und das noch viel mehr an andern Stellen. Denn das Wort »allein der Glaube« mag noch einen umdeutenden Zusatz finden; aber das Wort »ohne Werke des Gesetzes« ist so grob, ärgerlich, schändlich, dass man hier mit keinem Zusatz abhelfen kann. Wie viel mehr möchten hieraus die Leute lernen, keine guten Werke zu tun, wenn sie mit so dürren, starken Worten von den Werken selbst predigen hören: »kein Werk«, »ohne Werke«, »nicht durch Werke«. Ist nun das nicht ärgerlich, dass man »ohne Werke«, »kein Werk«, »nicht durch Werke« predigt, wie sollte es denn ärgerlich sein, wenn man dieses »allein der Glaube« predigte?

Und was noch ärgerlicher ist: Paulus verwirft nicht bloß schlichte, allgemein übliche Werke, sondern die des Gesetzes selbst. Daran möchte wohl jemand sich noch mehr ärgern und sagen, das Gesetz sei verdammt und verflucht vor Gott, und man solle eitel Böses tun, wie die Röm 3,8 taten: »Lasst uns Böses tun, auf dass es gut werde«, wie auch ein Rottengeist zu unserer Zeit anfing. Sollte man um solcher Ärgernisse willen die Worte des Paulus verleugnen, oder nicht frisch und frei vom Glauben reden? Lieber, Paulus und wir wollen eben solch Ärgernis haben, und lehren um keiner anderen Ursache willen so stark wider die Werke, und allein auf den Glauben treiben, dass die Leute sich ärgern, stoßen und fallen sollen, damit sie lernen können und wissen, dass sie durch ihre guten Werke nicht fromm werden, sondern allein durch Christi Tod und Auferstehen. Können sie nun durch gute Werke des Gesetzes nicht fromm werden, wie viel weniger werden sie durch böse Werke und ohne Gesetz fromm werden? Darum heißt die Schlussfolgerung nicht: gute Werke helfen nicht, darum helfen böse Werke, ebenso wenig wie es richtig geschlussfolgert wäre: Die Sonne kann dem Blinden nicht helfen, dass er sehe, darum muss ihm die Nacht und Finsternis helfen, dass er sehe.

Mich wundert aber, dass man sich in dieser offenbaren Sache so sperren kann. Sage mir doch, ob Christi Tod und Auferstehen unser Werk sei, das wir tun, oder nicht? Es ist ja nicht unser Werk, noch irgendeines Gesetzes Werk. Allein Christi Tod und Auferstehen macht uns ja frei von Sünden und fromm, wie Paulus Röm 4,25 sagt: »Er ist gestorben um unserer Sünde willen und auferstanden um unserer Gerechtigkeit willen.« Weiter sage mir: welches ist das Werk, durch das wir Christi Tod und Auferstehen fassen und behalten? Es kann ja kein äußerliches Werk, sondern allein der ewige Glaube im Herzen sein; derselbe allein, ja ganz allein und ohne alle Werke fasst solchen Tod und Auferstehen, wenn er durchs Evangelium gepredigt wird. Was ist es denn nun, dass man so tobt und wütet, verketzert und verbrennt, wenn der Kern der Sache selbst klar daliegt und beweist, dass allein der Glaube Christi Tod und Auferstehen fasse, ohne alle Werke, und derselbe Tod und Auferstehen sei unser Leben und Gerechtigkeit? Wenn es denn offenbar so ist, dass allein der Glaube uns solch Leben und Gerechtigkeit bringet, fasst und gibt, warum soll man denn nicht auch so reden? Es ist nicht Ketzerei, dass der Glaube allein Christus fasst und das Leben gibt; aber es soll Ketzerei sein, wenn man das sagt oder spricht. Sind sie nicht toll, töricht und unsinnig? Die Sache bekennen sie als recht, und strafen doch die Rede von derselben Sache als unrecht. Nichts kann zugleich recht und unrecht sein.

Auch bin ich nicht allein noch der erste, der da sagt: allein der Glaube mache gerecht. Das haben vor mir Ambrosius, Augustin und viele andere gesagt. Und wer Paulus lesen und verstehen soll, der muss wohl so sprechen und kann nicht anders; seine Worte sind zu stark und leiden kein, ja gar kein Werk. Ist es kein Werk, so muss es der Glaube allein sein. O was für eine ganz feine, bessernde, unärgerliche Lehre sollte es sein, wenn die Leute lernten, dass sie neben dem Glauben auch durch Werke fromm werden könnten! Das wäre so viel gesagt, dass nicht allein Christi Tod unsere Sünde wegnähme, sondern unsere Werke täten auch etwas dazu. Das hieße Christi Tod fein geehrt, dass unsere Werke ihm hülfen und könnten das auch tun, was er tut, auf dass wir ihm gleich gut und stark wären. Es ist der Teufel, der das Blut Christi nicht ungeschändet lassen kann.

Weil nun die Sache im Kern selbst fordert, dass man sage: »allein der Glaube macht gerecht«, und es unserer deutschen Sprache Art (ist), die auch lehrt, das so auszudrücken, ich dazu der heiligen Väter Exempel habe, und auch die Gefährdung der Menschen dazu zwingt, dass sie nicht an den Werken hängenbleiben und den Glauben verfehlen und Christus verlieren, insbesondere zu dieser Zeit, zu der sie von so lange her der Werke gewohnt, und mit Gewalt davon gerissen werden müssen, so ist es nicht allein recht, sondern auch hoch vonnöten, dass man aufs allerdeutlichste und vollständigste heraussage: allein der Glaube ohne Werke macht fromm. Es reut mich sogar, dass ich nicht auch dazugesetzt habe: »alle« und »aller«, also: »ohne alle Werke aller Gesetze«, so dass es voll und rund heraus gesprochen wäre. Darum soll es in meinem Neuen Testament bleiben, und sollten alle Papstesel toll und töricht werden, so sollen sie mirs nicht herausbringen.

Es sei für dieses Mal genug auf die Frage. Ein andermal mehr. Und haltet mir meine lange Schrift zugut. Christus, unser Herr, sei mit uns allen. Amen.

Text nach: Luther deutsch, hg. v. Kurt Aland, Bd. 5, Göttingen [4]1990, 79–92 (frühneuhochdeutscher Originaltext: WA 30/2,632–646).

9. Martin Luther, Disputatio de homine / Disputation vom Menschen (1536)

Im Zuge der Reformation waren auch die akademischen Promotionsverfahren des Mittelalters außer Gebrauch geraten. Das konnte aber nicht im Sinne einer Theologie sein, die gerade auf das Verstehen des biblischen Textes so viel Wert legte. So kam 1533 aus Hamburg die Anfrage, ob man nicht den dortigen Superintendenten Johann Aepinus (1499–1553) in Wittenberg promovieren konnte. Dies gab Anlass, wieder an die bisherigen Verfahren anzuknüpfen und diese in den neuen theologischen Rahmen einzuordnen. So wurden auch wieder Disputationen durchgeführt, in denen der Kandidat seine Fähigkeit erweisen konnte, komplexe theologische Sachverhalte argumentativ zu durchdenken und zu begründen. Martin Luther hat hierfür in unterschiedlichen Anläufen seine Theologie in thetischer Form zusammengefasst und dabei auch versucht, neue wissenschaftliche Standards für Theologie zu setzen. Ein Kondensat seiner Theologie bildete insbesondere die *Disputatio de homine* vom 14. Januar 1536. Luther zeigte hier, welche Folgen die reformatorische Lehre für das Verständnis vom Menschen, die Anthropologie, hat. Zugleich führte er anhand des Themas die unterschiedlichen Wirklichkeitszugänge von Philosophie und Theologie aus. Dabei griff er die aristotelische Terminologie von Form und Materie in einer Weise auf, die zugleich zeigte, dass die neue Theologie auch diese traditionellen Grundbegriffe gänzlich erneuerte und biblisch umformte.

Disputation D. Martin Luthers: Vom Menschen

1. Die Philosophie, (das ist) die menschliche Weisheit, definiert den Menschen als vernunftbegabtes, mit Sinnen und Körperlichkeit ausgestattetes Lebewesen.
2. Nun bedarf es jetzt nicht der Erörterung, ob der Mensch im eigentlichen oder uneigentlichen Sinne als »Tier« bezeichnet wird.
3. Aber man muss wissen: Diese Definition bestimmt nur den sterblichen und irdischen Menschen.

4. Und in der Tat ist es wahr, dass die Vernunft die Hauptsache von allem ist, das Beste im Vergleich mit den übrigen Dingen dieses Lebens und (geradezu) etwas Göttliches.
5. Sie ist Erfinderin und Lenkerin aller (freien) Künste, der medizinischen Wissenschaft, der Jurisprudenz und all dessen, was in diesem Leben an Weisheit, Macht, Tüchtigkeit und Herrlichkeit von Menschen besessen wird.
6. So muss sie mit Recht als Wesensunterschied bezeichnet werden, durch den der Mensch (als Mensch) in Unterscheidung von den Tieren und den sonstigen Dingen bestimmt wird.
7. Auch die Heilige Schrift hat sie zu solcher Herrin über die Erde, über Vögel, Fische und Vieh eingesetzt mit dem Gebot: »Herrschet!« usw.[1]
8. Das heißt, sie soll eine Sonne und eine Art göttlicher Macht sein, in diesem Leben dazu eingesetzt, (all) diese Dinge zu verwalten.
9. Und selbst nach Adams Fall hat Gott der Vernunft diese Hoheit nicht genommen, sondern vielmehr bestätigt.
10. Gleichwohl, dass sie solche Majestät sei, weiß eben diese Vernunft nicht auf Grund von deren Ursache, sondern nur durch Rückschluss aus den Wirkungen.
11. Vergleicht man deshalb die Philosophie oder die Vernunft selbst mit der Theologie, so wird sich zeigen, dass wir über den Menschen nahezu nichts wissen.
12. Scheinen wir doch kaum seine stoffliche Ursache hinreichend wahrzunehmen.
13. Kennt doch die Philosophie ohne Zweifel nicht die wirkende Ursache und entsprechend auch nicht die Zweckursache (des Menschen).
14. Als Zweckursache setzt sie nämlich nichts anderes als irdische Wohlfahrt; und sie weiß nicht, dass die wirkende Ursache Gott der Schöpfer ist.
15. Über die gestaltende Ursache aber, als welche sie die Seele bezeichnen, wurde nie und wird nie unter Philosophen Einigkeit erzielt.
16. Denn damit, dass Aristoteles sie als erste Wirklichkeit eines Körpers, der das Vermögen zu leben hat (als Prinzip des lebendigen Körpers), definiert, wollte er ja Dozenten und Studenten zum Besten haben.
17. Es besteht auch keine Aussicht, dass der Mensch vornehmlich in diesem Teil sich seinem Wesen nach erkennen könne, solange er sich nicht in der Quelle selbst, welche Gott ist, wahrgenommen hat.
18. Und was jämmerlich ist: nicht einmal über seinen Entschluss oder seine Gedanken hat er volle und zuverlässige Gewalt, sondern ist darin dem Zufall und der Nichtigkeit unterworfen.

---

[1] 1 Mose 1,28.

19. Jedoch, welcher Art dieses Leben ist, so beschaffen ist ebenfalls sowohl die Definition als auch die Erkenntnis des Menschen, nämlich dürftig, schlüpfrig und allzu sehr an der Stofflichkeit orientiert.
20. Die Theologie hingegen definiert aus der Fülle ihrer Weisheit den ganzen und vollkommenen Menschen.
21. Nämlich: Der Mensch ist Gottes Geschöpf aus Fleisch und lebendiger Seele bestehend, von Anbeginn zum Bilde Gottes gemacht ohne Sünde, mit der Bestimmung, Nachkommenschaft zu zeugen und über die Dinge zu herrschen und niemals zu sterben;
22. das aber nach Adams Fall der Macht des Teufels unterworfen ist, nämlich der Sünde und dem Tode – beides Übel, die durch seine Kräfte nicht zu überwinden und ewig sind;
23. und das nur durch den Sohn Gottes Christus Jesus zu befreien ist (sofern es an ihn glaubt) und mit der Ewigkeit des Lebens zu beschenken.
24. Unter diesen Umständen befindet sich jene allerschönste und allerherrlichste Sache, welche (in voller Größe) die Vernunft (auch) nach dem Sündenfall geblieben ist, dennoch – so ergibt sich schlüssig – unter der Macht des Teufels.
25. Folglich ist und bleibt der Mensch ganz und ausnahmslos – er sei König, Herr, Knecht, weise, gerecht und durch welche Güter dieses Lebens (auch immer) er sich hervortun kann – dennoch der Sünde und dem Tod verhaftet, weil unterdrückt unter dem Teufel.
26. Wer darum sagt, die natürlichen Kräfte (des Menschen) seien nach dem Fall unversehrt geblieben, philosophiert gottlos wider die Theologie.
27. Ebenso wer sagt, der Mensch könne sich dadurch, dass er tut, was in seinen Kräften ist, Gottes Gnade und das Leben verdienen.
28. Desgleichen wer Aristoteles (der vom Menschen in theologischer Hinsicht keine Ahnung hat) anführt, nämlich dass die Vernunft ihr Sehnen auf das Beste richte.
29. Desgleichen dass im Menschen »das über uns als Prägezeichen gesetzte Licht von Gottes Angesicht« sei, das heißt, freies Entscheidungsvermögen zur Hervorbringung der rechten Vorschrift und des guten Willens.
30. Desgleichen dass es in der Verfügung des Menschen stehe, zwischen Gut und Böse oder Leben und Tod usw. zu wählen.
31. Alle, die solches behaupten, verstehen nicht, was der Mensch ist, noch wissen sie, wovon sie reden.
32. Paulus fasst in Röm 3,28: »Wir erachten, dass der Mensch durch Glauben unter Absehen von den Werken gerechtfertigt wird« in Kürze die Definition des Menschen dahin zusammen, dass der Mensch durch Glauben gerechtfertigt werde.

33. Wer (vom Menschen) sagt, er müsse gerechtfertigt werden, der behauptet gewiss, dass er Sünder und Ungerechter sei und deshalb vor Gott schuldig, jedoch durch Gnade zu retten.
34. Und (dabei) versteht er (Paulus) »Mensch« unbegrenzt, das heißt, allgemein, um die ganze Welt, oder was immer Mensch heißt, unter der Sünde zusammenzufassen.
35. So ist denn der Mensch dieses Lebens Gottes bloßer Stoff zu dem Leben seiner künftigen Gestalt.
36. Wie auch die Kreatur überhaupt, die jetzt der Nichtigkeit unterworfen ist, für Gott der Stoff zu ihrer herrlichen künftigen Gestalt ist.
37. Und wie sich Erde und Himmel im Anfang zu der nach sechs Tagen vollendeten Gestalt verhielt, nämlich als deren Stoff,
38. so verhält sich der Mensch in diesem Leben zu seiner zukünftigen Gestalt, bis dann das Ebenbild Gottes wiederhergestellt und vollendet sein wird.
39. Bis dahin befindet sich der Mensch in Sünden und wird tagtäglich zunehmend gerechtfertigt oder verunstaltet.
40. Deshalb hält Paulus diese Reiche der Vernunft nicht einmal für wert, sie »Welt« zu nennen, sondern bezeichnet sie lieber als »Schemen der Welt«.

Text nach: Gerhard Ebeling, Lutherstudien. Bd. 2: Disputatio de homine. 1. Teil, Tübingen 1977, 15–24.

Teil 3: Die Oberdeutschen, Calvin und der Calvinismus

Von Eva-Maria Faber und Ulrich H.J. Körtner

Einleitung

Die Reformation im 16. Jahrhunderts war kein einheitlicher Vorgang, sondern ein komplexes Geschehen mit unterschiedlichen Zentren und an den verschiedenen Orten mit unterschiedlichem Verlauf. Ohne die überragende Bedeutung Martin Luthers für die Reformation insgesamt in Zweifel ziehen zu wollen, muss doch die theologische Eigenständigkeit Huldrych Zwinglis (1484–1531) und seiner Mitstreiter in Zürich, aber auch von Martin Bucer (1491–1551) in Straßburg oder Johannes Calvin (1509–1564) in Genf gewürdigt werden. Weder Zwingli noch Calvin, der bedeutendste Reformator der zweiten Generation, lassen sich hinreichend als Schüler Luthers verstehen. Eine solche Sicht führt auch zu einer theologischen Verengung, wonach die Übereinstimmung mit Luther zum Maßstab des Reformatorischen erklärt und jede Abweichung als Anzeichen des Verfalls gedeutet wird. Zwingli oder auch Calvin – um nur diese Reformatoren zu nennen – agierten nicht nur in einem anderen politischen Kontext als Luther und Melanchthon, sondern ihre Theologie folgte durchaus anderen Organisationsprinzipien als diejenige Luthers.

Die Einheit der Reformation besteht in der inneren Kohärenz der unterschiedlichen reformatorischen Bewegungen, nicht jedoch im Sinne von Einheitlichkeit und Gleichförmigkeit. Im Blick auf die Vielfalt der Reformation sind wir durchaus berechtigt von Reformationen im Plural zu sprechen. Von Wittenberg und Zürich ausgehend breitete sich die Reformation nicht nur im Heiligen Römischen Reich deutscher Nation und in der deutschsprachigen Schweiz, sondern bald auch außerhalb der deutschen Sprachgrenzen aus. Während die Wittenberger Reformation vor allem nach Mittel- und Norddeutschland, in Teile Süddeutschlands, anfangs auch in die habsburgischen Gebiete Österreichs und der Niederlande, ferner in die skandinavischen und baltischen Länder sowie nach Ostmittel- und Südosteuropa ausstrahlte, reichten die Einflüsse der Zürcher Reformation in das angrenzende Oberdeutschland, d. h. nach Südwestdeutschland und ins Elsass sowie nach Hessen. Über das für die Reformation gewonnene Bern wirkte die Zürcher Reformation schließlich bis nach Genf. Unter dem Einfluss der Genfer Reformation, eingeleitet durch Guillaume Farel (1489–1565) und vollendet durch

Calvin, stand die Reformation in Westeuropa, aber auch in Ostmittel- und Südosteuropa sowie in manchen Regionen Deutschlands. Verschiedene kontinentale Einflüsse wurden schließlich in der Reformation in England wirksam.

Während mit Zwingli der neben Luther wichtigste Reformator der ersten Generation zu Wort kommen soll, ist Calvin der bedeutende Reformator der zweiten Generation, der zudem als gebürtiger Franzose exemplarisch für die Reformation in Westeuropa steht. Zwinglis Predigt über »Die Klarheit und Gewissheit des Wortes« aus dem Jahr 1522 gehört in die Anfänge der Zürcher Reformation. Seiner Bedeutung entsprechend ist Johannes Calvin mit zwei Werken vertreten, nämlich mit seiner Antwort an Kardinal Sadolet (1539), der die Stadt Genf zur Rückkehr in die katholische Kirche bewegen wollte, sowie mit Auszügen aus der Ausgabe letzter Hand (1559) von Calvins Hauptwerk, der »Institutio christianae religionis«.

Calvin wie auch Zwinglis Nachfolger Heinrich Bullinger (1504–1575) repräsentieren die zweite Generation der Reformation. Abgesehen von den Unterschieden, die zwischen den politischen und soziokulturellen Kontexten der Reformation in lutherischen Gebieten einerseits, der Schweiz und Frankreich andererseits bestehen, hat sich auch die kirchliche Situation inzwischen grundlegend geändert. Luther hofft noch, dass die *eine* Kirche an Haupt und Gliedern reformiert werden könnte. Zur Zeit Calvins hat sich dagegen der konfessionelle Gegensatz zwischen Reformation und römischer Kirche bereits verfestigt. Calvins Ekklesiologie und seine praktischen Kirchenreformen, welche auf die äußere und innere Ordnung der Kirche größten Wert legen, rechnen nicht mehr damit, dass die katholische Kirche in absehbarer Zeit auf den Weg der Reformation einschwenken könnte, sondern stellt den fundamentalen, um nicht zu sagen kontradiktorischen theologischen Gegensatz in Rechnung, wie er durch das Rechtfertigungsdekret des Konzils zu Trient (1545–1563) markiert wird.

Neben Zürich und Genf soll im Folgenden Straßburg als ein Zentrum der Reformation in Oberdeutschland gewürdigt werden, wo Martin Bucer 25 Jahre lang wirkte und wo Calvin nach seinem ersten Genfer Aufenthalt (1536–1538) einige Jahre bis zu seiner Rückkehr nach Genf 1541 verbrachte. Bucer, der im folgenden mit seinem 1543 publizierten Reformationsentwurf für das Erzstift Köln »Einfältiges Bedenken« zu Wort kommen soll, war einerseits stark durch die Theologie Luthers geprägt, ergriff andererseits aber im innerprotestantischen Abendmahlsstreit für die Position Zwinglis Partei, um sich später mit allen Kräften für die Überwindung der Spaltung einzusetzen. Seine mit Luther 1536 erreichte Einigung in der Abendmahlsfrage (Wittenberger Konkordie) fand zwar nicht die Zustimmung der schweizerischen Protestanten, doch galt Bucer spätestens seit dieser Zeit als einer der führenden Reformatoren, der in europäischen Dimensionen dachte und eine ökumenische Gesinnung an den Tag legte. Unter Bucer gewann der oberdeutsche Protestantismus nicht nur ein besonderes theologisches Profil, sondern übte auch zeitweilig großen Einfluss auf den gesamten Protestantismus aus. 1549 emigrierte Bucer nach England, wo er bis zu seinem Tod als Theologieprofessor in Cambridge mit erheblicher Öffentlichkeitswirksamkeit tätig war.

Die Überwindung innerprotestantischer Gegensätze war auch das Ziel des Heidelberger Katechismus von 1563, der den Abschluss unserer Textauswahl bildet. Er wurde auf Befehl des Kurfürsten Friedrich III. von der Pfalz verfasst und erschien ein Jahr vor dem Tod Calvins im Druck. Im selben Jahr endete das Trienter Konzil, zu dessen Früchten der Catechismus Romanus von 1566 zählt, der erst 1992 vom neuen Katechismus der Katholischen Kirche abgelöst wurde. Der Heidelberger Katechismus will weder calvinistisch noch lutherisch, sondern einfach evangelisch sein. Die später ergänzte Frage 80, welche die römisch-katholische Messfeier scharf verurteilt, zeigt freilich auch, wie sehr sich inzwischen der evangelisch-katholische Gegensatz konfessionell verfestigt hat. Mit seiner Synthese aus melanchthonischer und calvinischer Theologie sowie Elementen der zwinglianischen Tradition repräsentiert er einen eigenen Typus reformierter Theologie, der auch als Deutschreformiertentum bezeichnet wird. Bereits 1567 übernahmen ihn die reformierten Ungarn, 1571 die Niederländer. Übersetzt in zahlreiche Sprachen, wurde er im weiteren Verlauf der Geschichte zur wichtigsten reformierten Bekenntnisschrift weltweit.

LITERATUR

Eva-Maria Faber: Symphonie von Gott und Mensch. Die responsorische Struktur von Vermittlung in der Theologie Johannes Calvins, Neukirchen-Vluyn 1999.

Dies.: Calvin aus ökumenischer Perspektive. In: Pastoralblatt 61 (2009) 323–330.

Matthias Freudenberg: Reformierte Theologie. Eine Einführung, Neukirchen-Vluyn 2011.

Ulrich Gäbler: Huldrych Zwingli. Eine Einführung in sein Leben und sein Werk, Zürich ^{3}2004.

Martin Greschat: Martin Bucer. Ein Reformator und seine Zeit (1491–1551), München 1990.

Mechthild Köhn: Martin Bucers Entwurf einer Reformation des Erzstiftes Köln. Untersuchung der Entstehungsgeschichte und der Theologie des »Einfaltigen Bedenckens« von 1543, Witten: Luther-Verlag, 1966 (Untersuchungen zur Kirchengeschichte 2).

Heiko A. Oberman: Zwei Reformationen. Luther und Calvin – Alte und Neue Welt, Berlin 2003.

Peter Opitz: Heinrich Bullinger als Theologe. Eine Studie zu den »Dekaden«, Zürich 2004.

Peter Opitz: Leben und Werk Johannes Calvins, Göttingen 2009.

Gottfried W. Locher: Die Zwinglische Reformation im Rahmen der europäischen Kirchengeschichte, Göttingen 1979.

Georg Plasger: Johannes Calvins Theologie – Eine Einführung, Vandenhoeck & Ruprecht: Göttingen 2008.

Georg Plasger/Matthias Freudenberg: Reformierte Bekenntnisschriften. Eine Auswahl von den Anfängen bis zur Gegenwart, Göttingen 2005.

Herman J. Selderhuis (Hg.): Calvin Handbuch, Tübingen 2008.

Christoph Strohm: Johannes Calvin. Leben und Werk des Reformators, München 2009.

Huldryich Zwingli: Die Klarheit und Gewissheit des Wortes Gottes (1522)

Die Predigt stammt aus der Anfangszeit von Zwinglis Wirken als Reformator, der seit 1519 als Leutpriester am Züricher Münster tätig war. Im März 1522 hatte während der Fastenzeit im Haus des Druckers Froschauer ein Wurstessen stattgefunden, das für einen öffentlichen Skandal sorgte. Zwingli, der sich nicht selbst an der Aktion beteiligt hatte, verteidigte diese zwei Wochen später in einer Predigt, die kurz danach unter dem Titel »Die freie Wahl der Speisen« im Druck erschien. Mit seiner Kritik am Fastenzwang warf Zwingli die Frage auf, welcher Autorität Gehorsam zu schulden ist. In seiner im selben Jahr gehaltenen Predigt über die Klarheit und Gewissheit des Wortes Gottes beantwortet er sie kompromisslos im Sinne des reformatorischen Schriftprinzips, wonach die Bibel alleinige Quelle und Richtschnur des Glaubens ist. Alle kirchlichen Bräuche, die sich nicht aus der Heiligen Schrift begründen ließen, seien abzuschaffen. Heftig bekämpft wurde Zwingli von den Mönchsorden. In einer vom Rat angeordneten Disputation, die am 21. Juli 1522 stattfand, konnte Zwingli jedoch seine Forderung nach schriftgemäßer Predigt durchsetzen.

Die vorliegende Predigt hat Zwingli auf Anordnung des Rates des Stadt Zürich im Kloster der Dominkanerinnen am Oetenbach gehalten, um diese zur Übernahme der reformatorischen Lehre zu bewegen. Im September 1522 veröffentlichte Zwingli seine Predigt in etwas erweiterter Form. Sie hatte offenbar Erfolg, wurde doch die Seelsorge im Kloster Leo Jud (1482–1542), dem engsten Mitarbeiter Zwinglis, übertragen. Die meisten Nonnen schlossen sich der Reformation an und verließen das Kloster.

Die alleinige Autorität der Schrift lässt sich nur begründen, wenn diese klar und ohne besondere Vorkenntnisse für jedermann verständlich ist. Das versucht Zwingli in seiner Predigt zu beweisen. Ob es nicht eine theologisch legitime Vielfalt von Auslegungen geben könnte, diskutiert Zwingli nicht, unterstellt er doch, dass, wie der Geist nur einer ist, auch die Schrift in ihrem Sinn stets eindeutig sein müsse. Einer vorurteilslosen und vertrauensvollen Hinwendung zu den biblischen Texten wird eine auf Vorurteilen und Gewalt begründete Bibelhermeneutik entgegensetzt. Das kirchliche Lehramt beruhe auf solcher Gewalt und versuche seine Auslegung letztlich mit Hilfe staatlicher Zwangsmittel durchzusetzen. Zwinglis hermeneutische Prämisse besteht darin, dass der Mensch als Ebenbild Gottes so geschaffen ist, dass er die Stimme und das Wort seines Schöpfers unmittelbar verstehen kann, freilich nur, wenn ihn dabei der Heilige Geist leitet. So betont der Reformator die subjektive Gewissheit des Glaubens, vom Geist gewirkt und erleuchtet wird.

[106] Die Klarheit und Gewissheit oder die Kraft des Wortes Gottes

Als der allmächtige Gott zu Beginn der Schöpfung beschloss, die wunderbare Kreatur, die der Mensch ist, zu erschaffen, drückte er seinen Entschluss in den folgenden Worten nach 1. Mose 1,26–27 aus: »Lasset uns den Menschen machen nach unserem Bilde, uns ähnlich. Der soll gesetzt sein über die Fische im Meer und die Vögel in der Luft, das Vieh und alles Erdreich und alles, was auf der Erde kriecht! Und Gott schuf den Menschen nach seinem Bilde, nach dem Bilde Gottes schuf er ihn.« [...]

[109] Nun erfahren wir an uns, dass wir Abbild Gottes sind, viel deutlicher an anderen Dingen als an den dreien: Verstand, Willen und Gedächtnis. Ich will zwar Augustins Meinung nicht verwerfen, ich meine aber doch, dass wir der Ebenbildlichkeit Gottes eher in noch anderen Teilen von uns inne werden als gerade in denen, die ihm am wichtigsten sind, nämlich [110] darin, dass wir zu Gott aufsehen und auf seine Worte achten. Das beweist uns, dass wir ihm ein Stück verwandt, ähnlich und nachgebildet sind. Dadurch werden wir der Verwandtschaft, der Ähnlichkeit und Ebenbildlichkeit mit Gott in uns versichert. [...]

[118] Alle angeführten Belege [aus der Schrift] haben wir dazu genutzt, uns klarzumachen, dass, weil wir ein Abbild Gottes sind, die Seele nichts so erfreuen, vergewissern und stärken kann wie das Wort des Schöpfers und Bildners. Darum wollen wir nun weitergehen und die Klarheit und Unfehlbarkeit des Gotteswortes zu verstehen suchen. Zum ersten:

[119] Von der Gewissheit oder Kraft des Wortes Gottes

Das Wort Gottes ist so zuverlässig und mächtig, dass, was immer Gott will, von dem Moment an geschieht, wo er sein Wort ausspricht. So lebendig und wirksam ist es, dass sogar die unvernünftigen Dinge ihm sogleich folgen oder, besser gesagt, dass alle Dinge, ob sie nun vernunftbegabt oder ohne Vernunft sind, nach seinem Plan von ihm gestaltet, bestimmt und beherrscht werden, was 1. Mose 1,3 belegt: »Und Gott sprach: Es werde Licht! Und es ward Licht«. [...] [120] Das Alte Testament ist voll von Belegen für die zuverlässige Wirkung von Gottes Wort. [...]

Wir wollen jetzt zum Neuen Testament übergehen und die Stärke, Zuverlässigkeit und Kraft des Wortes Gottes darin ergründen.

[...]

[121] Sobald Christus herangewachsen war und anfing zu lehren und Wunder zu tun, waren ihm alle Dinge gehorsam und richteten sich nach seinem Wort.

[124] Die ganze evangelische Lehre ist ja nichts anderes als ein sicherer Beweis, dass erfüllt wird, was Gott verheißen hat. Denn das Evangelium ist die Erfüllung selbst. Der den Vätern, ja dem ganzen menschlichen Geschlecht verheißen wurde, ist erschienen und mit ihm, was wir erhofften, eingetreten, wie Simeon nach Lukas 2,29–32 bekannte: »Denn was wollte er uns abschlagen, wo er doch seinen eigenen Sohn für uns dahingab, oder hat er uns mit ihm nicht alles gegeben?« (Röm 8,32)

So viel zur Kraft und Gewissheit des Wortes Gottes. Jetzt folgt:

Die Klarheit des Wortes Gottes

Bevor wir anfangen von der Klarheit des Wortes Gottes zu reden, wollen wir den Gegnern seiner Klarheit zuvorkommen, dass sie nicht nachher spotten: »Wie klar ist denn das schon? Warum redet er in Gleichnissen und Rätseln, wenn er will, dass man sein Wort verstehe?« Antwort: Vor allem lass dir dies sagen: Ich antworte dir nicht etwa, weil ich der Meinung wäre, dass man solche vorlauten Fragen beantworten müsse, noch, dass es nötig sei, die Ratschlüsse Gottes zu rechtfertigen, oder, dass ein Mensch die Ursachen aller Taten Gottes erkennen könne. Nein, ich will dir, so weit ich das mit eindeutigen Schriftbeweisen vermag, an dieser Stelle deinen Mund stopfen, damit du lernst, Gott nicht zu lästern (vgl. 1 Tim 1,19–20).

[125] Gott hat von jeher und zuletzt durch den Herrn Jesus Christus vermehrt in Gleichnissen gelehrt, weil er den Menschen den Sinn seiner Offenbarung in angenehmer und gefälliger Form vorlegen wollte. [...] Denn durch Gleichnisse werden die, die sonst träge und gelangweilt wären, zum Hören gereizt, und die gefundene Wahrheit wird sicherer angenommen und geschätzt. Je länger nämlich der göttliche Sinn im Verstand des Menschen herausgearbeitet und bewegt wird, desto tiefer schlägt er seine Wurzeln in das Herz.

[...]

[128] Nun aber wenden wir uns den Begriffen Klarheit und Licht zu. Gott sei Lob; er wolle unserem Mund die rechten Worte eingeben, so dass wir sie überzeugend verdeutlichen mögen! Amen.

Trifft der Schein des Gotteswortes auf den Verstand des Menschen, so wird der durch das Wort erleuchtet. Dann versteht er es, bekennt es und wird seiner gewiss. [...]

[129] I. Nun wollen wir zunächst mit einigen Geschichten aus dem Alten Testament und nachher aus dem Neuen die Klarheit begründen.

1. Als Gott ihm befahl die Arche zu bauen, glaubte Noah, dass Gott die ganze Erde mit der Sintflut vertilgen wolle. Das konnte Noah nicht aus menschlicher Einsicht glauben. [...] Von Gottes Wort geht das Licht aus, welches Noah erkennen ließ, dass Gott und niemand anderer zu ihm sprach (vgl. 1 Mose 6,13–22).

2. Dass Abraham glaubte, die Stimme, die ihm auftrug, seinen Sohn zu opfern, sei Gottes Stimme, konnte nicht auf menschlicher Einsicht oder menschlichem Verstand beruhen [...]. [130] es war, wie du erkennst, das Licht, das Gottes Wort mit sich bringt, das dies bewirkte.

3. Mose verzweifelte nicht, als er die Kinder Israels in eine ausweglose Lage, zwischen Ross und Wand, wie man so sagt, gebracht hatte. [...]

[131] 4. Jakob erkannte, dass die Stimme dessen, der oben auf der Leiter stand und sprach: »Ich bin der Herr, der Gott Abrahams, deines Vaters und Isaaks [...]« [1 Mose 28,13], die Stimme Gottes war. [...] Seht, ihr Streithammel: Das Wort Gottes brachte seine eigene Klarheit und Erleuchtung mit, wodurch er erkannte, dass es von Gott selber stammte. Und er vertraute ihm fest und glaubte alles, was ihm 1 Mose 28,13–15 verheißen worden war.

[...]

[132] Diese [...] Stellen aus dem Alten Testament belegen zur Genüge, dass Gottes Wort von Menschen gut verstanden werden kann ohne alle Unterweisung durch Menschen. Nicht etwa, weil der menschliche Verstand das ermöglichte, sondern das Licht oder der Geist Gottes, der in seinen Worten so leuchtet und atmet, dass man die Strahlen seiner Lehre in seinem Lichte sieht. So steht es in Psalm 36,10: »Bei dir, Herr, ist die Quelle des Lebens, und in deinem Lichte werden wir das Licht sehen« – ähnlich Johannes 1,4.

[133] II. Und damit wollen wir zu den Belegen aus dem Neuen Testament übergehen.

[...]

[134] Die Worte [Christi in Joh 6,44 f] sind klar. Die Lehre Gottes erhellt sie klar, lehrt und schenkt Gewissheit ohne alles Zutun menschlicher Weisheit. Werden Gläubige von Gott belehrt, so werden sie deutlich, sicher und genau belehrt. Müssten aber Menschen sie erst bestätigen und vergewissern, so sollten sie besser Menschen- statt Gottesgelehrte genannt werden.

[...]

[135] Christus dankt Gott, seinem himmlischen Vater, nach Matthäus 11,25: »Ich danke dir, o Vater, Herr des Himmels und der Erde, dass du diese Dinge vor den Weisen und Klugen verborgen und sie den Kleinen offenbart hast. Denn so hat es dir gefallen.« Hört ihr da, dass Christus Gott deshalb dankt, weil er die himm-

lische Weisheit den Weisen dieser Welt verborgen hat. Und doch wollt ihr die Herzen der von Gott Gelehrten wieder an diese Weltweisen verweisen. Er offenbart sich den Kleinen und Demütigen. Er mag nicht zu denen hinaufschreiben, die auf dem hohen Ross daherkommen [...] [136]. Aber sage doch, was verkünden sie denn überhaupt von Gott? Ich höre sie nie von Gott reden, nur Zeugen und heilige Väter vorbringen und vom Stuhl Petri faseln, von denen weder in den Evangelien noch in den Petrusbriefen etwas steht. [...] Kurz: Für mich deutet nichts darauf, dass Gott sie autorisiert hätte. [...]

[139] »Wisst ihr nicht, dass all unser Denken und Erkennen im Gehorsam und in der Dienstbarkeit gegenüber Gott gefangen bleiben soll [vgl. 2 Kor 10,5] und nicht ein Gefangener des Menschen sein darf? Aber ich sehe, was euch fehlt, und ich will es euch im Namen Gottes zeigen: Ihr wisst nicht, wie Gott den Menschen lehrt, und wie der von Gott Belehrte dessen inne und gewiss wird, weil ihr nicht wisst, was das Evangelium bedeutet. »Wer Ohren hat zu hören, der höre!« [Mt 11,15] Das Wort Evangelium heißt so viel wie: Eine gute Botschaft oder Nachricht, die dem Menschen in seiner Unwissenheit und in seinen Zweifeln von Gott geschickt wird. [...]

[140] Höre doch das Evangelium! Es ist eine gewisse Botschaft, Antwort und Versicherung. Christus steht vor dir, er lädt dich mit offenen Armen ein und spricht nach Matthäus 11,28: »Kommt her zu mir alle, die ihr mühselig und beladen seid, ich will euch Ruhe geben.« Was für eine frohe Botschaft, die uns erleuchtet, dass wir erkennen und glauben, was wir oben vielfach belegt haben. [...]

[143] Zunächst verstehe unter dem Evangelium nicht nur, was Matthäus, Markus, Lukas und Johannes geschrieben haben, sondern [...] alles, was Gott je den Menschen kundtat, alles, was ihnen seinen Willen bekannt und deutlich machte. Er aber ist *einer* und ist ein Geist der Einigkeit, nicht der Zwietracht, woraus folgt, dass ein wahrer und einfacher Sinn in seinen Worten steckt, auch wenn wir sie noch so sehr verdrehen. [...]

Einige stecken so tief [144] in der Eselshaut der Torheit, dass sie, wenn ihnen der natürliche Sinn aufgezeigt wurde, und sie nichts erwidern können, dennoch sprechen, sie dürften den Sinn nicht so verstehen, so lange die Väter nicht entschieden hätten, man solle ihn so verstehen. Denn jedenfalls verständen viele eine Sache besser als einer oder wenige.

Da antworte ich: Wäre das so, müsste Christus ein Lügner sein, denn die ganze große Priesterschaft war anderer Meinung, und er stand allein. Ihn aber einen Lügner zu schelten sei ferne von uns! Ebenso wären die Apostel im Irrtum gewesen, denn ganze Städte und Länder standen gegen sie. Auch heute gibt es zehnmal mehr Ungläubige als Gläubige, sollte deswegen ihre Meinung richtig und unsere falsch sein, nur weil sie in der Überzahl sind? Nein! Löse dich davon. Die Mehrheit macht nicht die Wahrheit.

[...]

[145] Zunächst lass deinen eigenen Verstand aus dem Spiel, mit dem du dir die Schrift zurechtbiegen willst. [...] Denn sieh, das ist der Hauptfehler, wenn man seine Meinung mit der Schrift bekräftigen will und sein eigenes Vorurteil zur Schrift bringt. [...]

Wir haben gewöhnlich unsere Meinung und unser Vorurteil schon zur Hand wie einer, der mit der Axt in der Hand seinen Nachbarn um etwas bittet. Was so viel heißt wie: Tust du es nicht, so wird die Axt dich zwingen. So gehen wir an die Schrift heran. Die Päpste und törichten Kaiser und Könige – erlaubt mir, liebe Herren, bei der Wahrheit zu bleiben – haben den größten Teil der Bischöfe in deutschen Landen zu Fürsten gemacht. – Der Mann auf der Straße nennt sie Bettelfürsten. – So sind sie mächtig geworden und tragen das Schwert in den Händen. Und nun treten sie mit dem Schwert zur Schrift und erklären, indem sie den ersten Petrusbrief 2,9 zitieren: »Regale sacerdotium« – »das königliche [146] Priestertum«. Da muss nun Petrus mit dem Schwert gezwungen werden und bezeugen, dass die Bischöfe oder die Pfarrer Fürsten zu sein haben und nach weltlicher Weise herrschen sollen. Das vermag die Axt in der Hand! Dagegen vertritt Petrus die Meinung, dass alle Christen durch ihren Herrn Jesus Christus zu königlicher Würde und Priesterschaft erwählt seien. Denn sie brauchen keinen vermittelnden Priester mehr, der für sie opfert. Ist doch jeder für sich selbst ein Priester, der geistliche Opfer bringen, also sich selbst ganz und gar Gott darbringen soll.

Ja, seht, so wie diese darf man nicht an die Schrift herantreten. Wie aber dann? Auf folgende Weise: Wenn du eine Sache erkennen und über sie reden willst, sprich bei dir: Bevor ich über etwas urteilen oder mir etwas von anderen Menschen erklären lassen will, will ich zuerst mit Psalm 85,9 hören, was der Heilige Geist dazu zu sagen hat: »Ich will hören, was der Herrgott zu mir reden will.« Erflehe mit Andacht Gottes Gnade, dass er dir seinen Geist und Sinn gebe, damit du nicht deine, sondern seine Meinung erfassest. Habe aber festes Vertrauen, er werde dir das rechte Verständnis mitteilen, denn alle Weisheit kommt ja von Gott dem Herrn. Mit solchem Vertrauen mach dich über die evangelischen Schriften.

[...]

[148] Du sagst nun freilich, man müsse einen Richter haben, der urteilen und sein Urteil auch durchsetzen könne. Ich antworte dir: Das kann nicht sein. Denn jeder Mensch, so gelehrt er auch sein mag, kann irren, wenn ihn Gott nicht leitet. [...]

[149] Weiter weiß ich gewiss, dass Gott mich lehrt, weil ich die Geheimnisse erkannt habe. Zerpflücke mir niemand diesen Ausdruck! Versucht zu verstehen, woher ich weiß, dass Gott mich lehrt! Ich bin wie andere in meiner Jugend in menschlichen Wissenschaften vorangekommen. Als ich nun aber vor sieben oder acht Jahren anfing, mich ganz an die Heilige Schrift zu halten, kam mir die Philosophie und Theologie der Kritikaster immer dazwischen. Da kam mir

schließlich, angeleitet durch Schrift und Wort Gottes, der Gedanke: Ich muss das alles liegen lassen und Gottes Willen unmittelbar aus seinem eigenen, eindeutigen Wort lernen! Ich bat Gott um Erleuchtung, und die Schrift begann mir viel klarer zu werden als nach dem Studium von zahlreichen Kommentaren und Auslegern, obwohl ich bloß die Bibel selber las. Seht, das ist doch ein sicheres Zeichen, dass Gott mich leitet, denn mit meinem kleinen Verstande hätte ich nie so weit kommen können. Ihr begreift jetzt, dass ich nicht so weit kam, weil ich mich selbst überschätzte, vielmehr, weil ich mich selbst erniedrigte.

[...]

[151] Wohlverstanden, was die Lehre betrifft, was Straftaten und Ungehorsam anbelangt, will ich mich allen Menschen unterwerfen. Aber die Schrift und göttliche Wahrheit sollen sie nicht beurteilen, die sollen sie Gott überlassen. Denn die kann man nur von Gott lernen.

[152] Um schließlich aufzuhören, auf jeden Einwurf zu antworten, wollen wir unsere Meinung klarlegen: Das Wort Gottes soll von uns in höchsten Ehren gehalten werden. Als Wort Gottes sollst du nur anerkennen, was aus seinem Geist kommt. Keinem anderen Wort soll so geglaubt werden wie diesem. Denn Gottes Wort ist gewiss und keinem Irrtum unterworfen. Es ist klar, lässt niemanden im Dunkeln tappen, es legt sich selbst aus und öffnet selbst das Verständnis. Es erhellt die menschliche Seele mit allem Heil und allen Gnaden, füllt sie mit Gottvertrauen, demütigt sie, dass sie sich selbst verliert, ja verwirft und Gott in sich aufnimmt. In ihm lebt sie, zu ihm strebt sie und verachtet alle Hilfe von Geschöpfen. Denn Gott allein ist ihr Heil und ihre Zuversicht. Ohne ihn findet sie keine Ruhe, in ihm allein bleibt sie. Wie es der Psalmist in Psalm 77 bezeugt. Seine Seele wollte sich nicht trösten lassen, [153] da dachte er an Gott und wurde fröhlich. Ja, die Seligkeit beginnt schon hier in dieser Zeit, nicht in ihrer eigentlichen Gestalt, aber in der Gewissheit unserer sicheren Hoffnung. Die möge Gott uns mehren und niemals mangeln lassen. Amen.

Es scheint mir gut, hier noch kurz zusammenzufassen, wie man zum Verständnis des Gotteswortes kommen und an sich selbst spüren kann, dass man von Gott erleuchtet ist. Oder wie die, die in der Schrift nicht bewandert sind, sich vergewissern können, ob die Priester die Wahrheit rein lehren, ohne sie durch eigene Leidenschaften zu besudeln.

1. Jeder soll Gott inniglich anrufen, er möge in ihm den alten Menschen abtöten, der sich viel auf seine eigene Weisheit und sein eigenes Können einbildet.

2. Wenn der alte Mensch getötet und ausgeleert ist, so wolle Gott selber gnädig in ihn einströmen, so reichlich, dass der Mensch Gott allein glaubt und vertraut.

3. Widerfährt ihm das, so wird er gewiss über alle Maßen mit Freude erfüllt und getröstet werden. Dann soll er immer wieder das Wort des Propheten

sprechen: »Herr Gott, befestige das, was du in uns gewirkt hast« [Ps 68,29]. »Denn wer steht, sehe zu, dass er nicht falle«, wie Paulus mahnt [1 Kor 10,12].

4. Gottes Wort übersieht niemanden und am wenigsten die Hochstehenden. Denn als Gott Paulus berief, sprach er zu Ananias: »Er wird zu meinem auserwählten Werkzeug, damit er meinen Namen zu den Fürsten und Königen der Erde trage« [Apg 9,15]. Und er spricht zu den Jüngern nach Matthäus 10,18: »Ihr werdet vor Könige und Statthalter geführt, um mich vor ihnen zu bezeugen.«

5. Es ist die Art des Gotteswortes, die Gewaltigen in ihrem Hochmut zu erniedrigen und den Demütigen gleich zu machen. So singt die Jungfrau Maria [vgl. Lk 1,52]: »Er hat die Gewaltigen von seinem Stuhl gestoßen und die Demütigen erhöht.« Und Johannes predigt von Christus nach Lukas 3,5: »Es werden die Hügel durch ihn eingeebnet und die Täler ausgefüllt werden [...]«

[154] 6. Das Gotteswort wendet sich überall an die Armen und hilft ihnen und es stärkt die Trostlosen und Verzweifelten. Die aber auf sich selbst vertrauen, die bekämpft es, dafür ist Christus Zeuge.

7. Das Gotteswort sieht nicht auf den eigenen Vorteil. Darum befahl Jesus seinen Jüngern, weder Beutel noch Tasche bei sich zu tragen [vgl. Lk 10,4].

8. Gottes Wort strebt nur danach, dass Gott den Menschen kund werde, damit die Trotzigen ihn fürchten und die Demütigen ihn mit Sicherheit finden. Wer so das Wort Gottes predigt, predigt ohne Zweifel recht. Wer aber auf Samtpfoten um seinen Nutzen herumstreicht wie die Katze um den Brei und wer lieber menschliche Vorschriften verteidigt, als der Lehre Gottes anzuhängen und sie zu erhöhen, der ist ein falscher Prophet. Die falschen Propheten aber erkennst du an ihren Worten. Sie schreien bedeutsam: »Die frommen Väter! Sollen wir denn verachten, was diese Menschen vorschrieben?« So rufen sie etwa aus, statt dass sie ernstlich beklagten, dass das Evangelium lau gepredigt wird.

9. Spürst du, wie Gottes Wort dich erneuert und du anfängst, Gott mehr zu lieben als ehedem, so lange du Menschenlehren hörtest, so sei gewiss: Gott hat das bewirkt.

10. Spürst du, dass dir die Gnade Gottes und das ewige Heil zur Gewissheit werden, so ist das von Gott.

11. Spürst du, wie das Gotteswort die klein und zunichte macht, während Gott in dir groß wird, so ist das aus Gott gewirkt.

12. Spürst du, wie die Furcht Gottes dich mehr und mehr erfreut statt betrübt, so ist das ein sicheres Zeichen, dass Gottes Wort und Geist in dir wirken. Diesen seinen Geist wolle Gott uns geben! Amen.

Aus: Huldrych Zwingli, Schriften, hg. v. Thomas Brunnschweiler und Samuel Lutz unter Mitarb. von Hans Ulrich Bächtold u. a., Bd. 1, Zürich 1995, 101–154; Seitenangaben in eckigen Klammern.

Martin Bucer: Einfältiges Bedenken (1543), Einleitung

Das »Einfältige Bedenken« entstand zwischen Januar und Juni 1543 im Rahmen des Engagements Martin Bucers für die Reformation in Köln. Diese Reformationsordnung ist Beispiel seines Einsatzes für die Einigung mit den Altgläubigen durch Zusammenarbeit mit reformkatholischen Kreisen, welche die kirchlichen Missstände zu bekämpfen bereit waren. Dazu gehörte der Kölner Erzbischof Hermann von Wied, der nach einer früheren Zusammenarbeit bereits 1540 Bucer im Dezember 1542 bat, ihn in seinen Reformationsabsichten zu unterstützen.

Bucer brachte dafür in mehrfacher Hinsicht beste Voraussetzungen mit. In Straßburg war er seit 1523 für die Anliegen der Heiligung der kirchlichen Gemeinde und der Aufrichtung der Kirchenzucht eingetreten. Sein Engagement und praktisches Geschick waren bereits Anfang der 30er Jahre bei der Reformation und Neugestaltung der Kirchenordnung in verschiedenen Städten wie Ulm oder Augsburg in Anspruch genommen worden. Dazu prädestiniert war Bucer nicht zuletzt aufgrund seiner theologischen Mittelstellung zwischen Lutheranern und den Schweizern, in der er sich um eine Einigung in der Abendmahlsfrage bemühte, sowie durch sein Engagement in den Vermittlungsbestrebungen zwischen »Altgläubigen« und der reformatorischen Bewegung, die in den 40er Jahren nicht zuletzt durch Kaiser Karl V. und Reichskanzler Nicolas Perrenot de Granvella auflebten. Bucer mied Polemik und suchte, bei aller Unbeugsamkeit in zentralen Fragen, das Gemeinsame zu betonen. Ein Religionsvergleich, selbst wenn er Zugeständnisse verlangte, war für Bucer ein Mittel zur Ausbreitung des Reiches Gottes. Er vertraute darauf, dass das gepredigte Evangelium die Kirche reformieren und wieder vereinigen werde. Dies machte ihn in einzelnen Fragen kompromissbereit.

Als Vorbild für das »Einfältige Bedenken« diente Bucer (auf Wunsch des Kölner Erzbischofs) die Brandenburgisch-Nürnbergische Kirchenordnung des Andreas Osiander von 1533. V. a. im Bereich der Abschnitte über die Lehre und über das Schulwesen wirkte Philipp Melanchthon bei der Erarbeitung des Textes mit. Einfluss nahm auch die Weisung Hermann von Wieds, es sei im Bereich der

Kirchenordnung mehr beizubehalten als sogleich zu verbessern und abzuschaffen. Behutsamer Aufbau wird dem abrupten Niederreißen vorgezogen.

In Köln infolge der Spannungen zwischen Hermann von Wied und dem Kölner Domkapitel nie in Kraft gesetzt, wohl aber gedruckt und 1544 verbreitet und in lateinischer Übersetzung 1545 erschienen, spielte die Kirchenordnung in Hessen eine Rolle und war Vorbild von Kirchenordnungen Ostfrieslands und Österreichs sowie Vorlage für die Ausarbeitung des Book of Common Prayer von Thomas Cranmer.

In der Einleitung rekurriert das Einfältige Bedenken auf den Regensburger Reichsabschied von 1541 und seine Aufforderung, für eine »christliche Ordnung und Reformation« in den eigenen Territorien zu sorgen. Ein erster Teil widmet sich der Lehre, der zweite Teil den Zeremonien, der dritte Teil praktischen Aufgaben der Armenpflege, des Unterrichtswesens und der äußeren Kirchenreform.

Die hier ausgewählten Stücke entstammen der Feder Martin Bucers. Der erste Text zum rechten Verständnis des Wortes Glauben führt den Glauben auf den Heiligen Geist zurück und sieht aus ihm herzliches Vertrauen zu Gott entspringen. Charakteristisch für Bucer ist die Bezogenheit einerseits auf die Rechtfertigung, andererseits auf die Lebensführung der Gläubigen: Glaube ist in Werken tätiger Glaube.

Der zweite Text zur Firmung erinnert daran, dass die Einführung einer »Konfirmation« an der Stelle der abgeschafften Firmung auf Bucers Theologie zurückgeht. Zugleich lässt er gut Bucers Verständnis der Kirche als Leib Christi aus lebendigen Gliedern erkennen.

Im Text zum Abendmahl tritt ein ähnliches Anliegen zutage. Charakteristisch für Bucer ist seine Distanz zu theoretischen Spekulationen über das »Wie« der Gegenwart Jesu Christi, während es ihm um den »Nutzen« und die konkrete Praxis des Abendmahls zu tun ist. Zu solchen Anliegen gehört die Einheit der Abendmahlsfeier, durch die den Gläubigen Einheit mit Jesus Christus und untereinander geschenkt wird und sie selbst zum Leib Christi werden. Bucers Interesse am tätigen Glauben ebenso wie sein Einsatz für eine Kirche, die nicht zuletzt durch ihre Armenfürsorge eine neue Art der Gesellschaft realisiert, wird mit zwei Texten dokumentiert. Das Kapitel über das Opfern im ersten Teil gibt die theologische Grundlegung für die christliche Solidarität mit den Bedürftigen. Im dritten Teil des »Einfältigen Bedenkens« zeichnet sich im Abschnitt über das »allgemeine Almosen« ab, wie die christliche Armenpflege mit der Reformation neu geordnet wird. Straßburg nahm diesbezüglich eine vorbildhafte Rolle ein.

Martin Bucer: Einfältiges Bedenken (1543), Auszüge

[79] Vom rechten Verständnis des Wortes Glauben

Weil nun [...] nach den Worten des heiligen Paulus viel von dem Glauben an Christus gesagt ist, durch den wir nach dem Wort des Herrn Vergebung der Sünden empfangen und das ›Erbe unter den Geheiligten‹ [Apg 20,32] und ewiges Leben haben, so sollen die Prediger das wohl begreifen und treu lehren, daß dieser selig machende Glaube ein Werk des Heiligen Geistes in den Erwählten Gottes ist. Dadurch wird ihr Herz so erleuchtet und gelehrt, daß sie dem heiligen Evangelium und darum auch der ganzen göttlichen Schrift und allen Worten Gottes gewissen Glauben schenken. Daraus begreifen und schließen sie gewiß, daß Gott ihnen durch Christus Jesus, unseren einzigen Heiland, alle Sünde verzeihen und das ewige Leben schenken und also ein gnädiger Gott und Vater sein will, der sie als seine Kinder und Erben in Ewigkeit erhalten will. Aus diesem Glauben entsteht notwendig ein herzliches Vertrauen und Liebe zu Gott und ernster Eifer, ihm in Gehorsam gegen seine Gebote zu dienen. Das alles wirkt der Heilige Geist in den Gläubigen, durch den sie neu geboren und ein neues Werk und Geschöpf Gottes werden, ›geschaffen in Christo Jesu zu guten Werken, die Gott zuvor bereitet hat, daß wir darin wandeln‹ (Eph. 2[,10]).

Darum sollen die Prediger den Leuten wohl berichten, daß man dann, wenn man vom Glauben redet, durch den wir vor Gott fromm und selig werden, nicht von einem Glauben redet, der ohne Liebe zu Gott und gute Werke sein kann; denn ein solcher Glaube ist nicht ein rechter und wahrer, sondern ein [80] träumender und toter Glaube. Es ist auch nicht nur ein Stück Glauben gemeint; so glauben der Teufel, Judas und alle, die an Gott verzweifeln, nicht an alle Artikel des christlichen Glaubens; denn sie glauben nur, daß es einen Gott gibt, der das Böse bestrafen will, aber nicht an einen Gott, der ihnen gnädig sein und die Sünde verzeihen will. Es ist auch nicht ein Glaube auf Zeit gemeint, der darin besteht, daß man das Evangelium zwar mit Freuden annimmt, wenn es noch keine Verfolgung mit sich bringt, daß man aber zur Zeit der Verfolgung wieder davon abfällt und den aufgegangenen Samen des göttlichen Wortes durch die Hitze der

Versuchung verdorren lässt. Man muss vielmehr reden von einem wahren, lebendigen Glauben, der ein herzliches Vertrauen zu Gott in sich hat und darum wahre und inbrünstige Liebe zu Gott in den Herzen der Gläubigen gebiert und anzündet. Dieser Glaube wirkt in uns einen wahren Eifer zu aller Heiligkeit und gießt in unser Herz eine wahre, tätige Liebe gegen den Nächsten, die sich befleißigt und bemüht, nach all dem zu leben, was Gott geboten hat.

[132] Von der Firmung

Bei dem Volk Gottes im Alten und Neuen Testament ist es nach Gottes Ordnung so gehalten worden, daß die Kinder, die im Säuglingsalter in die Gnade Gottes und in die göttliche Gemeinschaft aufgenommen worden waren, nämlich im Alten Testament durch die Beschneidung und im Neuen Testament durch die heilige Taufe, später ihren Glauben selbst in der Gemeinde Gottes bekannt haben, nachdem sie darin unterrichtet worden waren, und sie selbst haben sich in den Gehorsam Gottes und seiner Gemeinde begeben. Danach sind sie mit Gebet und dem Trost göttlicher Gnade bei dem alten Volk durch die Opfer und bei dem neuen Volk durch das Handauflegen und durch das heilige Abendmahl des Herrn in der Gemeinschaft Christi bestätigt worden.

[...]

Wir aber sind durch den Glauben dem Herrn Christus eingeleibt und werden Glieder seines Leibes, das heißt seiner Gemeinde, und sollen allen anderen Gliedern Christi, mit denen wir Gemeinschaft haben, zur Besserung dienen und sollen von ihnen auch dahin geführt werden durch manche Lehre, Strafe und Ermahnung, auch durch persönlichen Rat und Hilfe. Die Art und Eigenschaft dieser Gemeinschaft [133] in Christus lehrt uns und bringt mit sich, daß sich auch ein jeder selbst in diese Gemeinschaft christlicher Lehre, Strafe, Ermahnung und Hilfe im Herrn begebe, verpflichte und darstelle mit dem offenen und ernstlichen Bekenntnis seines Glaubens und mit wahrem und herzlichem Gehorsam gegen Christus, den Herrn. Weil das Bekenntnis des Glaubens und der Eintritt in die Gemeinschaft und in den Gehorsam Christi durch eigenen Entschluß bei der Taufe nicht geschehen können, wenn die Taufe in unmündigem, kindlichem Alter empfangen wird, deshalb erfordert die Art und Eigenschaft des wahren Glaubens und der Gemeinschaft in Christus, daß die jungen Christen dieses Bekenntnis des Glaubens ablegen und dieses Eintreten in die Gemeinschaft und in den Gehorsam Christi vollziehen, wenn man ihnen [sic] den Glauben gelehrt hat und wenn sie erkennen, was ihnen in der heiligen Taufe geschenkt wurde und in welche Gemeinschaft sie aufgenommen wurden. Wenn sie dann vor der Gemeinde Gottes dieses Bekenntnis ablegen und sich zum Gehorsam verpflichten, so ist es recht, daß die Gemeinde für diese jungen Christen mit Ernst um den Heiligen Geist bittet, der sie in diesem Glauben an Christus und im Gehorsam seiner Gemeinde bestätigen, erhalten und immer weiter in alle Wahrheit leiten möge. Weil nun dieses Gebet, das im Namen des Herrn und auf seine gnädige Verheißung geschieht, ganz erhört wird, deshalb gehört auch das zu dem allgemeinen Dienst der Kirche, daß sie im Namen des Herrn den Trost der Gnade und der Stärkung durch den Heiligen Geist spendet, worum man gebetet hat. Dazu haben die Alten nach dem Beispiel des Herrn und der Apostel das Zeichen des Handauflegens gebraucht.

Weil nun diese Handlung, wenn sie recht im Glauben geschieht, sowohl nach der Art und Eigenschaft des christlichen Glaubens als auch der christlichen Liebe der Förderung des christlichen Lebens recht dient, so wollen wir, daß sie [...] wieder in ihren rechten Gebrauch gebracht und ausgeführt wird; denn es ist leider offenbar, in welchen Mißbrauch sie geraten ist.

[139] Vom heiligen Abendmahl

Von diesem heiligen Sakrament sollen die Prediger den Leuten oft und fleißig berichten; das ist, wie der heilige Apostel Paulus schreibt, die Gemeinschaft des Leibes und Blutes unseres Herrn Jesus Christus [1 Kor 10,16].

Bei dieser Gemeinschaft sollen wir sein Gedächtnis halten mit höchster Andacht und herzlichster Verkündigung seines Todes und seiner Auferstehung und dessen, was er für uns geworden ist und zu unserem Heil getan und erworben hat, damit wir im Glauben an ihn gestärkt und mehr in ihm bleiben und leben und er in uns.

Weil der Herr, als er sein heiliges Abendmahl gehalten hat, gesagt hat: Das tut mir zum Gedächtnis, deshalb sollen die Prediger den Leuten auch wohl [140] berichten, daß uns der Herr eben das zu tun befohlen hat, was er getan hat; darauf sollen wir sehen und davon keineswegs weichen.

[...]

Wenn wir nun ansehen wollen, was der Herr in seinem heiligen Abendmahl getan hat, dann bezeugen uns die heiligen Evangelisten und Paulus, daß er dieses heilige Sakrament zum ersten Mal mit seinen Jüngern gehalten hat. Er hat also ein Sakrament allein mit allen denen gehalten, die damals bei ihm waren, und mit solchen Jüngern, die sich seiner Lehre ganz ergeben hatten; denn obwohl Judas falsch und, wie der Herr sagt [Joh 6,70], ein Teufel war, so war das doch den Jüngern noch verborgen. Nach dem äußeren Bekenntnis und dem Leben, soweit es den Jüngern bekannt war, hing Judas dem Herrn noch an wie andere Jünger.

Aus diesem Grund haben die alten Kirchen, die sich an das hielten, was sie von den Aposteln empfangen hatten, zu dem heiligen Abendmahl niemand zugelassen, der sich nicht als Jünger des Herrn erwiesen hatte. Sie haben auch in einer Gemeinde und Versammlung der jungen Christen allein ein Abendmahl gehalten, und das mit allen gemeinsam, so daß sie alle von einem Brot und von einem Kelch den Leib und das Blut des Herrn empfangen haben, damit sie alle immer mehr ein Leib des Herrn würden und in ihm lebten und er in ihnen.

Davon hat der heilige Paulus folgendermaßen geschrieben: Ist nicht der Kelch des Segens und der Danksagung, den wir segnen und für den wir Dank sagen, die Gemeinschaft des Blutes Christi? Ist nicht das Brot, das wir brechen, die Gemeinschaft des Leibes Christi? Denn wir viele sind ein Brot und ein Leib, die wir alle eines Brotes teilhaftig werden [1 Kor 10,16 f] – Siehe, von einem Kelch redet der Apostel, bei dem wir eine gemeinsame Danksagung haben, und von einem Brot, das wir, die in einer Gemeinde zusammenkommen, alle gemeinsam brechen, und er bezeugt, daß das die Gemeinschaft des Leibes und Blutes Christi ist; sie empfangen wir alle gemeinsam in dem einzigen Sakrament. Dadurch werden wir darin immer gestärkt, daß wir seine Glieder und sein Leib sind. [141] Um zu beweisen, was er gesagt hat, nämlich, daß das Brot, was wir im heiligen Abendmahl brechen, die Gemeinschaft des Leibes Christi sei, darum hat der Apostel nach diesen Worten gleich geschrieben: Denn ein Brot und ein Leib sind wir viele, als wollte er sagen: Denn ein Brot und ein Sakrament wird unter uns vielen gebrochen und ausgeteilt, damit wir viele, die das in rechtem Glauben empfangen, immer mehr ein Leib und der Leib Christi werden und damit wir alle in ihm leben und er in uns und also seines Lebens wahre Gemeinschaft haben.

Besonders ist an dieser Stelle darauf zu achten, daß der Apostel, um zu beweisen, daß wir ein Leib sind, nämlich alle, die ein Sakrament des Leibes und Blutes Christi empfangen, geschrieben hat: Denn wir alle, die wir teilnehmen, empfangen von einem Brot, wobei der Apostel auch die Gemeinschaft des einzigen Kelchs einbezieht. Diesen Grund soll man wohl bedenken. Darum bezeugen wir und beweisen, daß wir ein Leib und ein Brot Christi sind und daß wir die Gemeinschaft des Leibes und Blutes Christi recht empfangen und haben, wenn wir alle, die zu diesen Sakramenten versammelt sind, eines Brotes und eines Kelchs teilhaftig werden; daraus folgen zwei Dinge:

Erstens, daß diejenigen, die in einer Versammlung mehr als ein Abendmahl halten, damit anzeigen und beweisen, daß sie nicht ein Brot und ein Leib Christi sind und daß sie die Gemeinschaft seines Leibes und Blutes nicht recht empfangen oder haben: Sie zeigen damit eine Trennung von Christus und seiner Gemeinde an.

Zweitens folgt daraus, daß diejenigen, die bei diesen heiligen Sakramenten anwesend sind und ohne wichtige Gründe nach dem eingehenden Bericht über diese Ordnung des Herrn die heiligen Sakramente nicht mit empfangen, sich beweisen und erzeigen als Leute, die nicht Glieder mit den anderen Christen und nicht ein Brot und Leib Christi sein wollen.

[106] Vom christlichen Opfer

Die Prediger sollen die Leute gewissenhaft lehren, daß Christus, unser Herr, das ewige Gott angenehme Opfer ist, durch das uns Gottes Gnade und alles Gute von der freigebigen Güte Gottes zuteil wird. Das bezeugen alle Propheten und Apostel, besonders aber im Hebräerbrief vom 4.–10. Kapitel. Durch Christus, unseren Herrn, sollen wir auch uns selbst, unseren Leib und unsere Seele aufopfern und ergeben in wahrem Glauben zu seinem Wohlgefallen und zum Preis seines Namens. [... Vgl. Röm 12,1 f; 15,16].

[107] Ein Gott angenehmes Opfer ist auch das Opfer des geängsteten Geistes und des zerschlagenen Herzens aus echter Reue über die Sünden, wovon der 51. Psalm singt [Ps 51,19]. Denn wenn diejenigen, die durch das Evangelium Christus, den Herrn, recht erkennen und sich selber um seinetwillen Gott geopfert und ergeben haben, etwas versäumt haben oder in Sünde gefallen sind, oder wenn Gott sie ihrer Sünde wegen mit allerlei Trübsal heimsucht und demütigt, so bringen sie bei ihrem Gebet um Gnade ein ganz zerschlagenes und reuiges Herz, einen zerbrochenen und gedemütigten Geist vor Gott. Wenn sie dann Gott nicht ohne Trost und Aufrichtung ihres Gewissens läßt und ihnen aus allen Nöten herrlich hilft, sagen sie ihm Lob und Dank und opfern ihm die Frucht der Lippen, die seinen Namen bekennen (Hebr 13[,15]). Von diesem Opfer singt der 107. Psalm, wenn er allerlei Not berichtet und darstellt, wie die Leute in solchen Nöten Gott um Hilfe anrufen und diese auch erlangen und ihm dann um der Hilfe willen Lob und Dank sagen. Sie rufen zum Herrn in ihrer Not, und er hilft ihnen aus ihren Ängsten [Ps 107,6]. Deshalb loben sie ihn um seiner Güte und seiner Wundertaten willen an den Menschenkindern.

Zu solchen Bet-, Lob- und Dankopfern gehört es auch, dem Nächsten und den Bedürftigen wohlzutun, zu helfen und Gaben auszuteilen. Auch diese Opfer gefallen Gott wohl (Hebr 13[,16]). Denn wenn die Gläubigen um seine reichen Wohltaten bitten oder wenn sie diese empfangen und dafür danken und ihn loben, so ist es eine Folge der Gottseligkeit, daß sie, um Gott zu gefallen und um ihn zu preisen, auch den Bedürftigen mehr Liebe und Güte erweisen. Denn sie wissen, daß Gott das alles als ihm selbst getan aufnimmt [Mt 25,40].

Darum fordert Gott bei den Alten, daß sie, wenn sie an den großen Festtagen vor ihm erscheinen, nicht mit leeren Händen kommen sollen, sondern daß ein jeglicher ein Opfer bringe nach dem Segen, den Gott einem jeden gegeben hat (2 Mos. 32[,29], 5 Mos. 15[,14]). Das erhalten die Leviten, Witwen, Waisen, Fremdlinge und andere Arme. Daher war es in der alten Kirche Brauch, daß die Gläubigen, wenn sie zum heiligen Wort Gottes und den heiligen Sakramenten zusammenkamen, ihre Opfer für die Armen des Herrn gebracht und geopfert haben.

Auf Grund dieser göttlichen Lehre von den Opfern sollen die Prediger das Volk lehren:

Erstens: Die Menschen sollen das Opfer Christi, unseres Herrn, allein als das Opfer erkennen, das wegen seines süßen Geruchs Gott, dem Vater, gefällt und uns Verzeihung der Sünden und alle Gnaden und Gaben erworben hat. Dieses Opfer ist auch in allen Opfern des alten Volkes vorgebildet worden und hat alle ihre Opfer Gott angenehm gemacht. Auch unser eigenes Opfer und alles, was wir Gott zum Gefallen opfern, ist Gott allein durch das heilige Opfer Christi, unseres Herrn, wohlgefällig und angenehm. Denn Gott hat niemandem je etwas gegeben außer Christus, dem Geliebten. Außer ihm kann ihm nichts gefallen oder angenehm sein. Deshalb sollen die Prediger das Volk eifrig vor diesem Irrtum warnen und es davon abwenden, damit sie nicht meinen, Gott [108] mit einem besonderen Opfer, wie kostbar es für sie selbst ist und so sehr es von ihnen kommt, einen gefälligen Dienst zu erweisen, wenn das Opfer nicht in Christus, unserem Herrn, und durch sein Verdienst geopfert und angenehm sein würde.

Zweitens: Sie sollen Gott nicht andere Opfer als die hier genannten darbringen: nämlich sich selbst ganz, einen geängsteten Geist und ein zerschlagenes Herz um der Sünde willen und Lob und Dank für die empfangenen Wohltaten, Hilfe und Gaben für die Armen und alles, was der Förderung des Reiches Christi dienen kann. Es sind keine Gott wohlgefälligen Opfer, viele zeitliche Güter Gott darzubringen für Kirchen, Altäre und Klöster, sie zu bauen und zu stiften oder auszustatten und zu schmücken mehr als dies zur wahren Förderung der christlichen Religion dient und aus dem Aberglauben, daß das Gott mehr behagen sollte, als wenn man Gaben den Armen um des Herrn willen gibt, sondern sie erwecken dadurch eher Gottes Zorn. Deshalb sollen die Prediger das Volk gut lehren, daß man Gott zum Gefallen zeitliches Gut nur opfern soll, um damit die wahre christliche Religion bei den Leuten zu fördern, und zwar dadurch, daß man den wahren Kirchendienst ermöglicht und erhält und den Lebensunterhalt und die Versorgung der Bedürftigen sichert und erhält.

[199] Vom allgemeinen Almosen

Es ist die kennzeichnende Eigenschaft einer jeden in rechter Weise geordneten christlichen Gemeinde, daß sie niemanden in ihr Mangel leiden lasse, sondern jeden, der ihr vom Herrn geschickt wird, nach ihrem Vermögen mit allem zum Leben Notwendigen versorgt. Aber sie läßt auch niemanden müßig gehen oder anderen Leuten zur Last fallen. Zu diesem Zweck hatte die erste Kirche die sieben Diener, Stephan und seine Gefährten, eingesetzt (Apg 6). Deshalb wollen auch wir dafür sorgen, daß in jeder Gemeinde einige fromme, gottesfürchtige, verständige und vertrauenswürdige Männer durch die Visitatoren gewählt und eingesetzt werden, und zwar an jedem Ort so viele, wie es die Arbeit erfordert. Diese sollen an jedem Ort die Namen der Armen und Bedürftigen aufschreiben. Sie sollen sie auch sorgfältig und fleißig beaufsichtigen, wie sie leben und wie sie sich halten, und einen jeden zur Arbeit, so viel wie ein jeder vermag, anhalten oder ihm seinen Anteil an Almosen aufkündigen. Sie sollen das, was die Gläubigen und Gutherzigen dem Herrn in der Kirche opfern, in ihrem vorgeschriebenen Gotteskasten aufbewahren.

[...]

[200] Von diesen Opfern der Gläubigen soll nur den Bedürftigen, vorab den Einheimischen und unter denen vor allem den Bedrängtesten, Witwen, Waisen, Kranken und sonst Armen und bedürftigen Menschen eine Hilfe gegeben werden und dann, so viel man kann, auch den Fremden. Wenn man recht vertrauenswürdige Männer für die Verteilung der heiligen Almosen einsetzt, so werden diese das Almosen immerdar zum Wohlgefallen des Herrn und aller Bedürftigen sehr viel ordentlicher austeilen, als es jemand für sich selbst tun könnte.

Die Visitatoren sollen auch dafür sorgen, daß das, was noch an allgemeinen Almosen und Stiftungen für die Armen oder Bruderschaften hin und wieder vorhanden ist, auch für den Gotteskasten bestimmt wird.

Diese Arbeit ist groß und umfangreich. Doch wollen wir es mit der Hilfe des Herrn schaffen, daß es mit der Zeit erreicht wird, daß die Armen und Bedürftigen keinen Mangel an gebührender Hilfeleistung leiden und die vorsätzliche Bettelei abgeschafft und jeder, soweit er kann, zu nützlicher Arbeit angehalten wird.

In der Gesamtausgabe: Martin Bucer: Schriften zur Kölner Reformation. Gütersloh: Gütersloher Verlagshaus, 1999 (Martini Buceri Opera Omnia I: Deutsche Schriften 11/1), 147–432.

Übersetzung nach: Hermann von Wied: Einfältiges Bedenken. Reformationsentwurf für das Erzstift Köln von 1543. Übers. und hg. von Helmut Gerhards und Wilfried Borth. Düsseldorf: Presseverband der Evangelischen Kirche im Rheinland, 1972.

Johannes Calvin: Antwort an Kardinal Sadolet (1539)

Der seit 1536 in der Genfer Reformation engagierte Calvin reagierte in seiner »Antwort an Kardinal Sadolet« auf ein Schreiben, das der humanistisch und reformerisch gesinnte Kardinal Jacopo Sadolet (1477–1547) an Senat und Bürgerschaft von Genf gerichtet hatte, um sie zur Rückkehr in die römische Kirche aufzufordern. Dabei wurden die Genfer als Opfer der Verführung durch gottlose Menschen hingestellt. Pikanterweise waren die damit primär gemeinten Reformatoren Guillaume Farel (1489–1565) und Calvin wegen ihrer Vorstellungen über die Kirchenordnung und ihres Widerstands gegen den Einfluss der Berner Abendmahlsordnung in Genf 1538 aus der Stadt ausgewiesen worden. Angesichts des römischen Versuches zur Rückeroberung Genfs wurde der in Straßburg weilende Calvin nun aber von Bern aus angegangen und gebeten, eine Replik zu verfassen. Calvins Schrift fand in Genf gute Resonanz und bahnte so auch seiner Rückkehr in die Stadt den Weg. Zugleich zeugt sie in eindrücklicher Weise von seinem Selbstverständnis und seinem reformatorischen Anliegen der Erneuerung der Kirche.

Calvin knüpft in seinem Schreiben an die Anschuldigungen Sadolets – nicht zuletzt gegen ihn selbst – an, um daraufhin die Argumentation Sadolets im Einzelnen zu sichten und zu widerlegen. Dabei liegt besonderer Nachdruck auf den Vorwürfen des Abfalls von Gottes Wahrheit, der Trennung von der Kirche bzw. der Spaltung der Kirche, die Calvin mit Hinweis auf die Erneuerungsbedürftigkeit der Kirche zurückweist. Nicht Spaltung der Kirche, sondern deren Reinigung und Zurückführung in ihre evangeliumsgemäße Gestalt ist intendiert, was für Calvin – gegen den Vorwurf des Bruchs mit der Tradition – Rückkehr zum Vorbild der Alten Kirche bedeutet. Positiv entwickelt Calvin eine Ekklesiologie, derzufolge die Kirche auf der wahren Lehre (mit dem Herzstück der Rechtfertigungslehre), dem rechtmäßigen Gebrauch der Sakramente sowie der nach der Richtschnur des Wortes gestalteten Verfassung der Kirche und ihrer Ämter gründet.

[Aus der Erwiderung der Vorwürfe Sadolets: Zum Selbstverständnis Calvins und zum Vorwurf der Trennung von der Kirche]

[349] Ich selbst, Sadolet, bekenne mich nun als einen von denen, auf die Ihr mit solcher Feindschaft losstürmt und dreinschlagt. Zwar bin ich erst dorthin berufen worden, als der (neue) Gottesdienst schon eingeführt und die äußere Gestalt der Kirche gebessert war: dennoch habe ich alles, was Farel und Viret aufgebaut haben, nicht nur durch ausdrückliche Zustimmung gebilligt, sondern mich auch bemüht, es nach Kräften zu erhalten und zu festigen, und kann daher keine von der ihren verschiedene Sache vertreten. Hätte es sich nur um eine persönliche Beleidigung gehandelt, so würde ich Euch das um des Ansehens Eurer Gelehrsamkeit und Bildung willen wahrhaftig gerne nachsehen. Da ich aber mein Amt, das sich – woran ich nicht zweifle – unverbrüchlich auf Gottes Berufung gründet, auf meiner Seite tödlich getroffen sehe, wäre es Treulosigkeit und nicht Nachsicht, wollte ich hier schweigen und kein Aufhebens davon machen. In jener Gemeinde habe ich zuerst das Lehramt, später auch das Amt eines Pastors wahrgenommen. Dass ich dieses Wirkungsfeld übernahm, verteidige ich mit vollem Recht mit meiner ordnungsgemäßen Berufung. [...] Das also sieht jeder, dass ich durch den unwiderstehlichen Zwang meines Amtes gebunden bin und unmöglich darum herumkomme, mich Euren Anschuldigungen entgegenzustellen, wenn ich meine von Gott mir übertragene Arbeit nicht in offenkundiger Fahnenflucht im Stich lassen und verraten wollte. Wenn ich freilich im Augenblick von der Verwaltung der Genfer Kirche freigestellt [351] bin, so darf das noch nicht dazu führen, dass ich sie nicht weiterhin mit väterlicher Liebe umsorgte; denn hat Gott mich einmal an ihre Spitze gestellt, so hat er meine Treue für immer an sie gebunden.

[...]

[361] [...] obwohl die Berufung zum künftigen ewigen Leben wohl wert ist, dass sie uns Tag [363] und Nacht in den Ohren klingt, dass wir sie uns beständig ins Gedächtnis rufen und uns unaufhörlich in ihrer Betrachtung üben, sehe ich doch schlechterdings nicht ein, weshalb Ihr an dieser Stelle mit ihrer Erörterung so weit ausholt, es sei denn, um Euch durch irgendein Merkmal von Frömmigkeit empfehlend einzuführen. [...] das jedenfalls ist zu wenig theologisch [gedacht], den Menschen in einer Weise mit sich selbst zu befassen, dass man ihm unterdessen den Eifer, Gottes Ehre ans Licht zu bringen, nicht mehr als Grundlage seiner Lebensführung vor Augen stellt. Für Gott nämlich, nicht für uns selbst sind wir in erster Linie auf der Welt. Denn wie aus Gott alles hervorgegangen ist, und in ihm seinen Bestand hat, so muss auf ihn, wie Paulus (Röm 11,36) sagt, auch alles bezogen werden. Ja, ich gestehe, um die Menschen noch mehr für die Verherrlichung seines Namens einzunehmen, hat der Herr selbst dem Eifer für die

Ausbreitung und Erhöhung seiner Ehre das Maß gesetzt: Sie soll unaufhörlich mit unserer eigenen Seligkeit verbunden sein. Wenn er uns aber lehrt, dieser Eifer müsse über alles Sinnen und Trachten nach irgendwelchem Gut und Behagen hinausgehen – und schon natürliche Gerechtigkeit zeigt, dass Gott das Seine nicht zukommt, wo man ihm nicht den Vorrang vor allen anderen Dingen einräumt –, dann ist es gewiss die Pflicht eines Christenmenschen, sich höher aufzuschwingen, als nur das eigene Seelenheil zu suchen und sich allein darum zu kümmern. Deshalb kann ich niemanden für wirklich fromm halten, der eine so ausführliche und sorgfältige Ermahnung zum Streben nach dem himmlischen Leben, die den Menschen einzig bei sich selbst festhält, ohne ihn auch nur mit einer Silbe zur Heiligung des Namens Gottes emporzuführen, nicht für geschmacklos erklärt. Neben dieser Heiligung aber darf uns, wie ich Euch gern zugebe, unser ganzes Leben lang kein anderes Ziel vor Augen stehen, als dies: unserer himmlischen Berufung nachzujagen. Denn das hat Gott all unseren Gedanken, Worten und Werken zum bleibenden Orientierungspunkt gesetzt. Es gibt ja auch keinen anderen Vorrang des Menschen vor dem Tier als eben den geistlichen Umgang mit Gott in der Hoffnung auf die selige Ewigkeit. In unseren Predigten tun wir denn auch so gut wie nichts anderes, als die Herzen zu ihrer Betrachtung und Liebe aufzumuntern.

Auch darin gebe ich Euch ohne weiteres Recht, dass unser Heil von keiner Seite her so ernsthaft bedroht ist wie von einem falschen Gottesdienst, der das oberste zuunterst kehrt. Denn das ist ja das ABC, das [365] wir als Grundlage ihrer Frömmigkeit denen beizubringen pflegen, die wir als Jünger für Christus gewinnen wollen: sie sollen sich nicht leichtfertig, nach ihrem eigenen Gutdünken, irgendeine Form der Gottesverehrung ausdenken, sondern wissen, dass allein das die rechtmäßige ist, die Gott selbst von Anfang an gebilligt hat. So führen wir als Zeugnis das unantastbare Wort (1 Sam 15,22) an: Gehorsam ist besser denn jedwedes Opfer. Kurz, wir gewöhnen sie auf alle erdenkliche Weise daran, sich mit der einen, aus seinem Munde stammenden gottesdienstlichen Regel zufrieden zu geben und allen selbsterfundenen Kult fahren zu lassen.

Mit diesem freiwilligen Bekenntnis, Sadolet, legt Ihr daher selbst das Fundament zu meiner Verteidigung. Denn wenn Ihr offen zugebt, es sei der Tod der Seelen, ihr schreckliches Ende, wenn Gottes Wahrheit durch einen Wust von Einbildungen in Lüge verkehrt wird, dann bleibt uns jetzt nur übrig zu untersuchen, welche von beiden Parteien denn eigentlich den allein rechtmäßigen Gottesdienst bewahrt. Um ihn Eurer Seite zuzusprechen, geht Ihr von der Annahme aus, die felsenfeste Richtschnur hierfür sei die Vorschrift der Kirche. Doch als ob wir Euch hier Widerstand leisten wollten, stellt Ihr, wie es einem bei zweifelhaften Sachen zu gehen pflegt, diesen Satz wieder zur Diskussion. Ich will Euch aber, Sadolet, weil ich sehe, wie Ihr darüber ganz umsonst in Schweiß geratet, dieser Mühe entheben. Ihr geht nämlich von der falschen Meinung aus, wir wollten die Christenheit von der Art der Gottesverehrung abbringen, wie sie die katholische Kirche immer geübt hat. Doch habt Ihr entweder vom Begriff der Kirche Wahnvorstellungen, oder Ihr macht Euch in festem Wissen und Wollen blauen Dunst vor. Zwar werde ich Euch gleich bei diesem Versuch ertappen. Doch mag Euch hier und da auch ein Irrtum unterlaufen. Zunächst übergeht Ihr in der Definition der Kirche [ein Merkmal], das Euch zum rechten Verständnis nicht wenig geholfen hätte. Wenn Ihr nämlich behauptet, das mache die [katholische] Kirche aus, »dass sie in der ganzen Vergangenheit ebenso wie heute auf der ganzen Erde, eins und einmütig in Christus, überall und immer von dem einen Geist Christi geleitet wurde«: Wo bleibt da das Wort Gottes, jenes deutlichste Merkmal, das uns der Herr selbst zur Kennzeichnung der Kirche so und so oft ans Herz legt? Weil er nämlich voraussah, wie gefährlich es sei, ohne das Wort nur den Geist im Munde zu führen, hat er zwar verheißen, dass die Kirche vom Heiligen Geist geleitet werde, diese Leitung aber an das Wort gebunden, damit man sie nicht für etwas Vages und Unsicheres halten könne.

[367] [...] Ihr, Sadolet, müsst nun gleich beim ersten Ansturm das Schandmal büßen, das Ihr dem Geist durch die Trennung vom Wort eingebrannt habt. Denn als ob die, die Gottes Weg suchen, auf einen Scheideweg gestellt und jedes zuverlässigen Wegweisers beraubt wären, seht Ihr Euch veranlasst, sie vor die Alternative zu stellen: ob es förderlicher sei, der Autorität der Kirche zu folgen oder auf die zu hören, die Ihr die Erfinder neuer Dogmen nennt. Wenn Ihr gewusst oder Euer Wissen nicht hättet verleugnen wollen, dass der heilige Geist der Kirche leuchtet, um ihr das Verständnis für das Wort zu öffnen, das Wort aber der lydische Stein ist, an dem sie alle Lehren prüfen muss: [369] hättet Ihr dann wohl zu einer ebenso verzwickten wie spitzfindigen Frage Zuflucht genommen? Lernt also aus Eurem Versuch, dass es ebenso unglücklich ist, den Geist ohne das Wort zu bemühen, wie es abgeschmackt wäre, ohne den Geist nur das Wort hervorzukehren!

Wenn Ihr es jetzt über Euch bringt, eine Definition der Kirche – wahrheitsgemäßer als die Eure – anzunehmen, so sagt in Zukunft: Sie ist die Gemeinschaft aller Heiligen, welche, über den ganzen Erdkreis und durch alle Zeiten zerstreut, doch durch die eine Lehre Christi und den einen Geist verbunden ist und an der Einheit des Glaubens und brüderlicher Eintracht festhält und sie pflegt. Dass wir mit dieser Kirche in irgendeinem Punkt uneins wären, bestreiten wir entschieden. Wie wir sie vielmehr als Mutter verehren, so wollen wir auch in ihrem Schoß bleiben.

[...] Wir stimmen nicht nur weit besser mit der Tradition überein als Ihr, sondern mühen uns auch um nichts anderes, als eben das alte Gesicht der Kirche wiederherzustellen, das zuerst von ungebildeten und nicht gerade den besten Menschen hässlich entstellt, später vom römischen Papst und seiner Partei schmachvoll verletzt und nahezu vernichtet worden ist.

[Aus den Darlegungen zum dreifachen Grund der Kirche: Über die Rechtfertigung]

[375] [...] unter unseren Glaubenssätzen, die Ihr genau meintet durchnehmen zu müssen, führt Ihr keinen an, dessen Kenntnis für den Aufbau der Kirche nicht höchst notwendig wäre. Die Rechtfertigung aus Glauben berührt Ihr an erster Stelle. Darüber führen wir ja auch den ersten und härtesten Streit mit Euch. Gehört sie etwa zu jenen spitzfindigen und unnützen Fragen? Nein, wenn ihre Erkenntnis verschwindet, ist Christi Herrlichkeit erloschen, die Religion abgeschafft, die Kirche zerstört und die Hoffnung auf unser Heil völlig gescheitert. Diese Lehre also, behaupten wir, die das Herzstück der Religion war, ist von Euch wider göttliches Recht aus dem Bewusstsein der Menschen getilgt worden. Den klaren Beweis in dieser Sache führen unsere Bücher. Und die haarsträubende Unwissenheit, die darüber bis heute noch in allen Euren Gemeinden herrscht, zeigt, dass wir keineswegs fälschlich Klage erhe[377]ben. Ihr aber hängt uns aus schierer Boshaftigkeit die üble Nachrede an, wir machten alles vom Glauben abhängig und ließen so keinen Raum mehr übrig für die Werke. [...] will ich Euch hier in Kürze darlegen, wie wir darüber reden. Zunächst lassen wir den Menschen mit seiner Selbsterkenntnis den Anfang machen, und das nicht leichtfertig oder oberflächlich, vielmehr soll er sich mit seinem Gewissen vor Gottes Richterstuhl stellen. Und wenn er dann vom Zustand seiner Ungerechtigkeit sattsam überführt ist, soll er zugleich auch die Strenge des Urteilsspruchs bedenken, der über alle Sünder ergeht. So wirft er sich, durch sein Elend aus der Fassung gebracht und zu Boden geschlagen, vor Gott nieder und demütigt sich: Er lässt alles Selbstvertrauen fahren und seufzt, als wäre er dem äußersten Verderben preisgegeben. Dann zeigen wir ihm den einzigen Ankergrund seines Heils, die Barmherzigkeit Gottes, die uns in Christus dargeboten wird, ist doch in ihm alles erfüllt, was zu unserem Heil gehört. Weil also alle Sterblichen vor Gott als Sünder verloren sind, nennen wir Christus unsere einzige Gerechtigkeit: Er hat mit seinem Gehorsam unsere Übertretungen getilgt, mit seinem Opfer Gottes Zorn besänftigt, mit seinem Blut unsere Flecken abgewaschen, durch sein Kreuz unseren Fluch aufgehoben, mit seinem Tod für uns alles beglichen. Auf diese Weise also, lehren wir, wird in Christus der Mensch mit Gott, dem Vater versöhnt: nicht durch irgendein Verdienst, nicht durch die Würdigkeit seiner Werke, sondern allein durch unverdiente Gnade. Weil wir aber im Glauben Christus umfassen und gleichsam in Gemeinschaft mit ihm eintreten, nennen wir diesen Glauben nach der Weise der Schrift Glaubensgerechtigkeit.

Was habt Ihr da zu beißen und auseinanderzupflücken, Sadolet? Etwa, dass wir für die Werke keinen Raum lassen? In der Tat, wenn es um [379] die Rechtfertigung des Menschen geht, bestreiten wir ihnen auch nur ein Haar breit Geltung. Denn überall redet die Schrift unüberhörbar davon, dass alle verloren sind, und es klagt einen jeden sein eigenes Gewissen schwer genug an. Keine

Hoffnung bleibt uns übrig als allein Gottes Güte, die uns die Sünden vergibt und Gerechtigkeit zuspricht: so lehrt es dieselbe Schrift. Und beides, erklärt sie, geschieht umsonst: so kann sie am Ende verkünden, der Mensch sei ohne Werke selig (Röm 4,7). Was aber bringt uns denn dann das Wort Gerechtigkeit zur Kenntnis, wenn es auf gute Werke keinerlei Rücksicht nimmt? Ja, wenn Ihr darauf achten wolltet, was die Schrift mit dem Wort »rechtfertigen« bezeichnet, würdet Ihr an dieser Stelle nicht stecken bleiben. Sie bezieht es nämlich nicht auf die eigene Gerechtigkeit des Menschen, sondern auf Gottes Güte, die den Sünder gegen sein Verdienst annimmt und ihm Gerechtigkeit verschafft und zwar dadurch, dass sie ihm seine Ungerechtigkeit nicht anrechnet. Darin, sage ich, besteht unsere Gerechtigkeit, wie sie Paulus beschreibt, dass Gott uns mit sich selbst in Christus versöhnt hat (2 Kor 5,19). Auf welche Weise das geschehen ist, folgt gleich darauf: »indem er ihnen ihre Übertretungen nicht anrechnete«. Dass wir durch den Glauben dieses Gutes teilhaftig werden, zeigt er schließlich, indem er feststellt, dass der Dienst dieser Versöhnung im Evangelium beschlossen liegt. Doch ein »weiter Begriff«, sagt Ihr, ist das Wort Glaube, und seine Bedeutung liege noch tiefer verborgen. Aber doch verbindet ihn Paulus, sooft er ihm das Vermögen unserer Rechtfertigung zuschreibt, alsbald mit der unverdienten Verheißung göttlicher Zuwendung, hält ihn aber von jeder Beziehung auf die Werke fern. Daher der ihm vertraute Schluss: »Wenn aus Glauben, dann nicht aus den Werken«, und umgekehrt: »Wenn aus den Werken, dann nicht aus Glauben« [vgl. Röm 11,6].

Gleichwohl tut man Christus Unrecht, wenn man unter dem Vorwand seiner Gnade gute Werke verwirft, ist er doch gekommen, das Volk »angenehm zu machen für Gott, eifrig zu guten Werken« [Tit 2,14; Vulgatatext]. Und ähnliche Zeugnisse dafür gibt es in Fülle, aus denen hervorgeht, Christus sei deshalb erschienen, damit wir durch ihn als Menschen, die recht handeln, Gott angenehm sein sollen. [...] Dass gute Werke an der Rechtfertigung des Menschen irgendeinen Anteil haben, bestreiten wir allerdings; im Leben der Gerechtfertigten aber beanspruchen wir für sie das ganze Feld. Denn wer Gerechtigkeit erlangt hat, besitzt Christus, Christus aber kann nirgends [381] ohne seinen Geist sein. Daraus geht klar hervor, dass die Gerechtigkeit aus Gnaden notwendig mit der Wiedergeburt verbunden ist. Wenn man also genau verstehen will, wie unzertrennlich Glaube und Werke zusammengehören, muss man auf Christus sehen, der uns, wie der Apostel lehrt, zur Gerechtigkeit und Heiligung gegeben ist (1 Kor 1,30). Wo immer sich also diese Glaubensgerechtigkeit findet, die wir als ein Geschenk der Gnade verkündigen, dort ist auch Christus. Wo aber Christus ist, da ist der Geist der Heiligung, der die Herzen zu neuem Leben umschafft. Und umgekehrt: Wo sich der Eifer nach Uneigennützigkeit und Heiligung nicht regt, dort ist auch weder Christi Geist noch Christus selbst.

In der Gesamtausgabe: Ioannis Calvini Opera quae supersunt omnia. Ed. Wilhelm Baum, Eduard Cunitz, Eduard Reuss. Braunschweig: Schwetschke, 1863-1900, Bd. 5, 385-416; Ioannis Calvini Opera Selecta. Ediderunt Petrus Barth, Guilelmus Niesel, Dora Scheuner. München: Kaiser, 1926-1952, Bd. 1, 457-489. Übersetzung nach: Calvin-Studienausgabe. Hg. v. Eberhard Busch u. a. Bd. 1: Reformatorische Anfänge [1533-1541]. Teilband 1/2. Neukirchen-Vluyn: Neukirchener Verlag, 1994, 337-429 [Übersetzung von Matthias Simon bearbeitet von Christian Link].

Johannes Calvin: Institutio christianae religionis (1559)

Die *Institutio christianae religionis* gilt zu Recht als Calvins Lebenswerk. Die erste Auflage verfasste der 1509 in Noyon geborene junge Humanist und Jurist in Basel, wohin er 1535 geflüchtet war, als in Paris die Anhänger lutherischer Ideen verfolgt wurden und er selbst ins Visier der Behörden geraten war. Er profilierte sich in dieser dem französischen König gewidmeten und 1536 publizierten Schrift als exzellenter Theologe und gewandter Verteidiger reformatorischer Ideen – Grund genug für Guillaume Farel, den Durchreisenden in Genf festzuhalten, um ihn für den Aufbau der Kirche in Genf zu gewinnen. Bis zu seinem Tod 1564 wirkte Calvin mit einer Unterbrechung von 1538 bis 1541 in Genf als Reformator.

Um ihm gerecht zu werden, berücksichtigt die heutige Forschung neben seiner systematischen Hauptschrift vermehrt v. a. die exegetischen und paränetischen Schriften des Reformators. Gleichwohl bleibt die Institutio, an der Calvin lebenslang arbeitete und feilte, sein Hauptwerk, das in fünf lateinischen und vier französischen Ausgaben erschien. In ihrer Endfassung besteht sie aus vier Büchern und schreitet von der »Erkenntnis Gottes als des Schöpfers« (I) über die »Erkenntnis Gottes als des Erlösers in Christo« (II), die Weise des Teilhaftigwerdens an der Gnade Jesu Christi und die daraus resultierenden Früchte und Wirkungen (III) zu den »äußeren Mitteln oder Beihilfen, mit denen uns Gott zu der Gemeinschaft mit Christus einlädt und in ihr erhält« (IV).

Die hier vorgelegten Texte stammen aus der letzten lateinischen Ausgabe von 1559. Sie dokumentieren mit Inst. I,1 den Anfang des Werkes, das – in langer spiritualitätstheologischer und humanistischer Tradition stehend – mit einer Reflexion über die Summe der Weisheit in Gotteserkenntnis und Selbsterkenntnis und somit über den rechten Ansatz der Erkenntnis anhebt, dabei aber durch das Pochen auf den Vorrang der Gotteserkenntnis (Inst. I,2–5) und die Angewiesenheit auf das durch den Geist versiegelte Wort Gottes (Inst. I,6 f) eigene Akzente setzt und den humanistischen Optimismus der Selbsterkenntnis empfindlich bricht.

Inst. I,2 entfaltet die Gotteserkenntnis als zweifache Erkenntnis des Schöpfers und des Erlösers, die in beiden Hinsichten Erkenntnis der Zuwendung Gottes zum Menschen ist. Denn Gott ist seiner Schöpfung gegenüber kein müßiger Gott, sondern beschenkt sie als Brunnquell aller Güter, ordnet sie in Weisheit und regiert sie durch seine Vorsehung. Aus dieser Einsicht resultieren Frömmigkeit und Dankbarkeit, zu denen Calvin anleiten will.

Inst. III,2 entfaltet Calvins Glaubenstheologie, die auf der Rechtfertigungslehre basiert. Der Glaube ist auf Jesus Christus verwiesen, in dem Gott sich als gnädig zu erkennen gibt und so den Menschen zu sich lockt. Die Erkenntnis des Wohlwollens Gottes wird durch den Heiligen Geist im Herzen des Menschen versiegelt, so dass der Mensch seinerseits sein Vertrauen wahrhaft auf Gott setzen kann. Konsequenz ist für Calvin ein Leben, das der Berufung zur Gotteskindschaft entspricht (Inst. III,6): Wir sind nicht unsere eigenen Herren, sondern Gottes Eigentum (Inst. III,7).

Buch I: Von der Erkenntnis Gottes als des Schöpfers

Erstes Kapitel: Die Erkenntnis Gottes und die Selbsterkenntnis stehen in Beziehung zueinander. Das Wesen dieses Zusammenhangs soll hier gezeigt werden.

I,1,1

All unsere Weisheit, sofern sie wirklich den Namen Weisheit verdient und wahr und zuverlässig ist, umfasst im Grunde eigentlich zweierlei: die Erkenntnis Gottes und unsere Selbsterkenntnis. Diese beiden aber hängen vielfältig zusammen, und darum ist es nun doch nicht so einfach zu sagen, welche denn an erster Stelle steht und die andere aus sich heraus bewirkt. Es kann nämlich erstens kein Mensch sich selbst betrachten, ohne sogleich seine Sinne darauf zu richten, Gott anzuschauen, in dem er doch »lebt und webt« (Apg. 17,28). Denn all die Gaben, die unseren Besitz ausmachen, haben wir ja offenkundig gar nicht von uns selber. Ja, selbst unser Dasein als Menschen besteht doch nur darin, dass wir unser Wesen in dem einigen Gott haben! Und zweitens kommen ja diese Gaben wie Regentropfen vom Himmel zu uns hernieder, und sie leiten uns wie Bächlein zur Quelle hin. Noch viel deutlicher aber wird gerade in unserer Armut der unermessliche Reichtum aller Güter erkennbar, der in Gott wohnt. Besonders zwingt uns der jämmerliche Zerfall, in den uns der Abfall des ersten Menschen hineingestürzt hat, unsere Augen emporzurichten: Hungrig und verschmachtend sollen wir von Gott erflehen, was uns fehlt, aber zugleich auch in Furcht und Erschrecken lernen, demütig zu sein. Denn der Mensch birgt ja in jeder Hinsicht eine Welt von Elend in sich, und seitdem wir der göttlichen Zier verlustig gegangen sind, macht eine beschämende Blöße unendlich viel Schande offenbar. Ist es aber so, dann muss ja notwendig jeder Mensch vom Bewusstsein seines heillosen Zustandes wenigstens zu irgendeinem Wissen um Gott getrieben werden: Wir empfinden unsere Unwissenheit, Eitelkeit, Armut, Schwachheit, unsere Bosheit und Verderbnis – und so kommen wir zu der Erkenntnis, dass nur in dem Herrn das wahre Licht der Weisheit, wirkliche Kraft und Tugend, unermesslicher Reichtum an allem Gut und reine Gerechtigkeit zu finden ist. So bringt uns gerade unser Elend dahin, Gottes Güter zu betrachten, und wir kommen erst dann dazu, uns ernstlich nach ihm auszustrecken, wenn wir angefangen haben, uns selber zu missfallen. Denn (von Natur) hat jeder Mensch viel mehr Freude daran, sich auf sich selber zu verlassen, und das gelingt ihm auch durchaus – solange er sich selber noch nicht kennt, also mit seinen Fähigkeiten zufrieden ist und nichts von seinem Elende weiß oder wissen will. Wer sich also selbst erkennt, der wird dadurch nicht nur angeregt, Gott zu suchen, sondern gewissermaßen mit der Hand geleitet, ihn zu finden.

I,1,2

Aber andererseits kann der Mensch auf keinen Fall dazu kommen, sich selbst wahrhaft zu erkennen, wenn er nicht zuvor Gottes Angesicht geschaut hat und dann von dieser Schau aus dazu übergeht, sich selbst anzusehen. Denn uns ist ja ein mächtiger Hochmut geradezu angeboren [...]. Wir sind ja von Natur alle zur Heuchelei geneigt, und so befriedigt uns schon irgendein leerer Schein von Gerechtigkeit ebensosehr, wie es die Gerechtigkeit selber nur könnte. Und weil unter uns und um uns rein nichts zu erblicken ist, das nicht mit schrecklichster Unreinigkeit befleckt wäre, so begeistert uns, solange wir über die Grenzen menschlicher Unreinheit nicht hinausblicken, schon das, was bloß ein bisschen weniger besudelt ist, weil wir es bereits für ganz rein halten. Es geht wie bei einem Auge, das ausschließlich an den Anblick schwarzer Farbe gewöhnt ist – und das dann schon für schneeweiß hält, was vielleicht grau oder geschwärztes Weiß ist. Überhaupt können wir uns an dem leiblichen Sinnesorgan (dem Auge!) ein Beispiel nehmen, wie sehr wir in der Beurteilung unserer inneren Tüchtigkeit Trugbildern erliegen. Denn wenn wir am lichten Tage die Erde anschauen oder das, was uns umgibt, so wähnen wir wohl, ein starkes und durchdringendes Sehvermögen zu besitzen. Sobald wir aber die Sonne mit offenem Auge stracks anblicken wollen, so wird jene Sehkraft, die den Dingen dieser Erde gegenüber völlig ausreichte, ganz überwältigt und geblendet, so dass wir bekennen müssen, dass diese Sehkraft, so scharf sie im Irdischen war, gegen die Sonne geradezu Schwachsichtigkeit ist!

Genau so ist es bei der Betrachtung unseres geistlichen Besitzes. Lenken wir den Blick nicht über die Erde hinaus, so sind wir mit der eigenen Gerechtigkeit, Weisheit und Tugend reichlich zufrieden und schmeicheln uns mächtig – es fehlte, dass wir uns für Halbgötter hielten! Aber wenn wir einmal anfangen, unsere Gedanken auf Gott emporzurichten, wenn wir bedenken, was er für ein Gott sei, wenn wir die strenge Vollkommenheit seiner Gerechtigkeit, Weisheit und Tugend erwägen, der wir doch gleichförmig sein sollten – so wird uns das, was uns zuvor unter dem trügerischen Gewand der Gerechtigkeit anglänzte, zur fürchterlichsten Ungerechtigkeit; was uns als Weisheit wundersam Eindruck machte, wird grausig als schlimmste Narrheit offenbar, was die Maske der Tugend an sich trug, wird als jämmerlichste Untüchtigkeit erfunden! So wenig kann vor Gottes Reinheit bestehen, was unter uns noch das Vollkommenste zu sein schien.

I,1,3
[...] Gewiss: Gotteserkenntnis und Selbsterkenntnis sind fest miteinander verknüpft. Aber die rechte Ordnung in der Lehre verlangt, dass wir zunächst die Gotteserkenntnis und dann die Selbsterkenntnis behandeln.

Zweites Kapitel: Wesen und Aufgabe der Gotteserkenntnis

I,2,1
Erkenntnis Gottes ist nun für mein Verständnis nicht allein darin beschlossen, dass wir wissen: Es ist ein Gott. Wir sollen auch festhalten, was uns von ihm zu wissen nottut, was zu seiner Ehre dient, was uns zuträglich ist. Denn es kann von einem eigentlichen Erkennen Gottes keine Rede sein, wo Ehrfurcht (religio) und Frömmigkeit fehlen. Und dabei denke ich noch nicht einmal an jene Weise der Erkenntnis Gottes, durch welche in sich verlorene und verdammte Menschen in Christus, dem Mittler, Gott als Erlöser ergreifen. Hier ist bloß von jener ursprünglichen und einfachen Erkenntnisweise die Rede, zu welcher schon die Ordnung der Natur führen würde, wenn Adam nicht gefallen wäre. Es kann zwar gewiss in dieser Verderbnis der Menschheit kein Mensch Gott als den Vater, den Urheber seines Heils, noch irgendwie als den gnädigen Gott erkennen, ehe denn Christus ins Mittel tritt, um uns den Frieden mit Gott zu erringen. Gleichwohl ist es etwas anderes, Gott zu erkennen als den Schöpfer, der uns mit seiner Macht trägt, mit seiner Vorsehung leitet, mit seiner Güte pflegt, mit der Fülle seiner Segnungen begleitet, und wiederum etwas anderes, die Gnade der Versöhnung zu ergreifen, die uns in Christus zukommt. Weil uns nun der Herr erstlich einfach als der Schöpfer entgegentritt – in seinem Werke, der Welt, wie auch der allgemeinen Lehre der Schrift – und dann fernerhin im Angesicht Christi als der Erlöser, so ergibt sich eine zwiefache Erkenntnis Gottes. [...] Obwohl man nun Gott innerlich nicht erfassen kann, ohne ihm zugleich irgendeine Verehrung zu erweisen, so genügt es doch nicht, einfach festzuhalten, er sei der Einige, der von allen angebetet und verehrt werden müsse. Wir müssen vielmehr auch überzeugt sein, dass er der Brunnquell aller Güter ist, damit wir nichts Gutes suchen außer in ihm. Dies meine ich, weil er die Welt, wie er sie einst schuf, so noch stets mit unendlicher Macht trägt, mit seiner Weisheit ordnet, mit seiner Güte erhält, weil er insbesondere die Menschheit mit Gerechtigkeit und Gericht regiert, mit

Barmherzigkeit gewähren lässt, mit seiner Wehr schützt und überhaupt weil nirgendwo ein Tröpflein Weisheit oder Licht, oder Gerechtigkeit, oder Kraft, oder Heiligkeit, oder gewisser Wahrheit sich findet, das nicht von ihm her flösse und dessen Ursprung nicht er wäre! Auf diese Weise lernen wir, alles von ihm zu erwarten und zu erbitten und mit Danksagung alles als seine Gabe anzuerkennen. Denn diese Wahrnehmung der Macht und Güte Gottes ist für uns der rechte Lehrmeister der Frömmigkeit, aus der die Religion entsteht. Frömmigkeit nenne ich die mit Liebe verbundene Ehrfurcht vor Gott, welche aus der Erkenntnis seiner Wohltaten herkommt. Solange aber der Mensch nicht empfindet, dass er Gott alles verdankt, dass Gott ihn durch seine väterliche Fürsorge umfängt und alle seine Güter über ihn ausschüttet, so dass nichts außer ihm zu suchen ist – solange unterwirft er sich ihm niemals in freiwilliger Dienstbereitschaft. Ja, wo er nicht all sein Heil auf ihn gründet, da wird er sich ihm nimmermehr wahrhaftig und von Herzen ganz übergeben.

Sechstes Kapitel: Wer zu Gott, dem Schöpfer, gelangen will, der muss die Schrift zum Leiter und Lehrer haben

I,6,1

Gewiss verliert also die menschliche Undankbarkeit jede Möglichkeit der Entschuldigung um des Glanzes willen, der im Himmel und auf Erden in aller Augen fällt – wie denn Gott, um alle Menschen gleichermaßen schuldig zu machen, allen ohne Ausnahme die Umrisse seines Wesens in der Kreatur vor Augen stellt. Aber es bedarf eines anderen und besseren Mittels, das uns zuverlässig zum Schöpfer der Welt selber weise. Deshalb hat Gott mit gutem Grunde das Licht seines Wortes hinzugegeben, um sich uns dadurch zu unserem Heil kundzumachen. Dieses Vorzugs hat er diejenigen gewürdigt, die er in seine nähere und vertrautere Gemeinschaft ziehen wollte. Aller Menschen Gemüter sah er durch schweifende und unbeständige Gedanken umgetrieben. Als er nun die Israeliten zu seiner besonderen Herde erwählt hatte, da umgab er sie deshalb mit Schranken, damit sie nicht nach der Weise der andern in Eitelkeit verfielen. Aus demselben guten Grunde setzt er auch uns Schranken, um uns bei der reinen Gotteserkenntnis zu halten; wie bald würden sich sonst auch die verlaufen, welche fester zu stehen scheinen als andere! Denn so wie alte Leute, Schwachsichtige und Augenkranke, wenn man ihnen auch den schönsten Band vor die Augen hält, zwar merken, dass da etwas geschrieben steht, aber kaum zwei Worte zusammensetzen können, dann aber mit Hilfe einer Brille deutlich zu lesen anfangen – so bringt die Schrift unser sonst so verworrenes Wissen um Gott in die richtige Ordnung, zerstreut das Dunkel und zeigt uns deutlich den wahren Gott. Das ist gewisslich ein einzigartiges Geschenk Gottes: Er braucht zur Unterweisung seiner Kirche nicht bloß stumme Lehrmeister, sondern öffnet selbst seinen heiligen Mund! Und dabei gibt er nicht bloß die Anweisung, es sei irgendein Gott zu verehren, sondern er zeigt sich selbst als den, der verehrt werden will! Er lehrt seine Auserwählten nicht nur, auf Gott zu schauen, nein, er tritt ihnen selbst gegenüber als der, auf den sie schauen sollen! Diese Ordnung hat er von Anfang an in seiner Kirche gehalten, dass er neben jener allgemeinen Bezeugung auch sein Wort gegeben hat, das ein klareres und gewisseres Mittel ist, ihn zu erkennen.

Siebtes Kapitel: Das Ansehen der Schrift beruht auf dem Zeugnis des Geistes

I,7,5
Dabei also soll es bleiben: Wer innerlich vom Heiligen Geist gelehrt ist, der verharrt fest bei der Schrift, und diese trägt ihre Beglaubigung in sich selbst; daher ist es nicht angebracht, sie einer Beweisführung und Vernunftgründen zu unterwerfen. Die Gewissheit aber, die sie uns gewinnt, die erlangen wir durch das Zeugnis des Geistes. Gewiss verschafft sich die Schrift ganz von selbst durch ihre eigene Majestät Ehrfurcht, aber sie ergreift uns erst dann recht und ernstlich, wenn sie durch den Geist in unserem Herzen versiegelt ist. Dass die Schrift von Gott kommt, das glauben wir, weil die Kraft des Geistes uns erleuchtet, nicht aber auf Grund des eigenen Urteils oder desjenigen anderer Leute. Es ist ja gerade, als ob wir Gottes eigene Majestät hier erschauten; und deshalb ist unsere Gewissheit unerschütterlich fest, stärker, als sie uns menschliches Urteil verleihen könnte. So halten wir dafür, dass die Schrift zwar durch den Dienst von Menschen, aber tatsächlich doch aus Gottes eigenem Munde zu uns kommt. [...] wir kommen zu dieser Gewissheit, weil wir empfinden, dass hier die unbezweifelbare Gewalt göttlicher Majestät waltet und wirkt – und diese Kraft zieht und entzündet uns zum Gehorsam, mit Wissen und Willen, aber viel lebendiger und stärker, als alles menschliche Wollen und Wissen! [...]

Buch III: Auf welche Weise wir der Gnade Christi teilhaftig werden, was für Früchte uns daraus erwachsen und was für Wirkungen sich daraus ergeben

Zweites Kapitel: Vom Glauben, seinem Wesen und seinen Eigenschaften

III,2,1
Dies alles aber ist leichter zu erkennen, sobald wir eine klarere Bestimmung des Glaubens aufgestellt haben, damit die Leser von dessen Kraft und Wesen eine deutliche Vorstellung haben. [...] Es ist freilich wahr: Der Glaube schaut auf den einigen Gott; aber es muss dann noch zugefügt werden, dass er den erkennen soll, den Gott gesandt hat, Jesum Christum! (Joh. 17,3). Denn Gott selbst wäre uns fern und verborgen, wenn uns Christus nicht mit seinem Glanz umstrahlte. Der Vater hat alles, was er hatte, dem Eingeborenen gegeben, um sich uns in ihm zu of-

fenbaren, und das zu dem Zweck, dass eben diese Gemeinschaft der Güter das wahre Ebenbild seiner Herrlichkeit (an Christus) zum Ausdruck brächte. Wenn es oben hieß, der Geist müsse uns ziehen, damit wir angetrieben werden, Christus zu suchen, so müssen wir uns auf der anderen Seite vergegenwärtigen, dass der unsichtbare Vater nur in diesem seinem Ebenbilde zu suchen ist! [...]

III,2,6

Die wahre Erkenntnis Christi besteht also darin, dass wir ihn annehmen, wie ihn uns der Vater darbietet, nämlich umkleidet mit seinem Evangelium. Denn wie er dazu bestimmt ist, der Ziel- und Richtpunkt unseres Glaubens zu sein, so können wir nur dann den rechten Weg zu ihm einschlagen, wenn uns das Evangelium vorangeht. Dort eröffnen sich dann alle Schätze der Gnade; wären uns diese nicht erschlossen, so nützte uns Christus gar wenig! So gibt Paulus der Lehre zum unabtrennlichen Gefährten den Glauben: »Ihr aber habt Christum nicht also gelernt, so ihr anders [...] in ihm gelehrt seid, wie in Christo ein rechtschaffenes Wesen ist« (Eph. 4,20 f). [...]

Die Einsicht des Glaubens hat es nämlich nicht bloß damit zu tun, dass wir anerkennen: Es ist ein Gott; sondern es handelt sich auch, ja vornehmlich darum, dass wir begreifen, wie sein Wille uns gegenüber beschaffen ist. [...] Der Glaube ist die aus dem Worte Gottes geschöpfte Erkenntnis des Willens Gottes uns gegenüber. Seine Grundlage aber ist eine feste Überzeugung von Gottes Wahrheit. Solange unser Herz über die Gewissheit dieser Wahrheit mit sich selber im Streite liegt, wird das Wort eine bloß zweifelhafte und schwache, ja eigentlich gar keine Autorität haben. Denn es ist nicht genug, wenn man glaubt, dass Gott wahrhaftig ist und weder trügen noch lügen kann; nein, es muss auch ohne allen Zweifel feststehen, dass alles, was von ihm ausgeht, heilige und unverletzliche Wahrheit ist.

III,2,7

Nun vermag aber nicht jedes Wort Gottes das Menschenherz zum Glauben zu bewegen. Wir müssen also jetzt noch untersuchen, worauf der Glaube im Wort eigentlich schaut. [...] Wir werden erst dann angelockt, Gott zu suchen, wenn wir gelernt haben, dass bei ihm unser Heil liegt, und das wird uns zur Gewissheit, wenn er erklärt, dass er um unser Heil sorgt und eifert. Es bedarf also der Verheißung der Gnade, durch die er uns bezeugt, dass er unser gnädiger Vater ist; denn nur dann können wir zu ihm nahen, und auf ihr allein kann das Menschenherz sicher ruhen.

Aus diesem Grunde finden wir in den Psalmen immer wieder zwei Worte zusammengestellt, die auch tatsächlich zusammengehören: Barmherzigkeit und Wahrheit. Denn es würde uns nichts helfen, wenn wir wüssten, dass Gott wahrhaftig ist, sofern er uns nicht zugleich freundlich zu sich lockte, und anderseits könnten wir seine Barmherzigkeit nicht ergreifen, wenn er sie uns nicht in seinem Worte anböte! [...]

Weil nun aber die Erkenntnis der göttlichen Güte wenig Belang hätte, wenn sie uns nicht dazu brächte, uns sicher auf sie zu verlassen, so muss vom Glauben jene mit dem Zweifel vermischte Erkenntnis ausgeschlossen bleiben, die ihrer Sache nicht sicher ist, sondern mit sich selber im Streite liegt. Aber unser Menschenverstand ist doch blind und verfinstert, und er kann gar nicht so weit vordringen und so hoch emporsteigen, um Gottes Willen zu erfassen, unser Herz wogt ja in stetem Zweifel auf und nieder, und es ist ebenfalls weit davon entfernt, in solcher Überzeugung sicher zu bestehen. Soll also Gottes Wort bei uns vollen Glauben finden, so muss von einer anderen Seite her unser Verstand erleuchtet, unser Herz gestärkt werden. Jetzt sind wir soweit, dass wir eine richtige Beschreibung vom Wesen des Glaubens geben können; wir müssen sagen: Er ist die feste und gewisse Erkenntnis des göttlichen Wohlwollens gegen uns, die sich auf die Wahrheit der in Christus uns dargebotenen Gnadenverheißung stützt und durch den Heiligen Geist unserem Verstand geoffenbart und in unserem Herzen versiegelt wird.

Sechstes Kapitel: Von dem Leben eines Christenmenschen. Vor allem, mit welchen Gründen uns die Schrift dazu ermahnt

III,6,1

Im Leben der Gläubigen soll ein Gleichklang, ein Zusammenstimmen zwischen Gottes Gerechtigkeit und ihrem eigenen Gehorsam stattfinden. Das ist der eigentliche Zweck der Wiedergeburt, wie ich bereits zeigte. Auf diese Weise sollen die Gläubigen die Berufung festmachen (Ausdruck nach 2. Petr. 1,10), mit der sie zu Kindern Gottes angenommen sind.

[...]

III,6,2

Diese Unterweisung, die uns die Schrift gibt und von der hier die Rede ist, besteht nun vor allem in zwei Stücken. Das erste liegt darin, dass die Liebe zur Gerechtigkeit, zu der wir sonst von Natur keineswegs geneigt sind, in unser Herz hineingeträufelt und eingeführt wird. Das zweite Stück hat sein Wesen darin, dass uns ein Richtmaß vorgeschrieben werden soll, das uns in unserem Trachten nach der Gerechtigkeit nicht vom Wege abirren lässt.

[...]

III,6,3

Um uns noch besser aufzumuntern, hält uns dann die Schrift weiterhin vor Augen: Wie Gott unser Vater sich in seinem Christus selber mit uns versöhnt hat, so hat er uns auch in ihm das Ebenbild vorgezeichnet, nach dem wir nach seinem

Willen gestaltet werden sollen (Röm. 6,18). Nun sollen doch die Leute, die da meinen, allein bei den Philosophen trete uns die Lehre von den guten Sitten recht und sinnreich angeordnet entgegen, einmal herkommen und mir bei den Philosophen eine herrlichere Anordnung aufzeigen! Wenn uns die Philosophen eine ganz ausgezeichnete Ermahnung zur Tugend geben wollen, dann tragen sie uns doch nichts anderes als den Satz vor, wir sollten der Natur gemäß leben. Die Schrift dagegen schöpft ihre Ermahnungen aus der wahren Quelle: Sie gibt uns nicht allein die Vorschrift, unser Leben auf Gott zu richten, der sein Geber ist und dem es verpflichtet ist, sondern sie lehrt uns auch, dass wir dem wahren Ursprung und dem wahren Gesetz unserer Erschaffung gegenüber entartet sind, und setzt dann hinzu, dass uns Christus, durch den wir bei Gott wieder in Gnaden angenommen sind, als Beispiel vor Augen gestellt ist, dessen Gestalt wir in unserem Leben zur Abbildung bringen müssen. [...]

Einen weiteren Anlass zu ihrer Ermahnung entnimmt die Schrift all den Wohltaten Gottes, die sie uns ins Gedächtnis ruft, und all den einzelnen Tatsachen, die unser Heil ausmachen. Da sich uns Gott, so lehrt sie uns, als unser Vater erzeigt hat, würden wir den Vorwurf schrecklichsten Undanks auf uns ziehen, wenn wir uns ihm nicht wiederum als Kinder erzeigten! (Mal. 1,6; Eph. 5,1; 1. Joh. 3,1). Da uns Christus mit seinem Blute gereinigt hat und uns diese Abwaschung durch die Taufe hat zuteil werden lassen, geht es nicht an, dass wir uns mit neuem Schmutz beflecken! (Eph. 5,26; Hebr. 10,10; 1 Kor. 6,11; 1 Petr. 1,16; 1 Petr. 1,19). Da uns Christus in seinen Leib eingefügt hat, müssen wir, die wir seine Glieder sind, uns sorglich davor hüten, uns mit Makel und Unreinigkeit zu besudeln! (1 Kor. 6,15; Joh. 15,3 ff.; Eph. 5,23 ff.). Da er, unser Haupt, zum Himmel emporgestiegen ist, ist es billig, dass wir allen Erdensinn von uns tun und von ganzem Herzen nach dem Himmel trachten! (Kol. 3,1 ff.). Da uns der Heilige Geist Gott zu Tempeln geweiht hat, müssen wir uns Mühe geben, dass Gottes Ehre durch uns verherrlicht werde, und wir dürfen es nicht dahin kommen lassen, dass wir durch den Unflat der Sünde entheiligt werden! (1 Kor. 3,16; 6,19; 2 Kor. 6,16). Da unsere Seele und unser Leib für die himmlische Unverwesbarkeit und einen unverwelklichen Kranz bestimmt sind, müssen wir alles daransetzen, dass sie rein und untadelig behalten werden auf den Tag des Herrn! (1 Thess. 5,23; Anklang an Phil. 1,10). Das sind wahrhaftig treffliche Fundamente zur rechten Gestaltung unseres Lebens, dergleichen man bei den Philosophen nie und nimmer antreffen wird; denn wenn diese die Tugend preisen wollen, so kommen sie doch nie über die natürliche Würde des Menschen hinaus!

Siebentes Kapitel: Die Hauptsumme des christlichen Lebens. Hier ist von der Selbstverleugnung zu reden

III,7,1

Das Gesetz des Herrn bietet uns gewiss eine großartige und trefflichst geordnete Anleitung zur Gestaltung unseres Lebens. Doch hat es unserem himmlischen Meister wohlgefallen, die Seinen noch auf eine genauere Weise nach der Regel zu bilden, die er im Gesetz vorgeschrieben hatte. Der Hauptgrundsatz dieser Erziehungsweise ist der: Die Gläubigen haben das Amt, »ihre Leiber zu begeben zum Opfer, das da lebendig, heilig und Gott wohlgefällig sei – welches sei ihr vernünftiger Gottesdienst!« (nach Röm. 12,1). Aus diesem Satz entnimmt Paulus Ursache zu der Ermahnung: »Und stellet euch nicht dieser Welt gleich, sondern verändert euch durch Erneuerung eures Sinnes, auf dass ihr prüfen möget, welches da sei der Wille Gottes!« (Röm. 12,2). Das ist nun eine große Sache, dass wir dem Herrn geheiligt und geweiht sind – um nun in unserem Denken, Reden, Trachten und Handeln nichts anderes zu tun, als was zu seiner Ehre dient! Denn das, was Gott heilig ist, zu unheiligem Gebrauch zu bestimmen, das bedeutet entsetzliches Unrecht gegen ihn! Sind wir nun aber nicht unsere eigenen Herren, sondern gehören wir dem Herrn – so wird sofort klar, welchen Irrtum wir zu meiden haben und worauf alle unsere Werke in unserem ganzen Leben zu richten sind.

Wir sind nicht unsere eigenen Herren – also darf bei unseren Plänen und Taten weder unsere Vernunft noch unser Wille die Herrschaft führen. Wir sind nicht unsere eigenen Herren – also dürfen wir uns nicht das Ziel setzen, danach zu suchen, was uns nach dem Fleische nütze! Wir sind nicht unsere eigenen Herren – also sollen wir uns und alles, was wir haben, soweit irgend möglich, vergessen!

Auf der anderen Seite: Wir sind Gottes Eigentum – also sollen wir ihm leben und ihm sterben! Wir sind Gottes Eigentum – also muss seine Weisheit und sein Wille bei all unserem Tun die Führung haben! Wir sind Gottes Eigentum – also muss unser Leben in allen seinen Stücken allein zu ihm als dem einzigen rechtmäßigen Ziel hinstreben! (Röm. 14,8). Wie weit ist der schon fortgeschritten, der erkannt hat, dass er nicht sein eigener Herr ist – und der deshalb seiner eigenen Vernunft Herrschaft und Regiment entzogen hat, um sie Gott allein zu überantworten! Denn die schädlichste Pestilenz, die die Menschen nur zugrunderichten kann, herrscht da, wo der Mensch sich selber gehorcht – und der einzige Hafen des Heils liegt dementsprechend darin, dass wir von uns aus nichts denken, von uns aus nichts wollen, sondern einzig dem Herrn folgen, wie er uns vorangeht!

[...]

In der Gesamtausgabe: Ioannis Calvini Opera quae supersunt omnia. Ed. Wilhelm Baum, Eduard Cunitz, Eduard Reuss. Braunschweig: Schwetschke, 1863–1900, Bd. 2; Ioannis Calvini Opera Selecta. Ediderunt Petrus Barth, Guilelmus Niesel, Dora Scheuner. München: Kaiser, 1926–1952; Bd. 3–5. Übersetzung aus: Unterricht in der christlichen Religion. Institutio christianae religionis. Nach der letzten Ausgabe übersetzt und bearbeitet von Otto Weber. Neukirchen-Vluyn: Neukirchener/foedus, 2008.

Der Heidelberger Katechismus (1563)

Der Heidelberger Katechismus ist bis heute die wichtigste reformierte Bekenntnisschrift nicht nur im deutschsprachigen Raum, sondern weltweit. Ursprünglich auf Anordnung des Kurfürsten Friedrich III. (1515–1576) für die Pfalz verfasst, erlangte der Katechismus im 18. und 19. Jahrhundert den Rang der reformierten Bekenntnisschrift schlechthin, die bis heute in rund 40 Sprachen übersetzt wurde.

Der Heidelberger Katechismus führt uns in die Zeit der Konfessionalisierung von Luthertum und Reformiertentum, die man in der älteren Forschung auch irreführenderweise als »zweite Reformation« bezeichnet hat. Kurfürst Friedrich III., auch der Fromme genannt, bemühte sich nach Kräften, die innerprotestantischen Gegensätze in seinem Territorium zu überwinden. Dieses Ziel verfolgte er auch mit seinem Katechismus, der keine theologische Partei bevorzugen, sondern schlicht »evangelisch« sein sollte. Seine Synthese von melanchthonischer und calvinischer Theologie stellt einen eigenen Typus reformierter Theologie dar, die auch als Deutschreformiertentum (Heinrich Heppe) bezeichnet wird. So steht die Tauflehre des Heidelberger Katechismus eher derjenigen Zwinglis nahe, die Abendmahlslehre dagegen eher der Theologie Calvins. Der Aufbau folgt der melanchthonischen Reihenfolge Gesetz – Evangelium – neuer Gehorsam bzw. Heiligung, füllt diese aber mit calvinischen Inhalten.

Zur Verfasserschaft machen die Quellen keine Angaben. Die Abfassung des Katechismus war einer Theologenkommission übertragen, der unter anderem der Melanchthonschüler Zacharias Ursinus (1534–1583) und der Calvinschüler Caspar Olevian (1536–1587) angehörten. Die neuere Forschung betrachtet Olevian aber nicht mehr im engeren Sinne als Mitverfasser des Katechismus. Dieser entstand durch Vereinigung von zwei Katechismen aus der Feder des Ursinus, der 1561 an die Universität Heidelberg berufen worden war. Er kann daher auch als Hauptverfasser des neuen Katechismus gelten. Sein einer Vorläuferkatechismus, in der Forschung auch Major genannt, war für Theologen gedacht. Er weist zahlreiche inhaltliche und sprachliche Übereinstimmungen mit dem Genfer Katechismus Calvins und anderen reformierten Katechismen auf.

Der andere, auch als Minor bezeichnet, war ein Volks- und Kinderkatechismus. Die Unterschiede zwischen den beiden Katechismen liegen nicht so sehr im Theologischen als in der didaktischen Zielsetzung.

Der neue Katechismus, der Lehrnorm und Volksbuch zugleich sein sollte, erschien im Januar 1563 unter dem Titel »Catechismus oder christlicher Underricht / wie der in Kirchen und Schulen der Churfürstlichen Pfalz getrieben wirdt«[1]. Er wurde noch im selben Jahr der neuen Kirchenordnung der Kurpfalz eingefügt. Seine 129 Fragen und Antworten sind für sonntägliche Katechismusgottesdienste, wie sie lange Zeit üblich waren, in 52 Abschnitte und für die Lesung im Hauptgottesdienst in 10 Lektionen gegliedert. Die Bibelstellen wurden auf Wunsch des Kurfürsten hinzugefügt, um die Schriftgemäßheit der reformierten Lehre unter Beweis zu stellen.

Der Katechismus hat drei Teile: Von des Menschen Elend (Frage 3–11), Von des Menschen Erlösung (Frage 12–85), Von der Dankbarkeit (Frage 86–129). Ihnen vorangestellt ist die Frage 1, mit welcher das Grundthema des gesamten Katechismus angeschlagen wird, nämlich die Frage nach unserem einzigen Trost im Leben und im Sterben. Dieses Thema wird, wie Frage 2 erläutert, im weiteren Katechismus analytisch entfaltet. Dem existentiellen Zugang zum christlichen Glauben entspricht seine von Melanchthon beeinflusste psychologisierende Deutung und die wiederholte Frage nach dem praktischen Nutzen dogmatischen Wissens.

Erst nachträglich wurde die Frage 80 hinzugefügt, welche an der katholischen Messfeier schneidende Kritik übt und später noch um das Verwerfungsurteil ergänzt wurde, es handele sich um eine »Verleugnung des einigen Opfers und Leidens Jesu Christi und eine vermaledeite Abgötterei«. Das Moderamen des Reformierten Bundes hat dazu eine ökumenische Erklärung abgegeben, die in den heutigen Ausgaben für den Gemeindegebrauch abgedruckt ist: »Diese Verwerfung wurde vor 400 Jahren formuliert; sie lässt sich nach Inhalt und Sprache in dieser Form nicht aufrechterhalten: Die Polemik gegen die Wiederholung des einmaligen Opfers Christi am Kreuz und die Anbetung der Elemente (Brot und Wein) wird dem nicht gerecht, was im ökumenischen Gespräch inzwischen an Verständigung erreicht werden konnte. Der bleibende Lehrunterschied besteht darin, dass die Eucharistie in der römisch-katholischen Kirche als ›Opfer‹, das Abendmahl im evangelischen Gottesdienst als ›Mahlfeier‹ begriffen wird; doch sollte sich dieser Unterschied nicht kirchentrennend auswirken.«

Für den Gebrauch in den Gemeinden wurde der Text 1963 und 1997 vom Reformierten Bund und den deutschen reformierten Kirchen revidiert.[2] Die

---

1 Das älteste datierbare Exemplar befindet sich in der Österreichischen Nationalbibliothek (Signatur 43.K.169).

2 Der Heidelberger Katechismus. Revidierte Ausgabe 1997, hg. v. der Ev.-ref. Kirche, von der Lippischen Landeskirche und vom Reformierten Bund, Neukirchen-Vluyn 2006.

nachfolgenden Auszüge verwenden die Ausgabe von Otto Weber, welche die Klangfarbe und den Rhythmus des alten Textes besser erkennen lässt.

1. FRAGE: Was ist dein einziger Trost im Leben und im Sterben?

ANTWORT: Dass ich mit Leib und Seel, beide im Leben und im Sterben (Rm. 14, 7.8), nicht mein (1 Kor. 6, 19), sondern meines getreuen Heilands Jesu Christi eigen bin (1 Kor. 3, 23), der mit seinem teuren Blut (1 Pt. 1, 18.19) für alle meine Sünden vollkömmlich bezahlet (1 Joh. 1, 7; 2, 2), und mich aus aller Gewalt des Teufels erlöst hat (1 Joh. 3, 8) und also bewahret (Joh, 6, 39), dass ohne den Willen meines Vaters im Himmel kein Haar von meinem Haupt kann fallen (Mt. 10, 29–31; Lk. 21, 18), ja auch mir alles zu meiner Seligkeit dienen muss (Rm. 8, 28). Darum er mich auch durch seinen heiligen Geist des ewigen Lebens versichert (2 Kor. 1,20–22; Eph. 1, 13.14) und ihm forthin zu leben von Herzen willig und bereit macht (Rm. 8, 14.16).

2. FRAGE: Wie viel Stücke sind die nötig zu wissen, dass du in diesem Trost seliglich leben und sterben mögest?

ANTWORT: Drei Stücke (Lk. 24, 46–48; 1 Kor. 6, 11; Tit. 3, 3–7): Erstlich, wie groß meine Sünde und Elend seien (Joh. 9, 41; 15, 22). Zum anderen, wie ich von allen meinen Sünden und Elend erlöst werde (Joh. 17, 3). Und zum dritten, wie ich Gott für solche Erlösung soll dankbar sein (Eph. 5, 8–11; 1 Pt. 2, 9.10; Rm. 6, 1.2.12.13).

Der erste Teil: Von des Menschen Elend

3. FRAGE: Woher erkennst du dein Elend?

ANTWORT: Aus dem Gesetz Gottes (Rm. 3, 20).

4. FRAGE: Was erfordert denn das göttliche Gesetz?

ANTWORT: Dies lehret uns Christus in einer Summa, Matthäus am 22.: Du sollst lieben Gott, deinen Herren, von ganzem Herzen, von ganzer Seele, von ganzem Gemüt und allen Kräften. Dies ist das vornehmste und das größte Gebot. Das ander aber ist dem gleich: Du sollst deinen Nächsten lieben als dich selbst. In diesen zweien Geboten hänget das ganze Gesetz und die Propheten (Lk. 10, 27).

5. FRAGE: Kannst du dies alles vollkömmlich halten?

ANTWORT: Nein (Rm. 3, 10, 23; 1 Joh. 1, 7.8), denn ich bin von Natur geneigt, Gott und meinen Nächsten zu hassen (Rm. 8, 7; Eph. 2, 3).

Der zweite Teil: Von des Menschen Erlösung

21. FRAGE: Was ist wahrer Glaube?

ANTWORT: Es ist nicht allein eine gewisse Erkenntnis, dadurch ich alles für wahr halte, was uns Gott in seinem Wort offenbaret (Jak. 1, 18), sondern auch ein herzliches Vertrauen (Rm. 4, 16 ff.; 5, 1), welches der Heilige Geist (2 Kor. 4, 13; Eph. 2, 8–9; Mt. 16, 17; Phil. 1, 19) durchs Evangelium in mir wirket (Rm. 1, 16; 10, 17), dass nicht allein anderen, sondern auch mir Vergebung der Sünden, ewige Gerechtigkeit und Seligkeit von Gott geschenkt sei (Hb. 11, 7–10; Rm. 1, 16) aus lauter Gnaden, allein um des Verdienstes Christi willen (Eph. 2, 7–9; Rm. 3, 24 f.; Gal. 2, 16).

22. FRAGE: Was ist aber einem Christen not zu glauben?

ANTWORT: Alles, was uns im Evangelium verheißen wird (Joh. 20,31; Mt. 28, 20), welches uns die Artikel unsers allgemeinen ungezweifelten christlichen Glaubens in einer Summa lehren.

26. FRAGE: Was glaubst du, wenn du sprichst: Ich glaub an Gott Vater, den Allmächtigen, Schöpfer Himmels und der Erden?

ANTWORT: Dass der ewige Vater unsers Herrn Jesu Christi, der Himmel und Erde samt allem, was darinnen ist, aus nichts erschaffen (1 Mose 1; Ps. 33, 6), auch dieselbigen noch durch seinen ewigen Rat und Vorsehung erhält und regiere (Ps. 104; Mt. 10, 29; Hb. 1, 3; Ps. 115, 1–3), um seines Sohns Christi willen mein Gott und mein Vater sei (Joh. 1, 12; Rm. 8, 15; Gal 4, 5–7; Eph. 1, 5), auf welchen ich also vertraue, dass ich nicht zweifle, er werde mich mit aller Notdurft Leibes und der Seele versorgen (Ps. 55, 23; Mt. 6, 25 f.; Lk. 12, 22), auch alles Übel, so er mir in diesem Jammertal zuschicket, mir zu gut wenden (Rm. 8, 28), dieweil er's tun kann als ein allmächtiger Gott (Rm. 10, 12) und auch tun will als ein getreuer Vater (Mt. 6, 25 ff.; 7, 9–11).

28. FRAGE: Was für Nutz bekommen wir aus Erkenntnis der Schöpfung und Vorsehung Gottes?

ANTWORT: Dass wir in aller Widerwärtigkeit geduldig (Rm. 5, 3; Jak. 1, 3; Hi. 1, 21), in Glückseligkeit dankbar (5 Mose 8, 10; 1. Thess. 5, 18) und aufs Zukünftige guter Zuversicht zu unserem getreuen Gott und Vater sein sollen, dass uns keine Kreatur von seiner Liebe scheiden wird (Rm. 8, 38. 39), dieweil alle Kreaturen also in seiner Hand sind, dass sie sich ohne seinen Willen auch nicht regen noch bewegen können (Hi 1, 12; Apg. 17, 28; Spr. 21, 1).

29. FRAGE: Warum wird der Sohn Gottes Jesus, das ist Seligmacher, genannt?

ANTWORT: Darum, dass er uns selig macht von unsern Sünden (Mt. 1, 21; Hb. 7, 24 f.) und dass bei keinem anderen einige Seligkeit zu suchen noch zu finden ist (Apg. 4, 12).

31. FRAGE: Warum ist er Christus, das ist ein Gesalbter, genannt?

ANTWORT: Darum, dass er von Gott dem Vater verordnet und mit dem Heiligen Geist (Hb. 1, 9) gesalbet ist zu unserm obersten Propheten und Lehrer (5 Mose 18, 15; Apg. 3, 22), der uns den heimlichen Rat und Willen Gottes von unserer Erlösung vollkommen offenbaret (Joh. 1, 18; 15, 15), und zu unserem einigen Hohepriester (Ps. 110, 4; Hb. 7, 21), der uns mit dem einigen Opfer seines Leibes erlöset hat und immerdar mit seiner Fürbitte vor dem Vater vertritt (Rm. 8, 34; 5, 9 f.), und zu unserem ewigen König, der uns mit seinem Wort und Geist regiert und bei der erworbenen Erlösung schützet und erhält (Ps. 2, 6; Lk. 1, 33; Mt. 28, 18).

32. FRAGE: Warum wirst aber du ein Christ genannt?

ANTWORT: Weil ich durch den Glauben ein Glied Christi (Apg. 11, 26) und also seiner Salbung teilhaftig bin (1. Joh. 2, 27; Apg. 2, 17; Joh. 2, 28), auf dass auch ich seinen Namen bekenne (Mt. 8, 38), mich ihm zu einem lebendigen Dankopfer darstelle (Rm. 12, 1; Apk. 5, 8; 1. Pt. 2, 9; Apk. 1, 6) und mit freiem Gewissen in diesem Leben wider die Sünde und Teufel streite (1. Tim. 1, 18 f.) und hernach in Ewigkeit mit ihm über alle Kreaturen herrsche (2. Tim. 2, 12).

54. FRAGE: Was glaubst du von der heiligen allgemeinen christlichen Kirche?

ANTWORT: Dass der Sohn Gottes (Joh. 10, 11) aus dem ganzen menschlichen Geschlecht (1 Mose 26, 4) sich eine auserwählte Gemeinde zum ewigen Leben (Rm. 8, 29 f.; Eph. 1, 10–13) durch seinen Geist und Wort (Jes. 59, 21; Rm. 1, 16; 10, 14–17; Eph. 4, 3–6) von Anbeginn der Welt bis ans Ende (Ps. 71, 18; 1. Kor. 11, 26) versammle, schütze und erhalte (Mt. 16, 18; Joh. 10, 28–30; 1. Kor. 1, 8 f.) und dass ich derselben ein lebendiges Glied bin (1. Joh. 3, 21) und ewig bleiben werde (1. Joh. 1).

60. FRAGE: Wie bist du gerecht vor Gott?

ANTWORT: Allein durch wahren Glauben in Jesum Christum (R. 3, 21 f. 24 f. 28; Gal. 2, 16; Eph. 2, 8 f.; Phil. 3, 9); also dass, ob mich schon mein Gewissen anklagt, dass ich wider alle Gebote Gottes schwerlich gesündigt und derselben keines je gehalten habe (Rm. 3, 9), auch noch immerdar zu allem Bösen geneigt bin (Rm. 7, 23), doch Gott ohn alle meine Verdienst (Tit. 3, 5), aus lauter Gnaden (Rm. 3, 24; Eph. 2, 8), mir die vollkommene Genugtuung (1. Joh. 2, 2), Gerechtigkeit und Heiligkeit Christi schenket (1. Joh. 2, 1) und zurechnet (Rm. 4,4 f.; 2. Kor. 5, 19), als hätte ich nie ein Sünd begangen noch gehabt und selbst allen den Gehorsam vollbracht, den Christus für mich hat geleistet (2. Kor. 5, 21), wenn ich allein solche Wohltat mit gläubigem Herzen annehme (Rm. 3, 22; Joh. 3, 18).

61. FRAGE: Warum sagst du, dass du allein durch den Glauben gerecht seist?

ANTWORT: Nicht, dass ich von wegen der Würdigkeit meines Glaubens Gott gefalle, sondern darum, dass allein die Genugtuung, Gerechtigkeit und Heiligkeit Christi meine Gerechtigkeit vor Gott ist (1 Kor. 1, 30; 2, 2) und ich dieselbe nicht anders denn allein durch den Glauben annehmen und mir zueignen kann (1 Joh. 5, 10).

62. FRAGE: Warum können aber unsere guten Werke nicht die Gerechtigkeit vor Gott oder ein Stück derselben sein?

ANTWORT: Darum, dass die Gerechtigkeit, so vor Gottes Gericht bestehen soll, durchaus vollkommen und dem göttlichen Gesetz ganz gleichförmig sein muss (Gal. 3, 10; 5 Mose 27, 26) und aber auch unsere besten Werke in diesem Leben alle unvollkommen und mit Sünden befleckt sind (Jes. 64, 6).

63. FRAGE: Verdienen aber unsere guten Werke nichts, so sie doch Gott in diesem und zukünftigem Leben will belohnen?

ANTWORT: Diese Belohnung geschieht nicht aus Verdienst, sondern aus Gnaden (Lk. 17, 10).

64. FRAGE: Macht aber diese Lehre nicht sorglose und verruchte Leute?

ANTWORT: Nein; denn es unmöglich ist, dass die, so Christo durch wahren Glauben sind eingepflanzt, nicht Frucht der Dankbarkeit sollen bringen (Mt. 7, 18).

66. FRAGE: Was sind die Sakramente?

ANTWORT: Es sind sichtbare heilige Wahrzeichen und Siegel, von Gott dazu eingesetzt, dass er uns durch den Gebrauch derselben Verheißung des Evangeliums desto besser zu verstehen gäbe und versiegele; nämlich, dass er uns von wegen des einigen Opfers Christi, am Kreuz vollbracht, Vergebung der Sünden und ewiges Leben aus Gnaden schenke (1. Mose 17, 11; Rm. 4, 11; 5. Mose 30, 6; 3. Mose 6, 25; Hb. 9, 8 f. 24; Ez. 20, 12).

67. FRAGE: Sind denn beide, das Wort und die Sakramente, dahin gerichtet, dass sie unsern Glauben auf das Opfer Jesu Christi am Kreuz als auf den einigen Grund unserer Seligkeit weisen?

ANTWORT: Ja freilich; denn der Heilige Geist lehret im Evangelium und bestätiget durch die heiligen Sakramente, dass unsere ganze Seligkeit stehe in dem einigen Opfer Christi, für uns am Kreuz geschehen (Rm. 6, 3; Gal. 3, 27).

68. FRAGE: Wieviel Sakramente hat Christus im Neuen Testament eingesetzt?

ANTWORT: Zwei; die heilige Taufe und das heilige Abendmahl.

69. FRAGE: Wie wirst du in der heiligen Taufe erinnert und versichert, dass das einige Opfer Christi am Kreuz dir zugut komme?

ANTWORT: Also, dass Christus dies äußerliche Wasserbad eingesetzt (Mt. 28, 19 f.; Apg. 2, 38) und dabei verheißen hat (Mt. 3, 11; Mk. 16, 16; Rm. 6, 3 f.), dass ich so gewiss mit seinem Blut und Geist von der Unreinigkeit meiner Seelen, das ist allen meinen Sünden, gewaschen sei, so gewiss ich äußerlich mit dem Wasser, welches die Unsauberkeit des Leibes pflegt hinzunehmen, gewachsen bin (Mk. 1, 4; Lk. 3, 3).

72. FRAGE: Ist denn das äußerliche Wasserbad die Abwaschung der Sünden?

ANTWORT: Nein (Mt. 3, 11; 1. Pt. 3, 21; Eph. 5, 26 f.); denn allein das Blut Jesu Christi und der Heilige Geist reinigt uns von allen Sünden (1. Joh. 1,7; 1. Kor. 6, 11).

73. FRAGE: Warum nennt denn der Heilige Geist die Taufe das Bad der Wiedergeburt und die Abwaschung der Sünden?

ANTWORT: Gott redet also nicht ohne große Ursach; Nämlich, nicht allein, dass er uns damit will lehren, dass, gleichwie die Unsauberkeit des Leibes durch Wasser, also unsere Sünden durch Blut und Geist Christi hinweggenommen werden (Apg. 1, 5; 7, 14; 1. Kor. 6, 11), sondern vielmehr, dass er uns durch dies göttlich Pfand und Wahrzeichen will versichern, dass wir so wahrhaftig von unsern Sünden geistlich gewaschen sind, als wir mit dem leiblichen Wasser gewaschen werden (Mk. 16, 16; Gal. 3, 17).

75. FRAGE: Wie wirst du im heiligen Abendmahl erinnert und versichert, dass du an dem einigen Opfer Christi am Kreuz und allen seinen Gütern Gemeinschaft habest?

ANTWORT: Also, dass Christus mir und allen Gläubigen von diesem gebrochenen Brot zu essen und von diesem Kelch zu trinken befohlen hat zu seinem Gedächtnis und dabei verheißen (Mt. 26, 26 ff.; Mk. 14, 22 ff.; Lk. 22, 19 ff.; 1 Kor. 10, 16 f.; 11, 23–25; 12, 13) erstlich, dass sein Leib so gewiss für mich am Kreuz geopfert und gebrochen und sein Blut für mich vergossen sei, so gewiss ich mit Augen sehe, dass das Brot des HERRN mir gebrochen und der Kelch mir mitgeteilet wird, und zum anderen, dass er selbst meine Seel mit seinem gekreuzigten Leib und vergossenen Blut so gewiss zum ewigen Leben speise und tränke, als ich aus der Hand des Dieners empfange und leiblich genieße das Brot und den Kelch des HERRN, welche mir als gewisse Wahrzeichen des Leibes und Blutes Christi gegeben werden.

78. FRAGE: Wird denn aus Brot und Wein der wesentliche Leib und Blut Christ?

ANTWORT: Nein; sondern wie das Wasser in der Taufe nicht in das Blut Christi verwandelt oder die Abwaschung der Sünden selbst wird, deren es allein ein göttlich Wahrzeichen und Versicherung ist (Mt. 26, 29; Mk. 14, 24), also wird auch das heilige Brot im Abendmahl nicht der

Leib Christi selbst (1 Kor. 10, 16.17; 11, 26–28), wiewohl es nach Art und Brauch der Sakramente (1 Mose 17, 10f. 14.19; 2 Mose 12, 27.43.48; Tit. 3, 5; 1. Pt. 3, 21; 1 Kor. 10, 1-4) der Leib Christi genannt wird.

80. FRAGE: Was ist für ein Unterschied zwischen dem Abendmahl des HERRN und der päpstlichen Meß?

ANTWORT: Das Abendmahl bezeuget uns, dass wir vollkommene Vergebung aller unserer Sünden haben durch das einige Opfer Jesu Christi, so er selbst einmal am Kreuz vollbracht hat (Hb. 7, 27; 9, 12.25-28; 10, 10.12-14; Joh. 19, 30; Mt. 26, 28; Lk. 22, 19 f.), und dass wir durch den Heiligen Geist Christo werden eingeleibt (1. Kor. 6, 17; 10, 16), der jetzt mit seinem wahren Leib im Himmel zur Rechten des Vaters ist (Hb. 1, 3; 8, 1 f.) und daselbst will angebetet werden (Joh. 4, 21-24; 20, 17; Lk. 24, 52; Apg. 7, 55.56; Kol. 3, 1; Phil. 3, 20 f.; 1.Thess. 1, 10). Die Mess aber lehret, dass die Lebendigen und die Toten nicht durch das Leiden Christi Vergebung der Sünden haben, es sei denn, dass Christus noch täglich für sie von den Meßpriestern geopfert werde. Und dass Christus leiblich unter der Gestalt Brots und Weins sei und derhalben darin soll angebetet werden. Und ist also die Meß im Grund nichts anders denn eine Verleugnung des einigen Opfers und Leidens Jesu Christi (Hb. 9, 6-10; 10, 19-31) und eine vermaledeite Abgötterei.

Der dritte Teil. Von der Dankbarkeit

86. FRAGE: Dieweil wir denn aus unserm Elend ohne all unser Verdienst aus Gnaden durch Christum erlöset sind, warum sollen wir gute Werke tun?

ANTWORT: Darum, dass Christus, nachdem er uns mit seinem Blut erkauft hat, uns auch durch seinen Heiligen Geist erneut zu seinem Ebenbild, dass wir mit unserm ganzen Leben uns dankbar gegen Gott für seine Wohltat erzeigen (Rm. 6, 13; 12, 1 f.; 1. Pt. 2, 5.9.10.; 1. Kor. 6,20) und er durch uns gepriesen werde (Mt. 5, 16; 1. Pt. 2, 12). Danach auch, daß wir bei uns selbst unsers Glaubens aus seinen Früchten gewiß sind (1. Pt. 1, 6-7; Mt. 7, 17; Gal. 5, 6.22 f.) und mit unserm gottseligen Wandel unsere Nächsten auch Christo gewinnen (1. Pt. 3, 1.2; Rm. 14, 19).

88. FRAGE: In wieviel Stücken stehet die wahrhaftige Buß oder Bekehrung des Menschen?

ANTWORT: In zwei Stücken: in Absterbung des alten (Rm. 6, 4–6; Eph. 4, 22–24; Kol. 3, 5–10, 1. Kor. 5, 7) und Auferstehung des neuen Menschen.

89. FRAGE: Was ist die Absterbung des alten Menschen?

ANTWORT: Sich die Sünde von Herzen lassen leid sein und dieselbige je länger je mehr hassen und fliehen (Rm. 8, 13; Joh. 2, 13).

90. FRAGE: Was ist die Auferstehung des neuen Menschen?

ANTWORT: Herzliche Freude in Gott durch Christus (Rm. 5, 1; 14, 17; Jes. 57, 15) und Lust und Lieb haben nach dem Willen Gottes, in allen guten Werken zu leben (Rm. 6, 10. 11; Gal. 2, 20).

91. FRAGE: Welches sind aber gute Werke?

ANTWORT: Allein, die aus wahrem Glauben (Rm. 14, 23) nach dem Gesetz Gottes (1 Sam. 15, 22; Eph. 2, 10) ihm zu Ehren geschehen (1 Kor. 10, 31) und nicht die auf unser Gutdünken oder Menschensatzung gegründet sind (5 Mose 12, 32; Ez. 20, 18.19; Jes. 29, 13; Mt. 15, 9).

116. FRAGE: Warum ist den Christen das Gebet nötig?

ANTWORT: Darum, dass es das vornehmste Stück der Dankbarkeit ist, welche Gott von uns erfordert (Ps. 50, 14.15); und dass Gott seine Gnade und Heiligen Geist allein denen will geben, die ihn mit herzlichem Seufzen ohne Unterlass darum bitten und ihm dafür danken (Mt. 7, 7; Lk. 11, 9f. 13; Mt. 13, 12).

Aus: Der Heidelberger Katechismus, hg. v. Otto Weber, 5. Aufl. Gütersloh: Gütersloher Verlagshaus 1996.

Teil 4: Katholische Reformtheologen

Friederike Nüssel und Wolfgang Thönissen

Einleitung

Die Reform der Kirche war eines der großen Themen im späten Mittelalter. Zu den historisch prägenden Phänomenen dieser Zeit zählen die neu aufkommenden Reformbewegungen. Große religiöse und theologische Gestalten vermochten religiös suchende Menschen zu beeindrucken. Volksprediger der großen Reformorden belebten Klöster und durchdrangen das Leben in den Städten. Laiengemeinschaften widmeten sich der tätigen Nächstenliebe. Schon vor der Erfindung des Buchdrucks fand religiöse Literatur weite Verbreitung.

Neben der überwältigenden Fülle positiver Zeugnisse spätmittelalterlicher Frömmigkeit fallen religiöse Fehlhaltungen und -formen auf. Ein düsteres Bild vermitteln die Missachtung des Zölibats bis hinauf in das päpstliche Amt, schwere Mängel in der theologischen Ausbildung, mangelnde Ehrfurcht vor den Sakramenten, insbesondere der Kommunion. Dazu gesellte sich auf politischer und gesellschaftlicher Ebene das Benefizialwesen, das zunehmend die Korruption des geistlichen Standes bewirkte. Kirchliche Pfründe dienten der materiellen Versorgung nicht erbberechtigter Söhne einflussreicher adliger Familien. In der Gewährung entsprechender Rechte sah die römische Kurie ein einträgliches Geschäft. Dazu kam der Missbrauch des Ablasswesens, das vorrangig Geld für römische Bauvorhaben herbeischaffen sollte. Dennoch kam es noch im zweiten Jahrzehnt des 16. Jahrhunderts zu einem Konzil, dem fünften Laterankonzil, das von 1512 bis 1517 tagte. Obwohl es zahlreiche Reformvorschläge verabschiedet hatte, welche die Käuflichkeit der Ämter (Simonie), die Kurienreform, die Residenzpflicht der Bischöfe und die Lebensart der Kleriker betrafen, brachte dieses Konzil keine wirklichen Reformen mehr zustande. Das Konzil endete in dem Jahr, in dem Luther im Ablassstreit an die Öffentlichkeit trat.

Da nach heutigem Forschungsstand Kirche und Staat im späten Mittelalter bis in die frühe Neuzeit hinein durch Reformen und Reformbewegungen geprägt waren, so sind heutige historische Einschätzungen plausibel, die die gesamte hier im Fokus stehende Epoche als ein Zeitalter der Reformen bezeichnen. Hubert Jedin hat schon vor Jahrzehnten im Anschluss an Wilhelm Maurenbrecher von katholischer Reform gesprochen, um im Unterschied zur Kennzeichnung einer Ge-

genreformation die innere Erneuerung der Kirche als katholisches Lebensideal herauszustellen. Wenngleich diese Charakterisierung durch Forschungen zur Konfessionalisierung modifiziert wurde, so spricht doch viel dafür, nicht nur von einem Zeitalter der Reformen, sondern von einem Zeitalter der Reformationen zu sprechen. Mit einer solchen Erweiterung des Sprachgebrauchs könnte die antagonistische Sichtweise des späten Mittelalters und der frühen Neuzeit überwunden und diese Epoche als Zeitalter des Übergangs begriffen werden. Dies würde es erlauben, die vielfältigen und unterschiedlichen Reformbewegungen und deren Persönlichkeiten nicht im Lichte der späteren konfessionellen Spaltungen gegeneinander zu stellen, sondern sie hinsichtlich ihrer theologischen Anliegen und Beziehungen zueinander zu untersuchen und zu vergleichen, was der historischen Entwicklung eher entsprechen dürfte. Dieser Sicht folgt auch der Terminus »Reformtheologie«, der historiographisch zwar ungeklärt ist, zu dem sich aber faktisch eine Vielzahl von Theologen in der Zeit des 15. und 16. Jahrhunderts zählen ließe. Was spräche dagegen, den Gründer des Jesuitenordens, Ignatius von Loyola, für einen Reformtheologen zu halten? Ebenso könnten die Verfasser der Katechismen auf katholischer Seite wie Johannes Pflug und Petrus Canisius zu den entschiedenen Erneuerern der Kirche gezählt werden, die ähnlich wie Martin Luther der Bibel und der biblischen Denkweise mit den ihnen zu Verfügung stehenden Mittel zum Durchbruch zu verhelfen suchten. Alle Genannten haben sich erkennbar der Reform der einen, heiligen, katholischen und apostolischen Kirche verschrieben, wenngleich sie die Bedingungen der Einheit der Kirche anders einschätzten als die Vertreter der Wittenberger und Schweizer Reformation. Das so geöffnete Spektrum bietet eine reiche Facette einer bisher nur ungenügend wahrgenommenen Geschichte der Reformen und Reformationen im ausgehenden Mittelalter.

Literatur

Michael Beyer, Art. Pflug, in RGG[4] Bd. 6 (2003), 1249 f.

Engelbert Maximilian Buxbaum, Art. Canisius, in: LTHK[3] Bd. 2 (1994), 923 f.

Rolf Decot, Art.Canisius, in RGG[4] Bd.2 (1999), 51 f.

Karlheinz Diez, Petrus Canisius (1521–1597), in: Katholische Theologen der Reformationszeit Bd. 3, hg. von Erwin Iserloh (KLK 46) Münster 1986, 88–102.

Herbert Immenkötter, Art. Pflug, in: TRE Bd. 26 (1996), 449–453.

Wolfgang Offele, Ein Katechismus im Dienste der Glaubenseinheit. Julius Pflugs »Institutio Christiani Hominis« als katechetischer Beitrag zur interkonfessionellen Begegnung (Koinonia. Beiträge zur ökumenischen Spiritualität und Theologie, Bd. 6), Essen 1965.

Vinzenz Pfnür, Art. Pflug, in: LTHK[3] Bd. 8 (1999) 196 f.

Heribert Smolinsky, Julius Pflug (1499–1564), in: Katholische Theologen der Reformationszeit Bd. 6, hg. von H. Smolinsky und P. Walter (KLK 64) Münster 2004, 13–32.

Hans Wolter, Art. Canisius, in: TRE Bd. 7 (1981), 611–614.

Julius Pflug: Institutio Christiani Hominis, 1562

Keineswegs alle, die von der Notwendigkeit einer innerkirchlichen Reform überzeugt waren, sind Anhänger der reformatorischen Bewegung geworden. Umgekehrt sind auch nicht alle, die sich den Neuerungsbewegungen nicht angeschlossen haben, katholisch geblieben. Bis heute sind jene weithin unbekannt, die sich sowohl der Reform der Kirche verschrieben haben und zugleich an der Einheit der Kirche festhalten wollten. Doch die Umstände der Zeit drängten zur Entscheidung. Vermittlungen zwischen den sich herausschälenden konfessionellen Positionen konnten sich nicht halten. Mit dem Verschwinden ihrer Protagonisten ging auch die Kenntnis ihrer Werke verloren. Heute kennen nur noch wenige das Oeuvre der sogenannten Vermittlungstheologen.

Julius von Pflug, 1499 (nach älteren Quellen) in Meißen geboren, entstammte einer sächsischen Adelsfamilie. Er studierte in Leipzig, Bologna, Padua, Rom und Venedig. Begeistert für die Ideen des Erasmus von Rotterdam folgte er einem humanistisch ausgerichteten Bildungsplan. Nach seiner juristischen, philosophischen und philologischen Ausbildung wurde er 1522 Domherr in Zeitz, 1523 dort Dompropst, seit 1528 Domherr in Merseburg, Mainz und Naumburg, 1537 Domdechant von Meißen. Julius von Pflug wurde im Januar 1541 zum Bischof von Naumburg gewählt. Zwar zögerte er zunächst, die Wahl anzunehmen, weil er sich der Schwierigkeiten in dem protestantisch gesinnten Naumburg bewusst war. Nachdem er jedoch die Wahl angenommen hatte, konnte er aufgrund der Entscheidung des Kurfürsten Johann Friedrich das Bischofsamt nicht antreten. Der Bischofssitz von Naumburg wurde mit einem Anhänger der Reformation besetzt. Erst 1547 nach Beendigung des Schmalkaldischen Krieges konnte er sein Amt antreten. Pflug war den kirchlichen Reformbemühungen gegenüber positiv aufgeschlossen. Er schätzte die Erfolgsaussichten für Vermittlungsversuche sehr hoch ein. An den Regensburger Gesprächen nahm er im Jahr 1541 persönlich teil. Obwohl Pflug noch über das ganze Jahrzehnt hinweg an den Verhandlungen festhielt, ließen sich die mit der Vermittlung verbundenen Aussichten nicht umsetzen. Die Religionsgespräche scheiterten schließlich. Große Hoffnungen setzte er jedoch auf das 1545 eröffnete Konzil von Trient. An den Verhandlungen der zweiten Tagungsperiode nahm er 1551/1552 teil. Er beabsichtigte, auch an der dritten Tagungsperiode des Trienter Konzils teilzunehmen, musste jedoch aufgrund einer Erkrankung davon Abstand nehmen. Pflug starb am 3. September 1564.

Unter all seinen Schriften ragt der von ihm verfasste Katechismus heraus. Die »Institutio Christiani Hominis« (Köln 1562) versteht sich selbst als ein Beitrag zur interkonfessionellen Begegnung. Pflug wollte einen Katechismus für die ihm anvertrauten Christen des Naumburger Bistums verfassen, daher stand nicht so sehr die dogmatische Auseinandersetzung im Vordergrund, sondern eine pastoraltheologische Intention. Pflug gliedert seinen Katechismus nach drei Hauptgesichtspunkten, dem Glaubensbekenntnis, dem Dekalog, und den Sakramenten. Das Glaubensbekenntnis folgt dem Schema des Symbolums in zwölf Artikeln. Den Erläuterungen schließt er praktische Empfehlungen für das christliche Leben, *usus articuli* genannt, an. Insgesamt zählt Pflugs »Institutio« zu den ausgewogensten katechetischen Schriften des 16. Jahrhunderts. Das Entscheidende: Pflugs Katechismus ist nicht polemisch orientiert, sondern stellt die katholische Lehre positiv dar. Er sucht die Anknüpfungspunkte in der Theologie der Erneuerungsbewegung und sucht sie mit der katholischen Lehre zu vermitteln. Ausgangspunkt seiner Theologie ist der Glaube. In den Mittelpunkt seiner Darlegungen rückt Pflug die Rechtfertigungsfrage. Seine Rechtfertigungslehre ist christozentrisch ausgerichtet. Julius Pflugs Katechismus ist ein eindrucksvolles Zeugnis für die positive Glaubensvermittlung in der Zeit der kontroverstheologischen Auseinandersetzungen und Zuspitzungen.

DER GLAUBE[1]

Niemand kann Gott begehren oder das Heil ersehnen, der nicht glaubt.[2] Ich meine deshalb, gleich zu Beginn den Glauben erläutern zu sollen; und damit uns die Vieldeutigkeit des Begriffs keine Schwierigkeiten [4] macht, erkläre ich (zunächst), welches der wahre christliche Glaube ist. Zu diesem Glauben scheint mir zu gehören: erstens, dass wir glauben, dass ein Gott ist, der Himmel, Erde und alles in ihr geschaffen hat, und dass er nicht aufhört, es zu schaffen und zu regieren; zweitens, dass wir diesem Gott glauben und allem zustimmen, was er uns auf göttliche Weise kundgetan hat; drittens, dass wir nicht bloß die Existenz und die Botschaft Gottes gläubig bejahen, sondern vor allem ihn selber, d. h. dass wir unsere Hoffnung und unser Vertrauen auf ihn übertragen und uns diesem Gott des Erbarmens und allen Trostes völlig anvertrauen und übergeben.

---

1 49–50.

2 Hebr 11,6.

Der volle Christenglaube besteht aus diesen drei Elementen, und seine Frucht ist es, dass er aus Gottes Verheißungen den wahren Trost schöpft, dass er seine Ehre bei Gott als der Fülle der Wahrheit und Güte (sichergestellt) hat. Er rühmt sich nur in ihm, den göttlichen Heilsgaben und allem Guten, das aus den Wunden Christi entspringt. Wer dies erkennt und durchschaut, kann den (rechten) Glauben an Gott ohne allen Irrtum beurteilen. Weil nun aber das apostolische Glaubensbekenntnis alles enthält, was unseren Glauben und die Heilsfragen angeht; (weil es zeigt,) was zu glauben, von Gott zu hoffen und zu erwarten ist, erläutere ich zunächst die einzelnen Hauptpunkte dieses Symbolums im einzelnen und zeige sodann den rechten und heilsbringenden Gebrauch der Glaubensartikel, damit nichts vermisst werde, was unserer Kirche zum Nutzen gereicht oder unserem diesbezüglichen Amt entspricht.

Siebenter Glaubensartikel[3]:

Inde venturus est iudicare vivos et mortuos

Aus den bisher behandelten Glaubensartikeln ist klar zu ersehen, dass Christus unsere Sünden gesühnt hat, damit wir Verzeihung erlangen; dass er uns die Gabe des Heiligen Geistes erfleht hat, damit unser Inneres gereinigt wird und wir, von (allen) Sünden abgewandt, das erbitten, was Gott befohlen hat, auf dass wir überfließen an allem Guten im Tun und im Werk. Das verlangt der klare Wille Gottes von uns. Es steht nämlich geschrieben: *»Durch Glauben seid ihr gerettet, und dies nicht durch euer eigenes Verdienst, Gottes Geschenk ist es. Nicht aus den Werken, damit sich niemand rühmen könne. Wir sind ja seine* [17] *Geschöpfe, in Christus für gute Werke geschaffen, die Gott im voraus bereitet hat, damit wir eifrig in ihnen wandeln.«*[4] Ebenso: *»Erschienen ist ja die Gnade Gottes, die allen Menschen Heil verleiht. Sie leitet uns an, der Gottlosigkeit und den weltlichen Gelüsten zu entsagen, besonnen, nüchtern und fromm in dieser Weltzeit zu leben. Dabei erwarten wir die selige Hoffnung und die Erscheinung der Herrlichkeit unseres großen Gottes und unseres Heilands Jesus Christus, der sich selbst für uns hingegeben hat, um uns von aller Schlechtigkeit zu erlösen und sich ein reines Volk zum Eigentum zu schaffen, das voll Eifer ist zu guten Werken. So rede, mahne und weise zurecht mit aller Entschiedenheit. Niemand soll dich verachten.«*[5] Man erkennt daraus ohne Zweifel, dass Christus uns erlöst und von der alten Knechtschaft losgekauft hat zur Freiheit, damit wir nicht dem Fleische gehorchen, sondern dem Geist. *»Denn wenn wir nach dem Fleische leben, müssen wir sterben. Doch wenn wir durch den Geist die Werke des Fleisches töten, werden wir leben«*, sagt Paulus.[6] Deshalb sind

[3] 57–60.

[4] Eph 2,8–10.

[5] Tit 2,11–15.

[6] Nach Röm 8,13.

jene Halsstarrigen, die nicht wirklich zur Einsicht kommen und ihr Leben nicht ändern, keine geeigneten Bürger im Reiche Christi. Denn dieses Reich ist nicht für Kinder des alten Adam, sondern für die Kinder Gottes, die den alten Adam ausgezogen haben und schon in der Neuheit des Geistes leben. Deshalb hat Gott, der ewige Vater, uns Jesus Christus, unseren Herrn, nicht bloß als Erlöser gegeben, sondern ihn auch als Richter der Lebenden und Toten eingesetzt, um einem jeden nach seinen Werken zu vergelten, die er getan: den Guten und den Bürgern seines Reiches bestimmt er ewige Güter, den [18] Schlechten aber und seinem Reich Entfremdeten bittere Buße. Dieses sein Gericht hält Christus mit großer Macht und Herrlichkeit, wovon dieser Artikel handelt, und im Matthäusevangelium Christus selbst sagt: *»Wenn aber der Menschensohn in seiner Herrlichkeit erscheint und mit ihm alle seine Engel, dann wird er sich auf dem Thron seiner Herrlichkeit niederlassen. Alle Völker werden vor ihm versammelt, und er wird sie voneinander scheiden, wie der Hirte die Schafe von den Böcken scheidet. Die Schafe wird er auf seine rechte Seite stellen, die Böcke auf die linke. Dann wird der König die zu seiner Rechten anreden: ›Kommt her, ihr Gesegneten meines Vaters, nehmt in Besitz das Reich, das euch seit Grundlegung der Welt bereitet ist. Denn ich war hungrig, und ihr gabt mir zu essen, ich war durstig, und ihr gabt mir zu trinken, ich war ein Fremdling, und ihr habt mich beherbergt, ich war nackt, und ihr habt mich bekleidet, ich war krank, und ihr habt mich besucht, ich war im Gefängnis, und ihr seid zu mir gekommen!‹ Da werden ihn die Gerechten fragen: ›Herr, wann sahen wir dich hungrig und gaben dir zu essen? Wann durstig und gaben dir zu trinken? Wann sahen wir dich fremd und haben dich beherbergt, wann nackt und haben dich bekleidet? Wann sahen wir dich krank oder im Gefängnis, und sind zu dir gekommen?‹ Dann wird ihnen der König antworten: ›Wahrlich ich sage euch, was ihr einem der geringsten meiner Brüder getan habt, das habt ihr mir getan.‹ Dann wird er zu denen auf der Linken sagen: ›Weicht von mir, ihr Verfluchten, in das ewige Feuer, das dem Teufel und seinen Engeln bereitet ist. Denn ich war hungrig, und ihr habt mich nicht* [19] *gespeist, ich war durstig, und ihr gabt mir nicht zu trinken, ich war fremd, und ihr habt mich nicht beherbergt, ich war nackt, und ihr habt mich nicht bekleidet, ich war krank und im Gefängnis, und ihr habt mich nicht besucht.‹ Auch diese werden nun fragen: ›Herr, wann sahen wir dich hungrig oder durstig, wann fremd und nackt und krank und im Gefängnis und hätten dir nicht gedient?‹ Da wird er ihnen antworten: ›Wahrlich ich sage euch, was ihr einem dieser meiner Geringsten nicht getan habt, das habt ihr auch mir nicht getan‹. Und diese werden in die ewige Pein eingehen, die Gerechten aber in das ewige Leben.«*[7] Jenen, die verdammt werden, geschieht kein Unrecht, wenn sie mit Leib und Seele in die Hölle gestürzt und dort mit ewigen Strafen gequält werden, denn diese wollten sich lieber im Schmutz der Sünde wälzen, in dem sie lagen, als sich Christus anvertrauen und der Gerechtigkeit leben. Um so mehr müssen wir dafür sorgen,

---

[7] Mt 25,31–46.

dass wir ein schlechtes und schändliches Leben beenden. Dafür müssen wir uns um so mehr Mühe geben, als uns Paulus allen Ernstes mahnt, unser Heil in Furcht und Zittern zu wirken.[8] Die guten Menschen müssen in sich gehen und um so eifriger darüber wachen, dass sie von ihrem Ziel nicht abweichen. Die Bösen müssen in sich gehen und sich aus ihrer Gefahr aufwecken lassen, auf dass sie sich endlich bekehren. Wenn sie dem Blute Christi durch ihre schlechten Werke Schande bereiten und nicht aufhören, es irgendwie mit Füßen zu treten, dann hören sie beim letzten Gericht jene schreckliche und doch so gerechte Stimme und Verurteilung Christi: *»Weicht von mir, ihr Verfluchten, in das ewige Feuer«*[9]. Zwar [20] kann jeder, der in der letzten Stunde seines Lebens von den Sünden auf den (rechten) Weg zurückkehrt und sich zu Gott bekehrt, durch den Glauben den Nachlass dieser Sünden erhalten und das ewige Leben erlangen, jener hl. Schächer hat es durch sein Beispiel bewiesen,[10] und deshalb braucht niemand zu verzweifeln, welche Schuld ihn auch drückt –, aber nichts wissen wir so sicher wie dies, dass wir einmal sterben müssen, aber die Todesstunde ist ungewiss. Deshalb müssen wir immer wachen und in der Neuheit des Geistes leben, sonst würden wir unvorbereitet erfunden werden, wenn uns der Herr aus diesem Leben ruft, ausgeschlossen vom Reich der Himmel, verstoßen in die Hölle und von ewigen Qualen gepeinigt. Unser Schicksal wäre nicht besser als das der törichten Jungfrauen,[11] die das Öl nicht hatten, das sie in ihren Lampen haben mussten, und so die Gelegenheit verpassten, mit dem Bräutigam zum Himmelreich einzugehen. Aber wie Christus beim letzten Gericht die Schlechten und Ungerechten verwirft, so belohnt er die Guten und Gerechten mit ewigen Gütern. *»Denn wir alle«*, sagt Paulus, *»müssen vor dem Richterstuhl Christi erscheinen, damit jeder empfange, was er an Gutem oder Bösem in dem Leben seines Leibes getan hat«*,[12] und dann wird Gott die Leiber der Gerechten mit Ruhm der verschiedensten Art schmücken. Denn wie ein Stern sich vom anderen an Glanz unterscheidet,[13] so auch die Leiber der Menschen bei der Auferstehung von den Toten. Das ist es ungefähr, was wir über die Glaubensartikel bezüglich unseres Herrn Jesus Christus ausführen zu müssen [21] glaubten, und wir hoffen, dass nach Kenntnisnahme dieser (Tatsachen) Christus ganz und leicht in unserem Innern (nach-)gebildet wird. Nun spreche ich vom Lebenswert dessen, was über Christus überliefert ist, damit wir kosten (können), wie gut dieser Herr ist und daraus wahre und begründete Heilsfrüchte gewinnen können.[14]

---

[8] Phil 2,12.

[9] Mt 25,41.

[10] Lk 23,43.

[11] Mt 25.

[12] 2 Kor 5,10.

[13] 1 Kor 15,41.

[14] Vgl. Ps 33,9.

Usus articulorum Symboli de filio Dei, Domino nostro Jesu Christo[15]

Aus dem, was wir dargelegt haben, steht fest, dass Christus (für) uns zur Gerechtigkeit, Heiligung, Erlösung zum Leben und zur Auferstehung geworden ist, damit jeder, der sich rühmt, in diesem unserem Herrn sich rühme.[16] Denn sein Blut erlangte uns den Nachlass der Sünden zur Versöhnung, die Erneuerung des Geistes zur Heiligung, die Gerechtigkeit des Herzens und die Annahme als Gotteskinder zum Anrecht des ewigen Erbes. Deshalb wird uns in seinem Reich Schutz und Heil zuteil gegen Sünde, Welt und Satan, mit denen wir immer im Kampf sind. Kurz, unser ganzes Heil hängt an diesem unseren Herrn und Heiland wie an einem Band. Denn (wie Petrus in der Apg[17] sagt), *»es gibt keinen anderen Namen unter dem Himmel, der uns Menschen gegeben wäre, in dem wir selig werden können«*. Wenn dich daher das Gewissen einer Sünde bezichtigt und du Verzeihung begehrst, wenn du Rechtfertigung und irgendeine christliche Tugend erstrebst, wenn du wirksamen Schutz suchst gegen [22] dein Fleisch und den Teufel, der wie ein brüllender Löwe umgeht, suchend, wen er verschlinge;[18] wenn du endlich Leben und ewiges Heil willst: flieh hin zu Christus und glaube, dass er der ewige Gottessohn ist, der in die Welt kam, um die Sünder zu retten, glaube, dass er sich mit der menschlichen Natur verbunden hat und aus der Jungfrau Maria geboren ist ohne den Makel der Erbschuld, um, selber schuldlos, unsere Sünden mit seinem Blut und Tod zu tilgen und für sie Sühne leisten zu können; glaube, dass er unter Pontius Pilatus gelitten hat und gekreuzigt wurde; wie er unsere Sünden auf sich geladen und auf das Holz getragen hat, so hat er seine Heiligkeit und Gerechtigkeit mit uns vereinigt, damit wir Verzeihung unserer Sünden erlangen. Glaube ebenso, dass dieser unser Herr für uns gestorben und begraben ist, damit unsere schlechten Begierden mit ihm getötet und begraben würden[19] und ihre Herrschaft über unsere sterblichen Leiber verlören. Glaube (ferner), dass Christus unseretwegen zur Hölle hinabgestiegen ist, um die Dämonen und Mächte der Finsternis zu überwinden und so zu schwächen, dass wir ihnen widerstehen können. Glaube, dass Christus aus eigener, göttlicher Kraft wieder lebendig wurde von den Toten, auf dass wir gerechtfertigt würden und, des alten Fleisches entkleidet, ein neues Leben führen durch den Hl. Geist, der in unsere Herzen ausgegossen ist, dass wir, wie es sich für gute und heilige Söhne geziemt, unseren Sinn ständig und fest auf Gott, den ewigen Vater, [23] richten können. Glaube, dass Christus uns durch seinen Tod und seine heilbringende Auferstehung das ewige Leben gebracht hat. Glaube, dass Christus in den Himmel aufgestiegen ist, um uns als seinen Gliedern den Weg in jene ewigen

15 60–61.

16 1 Kor 1; 2 Kor 10; Jer 9; 1 Joh 1.

17 Apg 4,12.

18 Vgl. 1 Petr 5,8.

19 Röm 6.

Wohnungen zu öffnen; dass er dort den Thron eingenommen hat zur Rechten der Majestät (Gottes), um unser Fürsprecher für alle Zeiten sein zu können. Denn in Ausübung seines Priesteramtes nach der Ordnung des Melchisedech[20] erscheint er vor Gottes Antlitz, um für alle jene Heil zu erlangen, die durch ihn zu Gott treten. Glaube, dass Christus endlich mit großer Herrlichkeit kommen wird, um Lebende und Tote zu richten; dass bei diesem Gericht die Guten mit ewigem Lohn ausgestattet, dass die Bösen zur ewigen Pein verurteilt werden; so wird jedem Menschen vergolten, wie er in seinem (irdischen) Leib gehandelt hat, gut oder böse.[21] Auf diese Weise müssen wir Christus im Geist und im Glauben ergreifen, auf ihn unser Vertrauen und unsere Hoffnung setzen und uns der göttlichen Barmherzigkeit völlig übergeben; wer dies tut, dessen Glauben und Hoffnung werden nicht enttäuscht. Der Apostel Petrus schreibt ja über Christus: *»Siehe, ich lege in Sion einen höchsten Angelstein, auserlesen und geehrt; wer an ihn glaubt, wird nicht zuschanden. Euch nun, die ihr glaubt, gereicht er zur Ehre, den Ungläubigen aber ist er der Stein, den die Bauleute verworfen haben, der zum Schlussstein geworden ist, zum Stein des Anstoßes und zum Felsen des Ärgernisses. Sie stoßen sich an ihm, weil sie dem Worte nicht gehorchen, dazu sind sie (allerdings) auch [24] bestimmt.«*[22] Hinzu kommt das Wort Christi selbst: *»Ich bin die Auferstehung und das Leben, wer an mich glaubt, lebt, auch wenn er gestorben ist, und jeder, der lebt und an mich glaubt, wird in Ewigkeit nicht sterben.«*[23] Aus all dem ergibt sich, wie nützlich und notwendig es für uns alle ist, Christus zu erkennen, an ihn zu glauben und ihm so anzuhängen, dass wir niemals von ihm getrennt werden.

Neunter Glaubensartikel[24]:

Ecclesiam Sanctam Catholicam, Communionem Sanctorum
Aus dem nächsten Glaubensartikel erkennen wir, dass der Hl. Geist in den Christen wohnt, wenn sie rechtschaffen sind,[25] und dass er die Einzelnen irgendwie zu seinen Tempeln weiht. Er zieht alle Christen in eins zusammen, so dass sie ein Haus bilden, das die Kirche des lebendigen Gottes ist; und einen Leib, dessen Haupt Christus ist. Darin sind nicht nur die lebenden Menschen vereinigt, sondern auch die Engel und die seligen Geister der Verstorbenen.[26] Denn durch das Blut Christi wird alles, was im Himmel und auf Erden ist, miteinander ver-

20 Hebr 6,20.

21 2 Kor 5,10.

22 1 Petr 2,6–8; vgl. Jes 28,16.

23 Joh 11,25 f.

24 63–68.

25 1 Kor 6,19; 2 Kor 6,16.

26 Eph 4,10; Eph 1,10 und 22; 1 Kor 2.

söhnt und verbunden, wie der Apostel schreibt. Und weil der Hl. Geist diese Kirche umfängt und belebt wie seinen Tempel, deshalb reinigt und heiligt er sie auch nach seiner Weise, d. h. durch das Bad des Wassers zum Wort des Lebens. Denn wie die Taufe allen Sündenschmutz abwäscht, so macht sie uns zu Bürgern und gleichsam zu Gliedern am Leibe Christi. Deshalb wird in diesem Artikel von der Kirche gesagt, dass sie heilig ist. Und weil sie ein Haupt hat, nämlich Christus, und einen Geist, so ist (nur) ein Leib Christi und ein Tempel des Hl. Geistes; es muss dieselbe eine Taube sein, von der es im Hohelied[27] heißt, dass sie vom Geist der Liebe geführt wird. Deshalb hat sie Christus dem ewigen Vater kurz vor seinem Tod [28] mit diesen Worten anvertraut: *»Heiliger Vater, bewahre sie in Deinem Namen, die Du mir gegeben hast, damit sie eins seien, so wie wir«.*[28] Der Apostel aber (sagt): *»Als der Gefangene im Herrn ermahne ich euch: Wandelt würdig der Berufung, die euch zuteil geworden ist, in aller Demut, Sanftmut, Geduld. Ertragt einander in Liebe, seid eifrig darauf bedacht, die Einheit des Geistes zu erhalten durch das Band des Friedens ... wie ihr ja auch zu einer Hoffnung bei eurer Berufung berufen worden seid. Es ist auch nur ein Herr, ein Glaube, eine Taufe, ein Gott und Vater aller, der über allen und durch alle und in allen wirkt.«*[29] Daraus (ergibt sich) für uns, erleuchtet vom wunderbaren Licht der göttlichen Milde selbst: Wie Christus uns nicht bloß erlöst, sondern auch zu einer gewissen Ähnlichkeit mit Gott verbunden hat; wie er mit dem Vater und dem Hl. Geist eines Wesens, ja sogar ein einziger ist, so sollen wir mit Willen und Herzen eins sein. Die Kraft dieser Einheit muss so groß sein, dass keinem Glied der Kirche etwas zustoßen darf, was nicht zugleich auch die anderen anginge. So (sagt) auch der Paulusbrief: *»Gott aber hat den Leib so eingerichtet, dass er den geringeren Gliedern um so größere Ehre gab, dass sich keine Spaltung im Leib ergebe, vielmehr die einzelnen Glieder füreinander Sorge tragen in Eintracht. Wenn ein Glied leidet, leiden alle Glieder mit, wird ein Glied geehrt, freuen sich alle Glieder mit.«*[30] Ebenso muss die Kraft dieser Einheit so groß sein, dass wir uns auf keine Weise im Herzen (Sinn) entzweien, ja, dass wir dasselbe denken und [29] reden. Denn auch dies ist dem Apostel nicht unbekannt: *»Ich ermahne euch, Brüder, im Namen unseres Herrn Jesus Christus: Führt alle dieselbe Sprache und duldet keine Spaltungen bei euch, seid vielmehr vollkommen eines Sinnes und einer Überzeugung.«*[31] In dieser einen und einigen Kirche ruht und rastet Christus, lebt der Hl. Geist wie in seinem Tempel, damit leicht klar werde, dass niemand außerhalb dieser (Kirche) Christus finden, den Hl. Geist empfangen und das Heil erlangen kann, ebenso wie niemand von den Sterblichen außerhalb der Arche Noes zur Zeit der Flut gerettet werden

[27] Hld 6,9.

[28] Joh 17,11b.

[29] Eph 4,1–6 (V. 4a fehlt).

[30] 1 Kor 12,24b–26.

[31] 1 Kor 1,10.

konnte.[32] Wer nämlich nicht von Christus als dem Haupt den Geist des Lebens schöpfen, für Gott leben und das ewige Heil erhoffen kann, der kann auch dieses (Leben) nicht wahrhaft erlangen, wenn er kein lebendiges Glied am Leibe Christi ist, und das ist die Kirche. Insbesondere kommen die Heilsgaben Gottes auf keinem anderen Weg her und fließen auf keinem anderen als von Christus, unserem Haupt – und sie fließen in kein anderes Glied als jenes, das seinem Leib angehört. Dies muss man daher ganz und gar festhalten, und wenn mehrere menschliche Gemeinschaften bestehen, die sich alle untereinander bekämpfen, die alle Christus im Munde führen und sich alle die Autorität der Kirche zusprechen, so kann es dennoch nicht mehrere Kirchen geben, sondern nur die eine wahre und brüderliche Kirche, in der wir (allein) für Christus leben können. Wir müssen deshalb zunächst wissen, dass es nur die eine, einige und christliche Kirche gibt; sodann [30], welches ihre wichtigsten Eigentümlichkeiten sind, wodurch sie sich von den anderen und ihr fremden Gemeinschaften unterscheidet. Um deshalb (diese) fremden Gemeinschaften meiden zu können und um ihnen nicht wie einer Verschwörung für immer zu verfallen, dürfen wir uns (von der wahren Kirche) zu keiner Zeit entfernen lassen. Damit wir uns in dieser Sache wohl in acht nähmen, wollten die Apostel die christliche Kirche, von der dieser Glaubensartikel handelt, nicht bloß als heilige (Gemeinschaft gründen), sondern auch als katholische: Katholisch, möchte ich sagen, heißt über die ganze Erde verbreitet. Diese eine wahre Kirche unterscheidet sich von anderen Gemeinschaften in dem, was zur Religion gehört, wesentlich: Vor allem verheißt der Hl. Geist in der Schrift der Kirche, dass sie groß und über die ganze Erde verbreitet werde. So sagt David im Buch der Psalmen: *»Fordere von mir, und ich gebe dir die Heiden zum Erbe, und die Grenzen der Erde zum Eigentum.«*[33] Und Christus selbst spricht: *»Ich sage euch aber: Viele werden von Osten und Westen kommen und mit Abraham, Isaak und Jakob zu Tische sitzen«*[34] im Reich der Himmel. Diesen göttlichen Aussprüchen entspricht die Tatsache, dass die Kirche von Anfang an groß und katholisch war und dass sie auch in dieser Zeit nicht aufhört, groß und katholisch zu sein. Wenn die mohammedanische Seuche sie einst in Asien schwächte und verwundete, so wurde dieser Schaden doch dadurch behoben, dass große Völker und Staaten in anderen Gebieten des Erdkreises zu ihr Zugang fanden, als sie sich zur Religion Christi bekehrten; auch ist uns und unseren Vätern (noch) in Erinnerung [31], wie die (amerikanischen) Inseln und Gebiete einiger großer Völker durch das Evangelium unseres Herrn Jesus Christus der Dunkelheit des Irrtums entrissen und in das Reich des Gottessohnes versetzt wurden. Ohne Zweifel steht daher fest, dass die katholische Kirche seit der Zeit

---

32 An dieser Stelle findet sich ein Hinweiszeichen am Rand, die erste Versalie am Anfang der RG stellt die Arche in der Flut dar.

33 Ps 2,8.

34 Mt 8,11.

ihrer ersten Gründung niemals zusammengebrochen ist und auch jetzt fest steht; wenn dem jemand widerspricht, ist er entweder schamlos oder völlig von Sinnen.

Hinzu kommt (dies): Der Hl. Geist, der in der Schrift und im Glaubensbekenntnis die Kirche als katholisch bezeugt, der zeigt sie zugleich als ewig und beständig, so dass sie nie alt werden kann; zumal Christus selbst ihr verheißt,[35] dass er mit seiner heiligen Gegenwart bis zum Ende der Zeiten bei ihr bleibt. Wenn Christus aber einer menschlichen Gemeinschaft zu allen Zeiten selbst vorsteht, was sollte ihr dann fehlen können, um die wahre und ewige Kirche zu sein? Oder ist es nicht der Hl. Geist, der sie nährt, lenkt und in alle Wahrheit einführt? Oder sollte er es jemals zulassen, dass sie untergeht? Denn wenn Gott seine Kirche so begründet hat, dass sie katholisch, und nicht nur katholisch, sondern für alle Zeit sein sollte, dann muss es für die wahre und christliche Kirche ein sicheres Zeichen geben, wodurch sie sich von anderen Gemeinschaften unterscheidet, und das ist ihre Größe, ihre Beständigkeit und ihr Alter. Und damit uns die Feinde der Kirche mit ihrem Blendwerk nicht imponieren können, wenn wir erkennen, dass manche ihrer menschlichen Versammlungen kleiner und neuartiger sind, als es die alten katholischen sein können, so wollen wir sie doch meiden, besonders wenn wir sehen, dass sie aus irgendeiner anderen entstanden sind, die Christus bekennt, und sich irgendwie von ihr getrennt haben.

[32] Von ihnen sagt Johannes in seiner kanonischen (Schrift): *»Sie sind von uns gegangen, weil sie nicht zu uns gehörten«*[36], weil wir uns keiner dieser Gemeinschaften ohne größte Gefahr für unser Heil anschließen können, dürfen wir uns nicht von jener einen entfremden lassen, die Christus bekennt und sich vor allen anderen durch menschliche Größe und zeitliches Alter auszeichnet, weil außer dieser einen keine wahr und brüderlich sein kann. Da sich das so verhält, können wir nicht bloß mit dem Geist, sondern auch mit dem Herzen erfassen, dass Christus durch solch sichere und klare Zeichen seine Kirche von anderen menschlichen und vorübergehenden Gemeinschaften unterscheiden wollte, denn zu keiner Zeit brauchte es größerer Wachsamkeit, damit wir uns nicht, durch eine irrige Meinung verführt, von der wahren Kirche abwenden und fremden Gemeinschaften anschließen, in denen niemand das Heil erlangen kann, zumal es mir angesichts der zahlreichen unterschiedlichen Lehrmeinungen und Gemeinschaften scheint, als sei schon die Zeit gekommen oder würde in Kürze eintreten, von der Christus vorausgesagt hat: *»Es werden falsche Messias und falsche Propheten auftreten und große Zeichen und Wunder tun, um auch die Auserwählten, wenn es möglich wäre, irrezuführen. Seht, ich habe es euch vor-*

[35] Mt 28,20.

[36] 1 Joh 2,19.

hergesagt. Wenn man euch also sagt: Seht, er ist in der Wüste, so geht nicht hinaus; seht, er ist in den Kammern, so glaubt es nicht.«[37]

Was aber die Angelegenheiten der Kirche betrifft, will ich zu Ende kommen, wenn ich nur dieses [33] noch angefügt habe, was unserer Aufmerksamkeit bedarf: dass nämlich die Kirche, von der unser Glaubensartikel spricht, heilig ist, soweit sie durch die hl. Taufe geweiht und gereinigt ist; ferner insoweit, als wir zugeben, dass in ein und derselben (Kirche) nicht bloß Gute, sondern auch Schlechte zusammen sind. Denn das Evangelium vergleicht sie mit einem Netz, das gute und schlechte Fische fängt[38]: Gut sind jene, die, vom Geiste geführt, heilig und gerecht leben; unter ihnen besteht die Gemeinschaft der Heiligen (die in diesem Artikel ebenfalls erwähnt wird), auf dass das Gute der Einzelnen allen zugute komme. Schlecht aber sind jene, die nach der Taufe in tödliche Sündenschuld zurückgefallen sind und nach dem Fleische leben; sie sind zwar von der geistlichen Gemeinschaft der Heiligen entfernt und empfangen daraus keine Frucht, aber deshalb sind sie noch nicht von der äußeren Kirche vertrieben und getrennt, sie gehören noch zu ihr wie ein krankes Glied zum menschlichen Leib. Es gibt also eine doppelte Gemeinschaft der Heiligen, eine geistliche, soweit alle ihre Glieder aus dem (einen) Geist schöpfen – und eine äußere, insoweit alle das gleiche Wort Gottes hören und die gleichen Sakramente empfangen; ja sogar jene entbehren die äußere Gemeinschaft nicht, die sich mit Todsünden verunreinigt haben und deshalb die geistliche Gemeinschaft, die das Heil bringt, entbehren. Vielmehr können sie durch diese (äußere) wieder in jene heilbringende aufgenommen werden, sofern sie nur nicht aus gerechten Gründen durch einen Bannspruch [34] von beiden Gemeinschaften der Kirche geschieden sind. Um so schlimmer ist das Schicksal der Schismatiker und Häretiker, deren Untat so groß und so schwer ist, dass sie sich schon vor jeder Verurteilung durch die rechtmäßige kirchliche Gewalt selber verurteilt haben; wenn sie auf ihrem Wege nicht umkehren, gehen sie irgendwie (schon) durch ihr eigenes Urteil zugrunde. Denn wie Paulus sagt, soll der Häretiker *»nach der ersten und zweiten Zurechtweisung gemieden werden, da man weiß, dass ein solcher verkehrt ist, sündigt und sich selbst gerichtet hat«*[39], das ist kein Unrecht. Denn wenn er die Kirche zerreißt und ihr schweres Unrecht zufügt, dann hat er sich deswegen selbst die Schuld zuzuschreiben und ist nicht wert, irgendwie ihr Teil zu bleiben. Er gleicht dann einem unheilbringenden und gleichsam zu amputierenden Glied des menschlichen Leibes, das in diesem Zustand eitert, (für das Ganze) selbst eine Gefahr bildet und von Grund auf entfernt werden muss. Wir müssen daher Schisma und Irrlehre wie schwerste Seuchen fliehen und um so eifriger die Gemeinschaft mit der katholischen Kirche pflegen. Das mussten wir sowohl unseres Amtes wie auch

---

37 Mt 24,24–26.

38 Mt 13,47–50.

39 Tit 3,10 f.

des Heiles wegen sagen. Doch soweit der Sinn des Glaubensartikels, nun zu seinem Lebenswert.

Usus articuli[40]

Es steht fest, dass die christliche Kirche nicht an diesem oder jenem Ort des Erdkreises eingeschlossen, sondern vielmehr über die ganze Erde verbreitet und deshalb katholisch ist; sie ist auch nicht neuerdings [35] entstanden oder jemals unterbrochen worden, sondern völlig ewig und beständig; sie empfiehlt sich durch ihre Größe und ihr Alter und kann nicht aus vielen unterschiedlichen Gemeinschaften bestehen, die miteinander in Religionsfragen nicht einig sind; sie kann nur eine sein, die Versammlung einer Gemeinschaft und völlig einig. In dem Maße sich einer ihr anschließt, wählt er die wahre und brüderliche Kirchengemeinschaft richtig; wer sich von ihr trennt und sich anderen menschlichen Gemeinschaften anschließt, der gefährdet sein ewiges Heil. Selbst wenn wir uns mit fünfzig Jahren von ihr entfernt hätten, sind wir deshalb doch in dieser alten und katholischen Kirche für Christus wiedergeboren worden, (deshalb) glaubt, dass dies die einzige Kirche ist, in der ihr das Heil erlangen könnt, und hört nicht auf die verderblichen Stimmen derer, die euch von ihr weglocken wollen zu fremden Gemeinschaften, die dieser widersprechen. Denen könnt ihr nicht ohne Gefahr für euer Heil gehorchen; doch wenn ihr vielleicht mit irgendeiner fremden Gemeinschaft verbunden seid, die nicht die alte und katholische Kirche ist, braucht ihr an eurem Heil nicht zu verzweifeln, wenn ihr euch nur von ihr zurückrufen und wiederaufnehmen lasst. Und damit ihr kein Beispiel für eine so notwendige Sache vermisst, vergleicht den Kreis der Wiedertäufer mit der Gemeinschaft jener, die die Kindertaufe verteidigen; erkennt, wie diese an Größe und Alter jenen überragt, wie er besonders an einigen – ich weiß nicht welchen – kleinen [36] Orten besteht, während sie über die ganze Erde ausgebreitet ist; wie er ebenfalls (erst) neuerdings entstanden ist, sie aber ist (so) alt, dass auch die Wiedertäufer aus ihr hervorgegangen sind. Wenn ihr diese also von der Meinung jener unterscheiden (wollt), die die Kindertaufe verteidigen, so spricht viel für die katholische und heilige alte Gepflogenheit, wenig aber für die Wiedertäufer. Ihr müsst euch also von ihnen desto mehr abwenden, als ihr bei Übernahme (ihrer und) ähnlicher Auffassungen keine Katholiken und wahren Christen sein könnt. Unter dem gleichen Gesichtspunkt müssen die katholischen und christlichen Lehrsätze geschieden werden von den Erdichtungen aller übrigen Schismatiker und Häretiker, damit ihr feststellen könnt, was ihr in dieser ganzen Angelegenheit befolgen und was ihr vermeiden müsst.

---

[40] 68–69.

Zwölfter Glaubensartikel:

Et vitam aeternam. Amen[41]

Dieser letzte Artikel unseres Glaubens handelt vom ewigen Leben; es ist jenes Ziel, für das Christus die Mühsal [42] für unsere Erlösung auf sich genommen hat. Hiervon (gilt) das (Wort) Christi: *»So sehr hat Gott die Welt geliebt, dass er seinen eingeborenen Sohn dahingab, damit jeder, der an ihn glaubt, nicht verlorengehe, sondern ewiges Leben habe.«*[42] Man kann deshalb nicht zweifeln, dass jene, die in Christus Jesus und nicht von ihm gewichen sind, dieses ihr Leben mit dem ewigen vertauschen können. Denn wenn sie Kinder Gottes sind, *»dann sind sie auch Erben, Erben Gottes und Miterben Christi«*[43], und zwar gemäß der Hoffnung des ewigen Lebens. Dieses Erbe werden jene sogleich nach diesem Leben erlangen, die ihr Herz mit allem Guten so verbinden, dass sie sich von allem Bösen fernhalten. Es wird nichts mehr geben, was sie beängstigt, verwirrt oder verführt: Sie sehen Gott nicht durch einen Spiegel, wie jetzt, *»sondern von Angesicht zu Angesicht«*[44]. Was sie an Gedanken und vollkommener Weisheit aus seiner Anschauung schöpfen, das schmückt sie auf wunderbare Weise. Sogar die Liebe wird so vollkommen in ihnen sein, dass ihnen nichts zu einem ewigen Leben und glücklichen Verweilen fehlen kann. Und weil es Gottes Ratschluss ist, dass auch die Leiber einst zum ewigen Leben erweckt werden, erlangen jene Seligen mit Leib und Seele die ewige Vollkommenheit und vollkommene Ewigkeit auf glücklichste Weise. Zwar kann jeder, der im Herrn stirbt, mit seiner Seele sogleich zum ewigen Leben in den Himmel eingehen; aber am jüngsten Tage, wenn sein Leib von den Toten auferweckt wird, dann empfängt er es mit noch größerem Glück: [43] Zu dieser Zeit sind die Leiber (ja) von allem Übel frei, sie hungern und dürsten nicht mehr, Kälte und Hitze behelligen sie nicht, sie altern nicht und werden nicht schwach, weder Krankheit noch Schmerz quält sie,[45] kurz, sie sind leidenslos, unsterblich, verherrlicht, verklärt. Es steht ja geschrieben: *»Die Leiber der Heiligen leuchten wie die Sonne.«*[46] Um nun die ganze Sache zusammenzufassen: Jeder, der das ewige Leben erlangt, gleicht den Engeln, und nicht nur den Engeln, sondern sogar Gott selbst. Johannes sagt: *»Geliebte, jetzt sind wir Kinder Gottes, aber was wir sein werden, ist noch nicht offenbar geworden; wir wissen aber, dass wir ihm ähnlich sein werden, wenn er erscheint. Denn wir werden ihn sehen, so wie er ist.«*[47] Und jeder wird so gut sein, wie es kein Auge geschaut und kein Ohr

---

[41] 72–73.

[42] Joh 3,16.

[43] Röm 8,17.

[44] 1 Kor 13,12.

[45] Vgl. Apk 7,16.

[46] Vgl. Apk 7,9.

[47] 1 Joh 3,2.

gehört hat. Das ungefähr ist Größe und Ruhm unseres Erbteils, welches das Leben ist, das Christus, unser Herr, uns als seinen Erben für ewig geschenkt hat, als er uns selbst aus der Schlucht des Todes entriss.

Usus articuli[48]

Welche Güter wir in diesem Leben auch erlangen, sie sind vergänglich und nicht ewig; deshalb dürfen wir nicht unsere Seele daran hängen, sondern müssen zum Himmel aufblicken und die besseren und himmlischen erstreben. Wir wollen bedenken, dass wir hier, solange wir leben, vor dem Herrn pilgern und keine bleibende Stätte haben; und wollen eingestehen, dass er uns ein Ende festsetzen wird, damit wir endlich zum ewigen [44] Vaterland (gelangen), wo alles ewig und überaus glücklich ist. Um so mehr müssen wir wachen, damit wir nicht unvorbereitet erfunden werden, wenn der Herr kommt und uns aus diesem Leben ruft, und die so begehrenswerte Gelegenheit zum Eintritt in das Reich der Himmel verlieren, wie sie sich später niemals mehr bietet. Zu dieser so notwendigen Wachsamkeit spornt Christus selbst uns an und mahnt, dass wir uns nicht durch die Begehrlichkeit des Fleisches, durch Nachlässigkeit im Guten oder durch irgendeinen Nachteil davon abbringen lassen: (Sonst) geschieht uns einmal das gleiche wie den törichten Jungfrauen[49], die durch ihre Schuld vom Himmelreich ausgeschlossen wurden. Diesen traurigen Fall müssen wir um so mehr fürchten, als uns der Glaube an das ewige Leben bessere Hoffnung und Tröstung geben muss und (zu geben) pflegt. Und bedrücken dich etwa die Widerwärtigkeiten dieser Welt, wie sie vielfach vorzukommen pflegen, dann glaube, dass du dereinst, wenn diese Übel fortgenommen sein werden, das ewige Leben erlangst, verbunden mit höchster Ruhe und größtem Glück; ohne Zweifel wirst du (dann) erquickt; die Hoffnung auf die ewigen Güter mildert den Schmerz der kurzen Zeit; wenn deine Hoffnung auf Gott und das Blut Christi gegründet ist, wird sie der an Erbarmen reiche Gott nicht enttäuschen. Wenn irgendwann, dann brauchst du an deinem Sterbetag diese dich stützende Hoffnung. Du brauchst sie vor allem, um deine Seele nicht vergeblich den heiligsten Händen Gottes empfehlen zu müssen.

[45] Bis hierher über die zwölf Glaubensartikel, die alle Gaben umfassen, die wir von Gott empfangen. Und weil all dies von Gott ausgeht, alles Böse aber von uns, müssen wir uns so verhalten, dass wir uns bei uns (selbst) verwerfen und demütig anklagen; in Gott allein aber und in unserem Herrn Jesus Christus uns rühmen und unsere ganze Hoffnung auf ihn setzen; und (dass wir) dieses (Wort) Davids ständig im Herzen und im Munde haben: »*Nicht uns, o Herr, nicht uns, sondern deinem Namen gib die Ehre.*«[50] Es ist nämlich dem wahren Glauben an Gott eigen, dass er den Eigenruhm ausschließt, wie beim Apostel geschrieben

48 73–75.

49 Mt 25,11 f.

50 Ps 113,9.

ist,[51] damit alle für alles Gute Gott die Ehre geben, und zwar so, dass du ihn anerkennst als Besten und Größten, als Ursprung unseres Lebens und Heils; zur Ehre seiner Wahrheit, indem du ohne zu zweifeln seine Verheißungen glaubst; zur Ehre seiner Allmacht, indem du glaubst und auf ihn hoffst, dass er gewähren kann, was er verheißt und dass alles in seiner Macht liegt; zur Ehre endlich seiner höchsten Güte, indem du glaubst und auf ihn hoffst als den Herrn und Vater unseres Herrn Jesus Christus, dass er uns die verheißenen Heilsgüter ohne Zweifel gewährt. Diesen Glauben an Gott schenkt Gott ebenso, wie er ihn beglaubigt. Er teilt dem Empfangenden nicht nur aus, was er huldvoll verheißen hat, er rechnet ihm dies sogar zur Rechtfertigung an. Denn wer mit zerknirschtem Herzen, demütig und darniederliegend, zur Barmherzigkeit Gottes flüchtet, [46] sein Vertrauen und Hoffen auf diesen Herrn und auf Christi Blut und Kreuz setzt, der empfängt nicht nur, was er glaubt; dieser Glaube in der Unvollkommenheit dieses Lebens wird ihm bereits zu jener Gerechtigkeit angerechnet, der gleichsam zur höchsten, vollkommenen Gerechtigkeit nichts (mehr) fehlt. Aber niemand soll meinen, dass ich solchen Glauben etwa denen zuspreche, die mit Todsünden befleckt sind und, dem Guten abgewandt, darin verharren – es soll nicht der Eindruck entstehen, dass ich solchen Glauben denen zuspreche, die gleichsam auf ihre Schlechtigkeit vertrauen –, ich sage, ich erläutere (hier) jenen (Glauben), der auf Gott (gerichtet) ist und die Hoffnung und das Vertrauen in sich einschließt: seiner Natur ist es eigen, dass er nicht eher in unseren Seelen besteht, als diese in demütiger Buße zerknirscht und so mit der Liebe verbunden sind, dass du erst dann glauben kannst, Gott werde dir gnädig sein, wenn du ihn ständig wie einen Vater lieben und nichts dringender willst, als seinem Willen und Gesetz zu gehorchen. Das ist nämlich (erst) jener lebendige Glaube, der zu seiner Zeit durch die Liebe auf gute und rechte Weise gute Werke hervorbringt.

Das Gesetz im allgemeinen[52]

Wir kommen nun zum Gesetz, das der Glaubenslehre, die wir schon behandelt haben, mit Recht und ordnungsgemäß nachgeordnet wird. Denn als diese Lehre die rechte Gotteserkenntnis unseren Herzen einprägte und darin Christus gebildet hat, (geschah das) nicht, damit wir ihn mit dem Munde bekennen und durch unsere Taten leugnen, vielmehr muss unser Leben so eingerichtet sein, dass wir tun, was gut ist, und meiden, was ihm widerspricht, auf dass wir dem gerechten Willen Gottes für die ganze Dauer des Lebens [47] zu gehorchen trachten. Wegen dieser Aufgaben gebietet uns das Gesetz Gottes, dass jeder daran

[51] Röm 3,27.

[52] 75–80.

sein Leben wie nach einer Richtschnur ausrichtet, dass er niemand verletzt oder Unrecht tut.

Dieses Gesetz ist wirklich Erkenntnis der Sünden und eine Leuchte für unsere Füße.[53] Denn wenn einer gegen seine Vorschriften handelt, wird er dadurch erinnert und gemahnt, dass er gesündigt und den gerechten Willen Gottes verletzt hat. Wer ihm aber wie einer Leuchte für seine Füße folgt und nicht von ihm abweicht, der handelt richtig und wird zugleich durch das Zeugnis eines guten Gewissens getröstet. Zwar steht geschrieben, Gesetz und Propheten (gälten nur) bis Johannes,[54] aber das gilt nicht von jenem Teil des Gesetzes, das die guten Sitten festsetzt, sondern ist vom Zeremonial(gesetz) zu verstehen. Dass dieses aufgehoben ist, steht zur Genüge fest. Es hatte nämlich den Schatten des Kommenden und trat in allen seinen Teilen außer Kraft, als es vor dem Leib des Nachfolgenden, nämlich (vor) Christus, zurückwich. Die lex moralis aber hat ihre Geltung behalten; das kann nur der leugnen, der meint, Christus sei gekommen, um diesen Teil des Gesetzes nicht zu erfüllen, sondern aufzuheben, das Gegenteil hat er aber in der Bergpredigt gelehrt.[55] Kurz, wenn Christus jenes Lamm Gottes ist, das die Sünden der Welt hinwegnimmt,[56] dann kann er uns nicht von dem Gesetz lösen, das die Lebensaufgaben regelt, um es zugleich wieder aufzurichten. Denn auch dieses sein Wort ist ja bekannt: *»Willst du zum Leben eingehen, so halte die Gebote.«*[57] In gleichem Sinne sagt Johannes: *»Daran sehen wir, dass wir ihn erkennen [48], dass wir seine Gebote halten; wer sagt, er kenne Gott, ohne dass er seine Gebote hält, der ist ein Lügner, und die Wahrheit ist nicht in ihm.«*[58] Und kurz danach: *»Geliebte, ich schreibe euch kein neues Gebot, sondern ein altes, das ihr von Anfang an hattet.«*[59] Und dies ist sein Gebot, das den Dekalog zum Inhalt hat, den Christus nicht etwa abgeschafft, sondern vollkommener gemacht hat, als er ihn mit dem Geist der Liebe verband. Was dies bedeutet, erkennt an dieser Stelle. Denn es gibt drei Arten des Gesetzes, das Naturgesetz, das mosaische und das Gesetz des Geistes, und ich möchte von den einzelnen sagen, was ich denke.

Zunächst ist es jedem eingeboren, dass er darauf sinnt, das Böse zu meiden, das Gute anzustreben und zu tun; jedem ist es ins Herz gelegt, Gott zu ehren, den Eltern zu gehorchen und niemand das anzutun, was er nicht selbst erleiden will. Diese Regel unseres Geistes ist jenes Naturgesetz, um das es an dieser Stelle geht. Es hat bei den Heiden eine hervorragende Lebensordnung hervorgebracht, die bei Persern, Spartanern und Römern »Sitten« genannt wird. Zwar können die vom

53 Ps 118 (Vg.).

54 Mt 11,13.

55 Mt 5,17.

56 Joh 1,37.

57 Mt 19,17.

58 1 Joh 2,3 f.

59 1 Joh 2,7.

Naturgesetz Geführten ehrbar leben und die Gemeinschaft mit ihren Bürgern recht und schlecht erhalten, aber dieses (Gesetz) ist doch zu eng, als dass die vollere Tugend der Christen sich darin erschöpfen könnte. Der nur von der Natur geführte Mensch nämlich glaubt jedes Numinosum verehren zu müssen; die Erbsünde hat die Natur so verdorben [49], dass er weder den wahren Gott erkennt noch das, was des Geistes ist; vielmehr wandelt er in der Finsternis schwerer Irrtümer. Es steht nämlich fest, dass (z. B.) viele Heidenvölker, deren Weisheit und Tugenden in lobenswerter Blüte standen, dennoch Götzenbilder verehrt haben. Hinzu kommt, dass einer, der nur die Natur gelten lässt, die niederen (inneren) Begierden nicht als Laster oder Sünden erkennt; wenn sie auch nicht in einer Handlung hervortreten, so schaden sie doch den Menschen, die mit ihnen leben. Daher wird der sinnliche Mensch die inneren und verborgenen Regungen und Begierden der Seele, die anderen kein Unrecht tun oder sie wenigstens nicht verletzen, auf keine Weise verabscheuen, sondern vielmehr Freude daran haben. Daraus ist klar zu ersehen, dass die Seele durch das Naturgesetz nicht erhoben wird, sondern vielmehr durch eine äußere Gerechtigkeit aufgeweckt werden muss.

Und weil diese äußere Gerechtigkeit Gott, der Geist ist, nicht genügt, und weil er keine andere anerkennt als die mit wahrer Frömmigkeit verbundene, die aus einem guten Herzen und Willen hervorgeht, wollte der mildeste Herr unser Geschlecht (auch) in dieser Hinsicht zu Hilfe kommen, als er ein geschriebenes Gesetz, das er Moses gab, dem Naturgesetz hinzufügte, nicht um es aufzuheben, sondern um es besser und vollkommener zu machen. Denn hierdurch ruft er den Menschen nicht nur vom Götzendienst zurück zur Verehrung des einen Gottes, der Himmel und Erde erschaffen hat, er verhindert nicht nur die bösen Werke, die unter die Sinne(-nlust) fallen, er verbietet auch den verborgenen bösen Willen: *»Du sollst nicht begehren«*, sagt er, und gebietet (damit) nicht nur äußere Werke, sondern die (innere) Liebe. Und [50] um auf diese Weise (etwa) die Quelle seiner Gebote zu zeigen, weist Gott gleichsam auf die Rinnsale, die (gewissermaßen) aus ihm selbst entspringen und schließt sie in den 10 Geboten ein. Zwar sind die Gebote dieses Mosaischen Gesetzes in sich gut und sogar ehrenvoll, aber weil der sinnliche Mensch ständig vom Guten fortstrebt und zum Bösen hinneigt, hat das Gesetz des Moses (allein), so sehr es mit dem Heil des Menschen verbunden ist, doch nicht genügend Kraft, die Rechtfertigung zu gewährleisten; z. B. gebietet es die Liebe, ohne die man nicht gut und gerecht leben kann, aber es gewährt sie nicht. Denn die schlechten Begierden unterdrückt es überhaupt nicht, es stachelt sie vielmehr an und vermehrt sie. Durch dies (Gesetz) geschieht dem Menschen dasselbe wie einem reißenden Fluss, dem in seinem Lauf ein Hindernis in den Weg gestellt wird, es beruhigt diesen Lauf nicht, sondern macht ihn (nur) noch aufrührerischer, als er schon vorher war. Deshalb nennt Paulus[60] dieses Gesetz

[60] 2 Kor 3,7.

eine Gelegenheit zur Sünde und einen Dienst des Todes: Es reizt die Begierden nämlich um so mehr und bewirkt, dass diese Aufreizung dem Menschengeschlecht Verderben bringt; nicht etwa, weil das Gesetz in sich nicht gut wäre, sondern weil unserer kranken Natur auch das Gute schadet, nicht anders als kranken Augen der gute Glanz der Sonne oder Fieberkranken der gute Wein. – Damit uns aber Gott in seiner Barmherzigkeit auch in dieser Hinsicht zu Hilfe komme, fügte er dem Gesetz der Natur und dem des Moses das Gesetz des Geistes bei, das nicht aufgeschrieben, sondern durch den [51] Finger Gottes den Herzen der Menschen eingeprägt ist, und das überhaupt (erst) die Kraft verleiht, dass du nicht mehr wider Willen, sondern auf eigenen Antrieb und gutwillig tust, was das geschriebene Gesetz verfügt. Denn es entflammt den Geist mit jener rechten Liebe, so dass du nichts lieber willst als Gott, dem ewigen Vater, und seinem Gesetz gehorchen, ja, dass du sogar lieber sterben willst, als Gott durch deine Vergehen zu verletzen. So geschieht es, dass (erst) der hinzukommende Geist das hier behandelte (Gesetz) lebendig macht, was Schrift und Buchstabe des Gesetzes tötet.[61] Von diesem pneumatischen Gesetz gelten die vollen Verheißungen des göttlichen Trostes: *»Seht, es kommen Tage«*, spricht der Herr (bei Jeremias)[62], *»da werde ich mit dem Hause Israel und dem Hause Juda einen neuen Bund schließen; nicht einen Bund, wie ich ihn mit euren Vätern geschlossen, am Tage, da ich ihre Hand ergriff, um sie aus dem Lande Ägypten zu führen; welchen Bund sie brachen, deshalb ließ ich sie meine Macht fühlen, spricht der Herr, sondern dies wird ein Bund sein, den ich mit dem Hause Israel nach jenen Tagen schließen werde, spricht der Herr. Ich will mein Gesetz in ihr Inneres legen und es in ihr Herz schreiben, ich werde ihr Gott sein, und sie sollen mein Volk sein.«* Im gleichen Sinne spricht Gott bei Ezechiel[63]: *»Ich will ein reines Wasser über euch ausgießen, und ihr werdet von all euren Vergehen gereinigt, von all euren Götzen will ich euch reinigen. Ich gebe euch ein neues Herz, und einen neuen Geist will ich in euch legen, das steinerne Herz nehme ich aus eurem Leib und gebe euch ein Herz von Fleisch. Meinen Geist lege ich in euer Inneres und bewirke, [52] dass ihr in meinen Geboten wandelt, meine Rechte beachtet und danach tut.«*

Das ist das eigentliche Gesetz, von dem wir hier handeln, das Gesetz der Liebe und des Geistes, das nicht nur gebietet, was wir tun und was wir meiden müssen, sondern auch die Kraft gibt, das Gebotene zu wollen und das Gewollte zu tun. Es ist um so größer und besser und der Würde der Söhne Gottes angemessener, je enger es mit ihrer Freiheit verbunden ist. Ihnen ist es eigen, Abba, Vater, zu rufen und dem Willen Gottes gern zu gehorchen.[64] Wem dieses Gesetz eingepflanzt ist, der kann für Gott und die Gerechtigkeit leben und sich dem göttlichen Willen

---

[61] 2 Kor 3,6.

[62] Jer 31,31–33.

[63] Ez 36, 25–27.

[64] Nach Röm 8,15; Gal 4,6.

richtig und auf solche Weise anpassen, dass er ihn nicht leicht(-fertig) verletzt. Zwar bleiben in jenen, die vom Geiste erneuert und von der Liebe geführt werden, gewisse Laster zurück, damit sie ständig in der Demut erhalten werden; zwar hört auch bei ihnen das Fleisch gegen das Pneuma nicht zu streiten auf, solange sie auf dieser Erde leben – eine Erfahrung, die auch den Apostel bedrückte, als er nicht ohne Seufzen dieses Wort hervorbrachte: *»Ich unglücklicher Mensch, wer wird mich befreien von diesem Leibe des Todes?«*[65] – doch gereicht ihnen das, was in ihnen noch lasterhaft ist, nicht zum Verderben, solange sie Christus eingepflanzt sind und den schlechten Begierden nicht zustimmen. *»Für jene, die in Christus Jesus sind, gibt es nun keine Verdammnis, wenn sie nicht nach dem Fleische wandeln«*, sagt Paulus[66]. Zwar leben auch diese nicht ohne tägliche Sünde, so dass sie sich täuschen würden; wollten *»sie sagen, sie hätten keine Sünde, täuschten sie sich und die [53] Wahrheit wäre nicht in ihnen«*[67], wie Johannes sagt; aber mit jener Gerechtigkeit, die uns im Leben dieser Pilgerschaft möglich ist, können sie doch Gottes Gesetz erfüllen. Wenn jemand dies erreicht und aus seinem Glauben lebt, dann wird ihm das nicht zum Verhängnis, was er weniger tut, als es die vollkommene Gerechtigkeit eigentlich fordert.

Denn schon der Dekalog überliefert eine sichere Norm jener Aufgaben, die in diesem Leben erfüllt werden können: welche das sind, ist in den zehn Geboten enthalten. Denn alles, was unsere vorzüglichste (Lebens-)aufgabe angeht – dass wir Gott mit allem dienen, was in unserer Macht steht, mit Seele, Leib und äußeren Dingen –, was zu dieser Aufgabe gehört, das alles enthalten die drei Gebote der ersten Tafel. Was aber den Menschen, mit denen wir leben, an brüderlicher Liebe zu erweisen ist, das lässt sich aus dem Gebot des allgemeinen Naturgesetzes erkennen: *»Alles, was ihr wollt, das euch die Menschen tun, das tut auch ihr ihnen ebenso.«*[68] Christus selbst lehrt mit höchster Autorität, dass daran das ganze Gesetz hängt und die Propheten.[69] Wenn aber jemand von uns will, dass seine Untergebenen auf sein Wort hören, dass ihm kein Unrecht geschieht und ihm niemand etwas von seiner Ehre oder seinem Eigentum nimmt oder ihn durch falsches Zeugnis schädigt, dann kannst du aus dieser Regel des Naturgesetzes leicht ableiten, was wir in dieser ganzen Angelegenheit selbst tun oder meiden müssen. Hinzu kommt jenes (andere Gebot) im Gesetze: *»Du sollst deinen Nächsten lieben wie dich selbst«*[70], aus welchem wie aus einer Quelle jene sieben Gebote der zweiten Tafel [54] des Gesetzes hervorgehen. Auch dies ist dem Apostel nicht unbekannt: *»Bleibt niemand etwas schuldig, außer dass ihr einander*

---

[65] Röm 7,24.

[66] Röm 8,1.

[67] 1 Joh 1,8.

[68] Vgl. Mt 7,12.

[69] Mt 22,40.

[70] Lev 19,18.

liebt, denn wer den Nächsten liebt, hat das Gesetz erfüllt. Denn das Verbot: Du sollst nicht ehebrechen, du sollst nicht töten, du sollst nicht stehlen, du sollst kein falsches Zeugnis geben, du sollst nicht begehren, und jedes andere Gebot ist in dieser Vorschrift enthalten: Du sollst deinen Nächsten lieben wie dich selbst. Die Liebe tut dem Nächsten nichts Böses, die Liebe ist also die Erfüllung des Gesetzes.«[71] Aber von der Eigenart des Gesetzes im allgemeinen mag nun genug gesagt sein. Nun zu den einzelnen Geboten des Dekalogs.

Die Sakramente im allgemeinen[72]

Über alle Aufgaben eines christlichen Lebens ist bereits genug gesagt, und es sind bereits auch einige jener Dinge erwähnt worden, mit welchen wir Gott richtig ehren und miteinander freundschaftlich leben können: Nun bleibt noch der Sinn der Geheimnisse Gottes und der Sakramente [141] zu erklären, durch welche uns Gott seine Gnade, gewissermaßen wie durch Gefäße, austeilt. Dass aber die Sakramente diese Kraft haben, den Glauben zu wecken, durch den wir die verheißene Gnade annehmen, und die Gnade auszuteilen, ergibt sich aus dem Pauluswort: *»Täuscht euch nicht. Weder Unzüchtige, Götzendiener, Ehebrecher, noch Weichlinge, Knabenschänder, Diebe, Geizige, Säufer, Lästerer noch Räuber werden das Reich Gottes besitzen. Solche seid ihr früher gewesen, doch ihr seid abgewaschen, ihr seid geheiligt, ihr seid gerechtfertigt im Namen unseres Herrn Jesus Christus, und im Geiste unseres Gottes.«*[73] Ferner: *»Vernachlässige nicht die Gnadengabe, die in dir ist durch die Prophezeiung und Handauflegung der Priester.«*[74] Zwar kann Gott uns auch ohne Sakramente das Heil geben, aber er hat unser (Wohl) im Auge, wenn wir durch sichtbare Zeichen zur Erkenntnis und zum Glauben an die geistigen Gnaden geführt werden; damit wir daraus schöpfen, hat Gott selbst unsere Sakramente eingesetzt; wer sie verachtet, ist undankbar gegen Gott und nicht würdig, die Gnade zu erlangen, die Gott uns durch diese Sakramente zuleitet. Deshalb darf kein Mensch sie alle oder einige von ihnen verachten, er muss in ihnen vielmehr mit dankbarem Herzen göttliche Wohltaten erkennen und sie gebrauchen, so oft es nötig ist. Nun zu den einzelnen.

Die Taufe[75]

[142] Christus hat dieses heilige Geheimnis so eingesetzt: *»Mir ist alle Gewalt gegeben im Himmel und auf Erden. Darum gehet hin und lehret alle Völker, und*

---

71 Röm 13,8–10.

72 132.

73 1 Kor 6,9b–11.

74 1 Tim 4,14.

75 132–134.

taufet sie im Namen des Vaters und des Sohnes und des Heiligen Geistes.«[76] Diesem Sakrament wurde die Kraft seiner Gnade verliehen, neu zu reinigen und neu Leben zu schenken. Denn während es uns auf sichtbare Weise abwäscht, nimmt es uns durch den Heiligen Geist auf unsichtbare Weise den Schmutz der Sünden, so dass uns die Erbsünde und persönliche Sünden, wenn wir welche begangen haben, vergeben werden und wir, des alten Menschen entkleidet, zu einem neuen umerschaffen werden, der nach Gott geschaffen ist. Denn bei Paulus steht geschrieben: *»Als aber die Güte und Menschenfreundlichkeit Gottes unseres Heilandes erschien, hat er nicht wegen der Werke der Gerechtigkeit, die wir getan, sondern nach seiner Barmherzigkeit uns gerettet durch das Bad der Wiedergeburt und die Erneuerung des Heiligen Geistes, welchen er reichlich über uns ausgegossen hat durch Jesus Christus, unseren Heiland, dass wir, gerechtfertigt durch seine Gnade, Erben würden nach der Hoffnung des ewigen Lebens.«*[77] Gott hatte nämlich (alles) so geordnet: Wir müssen von unseren Eltern auf ähnliche Weise gezeugt werden, damit wir sein könnten, wie wir durch dieses Sakrament wiedergeboren werden, damit wir heilig und gerecht sein könnten. Deshalb sagt Christus: *»Wenn jemand nicht wiedergeboren wird aus Wasser und Geist, wird er in das Reich der Himmel nicht eingehen.«*[78] Und wenn jemand dieses Sakrament richtig empfangen soll, ob Erwachsener oder Kind, muss zum (Zeichen der) Taufe, durch das er abgewaschen wird, das feierliche Wort kommen: [143] Ich taufe dich im Namen des Vaters und des Sohnes und des Heiligen Geistes. Darin aber unterscheidet sich Kind und Erwachsener, dass jenes die Frucht des Sakramentes erlangt, die im Nachlass der Sünden, Heiligung und Erbschaft des ewigen Lebens besteht, obwohl es noch keine Regung der Buße und des Glaubens mitbringt, weil es das noch nicht kann. Dieser aber empfängt sie nicht ohne Buße und Glaubenszustimmung. Denn es steht geschrieben: *»Tut Buße und jeder von euch lasse sich taufen«*; ebenso: *»Wer glaubt und sich taufen lässt, wird gerettet, wer aber nicht glaubt, wird verdammt.«*[79] Wenn jemand aber etwa nicht glaubt, wenn er (das Sakrament) empfängt, so ist seine Taufe dennoch wahr und darf nicht wiederholt werden. Zwar wird sie erst fruchtbar, nachdem er seine Sünden bereut und selbst glaubt, er erlangt die Frucht des Sakramentes aber nicht weniger, als wenn er von Anfang an Reue und Glauben hätte. Zwar kann ein Kind ohne (eigenen) Glaubensakt heilbringend getauft werden, aber es wird nach den Vätern nicht ohne den Glauben der Kirche getauft. Das Sakrament selbst besteht aus Wasser und der feierlichen Formel der Worte, die oben erwähnt sind; wenn außerdem nichts hinzugefügt wird, so hat dies (allein) genügend Kraft, uns wiederzugebären. Zwar sind diesem Sakrament durch Einsetzung der Kirche bestimmte Riten beigefügt;

---

[76] Mt 28,18b–19.

[77] Tit 3,4–7.

[78] Joh 3,5.

[79] Vgl. Apg 2,38; Mk 16,16 (Pflug macht keine Stellenangaben).

wer sie auslässt, schädigt die Taufe nicht, weil sie aber nützlich und sehr geeignet sind, das Geheimnis zu verdeutlichen, sündigt jeder, der sie verachtet, [144] zumal sie von den ältesten Vätern bezeugt sind und von der Kirche auf der ganzen Welt anerkannt werden.

Die Eucharistie[80]

Gott gibt uns nicht nur jene Gnade, die uns stärkt und irgendwie bewaffnet für den Kampf gegen unsere Feinde, sondern auch (diese), dass wir mit aller geistlichen Gabe ernährt werden und in dem Maße in den Herrn hineinwachsen, als er uns sein Fleisch als Speise und sein Blut als heilsamen Trank reicht. Darüber gibt es diese Worte Christi: *»Wahrlich, wahrlich ich sage euch, wenn ihr das Fleisch des Menschensohnes nicht essen und sein Blut nicht trinken werdet, so werdet ihr das Leben nicht in euch haben. Wer mein Fleisch isst und mein Blut trinkt, der hat das ewige Leben, und ich werde ihn am jüngsten Tage auferwecken. Denn mein Fleisch ist wahrhaft eine Speise, und mein Blut* [148] *ist wahrhaft ein Trank. Wer mein Fleisch isst und mein Blut trinkt, der bleibt in mir und ich in ihm.«*[81] Zwar handelt es sich hier um geistlichen Trank und Speise und wird richtig (auch nur) im geistlichen Sinn verstanden; aber damit uns Christus unser Herr bei keiner für das Heil notwendigen oder nützlichen Sache fehle, hat er – ähnlich wie er die Reinigungsgnade mit dem Taufsakrament verband und die stärkende Gnade mit dem Firmsakrament – die geistliche und mit Gnaden nährende Speise verbunden mit dem Sakrament seines Fleisches und Blutes, das wir Eucharistie nennen. Denn während die Apostel beim Mahl waren, wie Matthäus sagt, *»nahm Jesus das Brot, segnete und brach es, gab es seinen Jüngern mit den Worten: Nehmet hin und esset, das ist mein Leib. Und er nahm den Kelch, dankte, gab ihn ihnen und sprach: Trinket alle daraus, denn dies ist mein Blut des neuen Bundes, das für viele vergossen wird zur Vergebung der Sünden.«*[82] Denn sobald diese Worte »Das ist mein Leib« und »das ist mein Blut« zu Brot und Wein kommen, wird aus Brot und Wein das Sakrament des Fleisches und Blutes Christi. Wer das leugnet, bekämpft nicht nur die Auffassung der katholischen Kirche über dieses Sakrament, sondern auch die klaren Worte Christi »Dies ist mein Leib«. Ebenso zieht er (die Worte) »Dies ist mein Blut des Neuen Bundes« ausdrücklich in Zweifel. Zwar werden durch diesen Vorgang die sichtbaren Gestalten, nämlich die Akzidentien von Brot und Wein nicht fortgenommen, aber die Substanz von Brot und Wein wird doch in die Substanz des wahren Fleisches und Blutes Christi verändert und [149] verwandelt. Das dürfen wir nicht bezweifeln, wollen wir nicht dem Worte Gottes und sogar Christus selbst Unrecht tun, und den hl. Synoden und der ganzen Kirche selbst widerstreiten.

---

[80] 136–139.

[81] Joh 6,54–57.

[82] Vgl. Mt 26, 26–28.

Deshalb müssen wir uns auch vor der Meinung hüten, der wahre Leib und das wahre Blut Christi seien auch nach der Wandlung in der Eucharistie solange nicht enthalten, als sie nicht empfangen würden. Wenn sich das nämlich so verhielte, wäre die Macht des göttlichen – konsekrierenden – Wortes abhängig von der Tat des Menschen; dieses Sakrament würde nicht allein durch das Wort des Herrn vollzogen, sondern auch durch den Empfang des Menschen. Ja, wenn etwa nach dem Aussprechen der (Wandlungs-)worte des Herrn einem von jenen, die kommunizieren wollten, etwas zustieße, so dass er die Eucharistie nicht empfangen könnte, dann träte notwendig der Fall ein, dass das (Brot), über das mit denselben Worten gesagt wurde »Dies ist mein Leib«, nicht Leib wäre, und so könnte dasselbe Wort uns täuschen. Was das bedeuten würde, und wie abwegig das wäre, sehen leicht all jene ein, die Christus mit der schuldigen Ehrfurcht als höchste Wahrheit verehren. Damit wir nicht in diesen Irrtum verfallen, ermahnt uns ernstlich der weise Vater Gregor von Nyssa, wenn er sagt: *»Weshalb nämlich Christus durch sein Wort diesen Leib heilig macht, dessen Element aus Brot bestand, und es war auch irgendwie Brot, doch dieses Brot ist durch Gottes Wort und Gebet geheiligt, nicht deshalb, weil es verzehrt wird, sondern, weil es sofort durch das Wort in einen Leib verwandelt wird, wie gesagt, durch das Wort: Dies ist* [150] *mein Leib.«*[83] Um jene gefährlichen Irrtümer fliehen und meiden zu können, müssen wir deshalb erstens fest glauben, dass durch das Wort des Herrn Brot und Wein in sein wahres Fleisch und wahres Blut verwandelt wird, und dürfen wir zweitens nicht meinen, dieses Sakrament des Leibes und Blutes Christi komme nicht eher zustande, als es empfangen sei, mag es auch durch das Wort des Herrn vollzogen sein. Genau das Gegenteil davon müssen wir glauben, damit wir dieses Sakrament, das von Gott zu unserem Heil eingesetzt wurde, nicht freventlich zu unserem Verderben missbrauchen.

Damit wir uns nun aber mit der von der Sache geforderten Gesinnung diesem Geheimnis nähern, wollen wir uns zunächst davon überzeugen, dass diese heilbringende Speise der Welt das Leben gibt und ihr jene Frucht bringt, dass jeder, den sie ernährt, so eng mit Christus verbunden wird, dass er in diesem unserem Herrn bleibt, und dieser unser Herr in ihm. Sodann wachsen wir alle gleichsam zu einem Leib zusammen, so viele wir an diesem einen Brote teilnehmen. Und weil wir hier nicht gewöhnliche Speise und Trank empfangen, sondern Christi Fleisch und Blut, müssen wir, je größer und göttlicher dieses Sakrament ist, desto mehr darauf achten, dass wir es nicht unwürdig empfangen. Unwürdig aber empfängt dieses Sakrament, wer anders darüber denkt, als er muss, oder wer sich nicht wahrhaft bekehrt. In welche Gefahr aber ein solcher Mensch sich begibt, verdeutlicht der Apostel, wenn er sagt: *»Wer aber unwürdig*

---

83 Ohne Stellenangabe.

isst und trinkt, der isst und trinkt sich das Gericht, indem er den Leib des Herrn nicht unterscheidet«[84].

Um so mehr heiße ich den Brauch der alten Kirche gut, der den Sünder [151] erst dann zu diesem Geheimnis zuließ, wenn er durch das Bußsakrament gereinigt war. Welche Bedeutung dieser (Brauch) hatte, werden wir sogleich an seiner Stelle darlegen. Soweit über den einen Teil der Eucharistie, der als Speise und Heilmittel der Seele bezeichnet wird.

Ich komme nun zum zweiten Teil der Eucharistie, das heißt, zum Opfer. Denn sofern Christus sagte »Nehmt, esst und trinkt alle davon«, gab er der Seele heilskräftigen Trank und Speise; sofern er anfügte »Tut dies zu meinem Gedächtnis«, setzte er die Liturgie und das Opfer der Kirche ein. Es ist nicht Sinn dieser (Einsetzung), dass dem Kreuzesopfer, das uns das Heil gebracht hat, etwas hinzugefügt oder genommen wird, oder dass uns das Heil und die Sündenvergebung so oft verdient werden müssten, als es gegenwärtig gesetzt wird; vielmehr hat es, wenn es dargebracht wird, den vorgesehenen Zweck, das Gedächtnis jener höchsten Wohltat, die uns am Kreuze geschenkt ist, in unseren Herzen zu erneuern, damit wir dafür den größtmöglichen Dank sagen; und dass wir mit zum Himmel erhobenen Herzen – wo Christus zur Rechten Gottes thront – bitten, dass derselbe Herr aus der Quelle, die er uns allen in seinem Blute eröffnet hat, das zuleite, austeile und gewähre, was jeder für sein Heil braucht. Wer das tut und sich so der Barmherzigkeit Gottes, und sein Heil dem Kreuze Christi empfiehlt, dessen Glauben und Hoffen wird nicht enttäuscht.

Dies ist jenes lebendige Gedächtnis des Todes des Herrn und das [152] Opfer des Altares, während unter den Gestalten von Brot und Wein die Gabe des Leibes und Blutes Christi unblutigerweise durch den Priester Gott dargebracht und geopfert wird, wird derselbe Christus nicht aufhören, sich im Himmel Gott, dem Vater, darzustellen, vor dessen Antlitz er immer (wieder) erscheint; derselbe als Opfer von lieblichem Wohlgeruch und als Priester nach der Ordnung des Melchisedech.[85] So müssen wir glauben und auf Christus unsere Hoffnung setzen; wir alle, ob wir dieses Opfer selbst darbringen oder mitfeiern, damit wir des Todes des Herrn bei diesem unserem Gedächtnis gedenken und die Frucht des Kreuzes, die uns aus der Quelle des Erlösers zugeleitet wird, desto reichlicher empfangen können. Nichts ist besser geeignet oder (auch nur) denkbar, was unseren Glauben und die wahre Frömmigkeit nähren könnte, ja, sogar nichts (ist geeigneter), um das, was wir aus dem Evangelium unseres Herrn Jesus Christus mit den Ohren aufgenommen haben, nun auf unser ewiges Heil zu übertragen. Und dies ist jenes reine Opfer selbst, von dem Malachias[86], und jenes immerwährende Opfer, von dem Daniel (gesprochen haben). Nun über die Buße.

---

[84] 1 Kor 11,29.

[85] Vgl. Hebr 6,20.

[86] Mal 1,11.

Text nach: Wolfgang Offele, Ein Katechismus im Dienste der Glaubenseinheit. Julius Pflugs »Institutio Christiani Hominis« als katechetischer Beitrag zur interkonfessionellen Begegnung (Koinonia. Beiträge zur ökumenischen Spiritualität und Theologie, Bd. 6) Essen 1965, 49–139.

Petrus Canisius: Großer Katechismus

Petrus Canisius (Peter Kanijs) gehört zu den herausragenden Theologen und Katecheten des 16. Jahrhunderts. Er wurde am 8. Mai 1521 in Nijmegen, das zum Metropolitansprengel von Köln gehörte, geboren. 1536 immatrikulierte sich Canisius an der Artistenfakultät der Universität zu Köln. 1539 erhielt er dort das Lizentiat, im Mai 1540 wurde er zum Magister artium promoviert und rückte 1546 zum Baccalaureus biblicus auf. Als Canisius von der Gründung der Gesellschaft Jesu erfuhr, schloss er sich voller Begeisterung Petrus Faber an und trat am 8. Mai 1543 in das Noviziat der Gesellschaft Jesu ein. Danach schloss er sein Theologiestudium in Köln ab. 1547 ging Canisius nach Rom. Dort legte er vor Ignatius von Loyola das Professgelübde ab und promovierte darauf in Bologna zum Doktor der Theologie. Ab 1549 war er Theologieprofessor und Rektor der Universität in Ingolstadt. Canisius war in den 50er-Jahren des 16. Jahrhunderts als Berater auf Reichstagen und bei Religionsgesprächen beteiligt. Mehrfach nahm er auch an den Verhandlungen des Konzils von Trient teil. Als klar war, dass das Konzil von Trient die von ihm erhoffte Wiedervereinigung im Glauben nicht zu erbringen vermochte, machte sich Canisius an die Abfassung seiner drei Katechismen. Canisius starb im Alter von 76 Jahren am 21. Dezember des Jahres 1597 in Freiburg in der Schweiz. Hier sollte er die Gründung eines Jesuitenkollegs voranbringen. 1925 wurde Canisius heiliggesprochen und zum Kirchenlehrer erhoben.

Canisius ist in die Geschichte der katholischen Kirche als der Verfasser von Katechismen eingegangen. Katechismen waren zur damaligen Zeit populär, um die durch die Kirchenspaltung entstandenen christlichen Konfessionen theologisch und katechetisch neu zu positionieren. Luthers Katechismen waren dabei stilbildend geworden. Deshalb griffen auch die altgläubigen Theologen auf das Instrument des Katechismus zurück. Heraus ragte der Katechismus Romanus von 1566, der aufgrund eines Dekrets des Trienter Konzils verfasst wurde. Canisius ging es bei der Abfassung seiner lateinisch und deutsch vorgelegten Katechismen (Catechismus maior 1555, Catechismus minor 1558) vor allem um die Lehre der Kirche und die Verteidigung der Wahrheit. Dennoch mied er die direkte polemische Auseinandersetzung mit den Reformatoren. Canisius erarbeitete ein eigenes Konzept bei der Darstellung der christlichen Glaubens- und Sittenlehre. Die hier vorgelegte Auswahl aus dem Großen Katechismus (Summa Doctrinae Christianae) folgt der von Canisius verfochtenen Idee, den Katechismus aus zwei Quellen zu schöpfen, der Weisheit und der Gerechtigkeit. Seine Katechismen wurden zu Bestsellern der damaligen religiösen Literatur.

2 Wie lässt sich die christliche Lehre kurz zusammenfassen?[1]

Dass ein Christ das kennt und beachtet, was sich sowohl auf die Weisheit als auch auf die Gerechtigkeit bezieht. Die Weisheit, wie auch AUGUSTINUS[2] gezeigt hat, beschäftigt sich mit den theologischen Tugenden *Glaube, Hoffnung und Liebe*[3], wodurch der größte und gütigste Gott in diesem sterblichen Leben rein verehrt wird. Die Gerechtigkeit wird durch zwei Teile vollendet: durch das Meiden des Bösen und das Tun des Guten, wie der königliche Prophet sagt: *Meide das Böse und tu das Gute.*[4] Aus diesen Quellen, nämlich der Weisheit und der Gerechtigkeit, wird leicht alles Übrige geschöpft, das mit dem christlichen Unterricht und der Disziplin übereinstimmt.

4 Was versteht man unter Glauben?[5]

Der Glaube ist *Geschenk Gottes*[6], wodurch der erleuchtete Mensch fest dem anhängt und zustimmt, was von Gott zu glauben geoffenbart wird. Dazu gehören: dass Gott dreifaltig und einer ist; dass die Welt aus dem Nichts geschaffen wurde; dass Gott Mensch geworden ist und für die Menschen den Tod auf sich genommen hat; dass Maria sowohl Jungfrau als auch Gottesmutter ist; dass alle Toten zum Leben auferweckt werden sollen; dass der Mensch aus Wasser und Heiligem Geist wiedergeboren wird; dass der ganze Christus in der Eucharistie enthalten ist und andere derartige verehrungswürdige Geheimnisse unserer Religion, die von Gott geoffenbart sind, aber von den menschlichen Sinnen nicht wahrgenommen, sondern nur im Glauben erfasst werden können. Daher sagt der Prophet: *Wenn ihr nicht glaubt, werdet ihr nicht erkennen.*[7] Denn der Glaube richtet sich nicht nach der Ordnung der Natur; er vertraut nicht auf die Erfahrung der Sinne; er stützt sich nicht auf Macht oder menschliche Vernunft, sondern auf göttliche Kraft und Autorität; als sicher sieht [der Glaube] an, dass die höchste ewige Wahrheit,

1 80f.

2 Vgl. Augustinus, Retr., II,63, CCL 57, 140, C. Perl, Die Retractionen in zwei Büchern (lat./dt.), Paderborn 1976, 235.

3 1 Kor 13,13.

4 Ps 37,27.

5 81–82.

6 Eph 2,8.

7 Vgl. Jes 7,9.

welche Gott ist, nicht getäuscht werden kann und nicht täuscht. Deshalb ist es dem Glauben besonders eigen, dass er *den ganzen Verstand gefangen nimmt in den Gehorsam Christi,*[8] bei dem nichts schwierig, geschweige denn *nichts unmöglich ist.*[9] Dieser Glaube ist nach dem Zeugen CHRYSOSTOMUS das Licht der Seele, das Tor des Lebens und das Fundament des ewigen Heils.[10]

20 Was ist die Summe aller Artikel des Glaubensbekenntnisses?[11]

Ich glaube mit dem Herzen und zugleich bekenne ich mit dem Mund, dass Gott der Herr, demgegenüber nichts Größeres noch Weiseres noch Besseres gedacht werden kann, derselbe ist, sowohl einer im Wesen als auch in der göttlichen Natur und dreifach in den Personen, nämlich Vater, Sohn und Heiliger Geist, so dass diese drei eins[12] sind, der eine, der wahre, der ewige, der unermessliche und unfassbare Gott: *Aus ihm selbst und durch ihn selbst und in ihm selbst ist alles.*[13] Dieser allerheiligsten und zugleich ungeteilten Trinität entsprechen die drei herausragenden Teile des Glaubensbekenntnisses: der erste über die Schöpfung, der zweite über die Erlösung und der dritte über die Heiligung: Gott Vater, Schöpfer aller Dinge; Gott Sohn, Erlöser der Menschen; Gott Heiliger Geist, Heiligmacher, Wächter und Lenker der Kirche und der Christgläubigen.

21 Genügt es für einen Christen, nur das zu glauben, was das Glaubensbekenntnis umfasst?[14]

Zuerst muss ein jeder das, was durch das Glaubensbekenntnis überliefert wird, glauben und offen bekennen. Zweitens auch jenes, was die gesamte göttliche oder kanonische Schrift umfasst. Drittens ebenso jenes, was teils aus den Glaubensartikeln, teils aus eben diesen Schriften wie aus weiteren Quellen auf rechte Weise abgeleitet wird. Viertens muss auch jenes für hochheilig gehalten und mit äußerst festem Glauben bewahrt werden, was der Heilige Geist uns durch die Kirche zu glauben offenbart und verkündet. Denn das alles umfasst der christliche Glaube, durch den wir sicher und mit Entschlossenheit das glauben, was von Gott um unseres Heiles willen kundgemacht ist und jetzt der Kirche geoffenbart wird, sei es, dass es uns durch die geschriebene Tradition, sei es, dass es uns durch die Überlieferung des lebendigen Wortes anvertraut wird. Darüber wird später ausführlicher gesprochen, wenn die Gebote der Kirche behandelt werden.

---

8 Vgl. 2 Kor 10,5.

9 Vgl. Lk 1,37.

10 Ps. Chrysostomus, Sermo de fide, spe et caritate, Ed. Paris 1570, V, 610d.

11 91–92.

12 Vgl. 1 Joh 5,7.

13 Röm 11,36.

14 92.

22 Was ist Hoffnung?[15]

Sie ist eine göttliche, eingegossene Tugend, durch die man mit sicherem Vertrauen die ewigen Güter unseres Heiles und des Lebens erwartet. Eine derartige Erwartung geht zuerst aus der Größe der uns durch Christus erworbenen und hervorgebrachten Gnade hervor, sodann aus dem Zeugnis des Gewissens und des guten Willens, mit dem wir mit der Gnade Gottes zusammenwirken, so dass wir als Nacheiferer der guten Werke, *die Gott für uns im Voraus bereitet hat, damit wir in ihnen wandeln*[16] *und unsere Berufung und Erwählung* durch sie *Bestand hat,*[17] nicht untätig sind.

23 Was dürfen wir erhoffen?[18]

Ganz besonders jene Güter des himmlischen Reiches, die uns tatsächlich selig machen; generell all das, was auf rechtmäßige Weise ersehnt oder von Gott erbeten wird, freilich so, wie es uns das Herrengebet nahe legt.

38 Was ist Liebe?[19]

Echte Liebe besteht darin, dass Gott um seiner selbst und der Nächste um Gottes willen geliebt werden. Denn Gott ist besonders in allen und über alles und nur um seiner selbst willen zu lieben, da er gleichsam das höchste und ewige Gut ist, das allein unsere Herzen erfüllt; die Liebe und Ehrerbietung zu ihm müssen Anfang und Mitte sowohl unseres Willens als auch unseres Tuns sein, außer wir sind wirklich undankbar. Sodann ist wegen Gott auch der Nächste zu lieben, d. h. jeder Mensch ist zu lieben, weil wir untereinander Nächste sind aufgrund der Gemeinschaft der menschlichen Natur und der empfangenen göttlichen Gnade.

40 An welchem Zeichen zeigt sich die echte Liebe?[20]

Denn die Liebe zu Gott besteht darin, dass wir seine Gebote halten. Seine Gebote sind nicht schwer,[21] sagte Johannes, der Lieblingsjünger Christi. Dann lehrte Christus selbst: *Wenn ihr mich liebt, haltet meine Gebote.*[22] – *Wer meine Gebote hat und sie hält, der ist es, der mich liebt, wer mich aber liebt, wird von meinem Vater geliebt werden, und auch ich werde ihn lieben und mich ihm offenbaren.*[23] – *Wer mich nicht*

---

15 93.

16 Eph 2,10.

17 2 Petr 1,10.

18 93.

19 104.

20 105.

21 1 Joh 5,3.

22 Joh 14,15.

23 Joh 14,21.

liebt, hält an meinen Worten nicht fest.[24] Übrigens erkennen wir diese Gebote Gottes am besten im Dekalog.

57 Müssen die Christen außer dem Dekalog andere Gebote beachten?[25]
Ja durchaus, da unser Gesetzgeber und Meister Christus nicht nur die Gebote des Dekalogs gelehrt hat, sondern auch das geboten hat, was zur Erfüllung des Gehorsams gegenüber den apostolischen und kirchlichen Geboten gehört. Dazu gibt es folgende Aussagen des Evangeliums: *Wie mich der Vater gesandt hat, sende ich euch.*[26]- *Wer euch hört, hört mich, und wer euch ablehnt, der lehnt mich ab*[27] usw. *Hört er auch auf sie nicht, dann sag es der Gemeinde. Hört er aber auch auf die Gemeinde nicht, dann sei er für dich wie ein Heide oder ein Zöllner.*[28] Hier überträgt Christus das höchste und letzte Urteil der Kirche und befiehlt, es der Kirche zu überantworten, d.h. den Vorstehern und Leitern der Kirche wie dies CHRYSOSTOMUS[29] interpretiert und es die bald darauf folgenden Worte des Evangeliums erklären und bestätigen. Daher ist nicht vergeblich vom Apostel Paulus geschrieben worden: *Er zog durch Syrien und Zilizien und stärkte die Gemeinden*[30], indem er befahl, die Gebote der Apostel und Ältesten zu bewahren.

70 Welches sind die Gebote der Kirche?[31]
Es werden fünf Gebote aufgezählt, die für jeden Christen zu wissen und zu beachten unbestreitbar notwendig sind:

I. Die Feier der von der Kirche festgesetzten Festtage;
II. Das andächtige Hören der Heiligen Messe an den Festtagen;
III. Die Beachtung der Fasttage, welche an bestimmten Tagen und Zeiten vorgesehen sind, vor allem die vierzigtägige Fastenzeit, die vier Quatemberzeiten und die Vortage vor gewissen Feiertagen, die unsere Vorfahren Vigilien nannten, weil sie zu diesen Zeiten im Tempel wachten;
IV. Das alljährliche Bekenntnis deiner Sünden vor dem eigenen Priester;
V. Der Empfang der allerheiligsten Eucharistie wenigstens einmal im Jahr, und zwar in der Osterzeit.

---

[24] Joh 14,24.
[25] 115–116.
[26] Joh 20,21.
[27] Lk 10,16.
[28] Mt 18,17.
[29] Vgl. Johannes Chrysostomus, 60 Hom. in Matth., BKV^2 Bd. 26, 261.
[30] Apg 15,41.
[31] 126.

73 Welchen Nutzen und welche Frucht bringt die ganze Lehre über die Gebote und Traditionen der Kirche?[32]

In der Tat einen großen; denn unter all dem Übrigen ist es der erste [Nutzen] zu erkennen, dass wir keineswegs allein an die göttlichen Bücher und Schriften gebunden sind. »Man (um die Worte des IRENÄUS zu gebrauchen) stelle sich vor, die Apostel hätten uns nichts Schriftliches hinterlassen. Müsste man nicht der Ordnung der Tradition folgen, die sie denen übergeben haben, denen sie die Kirche anvertrauten?«[33] Nicht weniger trefflich hat BASILIUS geschrieben: »Unter den in der Kirche bewahrten Glaubenslehren und Verkündigungen besitzen wir die einen aus der schriftlich festgelegten Unterweisung, die anderen haben wir von der Tradition der Apostel auf dem Weg der Mysterien überliefert empfangen. Beide haben für den Glauben die gleiche Bedeutung. Dieser Feststellung wird niemand widersprechen, der auch nur die geringste Erfahrung mit den geheiligten Satzungen der Kirche hat.«[34] So weit BASILIUS. Daher ist unzweifelhaft, dass Christus und die Apostel sowohl vieles getan als auch gelehrt haben, was, auch wenn manche Dinge nicht geschrieben sind, uns jedoch und unsere Nachkommen sehr betrifft. Höre Christus in seinem Apostel sprechen: *Schließlich, Brüder: Was immer wahrhaft, edel, recht, was lauter, liebenswert, ansprechend ist, was Tugend heißt und lobenswert ist, darauf seid bedacht!*[35]

Der nächste [Nutzen] ist, die christliche Freiheit recht zu gebrauchen, welche die in Muße und Luxus gefangenen Menschen – wenn es jemals anders gewesen sein sollte – jetzt besonders *zum Vorwand für das Fleisch*[36] nehmen, wie der Apostel sagt. Unter diesem Vorwand dienen sie hässlichen Begierden. Und was auch immer ihnen beliebt, selbst gegen die Einrichtungen der Religion, das halten sie für erlaubt. Von dieser Unbesonnenheit rufen uns die apostolischen und kirchlichen Lehren zurück, beschützen und schrecken uns ab; sie legen der menschlichen Willkür Zügel an; sie lehren, die christliche Freiheit angemessen zu gebrauchen; so freilich, dass wir vom Recht der Sünde und von der Knechtschaft des alten Gesetzes durch Christus frei geworden, freiwillig und gern unsere christliche Pflicht leisten, damit wir Gott in Gerechtigkeit und Heiligkeit dienen und dem Geist als Führer im Gesetz der Liebe folgen: als Diener der Gerechtigkeit, als Söhne des Gehorsams, als Freund der Demut, als Wächter der Geduld, als Liebhaber der Buße und des Kreuzes. *Ihr*, sagt der Apostel, *seid zur Freiheit berufen, Brüder, nur nehmt die Freiheit nicht zum Vorwand für das Fleisch, sondern dient einander in Liebe*[37] des Geistes. Wenn zur Nährung und Bewahrung

---

[32] 129–132.

[33] Irenäus, Haer., III,4,1, FC Bd. 8/3, Freiburg 1995, 39.

[34] Vgl. Basilius, Spir., 27,66, FC Bd. 12, Freiburg u. a. 1993, 273f.

[35] Phil. 4,8.

[36] Vgl. Gal 5,13.

[37] Gal 5,13.

dieser Liebe des Geistes durch den Gehorsam des heiligen Dienstes alle ehrbaren Dinge nützen, dann haben die fromm beachteten Traditionen der Kirche großes Gewicht.

Der letzte [Nutzen] ist, dass wir von daher die wahre Unterscheidung zwischen rechtmäßigen und vertrauten Söhnen der Kirche oder zwischen Katholiken und Häretikern erhalten. Jene finden einfach Trost, sei es in der schriftlich überlieferten Lehre der Kirche, wie sie in den biblischen Schriften gegeben ist, oder sei es in der Lehre der Kirche, die durch die Überlieferung der Väter bestätigt ist. Sie folgen dem Wort Gottes: *Verschiebe nicht die alten Grenzen, die deine Väter gesetzt haben.*[38] Die sogenannten Häretiker weichen von der Einfachheit des Glaubens, von der festgelegten Lehre der verehrungswürdigen Mutter Kirche und der heiligen Väter ab. Sie trauen sich oder den von der Kirche Abtrünnigen allzu viel zu und nicht einmal, wenn sie gemahnt werden, kommen sie zum Verstand. Deshalb hat Paulus über sie im Ernst festgesetzt: *Einen häretischen Menschen meide nach der ersten und zweiten Mahnung,*[39] im Wissen, dass vernichtet wurde, wer derartig ist. Und um mit CYPRIAN zu schließen: »Jeder, der von der Einheit der Kirche abweicht, muss unbedingt zu den Ketzern gezählt werden.«[40]

81 Weshalb sind die Sakramente eingesetzt?[41]

Erstens, damit sie ein hilfreiches Heilmittel gegen die Sünde, eine äußerst verderbliche Krankheit der Seele, sind. Deshalb übertreffen sie bei weitem die Zeichenhandlungen des alten Gesetzes und sind größer an Kraft, besser für den Nutzen, weniger an Zahl, erhabener an Einsicht, leichter zu befolgen, vorzüglicher in der Bedeutung, die außerdem das, was sie bezeichnen, auch heiligen und das Heil geben, wie aus den Schriften des AUGUSTINUS[42] sehr gut erfasst werden kann.

Zweitens, damit wir sichere und wirksame Zeichen der göttlichen Gnade und des Willens uns gegenüber haben, die, indem sie die äußeren Sinne ansprechen, nicht nur den Glauben wecken, durch den wir die Barmherzigkeit und Güte Gottes, die uns in Christus bereitet ist, erlangen, sondern auch lebendige Werkzeuge sind, durch die Gott unser Heil wirksam zu schaffen scheint, wie schon dereinst ganz vortrefflich gesagt worden ist, dass das Sakrament durch sich selbst viel vermag.

Drittens, damit sie gleichsam auch Symbole des äußeren Zeichens des christlichen Bekenntnisses sind, durch die sich die Söhne Gottes und der Kirche

---

38 Spr 22,28.

39 Tit 3,10, vgl. Mt 18,15–17.

40 Vgl. Cyprian, Ep. 74,11, BKV^2 Bd. 60, München 1928, 367.

41 138 f.

42 Vgl. Augustinus, Faust. 19,13, PL 42, 355, CSEL 25–1, 510; vgl. Augustinus, Doctr. christ. III,9,13, BKV^2 Bd. 49, München 1925, 120.

gegenseitig erkennen, sodann sich in Einheit, Demut und Gehorsam üben und bewähren und so in den notwendigen Dingen einer Religion durch Verbindungen und Bündnisse untereinander zusammenbleiben. Im Übrigen kann keine Religion völlig ohne Zeichenhandlungen auskommen oder wahrgenommen werden.

84 Was ist die Taufe?[43]
Sie ist das erste und das notwendigste Sakrament des Neuen Bundes, das in der äußeren Abwaschung des Körpers und im rechtmäßigen Sprechen der Worte besteht, die Christus eingesetzt hat. Die Taufe ist nicht nur für die Erwachsenen notwendig und wirksam zur Erlangung des ewigen Heiles, sondern auch für die Kinder. Denn so hat der Gesetzgeber überhaupt gesagt: *Wenn einer nicht wiedergeboren wird aus Wasser und Heiligem Geist, kann er nicht in das Reich Gottes eingehen.*[44] Und außerdem: *Es ist nicht der Wille des Vaters, der im Himmel ist, dass eins von den Kleinen zugrunde geht.*[45] Zugrunde gehen aber die nicht Getauften, auch Kinder, wie einst in der Synagoge die Unbeschnittenen. Da es nur *eine Taufe*[46] der Christgläubigen gibt, wäre es verfehlt, sie ein zweites Mal zu empfangen!

85 Was ist zu diesem Sakrament Besonderes anzumerken?[47]
Das abwaschende Element [Wasser] und seine Bedeutung, das Wort [die Spendeformel] und die Wirkung der Taufe. Das Element ist einfaches Wasser, das als Materie hierzu notwendig ist und seiner Natur nach allen Schmutz abzuwaschen pflegt. Ihm entspricht die Bedeutung, die uns das Wasser als Eigenart der Taufe zeigt, nämlich die Seele von Sünden zu reinigen, und dass der Mensch, wie wir sagen, gerecht wird. Das Wort, worin die Form des Sakramentes besteht, lautet nach Christi Befehl so: Ich taufe dich im Namen des Vaters und des Sohnes und des heiligen Geistes.[48]

86 Welche Frucht und Wirkung gewährt die Taufe?[49]
Ausdrücklich diese, die der selige Apostel Petrus mit diesen Worten aufzeigt: *Jeder von euch lasse sich auf den Namen Jesu Christi taufen zur Vergebung seiner Sünden; dann werdet ihr die Gabe des Heiligen Geistes empfangen.*[50] Von daher erkennen wir die doppelte und sehr deutliche Wirkung dieses Sakramentes,

---

43 141–142.
44 Joh 3,5.
45 Mt 18,14.
46 Eph 4,5.
47 142.
48 Vgl. Mt 28,19.
49 142–143.
50 Apg 2,38.

nämlich dass natürlich durch die Taufe einerseits die Sünden vergeben werden und andererseits der Geist geschenkt wird, damit der *alte Mensch*[51] vernichtet und eine *neue Kreatur in Christus wird.*[52] So schenkt ja die im Glauben angenommene Taufe nicht nur, dass alle Sünden gänzlich verziehen und weggenommen werden, sondern sie bewirkt auch, dass der Getaufte ganz erneuert wird und als wahrhaft Unschuldiger, Gerechter und Heiliger der himmlischen Glorie in Christus würdig gemacht wird. Daher sagte der Apostel, die Taufe sei *ein Bad der Wiedergeburt und der Erneuerung im Heiligen Geist*[53] - auch ein Wasserbad[54] im Wort des Lebens,[55] so dass es den Menschen *abwäscht, reinigt, heiligt, gerecht macht,*[56] die Sünden vergibt und zu Kindern Gottes macht, wie die Schrift bezeugt. Ferner schreibt der gleiche Apostel: *Wer auch immer auf Christus getauft ist, der hat Christus angezogen.*[57] Klug umfasst BERNHARD beide Wirkungen: »Gewaschen werden wir also in der Taufe, sagt er, denn hier wird der Schuldschein unserer Verdammung durchgestrichen, und uns wird die Gnade zuteil, dass uns die Begierde nicht mehr schadet, vorausgesetzt, dass wir uns der Zustimmung enthalten.«[58]

87 Was fordert von uns die erlangte Wohltat eines so großen Sakramentes?[59]

Zuerst fordert sie von uns die größte und beständige Dankbarkeit des Herzens, damit wir ihn verkünden, lieben und feiern, *der nach seiner Barmherzigkeit uns durch das Bad der Wiedergeburt und Erneuerung des Heiligen Geistes, den er auf uns reichlich durch unseren Herrn Jesus Christus ausgegossen hat, heil gemacht hat, damit wir gerechtfertigt durch ihn Erben sind gemäß der Hoffnung auf das ewige Leben.*[60]

Dann ist so an das Geheimnis dieses Sakramentes zu erinnern, dass sich jeder immer wieder an sein sehr feierliches Versprechen und sein christliches Bekenntnis erinnert, das er im heiligen Bad durch die Paten gegeben hat. Es möge also der Christ bedenken, dass er *aus einem Sohn des Zornes*[61] und Diener des

---

[51] Röm 6,6.

[52] 2 Kor 5,17.

[53] Tit 3,5.

[54] Vgl. Tit 3,5.

[55] Vgl. Eph 5,26.

[56] 1 Kor 6,11.

[57] Gal 3,27.

[58] Vgl. Bernhard v. Clairvaux, Serm. de tempore, In coena domini sermo 3, in: Sämtliche Werke, hg. v. G.B. Winkler, Bd. 8, Innsbruck 1997, 211.

[59] 144–145.

[60] Tit 3,5–7.

[61] Eph 2,3.

Satans zu einem Sohn Gottes, zu einem Glied und Miterben Christi und zu einem lebendigen Tempel des Heiligen Geistes gemacht wurde. »Du bist«, sagt AMBROSIUS, »in das Heiligtum der Wiedergeburt (Taufbrunnen) eingetreten. Erinnere dich an das, was du gefragt worden bist, und vergegenwärtige, was du geantwortet hast! Du hast dem Teufel und seinen Werken sowie der Welt mit ihrer Prunksucht und ihren Vergnügungen abgesagt.«[62] Sei dir deiner Versprechen bewusst und vergiss niemals die Konsequenz der Verpflichtungen, die du eingegangen bist. Und das berühmte Wort des Paulus, der alle Getauften mahnt, lautet: *Wisst ihr nicht, Brüder, dass wir, die wir auf Christus Jesus getauft sind, auf seinen Tod getauft sind? Denn wir sind mit ihm begraben auf den Tod, damit wir, wie Christus von den Toten auferstanden ist durch die Ehre des Vaters, so auch wir in der Neuheit des Lebens wandeln.*[63]

93 Was bedeutet der Name Eucharistie?[64]
Jenes höchste und bei weitem heiligste Sakrament wird, im Vergleich zu dem die Kirche nichts Würdigeres, Wunderbareres, Wirksameres und Heilbringenderes hat, mit diesem Namen benannt. Und ganz richtig wird die Eucharistie gleichsam als gute Gnade oder Danksagung bezeichnet, weil sie als das herausragendste und größte Geschenk Gottes die Quelle und den Urheber aller Gnade umfasst. Sie mahnt uns an die höchste Güte, für deren Erhalt wir dem höchsten Gott Danksagung, Lob und höchste Ehre schulden. Denn wir könnten keine größere Wohltat erhoffen, als dass Christus Jesus, unser Herr, der von der Jungfrau geboren wurde, der gekreuzigt und *in Herrlichkeit aufgenommen*[65] wurde, sich uns ganz so schenkt, dass wir auch jetzt seinen Leib und sein Blut wahrhaft empfangen und ihm durch dieses göttliche Sakrament ganz und gar einverleibt werden.

94 Was ist in diesem Sakrament auf eigentümliche Weise enthalten?[66]
Drei Dinge enthält die Eucharistie: die sichtbaren Gestalten, die Wahrheit des Leibes und Blutes des Herrn und die Kraft geistlicher Gnade. Denn, was unseren Augen erscheint, sind natürlich die sichtbaren Gestalten Brot und Wein; was unter diesen Gestalten aber unser Glaube, nicht die Vernunft, erfasst, das ist der wahre Leib und das Blut des Heilandes Christi. Was wir sonst durch den Empfang dieses Sakramentes erlangen, ist die Frucht und Wirkung der Heilbringenden Eucharistie, wie wir zeigen werden.

---

62 Ambrosius, Myst. 2,5 FC Bd. 3, Freiburg 1990, 209.
63 Röm 6,3 f.
64 149–150.
65 1 Tim 3,16.
66 150 f.

95 Welche sind die besonderen Hauptlehren, die man über dieses Sakrament notwendigerweise wissen muss?[67]

Hier bieten sich hauptsächlich fünf an: erstens über die Wahrheit der Eucharistie, zweitens über die Wesensverwandlung [Transsubstantiation] von Brot und Wein, drittens über ihre Anbetung, viertens über deren Darbringung und das Opfer; schließlich über ihren Empfang in einer oder beiden Gestalten. Denn darüber besonders in dieser Zeit zu wissen, ist großer Mühe wert.

96 Was ist von der Wahrheit der Eucharistie zu denken?[68]

Das freilich, dass wir mit der ganzen Kirche gegen alle Kapharnaiten[69] sicher glauben, dass in der Eucharistie unter den Gestalten von Brot und Wein der wahre Leib und das wahre Blut Jesu Christi durch den Dienst des Priesters dargereicht werden, die Kraft aber und die Wirksamkeit durch unsern Herrn Jesus Christus, *bei dem kein Wort unmöglich ist,*[70] geschehen. Er selbst sprach, und sie wurden gemacht,[71] *er selbst gebot, und sie waren erschaffen.*[72] Er aber sprach in jenem Mahl am Tag, bevor er litt, jene Belehrung, nachdem er zuerst Brot und dann den Kelch in seine Hände genommen hatte und er allen sowohl über die Einsetzung als auch über die Wahrheit dieses Sakramentes Sicherheit geben wollte: *Das ist mein Leib. Das ist mein Blut.*[73] Über die Einsetzung sprach er vorher: *Mein Fleisch ist wahrhaft eine Speise, und mein Blut ist wahrhaft ein Trank.*[74] Er sagte: *Ich bin das lebendige Brot, das vom Himmel gekommen ist. Wer von diesem Brot isst, wird in Ewigkeit leben. Das Brot, das ich geben werde, ist mein Fleisch für das Leben der Welt.*[75] Offenkundig sind andere Zeugnisse der Evangelisten und des Apostels Paulus, die uns den Glauben klarer machen, [nämlich] dass in der Eucharistie der ganze Christus in seiner göttlichen und menschlichen Natur gegenwärtig ist und *bei uns bleibt bis zur Vollendung der Welt.*[76]

---

[67] 150 f.

[68] 151 f.

[69] Anhänger des Kapharnaitismus: Bezeichnung für ein sinnlich-fleischliches Verständnis des sakramentalen Leibes und Blutes Christi.

[70] Lk 1,37.

[71] Vgl. Gen 1,26.

[72] Ps 148,5.

[73] Mt 26,26.28.

[74] Joh 6,55.

[75] Joh 6,51.

[76] Vgl. Mt 28,20.

97 Was bewirken jene vorgeschriebenen Worte des Priesters, mit denen Brot und Wein konsekriert werden?[77]

Die natürlich, dass durch die selbstwirksame Kraft des allmächtigen Christus sogleich und auf übernatürliche Weise Brot in den Leib und Wein in das Blut des Herrn verwandelt werden. Diese wahrhaft staunenswerte Verwandlung wird nicht unverdienterweise von den Synoden wie auch den Vätern Transsubstantiation [dt. Wesensverwandlung] genannt, da die Substanz des Brotes und des Weines in den Leib und das Blut Christi verwandelt oder, wie IRENÄUS sagt, getauscht wird.[78] Denn wenn Christi Rede soviel vermag, dass sie Feuer vom Himmel herabrufen kann, vermag dann Christi Rede nicht (so hat es AMBROSIUS gefolgert[79]) die Gestalten der Elemente zu wandeln? Und nichts ist offenkundiger als Christi Rede, wenn er sagt: *Das ist mein Leib – Das ist mein Blut,*[80] damit keiner glaubt, in der Eucharistie sei nach der Konsekration nur Brot und Wein vorhanden.

98 Müssen wir dieses Sakrament verehren und anbeten?[81]

Ja sehr, wie es uns die Pflicht der Religion gebietet, dass wir dem, welchen wir in der Eucharistie für gegenwärtig halten, die geschuldete Verehrung erweisen und dem Schöpfer der Kreatur, dem Höchsten und besten Herrn und Erlöser dienen. Darüber sagt die Schrift selbst: *Alle seine Engel werden ihn anbeten.*[82] Und wieder: *Alle Könige der Erde werden ihn anbeten, alle Völker ihm dienen.*[83] Ebenso werden die Magier und manch andere bei den Evangelisten gelobt, weil sie Christus noch im sterblichen Fleisch göttliche Ehren erwiesen, indem sie vor ihm niedergefallen sind und ihn angebetet haben. Und für uns ist es jetzt der nämliche Christus, der in der Eucharistie nicht sterblich, sondern unsterblich und an aller Ehre und Kraft ganz und gar zu bewundern ist. Diesen Glauben bezeugen wir mit Recht durch eine fromme Verehrung des Leibes und der Seele, während wir die Pflicht unserer Demut und die geschuldete Dankbarkeit jener furchtgebietenden und immer zu verehrenden Majestät Gottes leisten.

---

77 152.

78 Vgl. Irenäus, Haer. IV, 17,5, FC Bd. 8/4, Freiburg 1995, 135f.; IV, 18,4, FC Bd. 8/4, Freiburg 1995, 145; IV, 18,5, FC Bd. 8/4, Freiburg 1995, 147.

79 Vgl. Ambrosius, Sacr. 4,17, FC Bd. 3, Freiburg 1990, 145.

80 Mk 14,22.24.

81 152–153.

82 Hebr 1,6.

83 Ps 72,11.

99 Was muss man ferner über das Opfer des Altares glauben?[84]

Die Eucharistie ist zweifellos nicht nur zur Nutzanwendung eingesetzt, dass sie von den Christen wie ein heilbringendes Lebensmittel empfangen wird, weshalb sie Speise, Trank und lebendiges Brot des Lebens genannt wird, sondern auch, damit sie gleichsam als höchstes und eigentümliches Opfer des Neuen Bundes dargebracht wird, so dass sie deshalb einst die Namen »Opfergabe«, »Schlachtopfer«, »Opfer«, »Darbringung«, »Ganzopfer« erhalten hat. Sie wird zum lebendigen Gedenken des Leidens des Herrn und zur Danksagung geopfert; und wie sie nicht nur den Gläubigen zur Vertreibung der Übel dieses und des künftigen Lebens und zum Erbeten der Gaben hilft, nützt sie zur Vergebung der Sünden nicht nur den Lebenden, sondern auch den Verstorbenen, wie dies aus der göttlichen Schrift und der apostolischen Tradition die wichtigsten Väter klar bezeugen.

Dies ist nämlich jenes *lebendige Opfer*,[85] das der Antichrist nach dem Zeugen Daniel zuletzt der Kirche wegnimmt; dies ist das Priestertum nach der Ordnung Melchisedeks, von dem David voraussagt, dass es in Christus sein wird; dies ist die reine Darbringung, die, indem sie den möglichst vielen Opfern des jüdischen Bundes auf einzigartige Weise folgt, bei allen Völkern in allen Ländern, d. h. auf der ganzen Erde, zur Feier des Namens Gottes und unseres Erlösers dargebracht und geopfert wird, wie wir bei Maleachi lesen.[86] Dies ist Darbringung der Messe, Opfer, Liturgie, wovon die Kanones der Apostel, die heiligen Synoden, der große Konsens und der immerwährende Gebrauch der ganzen griechischen und lateinischen, der östlichen und westlichen Kirche ausnahmslos Zeugnis geben.

Das Offizium [Amt] oder Opfer der Messe, wenn wir die Sache gleich gründlich erwägen, ist nichts anderes als gewissermaßen eine heilige und lebendige Vergegenwärtigung und wirksame Darbringung des Leidens des Herrn und seines blutigen Opfers, das für uns am Kreuz dargebracht wurde. Daraus folgt erstens, dass das Gedächtnis, der Glaube und unsere Dankbarkeit gegenüber dem Erlöser lebendig geübt und bestärkt werden nach jenem Wort: *Tut dies zu meinem Gedächtnis.*[87] Die Kirche ist eine sehr eifrige Interpretin dieses Wortes gewesen, als sie allen äußeren Schmuck dieses unblutigen Opfers, heilige Kleider, Gefäße, Riten und alle Handlungen so eingerichtet hat, dass vor den Augen der Umstehenden nichts anderes als jenes heilige Gedächtnis betrachtet wird. Ein anderer Nutzen der Messe besteht darin, dass die Frucht des am Kreuz vollbrachten Opfers Christi und die Frucht der Erlösung uns und allen Gläubigen – den Lebenden als auch Verstorbenen – zugewendet werden. Daher bezeugt

---

84 153–156.

85 Dan 12,11.

86 Mal 1,11.

87 Lk 22,19.

CYPRIAN[88], dieses Sakrament sei zur Heilung der Krankheiten und zur Reinigung der Ungerechtigkeiten sowohl ein Medikament als auch ein Brandopfer. MARTIALIS aber, der Schüler des Apostels Petrus, schreibt[89]: »Was die Juden aus Neid opferten, weil sie glaubten, seinen Namen von der Erde zu beseitigen, das stellen wir als Grund unseres Heiles auf dem geheiligten Altar vor Augen, im Wissen, dass uns allein durch dieses Heilmittel das Leben gewährt wird, und wir dem Tod entgehen.« Wir lassen die anderen Väter als Zeugen für diesen Glauben und die Lehre beiseite, um die beabsichtigte Kürze einzuhalten.

Aus diesen Aussagen steht zuverlässig fest, dass Christus auf zweifache Weise für uns Opfer genannt werden kann und es auch ist, nämlich auf blutige und auf unblutige Weise. Denn am Kreuz hat er blutig das Opfer dargebracht nach dem Typus des Paschalammes, das bei den Juden geopfert wurde, um als wahres *Lamm ohne Makel*[90] der Wahrheit des Bildes zu entsprechen. Beim Abendmahl aber, wie auch auf dem Altar, wollte er in der Weise »eines unblutiges Opfers«, wie es auch CYRILL[91] nennt, geopfert werden, damit das Opfer des Melchisedek, das unter den Gestalten von Brot und Wein gefeiert wurde, seine Vollendung findet, und er der wahre *Priester nach der Ordnung Melchisedeks*[92] bleibt und sein Priestertum ewig ist, denn niemand folgt ihm nach. Jenes Opfer hat er einmal und an einem Ort im Lande Juda vollzogen, von dem Paulus den Hebräern schreibt; dieses [Opfer] wird öfter *und an allen Orten*[93] oder durch die ganze Kirche allenthalben geopfert, wie der Prophet Malcachi bestätigt; dort wird es im Hinblick auf den Tod geopfert, hier zum lebendigen Gedächtnis jenes Todes und der heilbringenden Teilnahme daran, welche gleichsam vom Haupt zu den Gliedern fließt.

100 Muss die Eucharistie nur unter einer Gestalt, nämlich unter Brot, empfangen werden oder unter beiden Gestalten Brot und Wein?[94]

Von den Priestern aber, die das Messopfer feiern, steht fest, dass sie beide Gestalten des Sakramentes zu sich nehmen müssen, ohne die die Eucharistie nicht ordnungsgemäß konsekriert und geopfert werden kann. Hier ist es nicht notwendig, den Grund für die Sache, die am Opfer selbst hängt, anzugeben. Den anderen Gläubigen aber, die nicht das Messopfer darbringen, muss aufgezeigt werden, dass ihnen bald eine, bald beide Gestalten in der Kirche vorgeschrieben waren, wie es auch die Schrift, wo sie dieses Sakrament erörtert, bald Brot und

88 Ps. Cyprian = Arnold von Bonneval, De card. op. Christi, De coena Domini, PL 189, 1642.

89 Ps. Martial, Ad Burdigal., Bibliotheca sanctorum patrum, ed. M. de la Bigne, Bd. 1, 49.

90 Ex 12,5.

91 Vgl. Cyrill v. Alexandrien, Ep. 17, PG 77, 113, BKV^2 Bd. 12, München 1935, 93.

92 Ps 110,4.

93 Mal 1,11.

94 156–160.

Kelch, bald Brot allein erwähnt. Hierher gehört für uns das Beispiel Christi, der in Emmaus mit den beiden Jüngern zusammen war, ihnen die Eucharistie nur unter einer Gestalt reichte und sich sogleich von ihnen entfernte, wie die Väter diese Stelle des Evangeliums interpretierten. Daher sind weder diejenigen zu verurteilen, die mit einer Gestalt zufrieden vom Gebrauch des Kelches Abstand nehmen und von denen man liest, sie hätten dies viele Jahrhunderte getan, noch die, welche beide Gestalten im öffentlichen Gebrauch haben, weil es die Kirche billigte.

Der Gebrauch der Dinge hat jedoch gelehrt, dass es zum größeren Vorteil für das Volk, weniger gefährlich und aus vielen Gründen fruchtbringender sein könnte, wenn nach Unterlassung des Gebrauches des Kelches die Kommunion nur unter einer Gestalt gespendet wird. Dies zu tun, hat die Kirche schon lange beschlossen, ohne von der Einsetzung und dem Gebot des Herrn abzuweichen (denn sie ist *Säule und Fundament der Wahrheit*[95] und *Verwalter(in) der Geheimnisse Gottes*[96]), weil sie die von ihrem Bräutigam erhaltene Vollmacht zur Ordnung der Geheimnisse zum gemeinsamen Aufbau und Nutzen der Gläubigen geändert hat, je nachdem, wie es die Bedingung der Zeiten und der Menschen zu erfordern schien.

Damit wir dies richtiger erkennen, zeigen uns dies die Worte des Evangeliums an, die Christus beim Mahl zu jenen gesprochen hat, denen er die Vollmacht übertrug, nicht nur die Eucharistie zu empfangen, sondern auch zu konsekrieren und zu opfern, ja sogar für die ganze Kirche zu ordnen und zu verwalten. Er hinterließ ihrem Urteil, ihrer Klugheit und ihrer Autorität das Recht, die Art und Weise der Verwaltung der Eucharistie festzulegen und für die Nachwelt entsprechend den Zeiten zu verändern. Dies beweist auch AUGUSTINUS[97] mit Paulus, und es kann leicht mit vielen Einrichtungen der Apostel bestätigt werden.

Es gibt keinen Grund zu glauben, dass dem Volk ein Unrecht angetan wird, wenn es in dieser Hinsicht nicht den Priestern gleichgestellt wird. Denn in der Tat ist Christus nicht in zwei Teile geteilt nach den zwei Zeichen des Sakramentes, sondern der ganze Christus wird unter einer wie unter beiden Gestalten, selbst unter den Partikeln einer einzigen Hostie, dargereicht und empfangen, mit seinem Fleisch und Blut, seiner Seele und Gottheit. Wo aber Christus ganz empfangen wird, dort kann die ganze Frucht und Gnade dieses Sakramentes nicht fehlen. Deshalb werden die Gläubigen hier nicht des Nutzens beraubt – sei es, dass du die in diesem Sakrament enthaltene Wahrheit, Christus, natürlich als Gott und Mensch schaust, sei es, dass du nach der Frucht und Gnade suchst, die denen zum Heil der Seele gegeben wird, die die Eucharistie empfangen –; sondern

95 1 Tim 3,15.

96 Vgl. 1 Kor 4,1.

97 Vgl. Augustinus, Ep. 54, Ad inquisitiones Ianuarii VI,8, BKV^2 Bd. 29, München 1917, 215 f.

sie erhalten unter einer Gestalt soviel, wie andere, die beide Gestalten würdig empfangen.

Deshalb ist hier nicht der Ort, weiter zu zweifeln und zu verhandeln, nachdem der Heilige Geist, der nach der Verheißung Christi lehrt und die Kirche regiert, uns eine sichere und ausführliche Lehre gegeben und diese bekräftigt hat, ohne die Autorität hochheiliger Synoden zu verletzen. Wenn einer ihre Worte sucht, sind es folgende[98]:

»Die gläubigen Laien und die kommunizierenden Kleriker, die nicht zelebrieren, werden durch das Gebot des Herrn nicht zum Empfang des heiligen Sakramentes der Eucharistie unter beiden Gestalten, nämlich Brot und Wein, verpflichtet. Vielmehr hat die Kirche, die durch den *Geist der Wahrheit*[99] regiert wird, der bei ihr in Ewigkeit bleibt und mit der Christus *bis zur Vollendung der Welt*[100] bleibt (wie die göttliche Schrift sagt), das Recht zu ordnen, wie den nicht Konsekrierenden gedient wird, je nachdem es ihr [der Kirche] für die Verehrung dieses Sakramentes und für das Heil der Gläubigen nützlich erscheint.« In einer anderen Synode wurde festgelegt[101]: »Nachdem eine derartige Gewohnheit [Kommunion der Laien unter einer Gestalt] von der Kirche und den heiligen Vätern vernünftigerweise eingeführt und äußerst lange beachtet wurde, ist es für ein Gesetz zu halten, das man nicht verwerfen und ohne die Autorität der Kirche nach Belieben ändern darf.«

Dies ist die Lehre hochheiliger Synoden, und diese Vorschrift, die der christliche Erdkreis kennt, annimmt und mit großer Zustimmung der Völker bewahrt, ist nicht leichtfertig veröffentlicht worden. Er hat sie schon so viele Jahrhunderte in Gebrauch, dass der Anfang dieser Art von Kommunion nicht nachgewiesen werden kann. Deshalb ist es merkwürdig, jetzt solche Menschen zu finden, die – durch die Gestalt privater Frömmigkeit geleitet – es anders bestimmen und sich in diesem Teil mit den neuen Verächtern der Kirche gegen ihre verehrungswürdige Autorität verschwören. Diese müssen sich wirklich hüten, dass sie nicht, wenn sie auf die äußeren Zeichen des Sakramentes so sehr drängen, die innere Frucht selbst und daher den ganzen Christus verlieren. Weder der Glaube noch die Sakramente nützen irgend jemandem, außer denen, die in der Einheit der Kirche stehen. Größtes Zeichen der Einheit ist die Eucharistie, die den Häretikern und Schismatikern keine Frucht gewährt, weil sie die Einheit zerreißen.

---

98 Konzil von Basel, Sess. 30, 1437, XII 23, Mansi 29, 158 f.

99 Joh 14,17.

100 Mt 28,20.

101 Konzil von Konstanz, Sess. 13, 1415, VI 15, Mansi 27, 727 f.

101 Welche Frucht gewährt die in richtiger Weise empfangene Eucharistie?[102]

Sie gibt wirklich sehr viel und sehr Großes. Denn sie [Eucharistie] ist ein heiliges Gastmahl, in dem Christus empfangen, das Gedächtnis seiner Passion gefeiert, der Geist mit Gnade erfüllt und uns die Gabe künftiger Herrlichkeit gegeben wird, wie die Kirche, angeregt durch sinnliche Erfahrung, das Besondere dieser Früchte besingt: *Dies ist das Brot, das vom Himmel herabgekommen ist*[103] und der Welt das Leben gibt, unsere Herzen im geistlichen Leben erhält und stärkt. Dies ist die heilige Versammlung und Gemeinschaft, die bezeichnet und gewährt, was die Gläubigen als Glieder seines Leibes untereinander verbindet und durch die Verdienste aller Heiligen und Frommen vereint. Dann, was noch erhabener ist, vereinigt sie diese mit dem Haupt Christus sehr eng, damit sie in ihm bleiben und er in ihnen, und dass sie so das ewige Leben erlangen.

Dies ist die Wegzehrung für unsere Wanderschaft, die denen, die sich in der Wüste und im Kriegsdienst dieses Lebens befinden und von hier zum himmlischen Jerusalem streben, wie das den Väter gegebene Manna Trost, Erquickung, Kraft und äußerst wirksame Gnade bringt. Dieser Leib Christi ist (wie der herausragende BERNHARD[104] lehrt) den Kranken Medizin und den Wandernden Leben. Er stärkt die Schwachen, erfreut die Gesunden und heilt von Trägheit; durch ihn wird der Mensch milder im Tadel, geduldiger in der Arbeit, brennender in der Liebe, scharfsinniger in der Vorsicht, bereiter zum Gehorsam und demütiger in der Danksagung.

102 Was wird zum würdigen Empfang der Eucharistie und seiner Frucht gefordert?[105]

Erstrebenswert ist die Antwort des Apostels: *Jeder soll sich selbst prüfen; erst dann soll er von dem Brot essen*[106], wie auch AUGUSTINUS sagte: Im Leib Christi besteht unser Leben; also möge jener sein Leben ändern, welcher das Leben empfangen will.[107]

Diese Prüfung seiner selbst und die Änderung des Lebens besteht hauptsächlich aus vier Dingen: das Vorhandensein von Glaube, Buße, Achtsamkeit des Geistes und einer würdigen Haltung des christlichen Menschen. Der Glaube fordert, dass du nicht irgend etwas von den Dingen bezweifelst, die wir gesagt

---

[102] 160–161.

[103] Joh 6,58.

[104] Vgl. Bernard v. Clairvaux, Serm. de tempore, In coena Domini. De baptismo et de sacramento altaris et ablutione pedum, in: Sämtliche Werke, hg. v. G. B. Winkler, Bd. 8, Innsbruck 1997, 211.

[105] 102 f.

[106] 1 Kor 11,28.

[107] Vgl. Ps. Augustinus, Serm. 115,1, De adventu Domini, 1 (Appendix), PL 39, 1973.

haben, und von den anderen ähnlichen Dingen, die zu diesem Mysterium gehören. Dies wird geschehen, wenn du einfach im Glauben und nach der Lehre der Kirche, wie es notwendig ist, in allem Trost findest. Die Buße, über die wir bald mehr sagen werden, fordert die Reue über die Sünden, das ausführliche Bekenntnis vor dem Priester und die Erlangung der Absolution. Der Geist muss gegenwärtig sein, damit er sich durch Meditationen und fromme Gebete zu diesem großen Sakrament hinwendet. Schließlich fordert die würdige Haltung und Einstellung des Christen, dass niemand zur heiligen Versammlung hinzutreten darf, außer er ist nüchtern, besonnen, demütig, bittend und keineswegs niederträchtig. *Wer also unwürdig von dem Brot isst und aus dem Kelch des Herrn trinkt, macht sich schuldig am Leib und am Blut des Herrn*[108], wie der Apostel bezeugt.

130 Welche Dinge gehören zur christlichen Gerechtigkeit?[109]
Insgesamt sind es zwei Dinge, die in diesen Worten enthalten sind: *Meide das Böse und tu das Gute,*[110] wie auch Jesaja lehrt: *Lasst ab von eurem üblen Treiben und lernt Gutes zu tun.*[111] Das Erste besteht darin, die Sünden zu erkennen und zu meiden, da sie für die Menschen die größten Übel sind; das Zweite beschäftigt sich mit dem Erbitten und Erlangen des Guten.

131 Was ist Sünde?[112]
Nach dem Zeugnis des AUGUSTINUS ist die Sünde »der Wille, etwas, das die Gerechtigkeit verbietet, zu bewahren oder zu erlangen, während es ihm frei steht, sich dessen zu enthalten«.[113] AMBROSIUS aber meint dazu: »Was ist Sünde, wenn nicht Missachtung des göttlichen Gesetzes und Ungehorsam gegenüber den himmlischen Geboten?«[114]

132 Weshalb ist die Sünde zu meiden?[115]
Weil nach dem Zeugnis des Apostels der *Lohn der Sünde der Tod*[116] ist. Und wie der Herr durch den Propheten sagt: *Eine Seele, die gesündigt hat, wird sterben.*[117]

---

[108] 1 Kor 11,27.

[109] 198.

[110] Ps 37,27.

[111] Jes 1,16f.

[112] 198.

[113] Vgl. Augustinus, Retr. 1,13,15, PL 32, 604, 609f.; CCL 57, 38, 47; C. Perl, Die Retractionen in zwei Büchern (lat./dt.), Paderborn 1976, 85.

[114] Vgl. Ambrosius, De parad. 8,39, PL 14, 392; CSEL 32/1, 296.

[115] 198–200.

[116] Röm 6,23.

[117] Ez 18,4.

Und wiederum steht geschrieben: *Ein Mensch kann in seiner Schlechtigkeit seine Seele töten.*[118] Nichts ist unglücklicher als der Tod, durch den der Mensch von der Gemeinschaft mit allen Heiligen, von der Freude der Engel und der Himmlischen sowie vom höchsten und ewigen Gut, in dessen Denken und Genuss wirklich das ganze Heil und die vollkommene Glückseligkeit des Menschen besteht, auf ewig getrennt wird. Die Sünde schließt uns nicht nur von Gott, der Gnade Gottes und der göttlichen Ehre aus, sondern übergibt uns außerdem der Macht der Dämonen, so dass wir von diesen gequält und den Übeln in der Hölle des unauslöschlichen Feuers überlassen werden. Und das ist wahrhaft sterben und verdammt werden durch den zweiten Tod, also in Ewigkeit. Deshalb befiehlt der Prediger ernsthaft Folgendes: *Flieh vor der Sünde wie vor der Schlange.*[119] Und der alte Tobias sagt: *Du sollst Gott alle Tage deines Lebens in deinem Inneren haben und fürchten, dass du nicht irgend eine Sünde begehst und die Vorschriften unseres Herrn übergehst.*[120]

Hier muss beschrieben werden, was allenthalben in den heiligen Schriften über Sünder, die bestraft wurden, beispielhaft aufgeführt wird, z. B. über Kain, über den Pharao, über Nabuchodonosor, über die Sodomiter, über die Ägypter und über die Israeliten usw. Und dazu ist vorzutragen, dass jeder [Mensch] Gott selbst als Rächer der Sünden erkennt, im Erkennen fürchtet, aus Furcht um sein Heil bangt und durch Meidung [der Sünden] den furchtbaren Sündenstrafen entgeht. Jesaja sagte nachdrücklich: *Darin bestehe die volle Befreiung von seiner Sünde.*[121]

173 Über welche guten Werke handelt die christliche Gerechtigkeit?[122]

Diese Gerechtigkeit ist so weit, dass sie alle guten Werke, die ehrenhaft, aufrichtig und in frommer Gesinnung geschehen, in sich enthält und uns vorlegt, sie uns zu begehren und danach zu streben. Daher ermahnt der Apostel die Gläubigen: *Denn ihr sollt ein Leben führen, das des Herren würdig ist und in allem seinen Gefallen findet; ihr sollt Frucht bringen in jeder Art von guten Werken,*[123] *seid bedacht auf Gutes,*[124] nicht nur gegenüber Gott, sondern auch vor allen Menschen. Dies ist der Nutzen und die eigentümliche Frucht unserer Berufung wie auch der christlichen Gerechtigkeit, die uns durch Christus bereitet wurde, wie derselbe Apostel bezeugt: *Sie* [die guten Werke] *erziehen uns dazu, uns von der Gottlosigkeit und den irdischen Begierden loszusagen und besonnen, gerecht und fromm in dieser Welt zu*

118 Weish 16,14.
119 Sir 21,2.
120 Tob 4,5.
121 Jes 27,9.
122 230–231.
123 Kol 1,10.
124 Röm 12,17.

leben.[125] Den gleichen Sinn legt uns auch das Evangelium vor: *Er hat uns geschenkt, dass wir aus Feindeshand befreit, ihm furchtlos dienen in Heiligkeit und Gerechtigkeit vor seinem Angesichte all unsere Tage.*[126] Denn Christus hat uns von jeder Ungerechtigkeit erlöst, *um sich ein reines Volk zu schaffen, das ihm als sein besonderes Eigentum gehört und voll Eifer danach strebt, das Gute zu tun. Seine Geschöpfe sind wir, in Christus dazu geschaffen, in unserem Leben die guten Werke zu tun, die Gott für uns im Voraus bereitet hat, dass wir in ihnen wandeln.*[127] So schreibt Paulus wiederholt und ermahnt alle, die christliche Gerechtigkeit stets zu beobachten und zu pflegen. Wozu viele Worte? *Meine Kinder,* sagt Johannes, *lasst euch nicht in die Irre führen. Wer die Gerechtigkeit tut, ist gerecht, wie er gerecht ist. Wer die Sünde tut, stammt vom Teufel.*[128] Und Jakobus sagte: *Der Mensch wird gerechtfertigt durch die Werke und nicht allein aus dem Glauben!*[129] – *Denn wie der Körper ohne den Geist tot ist, so ist auch der Glaube tot ohne Werke.*[130]

174 Welche Frucht bringen die Werke der christlichen Gerechtigkeit hervor?[131]

Eine sehr bedeutsame und vielfältige Frucht, sowohl im jetzigen wie im zukünftigen Leben.

Erstens sind jene Werke, die aus dem lebendigen Glauben hervorgegangen sind, nicht nur Zeichen der christlichen Berufung, sondern sie stärken diese bei uns und machen uns ihrer sicher. Deshalb sagt der Apostel Petrus, der stets zu guten Werken ermuntert, Folgendes: *Deshalb, meine Brüder, bemüht euch noch mehr darum, dass eure Berufung und Erwählung Bestand hat. Wenn ihr das tut, werdet ihr niemals scheitern.*[132]

Zweitens vermehren sie nach dem Zeugnis des Apostels, welches auch Jakobus bestätigt, die Gnade in den Gläubigen und vollenden deren Heiligung. Denn der Glaube, der mit den Werken zusammenwirkt, wird erst in den Werken vollendet.[133]

Drittens bringen sie das Vertrauen des guten Gewissens hervor und spornen noch mehr zum Gebet und zum Erflehen von Gottes Hilfe an, steht doch geschrieben: *Es wird ein großes Vertrauen gegenüber dem höchsten Gott sein für jene,*

---

[125] Tit 2,12.

[126] Lk 1,74 f.

[127] Eph 2,10.

[128] 1 Joh 3,7 f.

[129] Jak 2,24.

[130] Jak 2,26.

[131] 231–233.

[132] 2 Petr 1,10.

[133] Jak 2,22.

die allen Almosen geben.[134] Und wiederum heißt es: *Meine Liebsten, wenn das Herz uns aber nicht verurteilt, haben wir gegenüber Gott Zuversicht. Alles, was wir erbitten, empfangen wir von ihm, weil wir seine Gebote halten und tun, was ihm gefällt.*[135] Als Beispiel diene uns der König Hiskija, der im Vertrauen auf sein gutes Gewissen schrie und durch Gottes Stimme in diesem bestätigt wurde, als er sagte: *Denk daran, dass ich mein Leben lang treu und mit aufrichtigem Herzen meinen Weg vor deinen Augen gegangen bin und dass ich immer getan habe, was dir gefällt.*[136]

Schließlich bewirken [die guten Werke der Gerechtigkeit], dass wir wie die Arbeiter im Weinberg Christi einen Denar pro Tag erhalten; dieses ist der versprochene Verdienst zum ewigen Leben und *der Kranz der Gerechtigkeit.*[137] Solange wir in der Kirche die Gebote Gottes halten, folgen wir Christus nach. In diesem Sinne sagte der Herr: *Ruf die Arbeiter, und zahl ihnen den Lohn aus.*[138] So sagte David: *Dein Knecht lässt sich von ihnen warnen, natürlich die göttlichen Gebote, wer sie beachtet, hat reichen Lohn.*[139] So sagt Paulus: *Ich habe den guten Kampf gekämpft, den Lauf vollendet, die Treue gehalten. Schon jetzt liegt für mich der Kranz der Gerechtigkeit bereit, den mir der Herr, der gerechte Richter, an jenem Tag geben wird, aber nicht nur mir, sondern allen, die sehnsüchtig auf sein Erscheinen warten.*[140] So sagte schließlich Christus selbst: *Wenn du aber das Leben erlangen willst, halte die Gebote!*[141] – *Wer den Willen meines Vaters im Himmel erfüllt, wird in das Himmelreich kommen.*[142] Und daraus wird deutlich, wie sehr es in unser aller Interesse liegt, die Stimme Gottes in der Apokalypse zu beachten: *Der Gerechte handle weiter gerecht, und der Heilige strebe weiter nach Heiligkeit. Siehe, ich komme bald, und mit mir bringe ich den Lohn, und ich werde jedem geben, was seinem Werk entspricht.*[143] – *Lasst uns nicht müde werden, das Gute zu tun; denn wenn wir darin nicht nachlassen, werden wir ernten, sobald die Zeit dafür gekommen ist.*[144]

---

134 Tob 4,12.
135 1 Joh 3,21 f.
136 Jes 38,3.
137 2 Tim 4,8.
138 Mt 20,8.
139 Ps 19,12.
140 2 Tim 4,7 f.
141 Mt 19,17.
142 Vgl. Mt 7,21.
143 Offb 22,11 f.
144 Gal 6,9.

185 Was ist Barmherzigkeit?[145]

Barmherzigkeit ist nach AUGUSTINUS[146] das Gefühl des Mitempfindens im Herzen verbunden mit der Wohltat, dass wir mit dem Nächsten leiden und ihm vom Eigenen schenken. Die Bezeichnung »Barmherzigkeit« wird oft für Almosen genommen und verwendet. Die Schrift bezeugt: *Jedem Wohltätigen wird sein Lohn zuteil, jeder empfängt nach seinen Taten.*[147] Deshalb sagte auch CHRYSOSTOMUS: »Die Barmherzigkeit ist die Hilfe für das Heil, der Schmuck des Glaubens, die Versöhnung der Sünder. Barmherzigkeit erweist die Gerechten, stärkt die Heiligen und zeigt die Gottesverehrer.«[148] Deshalb glauben wir mit AMBROSIUS: »Das Höchste christlicher Askese besteht in Barmherzigkeit und Frömmigkeit.«[149]

190 Was ist die Summe der ganzen Lehre von den Werken der Barmherzigkeit?[150]

Der Apostel [Paulus] fasst mit einem Wort das Ganze zusammen: *Einer trage des andern Last; so werdet ihr das Gesetz Christi erfüllen,*[151] nämlich das Gesetz der Liebe, von dem es auch heißt: *Alle anderen Gebote sind in dem einen Satz zusammengefasst: Du sollst deinen Nächsten lieben wie dich selbst.*[152] Kurz: Gott gibt jedem den Auftrag, den Nächsten zu lieben.[153] So hat er aufgetragen, wie Christus sagt: *Alles, was ihr also von anderen erwartet, das tut auch ihnen! Darin besteht das Gesetz und die Propheten.*[154]

199 Wie gebrauchen wir die Lehre über die Gaben und die Früchte des Geistes in richtiger Weise?[155]

Indem wir mit dankbarem Herzen erkennen, woher diese kommen, und wir deren Kraft und Gebrauch in uns fühlen und bewahren. Sie kommen gewiss von der Quelle jeder Gnade, vom Vater aller Lichter, der uns seine Güte und überreiche Liebe aufgetragen hat, indem *er ihn* [den Heiligen Geist] *in reichem Maße*

145 243–244.

146 Vgl. Augustinus, De civit. Dei 9,5, Augustinus, Der Gottesstaat, dt. von C.J. Perl, Bd. 1, Paderborn u.a. 1979, 573.

147 Sir 16,14.

148 Johannes Chrysostomus, 52/53. Hom. in Matth., PG 58, 522–524, BKV² Bd. 26, München 1915, 139.

149 Ambrosiaster, Comm. in 1 Tim. 4 (zu 1 Tim 4,7.8), PL 17, 774; CSEL 81/3, 275.

150 247–248.

151 Gal 6,2.

152 Röm 13,9.

153 Vgl. Mt 7,12.

154 Mt 7,12; vgl. Lk 6,31.

155 254–256.

über uns ausgegossen hat durch Christus.[156] *Denn,* wie der Apostel bezeugt, *die Liebe Gottes ist ausgegossen in unsere Herzen durch den Heiligen Geist, der uns gegeben ist,*[157] gemäß der siebenförmigen Gnade, die uns Christus versprochen hat. *Wer an mich glaubt,* sagte er, *aus seinem Innern werden – gemäß der Schrift – Ströme von lebendigem Wasser fließen. Damit meinte er den Heiligen Geist, den alle empfangen sollten, die an ihn glauben,*[158] wie der Evangelist selbst bestätigt. »Im Übrigen, wer kann ohne Christus«, wie HIERONYMUS gesagt hat, »weise, intelligent oder gut beraten sein, stark, gebildet, fromm und von der Furcht des Herrn erfüllt.«[159]

Die Kraft und die Wirkung der geistlichen Gaben liegt darin, dass die theologischen Tugenden und die Kardinaltugenden, die wir angeführt haben, in uns ihre Macht und ihr rechtmäßiges Wirken entfalten und ungehindert vervollkommnen. Sie bewirken außerdem, dass die Menschen dem Heiligen Geist freudig und leicht überall folgen und, von ihm angetrieben und gestärkt, *auf dem Weg der Gebote*[160] Gottes unermüdlich weitergehen. *Denn alle, die sich vom Geist Gottes leiten lassen, sind Söhne und Töchter Gottes,*[161] bezeugt der Apostel. Nachdem über diese Gaben genug gesagt worden ist, soll nun über jede einzelne gehandelt werden; von daher wiederum werden die süßesten Früchte des Geistes erlangt, die uns wie fruchtbringende Bäume auf dem Acker der Kirche anvertraut sind und das Wort verdeutlichen: *Jeder gute Baum bringt gute Früchte hervor, ein schlechter Baum aber schlechte.*[162] – *An ihren Früchten also werdet ihr sie erkennen.*[163] Die Früchte bewirken ferner jenen Vorteil, dass der christliche Mensch gegenüber den Werken des Fleisches wie durch eine geistliche Waffe unterrichtet und gestärkt wird. Niemals irrt sich nämlich die apostolische Regel: *Lasst euch vom Geist leiten, dann werdet ihr das Begehren des Fleisches nicht erfüllen.*[164] Und anderswo: *Wenn ihr aber durch den Geist die (sündigen) Taten des Leibes tötet, werdet ihr leben.*[165]

Text nach: Petrus Canisius, Der große Katechismus. Summa doctrinae christianae (1555). Ins Deutsche übertragen und kommentiert von Hubert Filser und Stephan Leimgruber (Jesuitica, Bd. 6) Regensburg 2003, 80–256.

156 Tit 3,6.
157 Röm 5,5.
158 Joh 7,38 f.
159 Vgl. Hieronymus, Comm. i. Ies. 4 (zu Jes 11,1 f.), PL 24, 145; CSEL 73 A, 148 f.
160 Ps 119,32.
161 Röm 8,14.
162 Mt 7,17.
163 Mt 7,20.
164 Gal 5,16.
165 Röm 8,13.

Teil 5: Religionsgespräche

von Dorothea Sattler unter Mitarbeit v. Volker Leppin

Einleitung

Der *Begriff »Religionsgespräche«* bedarf angesichts des sich in der Gegenwart mit ihm verbindenden Gehalts vorab einer Präzisierung: In der Forschung zum Reformationszeitalter hat sich diese Sammelbezeichnung gefestigt, um kommunikative Geschehnisse zu benennen, die vorrangig im 16. und auch noch zu Beginn des 17. Jahrhunderts zumeist auf politische Initiative hin stattfanden und die sich anbahnende konfessionelle Verfestigung innerchristlicher theologischer Streitfragen zum Gegenstand hatten. Dabei ist zu beachten, dass es sich bei dem Begriff »Religionsgespräche« nicht um eine zeitgenössische Wortwahl handelt, sondern die entsprechenden Ereignisse in den Quellen vielmehr in der Regel als »disputatio«, »colloquium« oder »collatio« bezeichnet werden. In deutschen Wiedergaben der Ereignisse sind die Bezeichnungen »(Streit)Gespräch«, »Unterredung«, »Verhandlung« oder auch »Verhör« geläufig. Die Religionsgespräche knüpften weniger an die oft asymmetrisch strukturieren Gespräche zwischen Judentum und Christentum im Mittelalter an als an die akademischen Disputationen, in denen seit den Anfängen der Universität im 13. Jahrhundert Argumente ausgetauscht und geschärft wurden – die Verbindung mit den obrigkeitlichen Prozessen von Reformation und Konfessionalisierung allerdings gab ihnen ein anderes öffentliches Gewicht.

Im Blick auf die im Reformationszeitalter relevanten Religionsgespräche hat Irene Dingel – unter Einbeziehung der oft auch als Disputationen gesondert behandelten städtischen Gespräche – drei *Typen* unterschieden: »(1) die städtischen Religionsgespräche oder Ratsreligionsgespräche, (2) die fürstlichen oder territorial ausgerichteten bzw. begrenzten Religionsgespräche und (3) die Religionsgespräche auf Reichsebene bzw. Reichreligionsgespräche« (Dingel 1997, 656). Bei dieser Einteilung bilden die Träger auf politischer Ebene das Kriterium der Unterscheidung. Andere Klassifizierungen nehmen auf die Konfessionen Bezug, die miteinander Gespräche führten, und trennen daher zwischen Gesprächen zwischen den für die erste Phase als »altgläubig« (für spätere Phasen dann als römisch-katholisch) bezeichneten mit den reformatorisch geprägten Theologen auf der einen Seite und den inner-evangelischen Gesprächen zwischen

Vertretern der Wittenberger Reformation und der Schweizer sowie Oberdeutschen Reformation auf der anderen Seite. Die Dauer und Intensität der Beratungen variierten ebenso wie die Gesprächsleitung. Einzelne Gespräche waren auf spezifische Themen bezogen; vielfach lässt sich aber eine Tendenz zur Beratung aller strittigen Lehrgestalten bei einem Religionsgespräch erkennen. Vorrangig wurden theologische Aspekte der Rechtfertigungslehre und des Abendmahlsverständnisses behandelt, darüber hinaus hermeneutische Fragestellungen wie das Verhältnis zwischen Schrift und Tradition sowie die Kirchen- und Ämterlehren. Je nach Gesprächspartner änderten sich die Themen – so gab es beispielsweise auch einzelne frühe Gespräche über das Verhältnis von Glaube und Taufe mit täuferischen Bewegungen. Der Öffentlichkeitscharakter der Religionsgespräche ist je nach Konstellation unterschiedlich, vielfach gab es neben dem gemeinsamen Kolloquium auch gesonderte Verhandlungen und Einzelgespräche. Im Laufe der Zeit wurde es üblich, die Gespräche – meist einzeln von jeder Seite – akkurat aufzuzeichnen, so dass wir über die Verläufe, auch die heute in der Forschung vielfach beachteten rituellen Verfahren – sehr gut informiert sind.

Die Religionsgespräche haben durch die Jahrhunderte sehr unterschiedliche Wertungen erfahren: Nutzte man sie in der Zeit der Orthodoxie als Vorlage für die je aktuelle konfessionelle Polemik, so galten sie der Aufklärung als Erweis der Möglichkeit, auf friedfertigem Weg eine Wiedervereinigung der Konfessionen erreichen zu können. Im 19. Jahrhundert waren die Religionsgespräche angesichts der hohen Bedeutung der Geschichtswissenschaft Gegenstand von zahlreichen Einzelstudien. In Enzyklopädien und Lexika finden sich vermehrt seit Beginn des 20. Jahrhunderts Übersichten über die zahlreichen Religionsgespräche im Reformationszeitalter. Während die reformationsgeschichtliche Forschung lange Zeit vor allem auf die Ereignisse in Deutschland, der Schweiz, den Niederlanden, Frankreich, Skandinavien und England konzentriert war, wächst in jüngerer Zeit mit dem zunehmenden Blick auf die Reformation als gesamteuropäisches Phänomen das Interesse an der Erforschung der Religionsgespräche an den Rändern Europas im Osten und Westen.

Nach dem Eintritt der Römisch-katholischen Kirche in die Ökumenische Bewegung im Kontext des 2. Vatikanischen Konzils (1962–65) wurden die Religionsgespräche in zahlreichen Dialogen als Referenztexte zum Verständnis der Kontroversen im 16. Jahrhundert herangezogen, die es gemeinsam zu sichten galt. Auch das Verfahren der Religionsgespräche, das in ihnen präsente Bemühen, Kontroversen akkurat zu benennen und Verständigungsmöglichkeiten auszuloten, hat für die gegenwärtige Ökumene zwischen den aus der Reformation erwachsenen Kirchen und der Römisch-katholischen Kirche eine große Bedeutung als Impuls und Ermutigung für eine gemeinsame ehrliche Wahrheitssuche.

Die hier getroffene kleine *Auswahl* aus den vielen Religionsgesprächen im Reformationszeitalter ist durch drei Überlegungen motiviert: (1) Die innerevangelische Gesprächssituation (Wittenberg und die Schweizer bzw. die Oberdeutsche Reformation) soll anschaulich werden. Dazu bieten sich die Religionsgespräche an, die die Frage nach dem Abendmahl in den Blick nehmen - eine Thematik, die auch nach der Leuenberger Konkordie von 1973 weiterhin bedacht wird. Diesem Themenkreis sind das *Marburger Religionsgespräch von 1529* und die *Wittenberger Konkordie von 1536* zugeordnet. (2) Die altgläubig - reformatorischen Gespräche sind auch nach dem Scheitern der Unionsbemühungen auf dem Augsburger Reichstag fortgesetzt worden. Das *1541 abgeschlossene Regensburger Religionsgespräch* behandelt mit den Themenkreisen Rechtfertigung und Abendmahl / Eucharistie Fragestellungen, die bis heute von nachhaltiger Bedeutung in der Ökumene sind. (3) Desiderius *Erasmus* hat in seiner Spätschrift *»De sarcienda ecclesiae concordia« (1533)* eine Reflexion über den Sinn von Religionsgesprächen angestellt, die auch heute noch zum Nachdenken Anlass gibt.

Literatur

Günter Bezzenberger (Hg.), Marburg im Kontext. Gedenkbuch an das Marburger Religionsgespräch, Kassel 1980.

Irene Dingel, Art. Religionsgespräche IV: Altgläubig - protestantisch und innerprotestantisch, in: TRE 28 (1997), 654-681.

Martin Friedrich, Von Marburg bis Leuenberg. Der lutherisch - reformierte Gegensatz und seine Überwindung, Waltrop 1999.

Martin Greschat, Martin Bucer. Ein Reformator und seine Zeit 1491-1551, München 1990.

Marion Hollerbach, Das Religionsgespräch als Mittel der konfessionellen und politischen Auseinandersetzung im Deutschland des 16. Jahrhunderts, Frankfurt, Bern 1982.

Thomas Kaufmann, Art. Wittenberger Konkordie, in: TRE 36 (2006), 243-251.

Gerhard May, Marburger Religionsgespräch, in TRE 22 (1992), 75-79.

Karl-Heinz zur Mühlen, Die Religionsgespräche von Hagenau, Worms und Regensburg 1540/41. Chancen und Grenzen des kontroverstheologischen Dialogs in der Mitte des 16. Jahrhunderts, in: Blätter für pfälzische Kirchengeschichte und religiöse Volkskunst 72 (2005), 319-334.

Vinzenz Pfnür, Die Einigung bei den Religionsgesprächen von Worms und Regensburg 1540/41 - eine Täuschung?, in: Gerhard Müller (Hg.), Die Religionsgespräche der Reformationszeit, Gütersloh 1980, 55-88.

Carl Heinz Ratschow, Von der Einheit der Kirche. Erwägungen zum Marburger Religionsgespräch 1529, in: Jahrbuch der Hessischen Kirchengeschichtlichen Vereinigung 30 (1979), 261-294.

Wolf-Friedrich Schäufele (Hg.), Die Marburger Artikel als Zeugnis der Einheit, Leipzig 2012.

Otto Scheib, Die innerchristlichen Religionsgespräche im Abendland. Regionale Verbreitung, institutionelle Gestalt, theologische Themen, kirchenpolitische Funktion.

Mit besonderer Berücksichtigung des konfessionellen Zeitalters (1517–1689), 3 Bände, Wiesbaden 2009.

Hans Schneider, Der »liturgische Rahmen« des Marburger Religionsgesprächs, in: Jahrbuch der Hessischen Kirchengeschichtlichen Vereinigung 61 (2010), 103–123.

Gottfried Seebaß, Der Abendmahlsartikel der Confessio Augustana variata von 1540, in: Johanna Loehr (Hg.), Dona Melanchthoniana. FS Heinz Scheible, Stuttgart Bad Cannstatt 2001, 411–424.

Heinrich Steitz, Das Marburger Religionsgespräch von 1529. Beiträge zur Rekonstruktion des Gesprächs, zur Übertragung der Artikel und zur Erläuterung der reformatorischen Überzeugungen, in: Blätter für Pfälzische Kirchengeschichte und religiöse Volkskunde 46 (1979), 198–238.

Peter Vogelsanger, Ökumenismus im 16. Jahrhundert. Zur Geschichte des Religionsgespräches von Regensburg 1541, in: Johannes Brantschen/Pietro Selvatico (Hg.), Unterwegs zur Einheit. FS Heinrich Stirnimann, Freiburg/Schweiz 1980, 631–648.

Peter Walter, Humanismus, Toleranz und individuelle Religionsfreiheit. Erasmus und sein Umkreis [2007], in: ders., Syngrammata. Gesammelte Schriften zu Humanismus und Katholischer Reform, hg. von Günther Wassilowsky (Reformationsgeschichtliche Studien und Texte. Supplementband 6), Münster 2015, 113–134.

Das Marburger Religionsgespräch (1529)

Religionsgespräche ereignen sich in einer für die Beteiligten biographisch geprägten Zeit: Am 4. Oktober 1529 schrieb Martin Luther (1483–1546) seiner Frau Katharina unmittelbar nach dem Ende des Religionsgesprächs von Marburg einen Brief.[1] In diesem kurzen Schreiben an »Katharina Lutherin, Doctorin, Predigerin zu Wittenberg« erzählt Luther davon, dass es ein »freundlich Gespräch zu Marburg« war und die Religionsparteien »fast in allen Stücken eins« gewesen seien – gleichwohl setzte Luther nicht mehr viel Hoffnung in die fortdauernden Bemühungen des Landgrafen um gegenseitige Anerkennung als christliche Geschwister: »Aber wir wollen des Brüdern und Glieders nicht, friedlich und guts wollen wir wohl.«. Tatsächlich blieb eine Einigung aus: Luther brach, wie alle anderen auch, bald auf und reiste rasch weiter – in der Region war eine ansteckende Infektionskrankheit, der »Englische Schweiß«, ausgebrochen.

Landgraf Philipp von Hessen war es nur mit Mühe gelungen, die wichtigsten namhaften reformatorischen Theologen für ein Religionsgespräch zu gewinnen, das aus seiner Sicht – so geht aus seinem Einladungsschreiben vom 1. Juli 1529 hervor – »ein freundlich undisputierlich Unterrede« (WA.B 5, 108,8) sein sollte. Bereits seit mehreren Jahren hatten sich Luther und der Schweizer Reformator Huldrych Zwingli einen heftigen publizistischen Schlagabtausch über die Abendmahlslehre geliefert. In den Oberdeutschen Städten wiederum hatten sich Modelle zum Verständnis des Abendmahls entwickelt, die weder mit der einen noch mit der anderen Position zu verrechnen waren. Die Bereitschaft der evangelischen Parteien, sich trotz aller Differenzen zu einem Gespräch zu versammeln, war nach dem 2. Reichstag von Speyer gewachsen, weil dort im April 1529 das Wormser Edikt bestätigt und damit die Durchführung von Reformen für illegitim erklärt worden war. So lag es nahe, im Widerstand dagegen die Anhänger der Reformation durch ein Bündnis zu stärken. Diese Option wurde durch den anhaltenden Abendmahlsstreit geschwächt. Philipp von Hessen fürchtete

---

[1] Luther an seine Frau – Marburg, 4. Oktober 1529 (WA.B 5,153f [Nr. 1476]).

nicht ohne Grund, dass die »Papisten« – mit Unterstützung durch Kaiser Karl V. – aus dem inner-evangelischen Abendmahlsstreit Vorteile ziehen könnten.

Es gibt eine große Zahl an Quellen, die über den *äußeren* Verlauf, die Inhalte und die Ergebnisse des Marburger Religionsgesprächs unterrichten. Es handelt sich dabei nicht um ein offiziell geführtes Protokoll, sondern um viele persönliche Aufzeichnungen und Briefe von Teilnehmern, die es einigermaßen erlauben, das Geschehen zu rekonstruieren, aber immer von der jeweiligen Tendenz der Schreiber gefärbt sind. Der Beginn des Religionsgesprächs im Marburger Schloss verzögerte sich durch das verspätete Eintreffen der Wittenberger (mit Luther und Melanchthon an der Spitze der Delegation) erst am 30. September. Die Schweizer und Straßburger Reformatoren (unter anderen Zwingli, Oekolampad, Bucer, Sturm und Hedio) waren bereits seit dem 27. September in Marburg. Da die süddeutschen Anhänger Luthers (Osiander, Brenz und Agricola) erst am 2. Oktober anreisten, fanden am 1. Oktober Vorgespräche zwischen Zwingli und Melanchthon sowie zwischen Luther und Oekolampad statt. Diese Einzelunterredungen dienten der Erhebung der Gemeinsamkeiten der reformatorischen Theologen in Grundfragen des Glaubens und der Rechtfertigungslehre sowie der Bestimmung der Differenzen in der Abendmahlslehre. Die Hauptgespräche – in der Sache geprägt durch die Kontrahenten Luther und Melanchthon für die Wittenberger Lehre, Zwingli und Oekolampad für das Schweizer Abendmahlsverständnis – fanden am 2. und 3. Oktober 1529 in Anwesenheit von insgesamt ca. 60 Personen statt. Das Ergebnis hielt Luther am 4. Oktober (in den Handschriften versehentlich auf den 3. Oktober datiert) in 15 Artikeln fest, von denen die ersten 14 Artikel (zu Fragen des trinitarischen Bekenntnisses, der Erlösungslehre, des Glaubensverständnisses, zur Rechtfertigungslehre, zur Theologie des Wortes, zu den Sakramenten Taufe und Buße sowie zum Verhältnis zur Obrigkeit) gemeinsame Positionen beschrieben. Lediglich im 15. Artikel »Vom Sakrament des Leibes und Blutes Christi« konnte eine Einigung nur in Teilbereichen der Fragestellung erreicht werden. Die 15 Artikel des Marburger Religionsgesprächs lesen sich auch heute noch wie eine Kurzfassung der vorrangigen reformatorischen Anliegen – in der Abendmahlslehre sind die Positionen Zwinglis allerdings wenig später durch Calvin deutlich korrigiert worden, so dass man Art. 15 nicht ohne Weiteres mit der heutigen reformierten Position verbinden sollte. Das ist auch deswegen wichtig, weil die Marburger Artikel gerade wegen dieser Thematik höchste Aufmerksamkeit erfahren haben.

Als am 2. Oktober 1529 um 6.00 Uhr in der Frühe das Religionsgespräch begann, war bald offenkundig, dass das Verständnis vom Abendmahl – insbesondere die Frage nach der Gegenwart Jesu Christi in den Elementen – im Mittelpunkt der Beratungen zu stehen hatte. Mehrfach überliefert ist, dass Luther sehr bald mit Kreide auf seinen Tisch die Worte Jesu in Erinnerung an die in allen vier biblischen Zeugnissen gemeinsame biblische Überlieferung schrieb: »hoc est corpus meum« – »das ist mein Leib« (vgl. 1 Kor 11,24; Mk 14,22; Lk 22,19;

Mt 26,26). Die recht gut dokumentierten Gespräche belegen, dass die anwesenden reformatorischen Religionsparteien über Detailfragen in der Abendmahlsfrage debattierten: Handelt es sich beim Herrenmahl auch um ein leibliches Essen (so die Wittenberger mit dem Gedanken, dass Geist und Leib zusammengehören) oder ein rein geistliches Geschehen (so Zwingli und seine Gefährten)? Dass das Abendmahl ein Sakrament des wahren Leibes und Blutes Christi ist, blieb ebenso unbestritten wie seine vorrangig geistliche Bedeutung. Zwei Fragestellungen, die auch in der Folgezeit weiterhin kontrovers besprochen wurden, fanden bereits in den Gesprächen in Marburg 1529 Aufmerksamkeit: (1) die Problematik der Anwesenheit Jesu Christi nach seiner Auferweckung gleichzeitig in himmlischer und in irdischer Präsenz sowie (2) die Abhängigkeit der Gegenwart Jesu Christi im Mahlgeschehen vom Glauben der an der eucharistischen Feier Teilnehmenden.

Am Ende gingen die Parteien mit einem Dissens in der Abendmahlsfrage auseinander. In Abgrenzung von den altgläubigen Theologen war man sich zwar einig darin, dass beide Gestalten – Brot und Wein – im Sinne der Stiftung Jesu selbst allen zu reichen seien; dass die eucharistische Feier kein verdienstliches Werk für Lebende und Verstorbene sei, sondern dazu diene, den Glauben zu stärken und die Gewissen zu trösten. Aber der verbliebene Streitpunkt wurde klar benannt: die »leibliche« Gegenwart des wahren Leibes und des wahren Blutes Christi in Brot und Wein. Bis in die Nachtstunden des 3. Oktober hinein dauerten die Bemühungen an, zu einer Verständigung zu finden. Die Parteien gingen am nächsten Tag mit dem Vorsatz auseinander, je auf ihre Weise Gott um die rechte Erkenntnis zu bitten. Bei aller Bereitschaft zu einem geschwisterlichen Umgang miteinander sahen die Wittenberger Lutheraner keine Möglichkeit, dem Anliegen von Philipp von Hessen zu entsprechen und Kirchengemeinschaft mit den Regionen zu erklären, für die die Schweizer und Oberdeutschen Theologen sprachen.

In den ökumenischen Gesprächen in der zweiten Hälfte des 20. Jahrhunderts haben die evangelischen Religionsparteien in Europa in der Vorbereitung der Leuenberger Konkordie von 1973 die Fragen wieder aufgenommen, die 1529 noch ohne eine gemeinsame Antwort blieben – und haben so unter den Bedingungen moderner Ökumene gewissermaßen die damaligen Anliegen fortgeführt.

Auf diese Artikel haben sich die hier Unterschriebenen zu Marburg geeinigt am 3. Oktober 1529.

(1. Von der heiligen Dreifaltigkeit)

Zuerst, dass wir auf beiden Seiten einträchtig glauben und halten, dass allein ein einziger, rechter, natürlicher Gott ist, Schöpfer aller Kreaturen, und derselbe Gott einig im Wesen und Natur und dreifaltig in den Personen, nämlich Vater, Sohn, Heiliger Geist etc., ganz wie im Konzil von Nizäa beschlossen und im nizänischen

Symbol[2] von der ganzen christlichen Kirche in der Welt gesungen und gelesen wird.

(2. Vom Sohne Gottes, unserem Herrn Jesus Christus)
Zum Anderen glauben wir, dass nicht der Vater noch der Heilige Geist, sondern der Sohn Gottes des Vaters, rechter natürlicher Gott, Mensch geworden ist durch Wirkung des Heiligen Geistes, ohne Zutun männlichen Samens, geboren von der reinen Jungfrau Maria, leiblich vollkommen mit Leib und Seele wie ein anderer Mensch, doch ohne jegliche Sünde etc. (Hebr 4,15).

(3. Vom Heilswerk Christi)
Zum Dritten, dass derselbe Gottes und Mariens Sohn Jesus Christus in unzertrennter Person für uns gekreuzigt, gestorben und begraben sei, auferstanden von den Toten, aufgefahren in den Himmel, sitzend zur Rechten Gottes, Herr über alle Kreaturen, und kommen wird zu richten die Lebenden und die Toten etc.

(4. Von der Erbsünde)
Zum Vierten glauben wir, dass die Erbsünde uns von Adam angeboren und ererbt ist, und zwar so, dass sie alle Menschen verdammt. Wenn uns Jesus Christus nicht zu Hilfe gekommen wäre mit seinem Tod und Leben, hätten wir ewiglich dran sterben müssen und nicht zu Gottes Reich und Seligkeit kommen können.

(5. Von der Erlösung)
Zum Fünften glauben wir, dass wir von solcher Sünde und allen anderen Sünden samt dem ewigen Tod erlöst werden, wenn wir an den Sohn Gottes Jesus Christus glauben, der für uns gestorben ist etc., und außer solchem Glauben durch keine Werke, Stand oder Orden etc. von irgendeiner Sünde befreit (los) werden können etc.

(6. Vom Glauben)
Zum Sechsten, dass solcher Glaube eine Gabe Gottes sei, den wir mit keinen vorhergehenden Werken oder Verdienst erwerben, noch aus eigener Kraft schaffen können, sondern der Heilige Geist gibt und schafft, wo er will, denselben in unsere Herzen, wenn wir das Evangelium oder Wort Christi hören.

(7. Von christlicher Gerechtigkeit)
Zum Siebenten, dass solcher Glaube unsere Gerechtigkeit vor Gott ist, um dessen Willen uns Gott als gerecht, fromm und heilig erachtet, ohne alle Werke und Verdienste, und dadurch von Sünden, Tod und Hölle hilft, zu Gnaden annimmt

---

2 Gedacht ist an das heute von der Forschung als nizäno-konstantinopolitanisches Bekenntnis bezeichnete Bekenntnis (s. Bd. 1, Nr. 81a]).

und selig macht um seines Sohnes Willen, an den wir so glauben und dadurch seines Sohnes Gerechtigkeit, Leben und alle Güter genießen und ihrer teilhaftig werden. *Darum wird gänzlich abgelehnt, dass Klosterleben und Gelübde zur Gerechtigkeit nützlich seien.*

(8.) Vom äußerlichen Wort

Zum Achten, dass der Heilige Geist, wenn man es genau benennt, niemandem solchen Glauben oder seine Gabe ohne vorhergehende Predigt oder mündliches Wort oder das Evangelium Christi gibt, sondern durch und mit solchem mündlichem Wort wirkt und schafft er den Glauben, wo und in wem er will, Röm 10(,17).

(9.) Von der Taufe

Zum Neunten, dass die heilige Taufe ein Sakrament sei, das zu solchem Glauben von Gott eingesetzt ist. Und weil Gottes Gebot »Gehet hin in alle Welt« (Mt 28,19) und Gottes Verheißung: »Wer da glaubt und getauft wird, der wird selig werden« (Mt 16,16[3]) darin ist, so ist es nicht ein leeres Zeichen oder eine Losung unter den Christen, sondern ein Zeichen und Werk Gottes, in dem unser Glaube gefordert wird, durch welchen wir zum Leben wiedergeboren werden.

(10.) Von guten Werken

Zum Zehnten, dass solcher Glaube durch Wirkung des Heiligen Geistes danach, wenn wir dadurch gerecht und heilig erachtet und geworden sind, durch uns gute Werke übe, nämlich die Liebe gegen den Nächsten, das Beten zu Gott und das Erleiden von allerlei Verfolgung etc.

(11.) Von der Beichte

Zum Elften, dass die Beichte oder das Suchen nach Rat bei seinem Pfarrer oder Nächsten ungezwungen und frei sein soll, aber doch den betrübten, angefochtenen oder mit Sünden beladenen und in Irrtum gefallenen Gewissen sehr nützlich ist, vor allem um der Absolution oder des Trostes des Evangeliums willen, welches die rechte Absolution ist.

(12.) Von der Obrigkeit

Zum Zwölften, dass alle Obrigkeit und weltliche Gesetze, Gerichte und Ordnungen, wo immer sie sind, ein rechter guter Stand sind und nicht verboten, wie einige Papisten und Wiedertäufer lehren und halten, sondern dass ein Christ, der dazu berufen oder geboren ist, sehr wohl durch den Glauben Christi selig werden kann, gleichwie im Vater- und Mutterstand, Stand des Herrn und der Herrin (frawen) etc.

---

3 Die beiden Schriftzitate sind im sonst deutschsprachigen Original Lateinisch.

(13. Von menschlicher Ordnung)
Zum Dreizehnten, was man die Tradition nennt, kann man als eine menschliche Ordnung in geistlichen oder kirchlichen Dingen, falls sie nicht klarem Wort Gottes widerspricht, frei geben oder lassen, je nachdem wie die Leute sind, mit denen wir zu tun haben, um überall unnötiges Ärgernis zu verhüten und durch die Liebe den Schwachen und dem allgemeinen Frieden zu dienen etc. *Auch dass die Lehre, die die Priesterehe verbietet, eine Teufelslehre ist* (1Tim 4,1.3).

(14. Von der Kindertaufe)
Zum Vierzehnten, dass die Kindertaufe recht sei und sie (die Kinder) dadurch in Gottes Gnade und in die Christenheit aufgenommen werden.

(15.) Vom Sakrament des Leibes und Blutes Christi
Zum Fünfzehnten glauben und halten wir alle von dem Nachtmahl unseres lieben Herrn Jesus Christus, dass man nach der Einsetzung Christi beide Gestalten gebrauchen soll; *dass auch die Messe kein Werk ist, mit dem einer für den anderen, tot oder lebendig, Gnade erlange*; dass auch das Sakrament des Altars ein Sakrament des wahren Leibes und Blutes sei und die geistliche Nießung eben dieses Leibes und Blutes jedem Christen vornehmlich vonnöten ist; desgleichen der Gebrauch des Sakramentes, wie das Wort vom allmächtigen Gott gegeben und verordnet ist, um damit die schwachen Gewissen durch den Heiligen Geist zum Glauben zu bewegen. – Obwohl wir uns aber zu dieser Zeit nicht geeinigt haben, ob der wahre Leib und das wahre Blut Christi leiblich in Brot und Wein seien, so soll doch ein Teil dem anderen gegenüber christliche Liebe, sofern eines jeden Gewissen es immer ertragen kann, erzeigen, und beide Teile den allmächtigen Gott fleißig bitten, dass er uns durch seinen Geist das rechte Verständnis bestätigen wolle.

Amen.

Martinus Luther, Justus Jonas, Philippus Melanchthon, Andreas Osiander, Stefanus Agricola, Johannes Brentius, Johannes Oekolampadius, Huldrichus Zwinglius, Martinus Bucerus, Caspar Hedio.

Text nach: Volker Leppin, Reformation. Ausgewählt und kommentiert, Neukirchen-Vluyn 2005 (KThGQ III), 163–169 (Original in: Das Marburger Gespräch und die Marburger Artikel 1529, in: WA 30/III, 92–171 (1910); vgl. auch den Revisionsnachtrag zu WA 30/III, 22–42).

Die Wittenberger Konkordie (1536)

Die am 28. Mai 1536 in Wittenberg unterzeichnete Verständigung über kontroverse Themen zwischen Theologen in Wittenberg sowie in den Oberdeutschen Städten wird in den frühen Quellen als »Formula Concordiae Lutherj et Bucerj« (BDS VI/1, 121–134) bezeichnet. Martin Bucer (1491–1551) war ein Theologe von eigener Kraft, der viel Bemühen in die Suche nach einer grundlegenden Übereinstimmung in der evangelischen Lehre insbesondere im Hinblick auf das Abendmahl legte. Bucer war an einem Ausgleich der Positionen gelegen – nicht zuletzt deswegen, weil Straßburg bereits in das protestantische Verteidigungsbündnis, den Schmalkaldischen Bund, eingetreten war und sich hierin auch zur CA bekannt hatte. Während Bucer die Wittenberger Konkordie als Dokument echter Verständigung werten konnte, wertete Martin Luther sie lediglich als Darlegung einer aus Wittenberger Sicht akzeptablen Straßburger Sicht der Dinge.

Die *Initiativen von Martin Bucer* zu inner-reformatorischen Annäherungen in Lehrfragen beginnen noch vor dem Augsburger Reichstag (1530), an dem er teilnahm und – wie später noch häufig – das Gespräch insbesondere mit Melanchthon suchte. Bucer schildert 1537 in seinem Rückblick auf die Religionsgespräche in seinen »Retractationes« (BDS VI/1, 300–388), dass er den von Luther gewählten Begriff der »unio sacramentalis« im Abendmahl bereits in den ausgehenden 20er Jahren zustimmen konnte: Göttliches und Irdisches finden demnach in der Abendmahlsfeier in sakramentaler Weise zu einer Einheit. Bucer besuchte im September 1530 Luther auf der Feste Coburg. Die Ablehnung der altgläubigen Lehre von der Transsubstantiation und dem Opfercharakter der Messe war – trotz der verbliebenen Differenzen – die Basis für die von Bucer tief empfundene reformatorische Gemeinschaft. Die gemeinsame Gegnerschaft stärkte Bucers Bereitschaft, im inner-reformatorischen Austausch zu Konvergenzen zu finden. Dies war kein leichter und rascher Prozess, obwohl starke politische Interessen der dem Gedankengut der Reformation nahen Fürsten, die sich im Schmalkaldischen Bund gegen den Kaiser zusammengeschlossen hatten, für eine Einigung sprachen – 1532 unterzeichnete Straßburg auf dem Schweinfurter Tag die Confessio Augustana – eine tatsächliche Einigung über das

Abendmahlsverständnis war damit freilich noch nicht erreicht. Wichtig ist in diesem Zusammenhang besonders die Schrift »Bericht auß der heyligen geschrift« (BDS V, 119–258), die Bucer im März 1534 vorlegte. Darin grenzte er sich in der Frage der Taufe entschieden von den Münsteraner Täufern ab. Zudem näherte sich seine Beschreibung der Gegenwart von Leib und Blut Jesu Christi im Abendmahl »mit« den Formulierungen der Wittenberger Theologen an. Nahezu unermüdlich reiste Bucer in den folgenden zwei Jahren (mit Erfolg) in die Oberdeutschen Städte und (vergeblich) in die Schweizer Städte, um für sein Vorhaben, eine Konkordie insbesondere in der Abendmahlsfrage zu erreichen, zu werben. Landgraf Philipp von Hessen appellierte an Luther, sich für die Bemühungen um eine Konkordie zu öffnen. In den Vorgesprächen zeichnete sich ab, dass weniger die wahre und wirkliche Gegenwart von Fleisch und Blut Jesu Christi in und mit den Mahlgaben strittig war, vielmehr die »manducatio impiorum« – die Frage, ob auch Menschen ohne gläubiges Vertrauen auf die wahre Gegenwart Jesu Christi im Abendmahl seinen Leib und sein Blut empfangen. Luther favorisierte seit 1535 mündliche Verhandlungen über die Abendmahlsfrage und sprach im März 1536 eine Einladung nach Eisenach aus. Aus Rücksicht auf eine Erkrankung von Luther wurde als Ort der Versammlung Wittenberg gewählt und ihr Beginn um eine Woche auf den 21. Mai 1536 verschoben.

Das *Religionsgespräch in Wittenberg* fand vom 21. bis 29. Mai 1536 statt. An ihm nahmen die führenden Wittenberger Theologen (unter ihnen Luther, Melanchthon, Jonas, Cruciger und Bugenhagen) und Vertreter der Oberdeutschen Städte (unter ihnen Bucer und Capito aus Straßburg, Frecht aus Ulm, Otter aus Esslingen, Wolfhart und Musculus aus Augsburg, Schuler aus Memmingen, Bernhardi aus Frankfurt) teil. Die Schweizer Theologen hatten eine Teilnahme aus eigenem Antrieb ausgeschlossen. Die Gespräche begannen am 22. Mai mit einem Besuch von Bucer und Capito bei Luther, um die Verhandlungsgegenstände festzulegen: Besprochen wurden die Themenbereiche Abendmahl, Taufe, Schlüsselgewalt, Schulwesen sowie Obrigkeit. Bereits am ersten Verhandlungstag forderte Luther eine klare Positionierung der Oberdeutschen Theologen im Hinblick auf die Frage nach der Unabhängigkeit der wahren Präsenz Jesu Christi im Abendmahl vom subjektiven Glaubensbewusstsein der Teilnehmenden ein (»manducatio impiorum« – Speisung auch der Ungläubigen mit Leib und Blut Jesu Christi). Am 23. Mai wurden die Gespräche über das Abendmahl fortgesetzt. Es folgte am 24. Mai der Austausch über die Themen Taufe, Absolution und Schulwesen. Am Tag des Festes Christi Himmelfahrt am 25. Mai fand eine gemeinsame Abendmahlsfeier statt. Während Melanchthon vom 26. Mai an die Konkordie formulierte, war unter den übrigen Theologen das angemessene Verhältnis zur Obrigkeit Thema der Gespräche. Am 28. Mai unterzeichneten die Vertreter beider Parteien die Wittenberger Konkordie, die ihrer literarischen Gattung nach ein aus der Sicht Melanchthons verfasstes Protokoll über das in den Gesprächen erörterte Bekenntnis der Vertreter der Oberdeutschen Städte ist. Mit der Unterschrift wurde bekundet, dass Melanchthon die Position der anwesenden Oberdeutschen Theologen richtig wiedergegeben hat. Diese reisten am 29. Mai ab.

Im Hinblick auf die inhaltlichen *Ergebnisse* der »Formula Concordiae Lutherj et Bucerj« (BDS VI/1, 121–134) ist zwischen den Partien, in denen die Wittenberger Theologen den Bekenntnisstand der Oberdeutschen Theologen in der Abendmahlslehre bestätigten, und weiteren, thematischen Abschnitten, in denen der gemeinsame Glaube bekundet wurde, zu unterscheiden. Von besonderer Bedeutung war vor allem die Abendmahlslehre. Diesbezüglich konstatierten die Wittenberger Theologen die Zugeständnisse der Oberdeutschen Theologen, die zum einen die Anerkenntnis der »cum pane – Formel« (»mit dem Brot« ist Jesus Christus im Abendmahl gegenwärtig), zum anderen die Verständigung auf die von Johannes Bugenhagen erinnerte, schriftgemäße Rede von der »manducatio indignorum« (von der »Speisung der Unwürdigen«) betrafen.

Als eine Motivation zu den Versuchen einer Verständigung unter den Theologen in Wittenberg und den oberdeutschen Städten ist die Sorge zu erkennen, dass eine sich fortsetzende Kontroverse die Ausbreitung der reformatorischen Anliegen in den angrenzenden Ländern Frankreich und Italien behindern könnte. Die inner-reformatorische *Wirkungsgeschichte* ist vor diesem Hintergrund zu beschreiben. In manchen der oberdeutschen Städte (unter anderen Straßburg, Augsburg, Ulm und Esslingen) wurde die Konkordie wohlwollend aufgenommen. Im Gespräch mit den Theologen in der Schweiz gestalteten sich die Gespräche weitaus schwieriger. Zwar blieb die Einsicht bestehen, dass eine mögliche Einigkeit im reformatorischen Bekenntnis die eigene Position stärken könnte, jedoch war es nicht möglich, die Theologen in Zürich, Genf, Basel und Bern von den Inhalten der Wittenberger Konkordie – insbesondere in der Abendmahlslehre – zu überzeugen. Diese Skepsis verstärkte sich angesichts der Tatsache, dass Martin Luther schon sehr bald in den Schmalkaldischen Artikeln 1537 die zurückhaltenden Äußerungen zur »manducatio indignorum« in der Wittenberger Konkordie 1536 unbeachtet ließ und an seinem Abendmahlsverständnis unverändert festhielt, ja sogar einschärfte, dass auch die »impii« Leib und Blut Jesu Christi empfangen (BSKL 450 f). Anders verhielt sich Philipp Melanchthon, der in der revidierten Fassung der »Confessio Augustana«, der »Confessio Augustana variata« 1540 die »cum pane« – Formulierung aufnahm und auf eine Aussage zur »manducatio impiorum« verzichtete (vgl. CA var. 10). Die für die lutherische Tradition verbindliche Konkordienformel von 1577 (vgl. FC epit. VII) rezipiert zwar die »cum pane« – Formulierung der Wittenberger Konkordie, folgt dann jedoch der Abendmahlslehre Luthers insbesondere in der Deutung der »manducatio impiorum«. Die Theologen in den Oberdeutschen Städten verloren nach dem durch das Interim bedingten Fortgang Martin Bucers mehr und mehr an Bedeutung, da sie ihre differenzierten, nicht einfach mit den (erst später so genannten) reformierten und dem lutherischen Bekenntnis identischen Positionen nicht mehr qualifiziert einbringen konnten.

Der Wortlaut der Wittenberger Konkordie gibt zu erkennen, dass ihre Unterzeichner um die Vorläufigkeit des erreichten Gesprächsstandes wussten, die ihnen durch die Tatsache begründet erschien, dass »auff dis mal vnser wenig sind zu samen komen vnd diese sachen auch an die andern Predicanten vnd Oberkeit beider seits gelangen muss« (BDS VI/1, 125, 12–13). Die Wittenberger Konkordie versteht sich selbst als eine Etappe auf einem Weg hin auf das Ziel, eine »bestendige Concordia« (BDS VI/1, 127,7) innerhalb der reformatorischen Theologie zu erreichen. Faktisch ist die Wittenberger Konkordie in der nachreformatorischen Zeit zum Zankapfel innerhalb der evangelischen Traditionen geworden: Reformierte Theologen verwiesen auf sie, um sie als ein positives Beispiel für die auch in der lutherischen Tradition gegebene Bereitschaft zu einem theologisch begründeten Gespräch über die Abendmahlslehre anzuführen. Von lutherischer Seite wurde dagegen auf den unverbindlichen Status der Gespräche hingewiesen. Erst im 20. Jahrhundert in der Zeit der Vorbereitung einer Konkordie zwischen den lutherischen und den reformierten Lehrtraditionen in der Abendmahlslehre hat die Wittenberger Konkordie wieder Wertschätzung erfahren.

Aus ökumenischer Perspektive ist aus römisch-katholischer Sicht die im Religionsgespräch von Wittenberg 1536 getroffene Unterscheidung zwischen der »manducatio impiorum« (»Speisung der Ungläubigen«) und der »manducatio indignorum« (»Speisung der Unwürdigen«) von hoher Bedeutung. Der biblischen Tradition entspricht es (vgl. 1 Kor 11,27), im Anschluss an die Vorwürfe von Paulus an die reichen Gemeindemitglieder in Korinth, die sehr früh zur Versammlung kommen konnten und den armen Gemeindemitgliedern, die aufgrund ihrer Tätigkeiten später kamen, kaum etwas vom Mahl übrig ließen, auf den Zusammenhang zwischen der eucharistischen und der sozial-diakonischen Gemeinschaft der Glaubenden aufmerksam zu werden. Die Kontroverse um die Frage, welcher subjektive Glaubensstand des Menschen die Bedingung der Möglichkeit für die wahre Präsenz Jesu Christi im Mahlgeschehen ist, war noch nicht jene, die Paulus beschäftigt hat. Ihm ging es vielmehr um eine stimmige Verbindung zwischen dem Gedächtnis Jesu Christi und der Diakonie. Jenseits aller verbliebenen Kontroversen könnte dies eine gemeinsame Leitlinie der Ökumene auch in der Abendmahlsfrage sein. Eng verbunden mit der Feier des Abendmahls ist ein ethischer Anspruch, der in der Überlieferung des Johannes-Evangeliums mit der Erzählung von der Fußwaschung verbunden wird (vgl. Joh 13,1–20).

Wir haben gehört, wie Herr Martin Bucer seine Meinung und die der anderen Prediger, die mit ihm aus den Städten gekommen sind, über das heilige Sakrament des Leibes und Blutes Christi erklärt hat, nämlich folgendermaßen:

Sie bekennen entsprechend den Worten des Irenäus, dass in diesem Sakrament zwei Dinge sind, eines himmlisch und eines irdisch. Demnach meinen und lehren sie, dass mit dem Brot und Wein wahrhaftig und wesenhaft der Leib und das Blut Christi zugegen sei und dargereicht und empfangen werde.

Wenngleich sie keine Transsubstantiation annehmen und auch nicht meinen, dass der Leib und das Blut Christi localiter, räumlich, in das Brot eingeschlossen oder sonst bleibend damit vereinigt werde außerhalb des Genusses des Sakramentes, so gestehen sie doch zu, dass durch sakramentale Einung (durch Sacramentliche einigkeit) das Brot der Leib Christi sei, das ist, sie meinen, wenn das Brot dargereicht wird, dass dann der Leib Christi zugleich gegenwärtig sei und wahrhaftig dargereicht werde etc. Denn sie meinen nicht, dass außerhalb des Genusses, wenn man das Brot beiseite legt und im Sakramentenhäuschen behält oder in Prozessionen herumträgt und zeigt, wie im Papsttum geschieht, der Leib Christi zugegen sei.

Zum Zweiten meinen sie, dass die Einsetzung dieses Sakramentes, durch Christus geschehen, in der Christenheit gültig sei und dass es nicht an der Würdigkeit oder Unwürdigkeit des Geistlichen (des Dieners) liegt, der das Sakrament reicht, oder dessen, der es empfängt, deshalb weil, wie Sankt Paulus sagt, auch die Unwürdigen dieses Sakrament genießen (1 Kor 11,27). So nehmen sie an, dass auch den Unwürdigen der Leib und das Blut Christi dargereicht wird, und die Unwürdigen dies wahrhaftig empfangen, wenn man die Einsetzung und den Befehl des Herrn Christus hält. Aber diese empfangen es zum Gericht, wie Sankt Petrus spricht (1 Kor 11,29); denn sie missbrauchen das heilige Sakrament, weil sie es ohne wahre Buße und ohne Glauben empfangen. Denn es ist dazu eingesetzt, dass es bezeuge, dass denen, die wahre Buße tun und sich trösten durch den Glauben an Christus, die Gnade und Wohltat Christi ebenda zugeeignet wird und sie Christus eingeleibt und durch das Blut Christi gewaschen werden.

Weil aber diesmal wenige von uns zusammen gekommen sind und diese Sache auch zu den anderen Predigern und Obrigkeiten beiderseits gelangen muss, können wir die Konkordie noch nicht abschließen, ehe wir sie den anderen zukommen lassen. Nachdem aber diese alle bekannt haben, dass sie in allen Artikeln der Augsburgischen Konfession und Apologie der Evangelischen Fürsten gemäß und gleich glauben und lehren wollen .... haben wir gute Hoffnung, dass eine beständige Konkordie unter uns aufgerichtet werde.

Text nach: Volker Leppin, Reformation. Ausgewählt und kommentiert, Neukirchen-Vluyn 2005 (KThGQ III), 185 f (Original in: Martin Bucer, Deutsche Schriften. Hg. von Robert Stupperich u. a., Band 6/1, Gütersloh 1988, [107a bis 109a]).

Regensburger Religionsgespräch 1541

Das in der Literatur vorherrschende *Gesamturteil* über die Einigungsbemühungen zwischen der reformatorischen und der altgläubigen Partei während des Reichstags in Regensburg im Jahr 1541 ist ernüchternd: Sie sind am Ende gescheitert. Insbesondere in ekklesiologischen Themenbereichen blieben die Kontroversen auch in diesem letzten bedeutenden Religionsgespräch vor Beginn des erst spät im Jahr 1545 eröffneten Konzils (in Bologna und Trient) sehr weitreichend. Zugleich gelten die Gespräche, die im Kontext des Reichstags in Regensburg im April und Mai 1541 stattfanden, als ein Erweis für die auch nach dem Reichstag in Augsburg 1530 noch lange anhaltenden Bemühungen, die religiöse Einheit unter der Herrschaft von Kaiser Karl V. wiederherzustellen. Trotz dieser politischen Interessen, selbst angesichts der Verhandlungsbereitschaft kurialer Kreise in Rom sowie des Engagements von Theologen, die zur Vermittlung bereit waren, kam es zu keiner Konvergenz der Positionen, auch wenn in einzelnen Aspekten Annäherungen – insbesondere in der Rechtfertigungslehre – erreicht werden konnten. Dennoch bleiben diese Gespräche mit guten Gründen heute im Gedächtnis, weil sie in vielen Einzelfragen dokumentieren, wie nahe die Religionsparteien – die heutigen Konfessionen – einander in den Gesprächen im 16. Jahrhundert gekommen sind.

Zur *Vorgeschichte* der Regensburger Religionsgespräche gehören die Gespräche in Hagenau im Juni / Juli 1540 und in Worms im November und Dezember 1540. Die Beratungen in Hagenau erbrachten das Ergebnis, dass sich die Religionsparteien auf die Confessio Augustana als Gesprächsgrundlage verständigen konnten. Zudem wurde beschlossen, dass die anzuzielende Verständigung über die strittigen Themen in Worms vorbereitet und abschließend auf dem Reichstag in Regensburg verkündet werden sollte. Die beim Wormser Konvent zu Tage tretenden Meinungsverschiedenheiten insbesondere in der Gruppe der altgläubigen Theologen führten zu der Überlegung, in einem kleinen Kreis von Theologen, die sich für eine Einigung in den kontroversen Themen offen zeigten, Vorverhandlungen unter der Maßgabe strenger Geheimhaltung zu führen. An diesen Gesprächen in Worms nahmen M. Bucer und W. Capito auf reformatorischer sowie J. Gropper und G. Veltvijck auf altgläubiger Seite teil. Unter Federführung von Gropper und Bucer wurde das »Wormser Buch« (in lateinischer Sprache) erarbeitet, in dem neben anthropologischen Fragen (Sünde des Menschen und Gnade Gottes) und ekklesiologischen Themen (kirchliches Brauchtum; Kirchenzucht) insbesondere längere Ausführungen zur Rechtfertigungslehre zu finden sind. Als problematisch erwies sich, dass im Kontext der Vorbereitungen des Regensburger Reichstags nicht nur Übersetzungen angefertigt worden sind, sondern auch durch die altgläubige Partei Ergänzungen in den Text eingetragen wurden – unter anderen solche zur Transsubstantiationslehre. Dieses Vorgehen erschwerte die Verhandlungen erheblich.

Nach anfänglichen Irritationen über die Unterschiede zwischen dem »Wormser Buch« und der Verhandlungsgrundlage in Regensburg gestaltete sich der *Verlauf* der Beratungen zunächst hoffnungsvoll stimmend. Dazu trug vor allem bei, dass es in einem kleinen Kreis gelang, sich auf eine gemeinsame (im Vergleich mit dem »Wormser Buch« sehr viel kürzere) Darstellung der Rechtfertigungslehre zu verständigen. Allerdings gab es auch namhafte kritische Stimmen (unter diesen Martin Luther), die sich gegen die vermeintlich erreichte Verständigung in der Rechtfertigungslehre aussprachen. Als sehr schwierig und am Ende aussichtslos erwies es sich, in den ekklesiologischen sowie in den sakramententheologischen Themenbereichen eine Übereinkunft zu erreichen. Insbesondere die Frage, wem die Autorität bei der Schriftauslegung zusteht, löste Disputationen in kontroverser Positionierung aus. Die im Entwurf vorgesehene Zustimmung zur Lehre von der Eucharistie nach dem aristotelisch formulierten Modell der Transsubstantiation traf auf entschiedenen Widerstand auf reformatorischer Seite. Auch im Hinblick auf die Beichte als jährliche Pflicht der Gläubigen gab es keine Einigung, da die reformatorische Seite diese liturgische Praxis angesichts des Auftragsworts Jesu Christi (vgl. Mt 16,19; 18,18; Joh 20,23) zwar als biblisch begründet achtete, die Bereitschaft zu einem Sündenbekenntnis im Raum der Kirche jedoch nicht als äußere Pflicht, sondern als inneres Anliegen der Christinnen und Christen gepflegt sehen wollte.

Das am 31. Mai 1541 Kaiser Karl V. übergebene *»Regensburger Buch«* besteht aus 23 Artikeln. Vier thematische Bereiche fanden Beachtung: (1) Die Lehre von der Sünde der Menschen und der Gnade Gottes (Artikel 1–5); (2) Fragen der Ekklesiologie (Artikel 6–9; 18–19); die Feier der Sakramente (Artikel 10–17) sowie (4) die Zeremonien in der Kirche (Artikel 20–23). 16 Artikel wurden gemeinsam getragen (Artikel 1–4, 5, 6–8, 10–13, 16–17, 22–23). 7 Artikel blieben kontrovers (Artikel 9, 14, 15, 18–21).

Die mit politischen Interessen verbundenen *Bemühungen der kaiserlichen Kreise*, die Einigung zumindest in Teilbereichen der Kontroversen festzuhalten, waren von drei Leitgedanken geprägt: (1) Akzeptanz der erreichten Ergebnisse; (2) wechselseitige Duldung von kirchlichen Gebräuchen, die nicht die theologische Lehre betreffen; (3) Bereitschaft zu Reformen im Leben der Kirche. Dieses

Konzept scheiterte, da zunächst die altgläubigen und später die reformatorischen Stände das »Regensburger Buch« ablehnten. Der Reichstag endete mit einem erneuten Ruf nach einem Konzil auf universaler oder zumindest auf nationaler Ebene.

In einzelnen Themenbereichen sind *theologische Verständigungen* erreicht worden. Die theologisch begründete Entscheidung für die zentrale Position der *Rechtfertigungslehre* in den Kontroversen des 16. Jahrhunderts kann bis in die Gegenwart der ökumenischen Dialoge als wegweisend betrachtet werden. Dies gilt insbesondere für den Versuch, dem reformatorischen Anliegen (Anrechnung der fremden Gerechtigkeit Jesu Christi für den Sünder und die Sünderin im Sinne der Imputationslehre) ebenso entsprechen zu wollen wie der altgläubigen Intention, die den Menschen verwandelnde Kraft der rechtfertigenden Gnade Gottes zu bedenken.

Auch in Fragen der *Ekklesiologie* und der *Sakramentenlehre* konnten wechselseitige Zugeständnisse erarbeitet werden. Damals wie heute in den ökumenischen Gesprächen sind zwei Aufgabenbereiche in besonderer Weise herausfordernd: auf formaler Ebene die Frage nach der kirchenamtlichen Autorität bei der verbindlichen Schriftauslegung; auf inhaltlicher Ebene die angemessene Beschreibung der wahren Gegenwart Jesu Christi im Herrenmahl. Die Bemühungen um einen Ausgleich der konfessionellen Standorte scheiterten in Regensburg vor allem daran, dass die altgläubige Seite an der Deutung der eucharistischen Wandlung als »Transsubstantiation« festhielt und die Praxis der Aufbewahrung der Mahlgaben sowie deren Anbetung einforderte.

5. Von der Rechtfertigung des Menschen (3. Fassung)

Dies kann von keinem Christen bezweifelt werden, dass nach dem Fall Adams alle Menschen, wie der heilige Paulus spricht, geboren werden als Kinder des Zorns und Gottes Feinde (Eph 2,3) und deshalb im Tod und in Gefangenschaft der Sünden sind.

Auch steht für keinen Christen in Frage, dass kein Mensch mit Gott versöhnt und von der Gefangenschaft der Sünden befreit werden kann anders als durch Christus, den einzigen Mittler Gottes und der Menschen (1 Tim 2,5); durch dessen Gnade werden wir, wie der Apostel Röm 6(,17 f) spricht, nicht nur mit Gott versöhnt und befreit von der Gefangenschaft der Sünde, sondern wir erlangen auch Teilhabe an der göttlichen Natur (efficimur consortes divinae naturae) und werden Gottes Kinder (2 Petr 1,4). Auch ist es gewiss und öffentlich, dass Erwachsene diese Wohltaten Christi (beneficia Christi) nicht erlangen ohne vorhergehende Bewegung des Heiligen Geistes, durch den ihr Gemüt und Wille bewegt wird wider ihre Sünde (ad detestationem peccati) ...

Danach wird das menschliche Gemüt vom Heiligen Geist bewegt zu Gott durch Christus, und diese Bewegung geschieht durch den Glauben, durch den das menschliche Gemüt mit Gewissheit allem glaubt, was von Gott geoffenbart ist, und glaubt also auch gewiss und ohne Zweifel den Verheißungen, die uns von Gott gegeben sind; dieser ist, wie im Psalm (145,13) gesagt wird, treu in allen seinen Worten, und daraus fasst es Vertrauen (fiducia) wegen der Verheißung Gottes, in der er zusagt, dass er denen, die an Christus glauben – d.h. denen, die ihr früheres Leben bereuen –, die Sünden umsonst vergeben und sie als (seine) Kinder annehmen wird, und in diesem Glauben wird es vom Heiligen Geist zu Gott empor gehoben. Es empfängt daher auch den Heiligen Geist, die Vergebung der Sünden, die Zurechnung (imputatio) der Gerechtigkeit und unzählige andere Gaben.

Es ist deshalb eine beständige, gesunde Lehre, dass der Sünder durch lebendigen und tätigen (fides viva et efficax) Glauben gerechtfertigt wird, denn dadurch werden wir Gott angenehm und gefällig um Christi willen... Das wird jedoch keinem zuteil, wenn nicht auch zugleich die Liebe (charitas) eingegossen wird, die den Willen heilt, so dass der geheilte Wille anfängt, das Gesetz zu erfüllen, wie Augustin sagt. Das ist also der lebendige Glaube, der sowohl die Barmherzigkeit in Christus ergreift und glaubt, dass die Gerechtigkeit, die in Christus ist, ihm umsonst zugerechnet wird, als auch zugleich die Zusage des Heiligen Geistes und die Liebe empfängt. So dass also der Glaube, der rechtfertigt, jener Glaube ist, der durch die Liebe tätig (efficax per charitatem) ist (Gal 5,6). Aber gleichwohl ist dies wahr, dass wir durch diesen Glauben insofern gerechtfertigt werden – d.h. von Gott angenommen und mit ihm versöhnt werden –, als man die Barmherzigkeit und Gerechtigkeit ergreift, die uns zugerechnet wird um Christi und seines Verdienstes willen, nicht aber um der Würdigkeit oder Vollkommenheit der Gerechtigkeit willen, die uns in Christus mitgeteilt worden ist.

Wenn auch der, der gerechtfertigt wird, die Gerechtigkeit empfängt und sie durch Christus sogar an sich trägt (habet ... inhaerentem), wie Paulus sagt (1 Kor 6,11): »Ihr seid abgewaschen, ihr seid geheiligt, ihr seid gerechtfertigt« etc., weshalb auch die heiligen Väter mit »Rechtfertigung« das bezeichneten, was »die anhaftende Gerechtigkeit annehmen« meint, so soll sich dennoch das gläubige Herz nicht darauf verlassen, sondern allein auf die Gerechtigkeit Christi, die uns geschenkt wird, ohne die es überhaupt keine Gerechtigkeit gibt noch geben kann. Und so werden wir durch den Glauben an Christus gerechtfertigt oder für gerecht gehalten (reputamur iusti), d.h. durch seine Verdienste angenommen, nicht um unserer Würdigkeit oder Werke willen. Und wir werden, was die anhaftende Gerechtigkeit betrifft, deshalb gerecht genannt, weil wir tun, was gerecht ist, gemäß jenem Wort des Johannes (1 Joh 3,7): »Wer das Rechte tut, der ist gerecht«.

Und obwohl in den Wiedergeborenen Gottesfurcht, Geduld, Demut und andere Tugenden ständig zunehmen sollen, weil die Erneuerung unvollkommen ist und ihnen eine ungeheure Schwachheit anhaftet, so soll man dennoch lehren, dass, wer aufrichtig Buße tut (poenitent), immer in der Gewissheit des Glaubens (fides certissima) festhalten darf, dass er um des Mittlers Christus willen Gott gefällt, weil Christus der Gnadenstuhl, der Hohepriester und Fürsprecher für uns ist, den uns der Vater geschenkt hat und alle Güter mit ihm.

Weil aber der Mensch vollkommene Gewissheit (des Glaubens) in dieser Schwachheit nicht hat, und es viele schwache, erschrockene Gewissen gibt, die oft von schweren Zweifeln angefochten werden, so soll doch niemand wegen dieser Schwachheit von der Gnade Christi ausgeschlossen werden, sondern die Betreffenden sollen vielmehr heftig ermahnt werden, dass sie die Verheißungen Christi mutig diesem Zweifel entgegen stellen und in inständigem Gebet um die Mehrung ihres Glaubens bitten sollen, gemäß dem Wort: »Herr, mehre uns den Glauben« (Lk 17,5).

Auch muss bei allen Christen bekannt sein, dass uns diese Gnade und neue Geburt nicht dazu gegeben sind, dass wir auf der zuerst erreichten Stufe unserer Erneuerung müßig verharren sollen, sondern dass wir in allem zu dem hin wachsen sollen, der das Haupt ist (Eph 4,15). Darum soll man das Volk lehren, dass es sich zu solcher Mehrung befleißigen soll, was geschieht durch gute Werke, innerliche und äußerliche, die von Gott befohlen und empfohlen sind, für die auch Gott an vielen Stellen des Evangeliums klar und in aller Deutlichkeit Belohnung um Christi willen zugesagt hat, nämlich Güter für Leib und Seele in diesem Leben entsprechend der göttlichen Vorsehung und nach diesem Leben im Himmel. Wiewohl deshalb das Erbe des ewigen Lebens den Wiedergeborenen aufgrund der Verheißung zusteht, sobald sie in Christus neu geboren sind, so will doch Gott gleichwohl auch die guten Werke belohnen, (allerdings) nicht nach ihrem Wesen oder insofern sie von uns kommen, sondern sofern sie im Glauben geschehen und vom Heiligen Geist stammen, der in uns wohnt, unter Mitwirkung des freien Willens als einem, der zum Teil handelt.

Und die Seligkeit derjenigen, die größere und mehr Werke getan haben, wird größer und herrlicher sein aufgrund der Zunahme des Glaubens und der Liebe, worin sie durch solche Übungen gewachsen sind.

Wer aber sagt: »Allein durch den Glauben werden wir gerechtfertigt«, der soll zugleich die Lehre von der Buße, von der Gottesfurcht, vom Gericht Gottes, von den guten Werken weitergeben, damit die umfassende Fülle der Verkündigung erhalten bleibe, wie Christus spricht: »Predigt Buße und Vergebung der Sünde in meinem Namen« (Lk 24,47), und zwar dazu, damit diese Redewendung nicht anders verstanden werde, als oben dargelegt wird.

14. Vom Sakrament der Eucharistie

Das Sakrament der Eucharistie beruht auf dem Wort, das die allmächtige Rede unseres Herrn Christus ist, durch dessen Kraft dies Sakrament zustande kommt und durch das es geschieht, dass nach der Konsekration der wahre Leib und das wahre Blut des Herrn wahrlich und wesenhaft (vere et substantialiter) da sind und den Gläubigen unter der Gestalt (sub specie) von Brot und Wein ausgeteilt werden, wobei jene, nämlich Brot und Wein, ohne Zweifel in Leib und Blut des Herrn verändert und der Substanz nach verwandelt werden (transmutati et transsubstantiati) ...

Das äußerliche Zeichen (elementum) ist Brot und Wein, die zum Sakrament werden, wenn das Wort dazu kommt. Denn dies Sakrament »besteht aus zwei Dingen: Aus der sichtbaren Gestalt der äußerlichen Zeichen und aus dem unsichtbaren Fleisch und Blut unseres Herren Jesus Christus«, woran wir durch dieses Sakrament wahrhaft und wirklich (vere et realiter) teilhaben.

Die Wirkung dieses Sakraments besteht darin, dass wir durch das Leben schaffende Fleisch unseres Heilandes Jesus Christus nicht nur geistlich, sondern auch leiblich mit ihm verbunden und zu Bein von seinem Bein und Fleisch von seinem Fleisch geschaffen werden, vergewissert, dass wir in Jesus Christus Sündenvergebung empfangen und im Sakrament die Kraft, die brennende Begierde (concupiscientia), die in unseren Gliedern steckt, auszulöschen. Gewiss ist dies Sakrament ein höchst erfreuliches Pfand der Sündenvergebung, des ewigen Lebens und der Gemeinschaft mit Gott, die uns in Christus verheißen und gewährt ist.

Text nach: Volker Leppin, Reformation. Ausgewählt und kommentiert, Neukirchen-Vluyn 2005 (KThGQ III), 185 f (Original: Martini Buceri Opera Omnia. Series 1: Martin Bucers Deutsche Schriften. Bd. 9/1: Religionsgespräche (1539–1541), 397–401; 437).

Erasmus von Rotterdam: Liber de sarcienda ecclesiae concordia deque sedandis opinionum dissidiis / Buch von der Wiederherstellung der Eintracht der Kirche und der Beilegung der Meinungsverschiedenheiten (1533)

bearb. von Peter Walter

Von seinen Anhängern auf beiden Seiten der sich herausbildenden konfessionellen Lager zu einer Stellungnahme aufgefordert, veröffentlichte Erasmus die vorliegende Schrift, eine Auslegung des 83. Psalms (in der Vulgata-Zählung, Psalm 84 der hebräischen Bibel): »Wie liebenswert sind deine Wohnungen, Herr der Heere«. Dieser Psalm kreist um den Gedanken der »concordia« (Eintracht), der für Erasmus den »Inbegriff der christlichen Religion« (R. Stupperich) darstellt. Nach Auffassung des Erasmus ist die Krankheit der Spaltung noch nicht so weit fortgeschritten, dass sie nicht mehr geheilt werden könnte. Dazu bedarf es eines Aufeinander Zugehens beider Lager, welches er mit einem aus dem Sprachgebrauch der griechischen Kirchenväter stammenden Begriff bezeichnet, der dort für die Inkarnation des Logos gebraucht wird (synkatabasis = Herablassung). Um dies zu verwirklichen, fordert Erasmus zum einen Reformen und warnt zum andern davor, Überkommenes leichtfertig aufzugeben. Er plädiert dafür, Gebräuche, die von den Lutheranern als Missbräuche gebrandmarkt werden, wie die Anrufung der Heiligen, die Verehrung von Bildern und Reliquien, die Beichte usw. als Zeugnisse wirklicher Frömmigkeit anzuerkennen und entsprechend zu tolerieren. Seine Hoffnung auf eine Einigung setzte er auf ein allgemeines Konzil. Die Schrift, die noch zu Lebzeiten des Erasmus zahlreiche Nachdrucke erlebte und in mehrere Sprachen übersetzt wurde, war das Manifest der sogenannten Vermittlungstheologie des 16. Jahrhunderts.

[300] Niemals aber werden wir in eins zusammenwachsen, wenn wir nicht zugleich unsere Hoffnung auf Christus Jesus setzen, den König von Zion und unseren Herrn, und wir [301] alle ihn allein betrachten. Wo Ehrgeiz, wo Geldgier, wo Starrsinn, wo blinde Begünstigung oder noch blinderer Hass herrschen, so dass wir darauf beharren zu schützen, was auch immer wir einmal gesagt oder geschrieben haben, wo wir um der Parteien Gunst willen billigen, was nach unserem Wissen zu missbilligen ist, oder aus Hass gegen einen Einzelnen auch das verurteilen, was fromm gesagt ist, schließlich wo jeder nur auf sich schaut und

von überall her die Richtschnur angelegt wird, da kann kein Ding zur Eintracht gebracht werden.

Erwägen wir, wie dumm es ist, die Sitten gewisser Bischöfe oder Priester und Mönche so zu hassen, dass wir selbst schlechter werden als jene. Schlechter ist nämlich der, welcher sich aus der Gemeinschaft zurückzieht und in eine Häresie oder in ein Schisma abwandert, als der, welcher unlauter lebt, aber die Dogmen nicht angetastet hat. [...] Wie also wird die Eintracht der ganzen Kirche bestehen, wenn ein jeder für die Tugenden des anderen nachtblind ist, aber für die Schwächen solche Augen hat, wie gewisse Spiegel, welche das gegenüberliegende Gesicht sowohl viel größer als auch hässlicher widerspiegeln? Es ist zu bedauern, dass es so viele Mönche gibt, welche außer ihrem Habit und kalten Zeremonien fast keine Frömmigkeit besitzen, dass es so viele Priester gibt, welche weder keusch leben noch ihre Zeit der Lektüre der Heiligen Schrift widmen, dass es auch manche Äbte und Bischöfe gibt, welche sich kaum von weltlichen Fürsten oder Statthaltern unterscheiden. Aber unterdessen verschweigen wir, wie viele unter jenen fromm, nüchtern, gelehrt, sich um das Gemeinwesen verdient machend, [302] arm an Reichtum, bescheiden in der Würdestellung, mild im Machtgebrauch sind. [...] Was also bleibt übrig, außer dass ein jeder Gewissenserforschung betreibt und wir alle zur Barmherzigkeit Christi fliehen? Manche Laster sind leichter, als dass es nützte, bittere Medizin aufzuwenden. Manches von geringerem Schaden für die Frömmigkeit verheimlicht man eher als es aufzustören. Was andererseits ernster ist, als dass man es verheimlichen dürfte, erfordert eine gelehrte und versierte Hand, damit uns nicht passiert, was unkundigen Ärzten gewöhnlich passiert, welche statt der Krankheit den Menschen auslöschen, während sie allzu wenig glücklich Heilmittel herbeischaffen, oder aus einem leichteren Übel ein unheilbares machen. Das meiste hat sich allmählich und bei Gelegenheit eingeschlichen, dies ist allmählich und bei Gelegenheit zu beseitigen, wenn es ohne schweren Aufruhr geschehen kann; andernfalls ist es zu verheimlichen, bis ein Tag von selbst eine passendere Gelegenheit bietet. Genau dasselbe glückliche Händchen muss man bei Glaubensaussagen haben. Während manche maßlos: »Häresie, Häresie, ins Feuer, ins Feuer!« schreien, indem sie das, was mehrdeutig gesagt wurde, zum Nachteil auslegen, und was fromm gesagt wurde, durch Lug und Trug schlecht machen, befreundeten sich die mit denen am meisten, welche sie des Todes würdig befanden. [303] Wer wiederum unter dem Beifall verdienenden Namen des Evangeliums das bewirkt, was dem Evangelium vollkommen widerspricht, half entschieden der Partei derer, welche nach ihrem Willen unterdrückt sein sollten. Während daher jene überhaupt nichts zu erneuern dulden, diese nicht zulassen, dass etwas übrigbleibt, ist ein fast unstillbares Unwetter entstanden, und während von beiden Seiten die Richtschnur allzu sehr angespannt wird, geschieht es, dass beide Parteien nach dem Reißen der Schnur auf den Rücken fallen. Nicht dass die Kirche zusammenbreche, welche gestützt auf den unverrückbaren Felsen Christus von keinen Stürmen erschüttert wird! [...] Noch ist die Krankheit nicht so weit fortgeschritten, dass sie unheilbar wäre. Dieser Brand lässt sich auslöschen, wenn wir das Brennholz entfernen. Die hauptsächliche Quelle für diesen Aufruhr sind aber die gottlosen Gebräuche der Menschen. Es gibt keinen Grund, dass die einen die Schuld von sich auf andere schieben. [...] Wir haben alle den Zorn Gottes hervorgerufen; es bleibt, dass wir uns alle zusammen zu jenem mit reinem Herzen bekehren. Jener, nachgiebig wie er ist, wird sich stattdessen zu uns bekehren und diese ungeordneten Bewegungen in dieser Welt in Ruhe wandeln, wenn wir unserem geringen Anteil entsprechend danach streben. [...] [304] [...] In der Zwischenzeit lege man das Buhlen um die Gunst [des Volkes] und das halsstarrige Eifern um Überlegenheit ab, aufhören sollen Begünstigungen samt persönlichen Hassbekundungen, es verstumme das dumpfe Geschrei hirnlosen Streites, sodass schließlich jene friedensstiftende Wahrheit hervorleuchtet. Es komme jenes »Anpassungsvermögen« hinzu, damit jede Partei sich der jeweils anderen ein wenig angleicht, ohne welches keine Eintracht besteht. Aber man komme sich so weit entgegen, dass nicht »das Unbewegbare« bewegt wird, und soweit ertrage man die Schwäche der Menschen, dass sie nach und nach zum Vollkommeneren eingeladen werden. Jenes aber muss allen ganz tief eingepflanzt werden, dass es nicht ungefährlich sei, noch zur Förderung der Eintracht nützlich, blindlings abzufallen von dem, was mit Autorität der Alten überliefert und was von lang dauernder Übung und Übereinstimmung von Jahrhunderten bekräftigt ist. Man darf nichts gänzlich erneuern, außer es zwingt hierzu die Notwendigkeit oder es ermuntert dazu ein hervorstechender Nutzen.

Die Diskussion um den freien Willen ist eigentlich mehr dornig als fruchtbringend. Und wenn man dazu eine Untersuchung anstellen muss, soll man nüchtern in theologischer Diskussion erörtern. Es genügt, dass wir in der Zwischenzeit darin übereinkommen, dass der Mensch aus eigenen Kräften nichts vermag, und er, wenn er in irgendeiner Angelegenheit etwas vermag, es ganz der Gnade dessen schulde, durch dessen Geschenk wir sind, was wir sind, damit wir in allem unsere Schwäche erkennen und das Erbarmen Gottes rühmen. [...] Um Worte soll man kein Gefecht führen, wenn man nur in der Sache übereinkommt und nicht unterdessen jene für die Ohren der unkundigen Menge »widersprüchlichen Lehren« [Paradoxien] einführt: »Es ist nicht wichtig, wie beschaffen unsere Werke sind, habe nur Glauben und du wirst gerettet werden.« Und: »Was auch immer ein Mensch tun mag, er tut nichts anderes denn sündigen.« [...] [305] [...] Der Aberglauben, welcher, wie ich gestehe, bei der Anrufung und Verehrung der Heiligen in sehr großem Umfang herrscht, ist zu verurteilen; das fromme und einfache Empfinden ist bisweilen zu ertragen, auch wenn es mit irgendeinem Irrtum verbunden sein mag. [...] [306] Ebenso sollen die, welche nicht überzeugt sind, dass die heutige sakramentale Beichte von Christus selbst gestiftet worden sei, sie wie eine heilsame und aufgrund von großem Nutzen empfehlenswerte und durch die Erfahrung vieler Jahrhunderte erprobte Sache bewahren. [...] [307]

[...] Jenes ist das Allerwichtigste: die Lebensführung so zu gestalten, dass wir in keine Todsünde stürzen. Wer das kann, ist frei von der Last der Beichte. Leichtere Sünden zu meiden ist kaum jemandem in diesem Leben zugestanden; doch ist es für den nicht schwer, mit Gottes Hilfe Vergehen zu meiden, welcher einmal tief Wurzeln geschlagen hat in der Gottes- und Nächstenliebe. [...] Wenn sich in die Messe eine Art schmutziger Aberglaube eingeschlichen hat, dann ist es billig, zu verbessern. Warum wir aber die Messe selbst so sehr verfluchen sollen, sehe ich nicht. [...] [309] [...] Wenn unter der Eucharistie der ganze Christus enthalten ist, warum darf man ihn dann nicht anbeten? Indes ist Christus in diesem Sakrament in der Weise von Speise und Trank enthalten, sodass er mit höchster, geistiger Reinheit verzehrt werde, nicht dass er gezeigt werde oder bei Spielen und öffentlichen Umzügen mitgeführt oder auf einem Pferd um die Äcker getragen werde. [...] [310] [...] Leicht wird man ertragen, dass es weniger Feste gibt, wenn nur diejenigen, welche übrigbleiben, mit größerer Andacht gefeiert werden. Kein gänzlich profaner Tag ist es, an welchem mit erlaubter Arbeit und ohne Betrügerei dafür gesorgt wird, dass man Frau und Kinder ernährt oder der Not des Nächsten abhilft. Feste, welche Bruderschaften in ihrem Interesse und in eigener Vollmacht eingerichtet haben, sind zusammen mit den Bruderschaften selbst von Amts wegen aufzuheben. [...] Auswahl von Speisen und Fasten schrieb die Kirche nur für die leibliche und geistige Gesundheit vor. Wer daher durch den Verzehr von Fisch in Gefahr gerät oder bemerkt, dass die körperliche Gesundheit und die geistige Frische in Mitleidenschaft gezogen werden, [311] den verpflichtet das Kirchengebot in keiner Weise. Wer aber bemerkt, dass es ihm durch Verzicht auf Fleisch und Fasten körperlich und geistig besser geht – welche Störrigkeit ist es bitte, dies gleichsam aus Hass gegen die Kirche zurückzuweisen, was so sehr nützt? [...] Dasselbe denke ich über die übrigen Erlasse der Bischöfe: wenn sie fromm, wenn sie nützlich, wenn sie gerecht sind, sollen sie eben deswegen eingehalten werden, weil sie so sind. [...] Das gerechteste nämlich ist, dass die, welche wünschen, dass ihnen von anderen keine Gewalt der Religion wegen angetan werde, sich dieser enthalten [...]. Diese Aufforderung gilt für beide Seiten; wenn eine maßvolle »Anpassung« die Erbitterung der Streitenden mildert, dann wird geschehen, dass das Heilmittel einer Synode erfolgreicher auf die Eintracht hinwirkt. Denn so bereiten Ärzte, ehe sie eine starke Arznei verabreichen, mit einigen leicht erträglichen und wohlschmeckenden Tränken, die sie Sirup nennen, die Körper vor.

Dass wir alle doch dieses Vorbild nachahmen möchten! Aber ich fürchte, dass es Leute gibt, welche entweder aus Mangel an Urteilsvermögen oder um selbst in Sicherheit zu sein, sich mühen alles schwären zu lassen, damit die Synode vergeblich zusammentritt. [...] [312] [...] Wenn wir uns also mittels maßvoller Ratschläge und Beruhigung der Affekte darauf verlegen, die Einheit der Kirche wiederherzustellen, dann wird geschehen, was Jesaja prophezeite: *»Und mein Volk wird in der Schönheit des Friedens sitzen und in den Zelten der Treue und in* *überreicher Ruhe*« [Jes 32, 18], und schon werden wir alle uns zugleich gegenseitig wie aus einem Munde beglückwünschen und sagen: »*Wie liebenswert sind Deine Zelte, Herr der Heerscharen*« [Ps 83, 2].

Liber de sarcienda ecclesiae concordia deque sedandis opinionum dissidiis, in: Robert Stupperich (Hg.), Opera omnia Desiderii Erasmi Roterodami recognita et adnotatione critica instructa notisque illustrata, Bd. V-3, Amsterdam u. a. 1986, 300–312; Übersetzung von Michael Hauber, Regensburg; Seitenangaben und Anmerkungen der Herausgeber in eckigen Klammern.

Ignatius von Loyola: Geistliche Übungen/Exercitia spiritualia (1544)

Mit seinen geistlichen Übungen hat der Begründer des Jesuitenordens Ignatius von Loyola (1491–1556) in der Zeit der Reformation eine Tradition geistlicher Besinnung und Bildung begründet, die es vor allem einfachen Christen ohne tiefere Bildung ermöglichen sollte, ein selbständiges Verständnis des Glaubens zu entwickeln. Die »exercitia spiritualia« des Ignatius erschienen 1544 zuerst in spanischer Sprache und fanden bald weite Verbreitung. Ihr Ziel ist es, dem Menschen seine Bestimmung als Geschöpf Gottes vor Augen zu führen, ihm durch die geistlichen Übungen zur Verinnerlichung der in Jesus Christus offenbarten Gnade Gottes zu verhelfen und ihn so in die Lage zu versetzen, die leibseelischen Neigungen zu überwinden, die ihn davon abhalten, sein Leben im Einklang mit Gottes Willen und zum Lob Gottes zu führen. Entscheidend ist es für Ignatius dabei, den Menschen nicht nur in seinem Intellekt und Willen anzusprechen. Vielmehr geht es ihm um eine Aneignung und Vertiefung des Glaubens, die alle Sinne ergreift und den Menschen dazu führt, die Botschaft Christi nicht nur zu hören, sondern Christus in der Seele einzubilden und die Gnade Gottes innerlich anzuschauen, zu fühlen, zu schmecken, ja selbst zu riechen. Im Hintergrund steht ein ganzheitliches Verständnis des Menschen als leibseelische Einheit. Entsprechend richtet sich das geistliche Übungskonzept des Ignatius nicht nur auf das Hören und Bedenken der Botschaft, sondern spricht die räumliche, zeitliche und sinnliche Imagination an. Es beinhaltet täglich fünf einstündige Übungen und erstreckt sich über einen Zeitraum von ungefähr vier Wochen, wobei die Verteilung der Übungen auf den Wochenrhythmus nicht streng einzuhalten ist. Ignatius ist vielmehr daran gelegen, dass die Übungen an den individuellen Möglichkeiten und Fortschritten des Übenden ausgerichtet werden, weil sie ihm nur so persönlichen Nutzen bringen können.

Die Übungen beginnen in der ersten Woche mit der Erforschung des Gewissens und der Besinnung auf die Sünden und lassen den Exerzitanten so seine Erlösungsbedürftigkeit erfahren. In der zweiten Woche werden anhand der biblischen Texte die Menschwerdung und Geburt Jesu Christi betrachtet. In der dritten Woche sind Jesu Weg nach Jerusalem, das letzte Abendmahl und sein

Leiden Gegenstand der Meditation. In der vierten Woche wird der Blick schließlich auf die Auferstehung und die Himmelfahrt gerichtet. Neben den im Tagesrhythmus verankerten Meditationen und Gebeten gehören die Teilnahme an Messe und Vesper und vor allem die Gespräche mit dem Exerzitienbegleiter zum Ablauf dieser geschlossenen Form der Exerzitien, die Ignatius in seinem Exerzitienbuch entwirft. In diesen geschlossenen Exerzitien zieht sich der Exerzitant aus dem alltäglichen Leben zurück. Daneben beschreibt Ignatius in seinem Exerzitienbuch aber auch die Möglichkeit leichter und offener Exerzitien, die in den normalen Lebensalltag integriert werden können für diejenigen, die wegen ihrer gesellschaftlichen Aufgaben sich nicht in geschlossenen Exerzitien zurückziehen können.

Schon bald nach dem Tod des Ignatius ging die Praxis der offenen und leichten Exerzitien stark zurück. Mit der Aufhebung des Jesuitenordens 1773 endete auch die Exerzitienpraxis in der Gesellschaft Jesu. Nach der Wiederzulassung des Ordens 1814 lebte sie wieder auf und gewann durch vielfältige Impulse im 20. Jahrhundert nicht nur in der römisch-katholischen Kirche, sondern auch über die Konfessionsgrenzen hinweg im anglikanischen und evangelischen Bereich an Bedeutung.[1] Die seit den späten 60er Jahren in beiden Teilen Deutschlands anhebende Entdeckung und evangelische Formierung der Exerzitienpraxis wurde zwar von einer kritischen Auseinandersetzung mit den ignatianischen Exerzitien und ihren theologischen Grundlagen begleitet.[2] Gleichwohl konnte sich die Exerzitienpraxis in den evangelischen Kirchen in Deutschland zunehmend etablieren.[3] Wie Silke Harms in ihrer Studie zu »Grundlinien einer evangelischen Theologie der geistlichen Übung«[4] festhält, wird heute in fast allen größeren deutschen Landeskirchen die Möglichkeit be-

1 Silke Harms, Glauben üben. Grundlinien einer evangelischen Theologie der geistlichen Übung und ihre praktische Entfaltung am Beispiel der »Exerzitien im Alltag«, Göttingen, 2011, 45–86.

2 Vgl. dazu Harms, a.a.O., 72 ff. Besonders pointiert kritisierte Erich Hertzsch die Exerzitien »als ›sorgfältig ausgedachtes System der Menschenführung, das den Menschen zu einem gefügigen, einsatzbereiten Werkzeug der Kirche macht‹« (zitiert nach Harms, 72, Anm. 196). Aber dabei wird nicht in Rechnung gestellt, dass bei Ignatius der Einzelne, sein individueller Glaube und seine Gesinnung in großer Nähe zur reformatorischen Theologie ganz im Vordergrund stehen.

3 Siehe dazu Annegret Henkel, Geistliche Erfahrung und Geistliche Übungen bei Ignatius von Loyola und Martin Luther. Die ignatianischen Exerzitien in ökumenischer Perspektive, Frankfurt a.M./Berlin/Bern/New York/Paris/Wien 1995, 22. Siehe auch Peter Zimmerling, Evangelische Spiritualität. Wurzeln und Zugänge, Göttingen 2003; Andrea Elisabeth Diederich, Evangelische Exerzitien. Anleitung, Bausteine, Anwendung, Göttingen 2009.

4 So heißt es im Untertitel.

gleiteter geistlicher Übungen und zur Ausbildung in der Exerzitienbegleitung geboten.[5]

Dies darf als deutlicher Hinweis darauf gewertet werden, dass das Bedürfnis nach einer Anleitung zur inneren Sammlung, Selbstbesinnung und Vertiefung des Glaubens durch Meditation und Gebet die immer wieder artikulierte evangelische Sorge vor neuen Formen der Werkgerechtigkeit überwiegt. Den Gedanken, dass der Mensch sich im Glauben üben solle, betonte auch Martin Luther. Denn gerade weil die Seele allein durch das Evangelium fromm, frei und fröhlich werde – wie Luther im Traktat über »Die Freiheit eines Christenmenschen« von 1520 betont[6] –, solle »das billich aller Christen eynigs werck und uebung seyn, das sie das wort und Christum wol ynn sich bildeten, solchen glauben stetig ubeten und sterckten. Denn keyn ander werck mag eynen Christen machen«[7]. Luther und Ignatius lehren in Übereinstimmung mit der mittelalterlichen Tradition, dass Meditation und Gebet solcher Stärkung und Vertiefung des Glaubens zu dienen vermögen. Sie empfehlen eine entsprechende tägliche Praxis und wenden sich damit vor allem an die weniger gebildeten Christen, die nicht einfach glauben sollen, was die Kirche glaubt, sondern zu einem eigenständigen Verstehen und einer Verinnerlichung der Gnade Gottes gelangen sollen. Hier gibt es also eine deutliche Überschneidung in den reformatorischen Anliegen.

Charakteristisch für Luthers Verständnis geistlicher Übung im Glauben ist allerdings, dass Meditation und Gebet bei ihm nicht in eine die Seele erhebende contemplatio münden, sondern in die Erfahrung der Anfechtung.[8] Dies korrespondiert seinem Verständnis der Korruption der menschlichen Natur durch die Sünde, die der Mensch aus sich heraus nicht überwinden kann. Allein die in Kreuz und Auferstehung Jesu Christi offenbare Überwindung der Sündenmacht durch Gott selbst und die darin gründende Verheißung der Gerechtigkeit im Glauben eröffnen dem Menschen die Möglichkeit, Gott Vertrauen zu schenken und im Glauben Gemeinschaft mit Gott zu erlangen. Die Vorstellung, der Mensch könne sich durch geistliche Übung Verdienste erlangen, die Ignatius in den Exerzitien benennt (z.B. EB 20a), ist für Luther und in der Perspektive reformatorischer Theologie insgesamt ausgeschlossen. Hier – und nicht in dem Gedanken, dass sich der Mensch aktiv im Glauben üben kann – liegt die Differenz zwischen einer reformatorischen Sicht geistlicher Übungen und der ignatianischen.

Die Frage der Verdienstlichkeit menschlicher Werke wird bis heute in der römisch-katholischen und in der evangelischen Lehre unterschiedlich beant-

---

5 Harms, a.a.O., 82. Alleine in der Zeit zwischen »2004 und 2009 sind in der EKD 11 (!) neue Ausbildungsmöglichkeiten entstanden« (ebd.).

6 Martin Luther, Von der Freiheit eines Christenmenschen, in: WA 7, 22,3–5.

7 Luther, a.a.O., 24,7–10.

8 Vgl. dazu Harms, a.a.O., 133–137.

wortet. Allerdings soll, wie auf katholischer Seite in der Gemeinsamen Erklärung zur Rechtfertigungslehre (GER) von 1999 erklärt wird, im Festhalten an der Rede von Verdienstlichkeit der guten Werke nicht bestritten werden, dass »die Rechtfertigung selbst stets unverdientes Gnadengeschenk« ist und auch die guten Werke von Gott geschenkt werden. Vielmehr gehe es darum, im Anschluss an die biblische Rede vom Lohn der Werke im Himmel »die Verantwortung des Menschen für sein Handeln« zu betonen.[9] Der differenzierte Konsens, der in dieser Frage in der GER formuliert worden ist, dürfte dem veränderten Stellenwert entsprechen, den das Thema der Verdienstlichkeit heute auf katholischer Seite und im kontroverstheologischen Gespräch heute gewonnen hat. Schon bei Ignatius stehen im Übrigen Verdienst und Lohn nicht allein im Zentrum der geistlichen Übungen. Wichtig ist vielmehr, dass sich der Mensch mit seiner Seele und allen Sinnen in Gottes Gnade gründet und daraus Trost und Orientierung für sein Leben gewinnt. Dieses Ziel war in den verschiedenen Reformbestrebungen über die entstehenden Konfessionsgrenzen im 16. Jahrhundert hinweg wichtig und hat nichts an Aktualität verloren. Im Gegenteil: in einem rastlosen Alltag und unter dem Eindruck vielfältiger Herausforderungen in Beruf, Familie und Gesellschaft ist es mehr denn je wichtig, sich auf die eigenen Grenzen im Lichte des Grundes aller Lebensmöglichkeiten zu besinnen und solcher Besinnung feste Zeiten, Orte und geordnete Formen zu gewähren. Darin bieten die ignatianischen Exerzitien ein lehrreiches Vorbild.

Die folgenden Auszüge aus den Exerzitien sind der Übersetzung von Peter Knauer entnommen[10] und so ausgewählt, dass sowohl ein Einblick in das Übungskonzept wie auch in die tragenden theologischen Gedanken gewonnen werden kann.

Geistliche Übungen

(1) ANMERKUNGEN, UM EINIGE EINSICHT IN DIE FOLGENDEN GEISTLICHEN ÜBUNGEN ZU ERLANGEN UND DAMIT SOWOHL DER, DER SIE GEBEN, WIE DER, DER SIE EMPFANGEN, HILFE ERLANGEN.[11]

DIE ERSTE ANMERKUNG IST: Unter diesem Namen »geistliche Übungen« ist jede Weise, das Gewissen zu erforschen, sich zu besinnen, zu betrachten,

---

[9] Siehe die Gemeinsame Erklärung zur Rechtfertigungslehre, Nr. 38, zugänglich in: Johannes Oeldemann, Friederike Nüssel, Uwe Swarat, Athanasios Vletsis (Hg.), Dokumente wachsender Übereinstimmung. Sämtliche Berichte und Konsenstexte interkonfessioneller Gespräche auf Weltebene, Bd. 4: 2001–2010, Paderborn/Leipzig 2012, 1158–1162.

[10] Ignatius von Loyola, Geistliche Übungen und erläuternde Texte, übersetzt und erläutert von Peter Knauer, Graz/Wien/Köln 1987.

[11] Knauer, a. a. O., 11–14, 17–21.

mündlich und geistig zu beten, und anderer geistlicher Betätigungen zu verstehen, wie weiter unten gesagt werden wird. Denn wie das Umhergehen, Wandern und Laufen leibliche Übungen sind, genauso nennt man »geistliche Übungen« jede Weise, die Seele darauf vorzubereiten und einzustellen, alle ungeordneten Anhänglichkeiten von sich zu entfernen und, nachdem sie entfernt sind, den göttlichen Willen in der Einstellung des eigenen Lebens zum Heil der Seele zu suchen und zu finden.

(2) DIE ZWEITE ANMERKUNG IST: Derjenige, der einem anderen Weise und Ordnung dafür angibt, sich zu besinnen oder zu betrachten, soll die Geschichte dieser Betrachtung oder Besinnung getreu erzählen, indem er die Punkte nur in kurzer oder zusammenfassender Erläuterung durchgeht. Denn wenn derjenige, der betrachtet, das wirkliche Fundament der Geschichte nimmt, es selbständig durchgeht und bedenkt und etwas findet, was die Geschichte ein wenig mehr erläutern oder verspüren lässt – sei es durch das eigene Nachdenken oder sei es, insofern der Verstand durch die göttliche Kraft erleuchtet wird -, so ist es von mehr Geschmack und geistlicher Frucht, als wenn der, der die Übungen gibt, den Sinn der Geschichte viel erläutert und erweitert hätte. Denn nicht das viele Wissen sättigt und befriedigt die Seele, sondern das Innerlich-die-Dinge-Verspüren-und-Schmecken.

(3) DIE DRITTE: Da wir in allen folgenden geistlichen Übungen die Akte des Verstandes im Nachdenken und die des Willens im Verlangen gebrauchen, wenn wir mündlich oder geistig mit Gott, unserem Herrn, oder mit seinen Heiligen sprechen, unsererseits größere Ehrfurcht erfordert ist, als wenn wir den Verstand im Verstehen gebrauchen.

(4) DIE VIERTE: für die folgenden Übungen nimmt man vier Wochen, um den vier Teilen zu entsprechen, in die die Übungen eingeteilt werden:

- den ersten, der die Erwägung und Betrachtung der Sünden ist;
- der zweite ist das Leben Christi, unseres Herrn, bis zum Palmtag einschließlich;
- der dritte das Leiden Christi, unseres Herrn;
- der vierte die Auferstehung und Himmelfahrt; und es werden drei Weisen zu beten aufgestellt.

Doch soll es nicht so verstanden werden, dass jede Woche mit Notwendigkeit sieben oder acht Tage umfasst. [...] Aber sie sollen doch ungefähr in dreißig Tagen abgeschlossen werden.

(5) DIE FÜNFTE: Für den, der die Übungen empfängt, ist es sehr nützlich, mit Großmut und Freigebigkeit gegenüber seinem Schöpfer und Herrn in sie einzutreten, indem er ihm sein ganzes Wollen und seine ganze Freiheit anbietet, damit seine göttliche Majestät sich sowohl seiner Person wie alles dessen, was er hat, entsprechend ihrem heiligsten Willen bediene.

[...]

(15) DIE FÜNFZEHNTE: Der die Übungen gibt, darf nicht den, der sie empfängt, mehr zu Armut oder einem Versprechen als zu deren Gegenteil bewegen noch zu dem einen Stand oder der anderen Lebensweise mehr als zu einer anderen. Denn wiewohl wir außerhalb der Übungen erlaubter- und verdienstlicherweise alle diejenigen, die wahrscheinlich die Fähigkeit haben, dazu bewegen können, Enthaltsamkeit, Jungfräulichkeit, Ordensleben und jede Weise evangelischer Vollkommenheit zu erwählen, so ist es doch in diesen geistlichen Übungen beim Suchen des göttlichen Willens angebrachter und viel besser, dass der Schöpfer und Herr selbst sich seiner frommen Seele mitteilt, indem er sie zu seiner Liebe und seinem Lobpreis umfängt und sie auf den Weg einstellt, auf dem sie ihm fortan besser dienen kann. Der die Übungen gibt, soll sich also weder zu der einen Seite wenden oder hinneigen noch zu der anderen, sondern in der Mitte stehend wie eine Waage unmittelbar den Schöpfer mit dem Geschöpf wirken lassen und das Geschöpf mit seinem Schöpfer und Herrn.

(16) DIE SECHZEHNTE: Dafür, nämlich dass der Schöpfer und Herr gewisser in seinem Geschöpf wirke, ist es, falls diese Seele ungeordnet nach einer Sache verlangt und zu ihr hinneigt, sehr angebracht, sich zu bewegen, indem sie alle ihre Kräfte einsetzt, um zum Gegenteil dessen zu kommen, wonach sie in schlechter Weise verlangt. Wenn sie etwa danach verlangt, ein Amt oder eine Pfründe zu suchen und zu haben, jedoch nicht wegen des Ruhmes und der Ehre Gottes, unseres Herrn, noch wegen des geistlichen Heils der Seelen, sondern wegen ihrer eigenen zeitlichen Vorteile und Interessen, dann muss sie das Verlangen nach dem Gegenteil in sich erwecken, indem sie in Gebeten und anderen geistlichen Übungen darauf besteht und Gott, unseren Herrn, um das Gegenteil bittet, nämlich dass sie weder dieses Amt oder diese Pfründe noch irgend etwas anderes will, wenn nicht seine göttliche Majestät ihre Wünsche ordnet und ihr ihre ursprüngliche Anhänglichkeit ändert. Der Grund, eines oder etwas anderes zu wünschen oder zu haben, soll also allein Dienst, Ruhm und Ehre seiner göttlichen Majestät sein.

[...]

(18) DIE ACHTZEHNTE: Diese Übungen müssen je nach der Eignung derjenigen angewandt werden, die geistlichen Übungen nehmen wollen, nämlich je nachdem sie Alter, Bildung oder Begabung haben, damit nicht einem, der ungebildet oder von geringer Belastbarkeit ist, Dinge gegeben werden, die er nicht geruhsam tragen und mit denen er keinen Nutzen haben kann.

Deshalb kann man demjenigen, der Hilfe haben will, um belehrt zu werden und um bis zu einem gewissen Grad zu gelangen, seine Seele zufriedenzustellen, die besondere (Nr. 24 ff) und danach die allgemeine Erforschung (Nr. 32 ff) vorlegen; zugleich während einer halben Stunde am Morgen die Gebetsweise über die Gebote, Todsünden usw. (Nr. 238 ff); man empfehle ihm auch, seine Sünden alle acht Tage zu beichten und, wenn er kann, alle vierzehn Tage das

Sakrament zu empfangen oder, wenn er noch besser verlangt, alle acht Tage. Diese Weise ist geeigneter für schlichtere oder nicht gebildete Leute: Man erklärt ihnen jedes Gebot, und ebenso mit den Todsünden, Kirchengeboten, fünf Sinnen und Werken der Barmherzigkeit.

Wenn ferner der, der die Übungen gibt, sieht, dass der, der sie empfängt, von geringer Fähigkeit oder geringer natürlicher Fassungskraft ist, so dass man von ihm nicht viel Frucht erwartet, dann ist es angebrachter, ihm einige dieser leichten Übungen zu geben, bis er eine Beichte seiner Sünden ablegt. Und danach lebe man ihm einige Gewissenserforschungen und eine Ordnung vor, häufiger zu beichten, als er gewohnt war, damit er sich in dem erhalte, was er gewonnen hat. Aber man gehe nicht zu Wahlstoffen weiter voran noch zu sonstigen Übungen, die außerhalb der ersten Woche liegen, zumal wenn man bei anderen mehr Nutzen bewirken kann und für beides die Zeit fehlt.

(19) DIE NEUNZEHNTE: Wer von öffentlichen Dingen oder angebrachten Angelegenheiten behindert wird, sei er gebildet oder begabt, der soll anderthalb Stunden nehmen, um sich zu üben. Man lege ihm dar, wozu der Mensch geschaffen ist. Man kann ihm ebenfalls für die Dauer einer halben Stunde die besondere Erforschung und danach die allgemeine vorlegen und eine Weise, zu beichten und das Sakrament zu empfangen. Er soll drei Tage jeden Morgen eine Stunde lang die Besinnung über die erste, zweite und dritte Sünde (Nr. 45 ff) halten; danach an weiteren drei Tagen zur gleichen Stunde die Besinnung über die Reihe der Sünden (Nr. 55 ff); danach halte er während dreier weiterer Tage zur gleichen Stunde die Besinnung über die Qualen, die den Sünden entsprechen (Nr. 65 ff). Man lege ihm bei allen drei Besinnungen die zehn Zusätze vor (Nr. 73 ff), und man führe die gleiche Folge bei den Geheimnissen Christi, unseres Herrn, durch, die weiter unten und ausführlich bei den Übungen selbst erläutert wird.

(20a) DIE ZWANZIGSTE: Wer unbehinderter ist und in allem, worin es möglich ist, Nutzen zu ziehen wünscht, dem gebe man die ganzen geistlichen Übungen der gleichen Ordnung, in der sie vorangehen. Er wird in ihnen normalerweise um so mehr Nutzen ziehen, je mehr er sich von allen Freunden und Bekannten und von jeder irdischen Sorge absondert; etwa indem er aus dem Haus zieht, wo er wohnte, und ein anderes Haus oder Zimmer nimmt, um darin so geheim wie möglich zu wohnen, so dass es in seiner Hand liegt, jeden Tag zur Messe und zur Vesper zu gehen, ohne Furcht, dass seine Bekannten ihm ein Hindernis bereiten. Aus dieser Absonderung folgen drei hauptsächliche Vorteile, unter vielen anderen:

Der erste ist: wenn ein Mensch sich von vielen Freunden und Bekannten und ebenso von vielen nicht gut geordneten Angelegenheiten absondert, um Gott, unserem Herrn, zu dienen und ihn zu loben, erlangt er nicht wenig Verdienst vor seiner göttlichen Majestät.

Der zweite: Indem er so abgesondert weilt und den Verstand nicht auf viele Dinge aufgeteilt hat, sondern seine ganze Sorge nur auf eines legt, nämlich seinem Schöpfer zu dienen und seiner eigenen Seele zu nützen, gebraucht er seine natürlichen Fähigkeiten freier, um mit Eifer zu suchen, was er so wünscht.

Der dritte: Je mehr sich unsere Seele allein und abgesondert findet, um so geeigneter wird sie, sich ihrem Schöpfer und Herrn zu nähern und zu ihm zu kommen; und je mehr sie ihm so nahe kommt, desto mehr stellt sie sich darauf ein, Gnaden und Gaben von seiner göttlichen und höchsten Güte zu empfangen.

Erste Woche[12]

(21) GEISTLICHE ÜBUNGEN, UM ÜBER SICH SELBST ZU SIEGEN UND SEIN LEBEN ZU ORDNEN, OHNE SICH DURCH IRGENDEINE ANHÄNGLICHKEIT BESTIMMEN ZU LASSEN, DIE UNGEORDNET IST.

(22) Damit sowohl der, der die geistlichen Übungen gibt, wie der, der sie empfängt, mehr Hilfe und Nutzen haben, ist vorauszusetzen, dass jeder gute Christ bereitwilliger sein muss, die Aussage des Nächsten zu retten, als sie zu verurteilen; und wenn er sie nicht retten kann, erkundige er sich, wie jener sie versteht, und versteht jener sie schlecht, so verbessere er ihn mit Liebe; und wenn das nicht genügt, suche er alle angebrachten Mittel, damit jener, indem er sie gut versteht, sich rette.

(23) PRINZIP UND FUNDAMENT

Der Mensch ist geschaffen, um Gott, unseren Herrn, zu loben, ihm Ehrfurcht zu erweisen und zu dienen und mittels dessen seine Seele zu retten; und die übrigen Dinge auf dem Angesicht der Erde sind für den Menschen geschaffen und damit sie ihm bei der Verfolgung des Ziels helfen, zu dem er geschaffen ist.

Daraus folgt, dass der Mensch sie soweit gebrauchen soll, als sie ihm für sein Ziel helfen, und sich soweit von ihnen lösen soll, als sie ihn dafür hindern.

Deshalb ist es nötig, dass wir uns gegenüber allen geschaffenen Dingen in allem, was der Freiheit unserer Entscheidungsmacht gestattet und ihr nicht verboten ist, indifferent machen. Wir sollen also nicht unsererseits mehr wollen: Gesundheit als Krankheit, Reichtum als Armut, Ehre als Ehrlosigkeit, langes Leben als kurzes; und genauso folglich in allem sonst, indem wir allein wünschen und wählen, was uns mehr zu dem Ziel hinführt, zu dem wir geschaffen sind.

(24) BESONDERE UND TÄGLICHE ERFORSCHUNG UMFASST DREI ZEITEN UND EIN ZWEIMALIGES SICH-ERFORSCHEN.

DIE ERSTE ZEIT IST: Am Morgen gleich beim Aufstehen muss sich der Mensch vornehmen, sich mit Sorgfalt vor jener besonderen Sünde oder Unzulänglichkeit zu hüten, die man berichtigen und bessern will.

---

12 Knauer, a. a. O., 23–41, 45–47.

(25) DIE ZWEITE: Nach dem Mittagessen von Gott, unserem Herrn, erbitten, was einer will, nämlich Gnade, um sich zu erinnern, wie oft man in jene besondere Sünde oder Unzulänglichkeit gefallen ist, und um sich fortan zu bessern. Und weiterhin halte man die erste Erforschung, indem man von seiner Seele Rechenschaft über jene besondere Sache fordert, die man sich vorgenommen hat und in der man sich berichtigen und bessern will. Man gehe Stunde für Stunde oder Zeit für Zeit durch, indem man bei der Stunde beginnt, in der man aufgestanden ist, bis zur Stunde und dem Zeitpunkt der gegenwärtigen Erforschung. Und man mache auf der ersten Linie des g ========== so viele Punkte, als man in jene besondere Sünde oder Unzulänglichkeit verfallen ist; und danach nehme man sich von neuem vor, sich bis zur zweiten Erforschung, die man halten wird, zu bessern.

(26) DIE DRITTE ZEIT: Nach dem Abendessen soll die zweite Erforschung gehalten werden, ebenso Stunde für Stunde, indem man von der ersten Erforschung beginnt bis zur gegenwärtigen zweiten. Und man mache auf der zweiten Linie des gleichen g ========== so viele Punkte, als man in jene besondere Sünde oder Unzulänglichkeit verfallen ist.

(27) ES FOLGEN VIER ZUSÄTZE, UM RASCHER JENE BESONDERE SÜNDE ODER UNZULÄNGLICHKEIT ZU ENTFERNEN.

DER ERSTE ZUSATZ IST: Jedesmal wenn einer in jene Sünde oder den besonderen Fehler fällt, lege er die Hand an die Brust, indem er bereut, gefallen zu sein. Dies kann selbst in Gegenwart vieler getan werden, ohne dass sie merken, was man tut.

(28) DER ZWEITE: Da die erste Linie des g ======== die erste Erforschung bedeutet und die zweite Linie die zweite Erforschung, so schaue man am Abend, ob es eine Besserung von der ersten Linie zur zweiten, also von der ersten zur zweiten Erforschung gibt.

(29) DER DRITTE: Den zweiten Tag mit dem ersten vergleichen, nämlich die zwei Erforschungen des gegenwärtigen Tages mit den beiden anderen Erforschungen des vergangenen Tages, und schauen, ob man sich vom einen zum anderen Tag gebessert hat.

(30) DER VIERTE ZUSATZ: Eine Woche mit der anderen vergleichen und schauen, ob man sich in der gegenwärtigen Woche gegenüber der ersten vergangenen gebessert hat.

[...]

(32) ALLGEMEINE GEWISSENSERFORSCHUNG, UM SICH ZU LÄUTERN UND UM BESSER ZU BEICHTEN.

Ich setze voraus, dass dreierlei Gedanken in mir sind, nämlich einmal mein eigener, der aus meiner bloßen Freiheit und meinem Wollen hervorgeht; und zwei andere, die von außen kommen: der eine, der vom guten Geist kommt, und der andere vom bösen.

(33) VOM GEDANKEN

Es gibt zwei Weisen, beim bösen Gedanken, der von außen kommt, VERDIENST zu erlangen: Zum Beispiel kommt ein Gedanke, eine Todsünde zu begehen, und diesem Gedanken widerstehe ich augenblicklich, und er bleibt besiegt.

(34) Die zweite Weise, Verdienst zu erlangen ist: wann mir jener gleiche schlechte Gedanke kommt und ich ihm widerstehe, und er kommt mir wieder und wieder zurück, und ich widerstehe ihm immer, bis der Gedanke besiegt weicht. Und diese zweite Weise bedeutet, mehr Verdienst zu erlangen als die erste.

(35) LÄSSLICH SÜNDIGT man, wann der gleiche Gedanke, eine Todsünde zu begehen, kommt und der Mensch ihm Gehör gibt, indem er sich eine kleine Weile aufhält oder einiges sinnliche Vergnügen empfängt, oder wo es einige Nachlässigkeit darin gibt, diesen Gedanken abzuweisen.

(36) Es gibt zwei Weisen, eine TODSÜNDE zu begehen: Die erste ist: wenn der Mensch dem schlechten Gedanken seine Zustimmung gibt, um sogleich zu handeln, wie er zugestimmt hat, oder es ins Werk zu setzen, wenn er es nur könnte.

(37) Die zweite Weise, eine Todsünde zu begehen, ist: wenn jene Sünde in die Tat umgesetzt wird. Und sie ist aus drei Gründen größer:

- erstens wegen der größeren Dauer,
- zweitens wegen der größeren Intensität,
- drittens wegen des größeren Schadens für die beiden Personen.

(38) VOM WORT

[...]

(40) KEIN MÜSSIGES WORT SAGEN: Darunter verstehe ich: wenn es weder mir noch einem anderen nützt noch auf eine solche Absicht hingeordnet ist. Zu allem zu reden, was Nutzen ist oder doch Absicht, der eigenen oder einer fremden Seele, dem Leib oder zeitlichen Gütern zu nützen, ist also niemals müßig; auch nicht, weil jemand in Dingen redet die außerhalb seines Standes liegen, etwa wenn ein Ordensmann von Kriegen und Handelsgeschäften redet. Aber in allem Genannten liegt Verdienst darin, es wohl zu ordnen, und Sünde, es in eine schlechte Richtung zu bringen oder eitel zu reden.

[...]

(43) WEISE, DIE ALLGEMEINE ERFORSCHUNG ZU HALTEN; UND SIE UMFASST FÜNF PUNKTE.

DER ERSTE PUNKT IST: Gott, unserem Herrn, für die empfangenen Wohltaten danken.

DER ZWEITE: Gnade erbitten, um die Sünden zu erkennen und sie abzuweisen.

DER DRITTE: Rechenschaft von der Seele fordern von der Stunde an, in der man aufgestanden ist, bis zur gegenwärtigen Erforschung, Stunde für Stunde oder Zeit für Zeit; und erstens über den Gedanken und danach über das Wort und danach über das Werk, nach der gleichen Ordnung, die bei der besonderen Erforschung erklärt wurde.

DER VIERTE: Gott, unseren Herrn, um Verzeihung für die Fehler bitten.

DER FÜNFTE: Sich mit seiner Gnade Besserung vornehmen. Vaterunser.

(44a) GENERALBEICHTE MIT DER KOMMUNION

In der Generalbeichte werden sich für den, der sie freiwillig ablegen will, unter vielen anderen drei Vorteile für hier finden:

Der erste: Zwar ist, wer jedes Jahr beichtet, nicht verpflichtet, eine Generalbeichte abzulegen. Doch liegt in ihrer Ablegung mehr Nutzen und Verdienst wegen des größeren aktualen Schmerzes über alle Sünden und Bosheiten seines ganzen Lebens.

Der zweite: Da man in diesen geistlichen Übungen die Sünden und ihre Bosheit innerlicher erkennt als in der Zeit, in der sich der Mensch nicht so den inneren Dingen hingab, und man jetzt mehr Erkenntnis und Schmerz über sie erreicht, wird man größeren Nutzen und Verdienst haben, als man vorher gehabt hätte.

Der dritte ist weiterhin: Je mehr man gut gebeichtet und sich darauf eingestellt hat, um so geeigneter und mehr bereitet findet man sich dazu, das heiligste Sakrament zu empfangen, dessen Empfang nicht nur dazu hilft, dass man nicht in Sünde fällt, sondern sogar, um in vermehrter Gnade zu erhalten. Und diese Generalbeichte wird man am besten unmittelbar nach den Übungen der ersten Woche ablegen.

(45) DIE ERSTE ÜBUNG IST EINE BESINNUNG MIT DEN DREI FÄHIGKEITEN ÜBER DIE ERSTE, ZWEITE UND DRITTE SÜNDE.

Sie umfasst nach einem Vorbereitungsgebet und zwei Hinführungen drei Hauptpunkte und ein Gespräch.

(46) DAS VORBEREITUNGSGEBET IST: Gott, unseren Herrn, um Gnade bitten, damit allgemeine Absichten, Handlungen und Betätigungen rein auf Dienst und Lobpreis seiner göttlichen Majestät hingeordnet seien.

(47) DIE ERSTE HINFÜHRUNG IST: Zusammenstellung, indem man den Raum sieht. Hier ist zu bemerken: Bei der »sichtbaren« Betrachtung oder Besinnung, etwa wenn man Christus, unseren Herrn, betrachtet, der sichtbar ist, wird die Zusammenstellung darin bestehen, mit der Sicht der Vorstellungskraft den körperlichen Raum zu sehen, wo sich die Sache befindet, die ich betrachten will. Ich sage »körperlicher Raum«: etwa ein Tempel oder Berg, wo sich Jesus Christus oder unsere Herrin befindet, je nachdem, was ich betrachten will. Bei der »unsichtbaren«, wie hier bei den Sünden, wird die Zusammenstellung darin bestehen, mit der Sicht der Vorstellungskraft zu sehen und zu erwägen, dass meine Seele in diesem verderblichen Leib eingekerkert ist und das ganze Zu-

sammengesetzte in diesem Tal wie verbannt, unter wilden Tieren. Ich sage »das ganze Zusammengesetzte«: aus Seele und Leib.

[...]

(53) GESPRÄCH: Indem man sich Christus, unseren Herrn, vorstellt, vor einem und ans Kreuz geheftet, ein Gespräch halten: Wie er als Schöpfer gekommen ist, Mensch zu werden, und von ewigem Leben zu zeitlichem Tod, und so für meine Sünden zu sterben.

Wiederum das gleiche, indem ich mich selbst anschaue:

- das, was ich für Christus getan habe;
- das, was ich für Christus tue;
- das, was ich für Christus tun soll.

Und indem ich so ihn derartig sehe und so am Kreuz hängend, über das nachdenken, was sich anbietet.

(54) Das Gespräch wird gehalten, indem man eigentlich spricht, so wie ein Freund zu einem anderen spricht oder ein Diener zu seinem Herrn, indem man bald um irgendeine Gnade bittet, bald sich wegen einer schlechten Tat anklagt, bald seine Dinge mitteilt und in ihnen Rat will. Und ein Vaterunser beten.

(55) DIE ZWEITE ÜBUNG IST EINE BESINNUNG ÜBER DIE SÜNDEN;

UND SIE UMFASST NACH DEM VORBEREITUNGSGEBET UND ZWEI HINFÜHRUNGEN FÜNF PUNKTE UND EIN GESPRÄCH.

DAS VORBEREITUNGSGEBET sei dasselbe.

DIE ERSTE HINFÜHRUNG soll dieselbe Zusammenstellung sein.

DIE ZWEITE IST: Das erbitten, was ich will. Hier wird dies sein: um gesteigerten und intensiven Schmerz und Tränen über meine Sünden bitten.

(56) DER ERSTE PUNKT IST: Die Reihe der Sünden, nämlich alle Sünden des Lebens ins Gedächtnis bringen, indem ich Jahr für Jahr oder Zeit für Zeit schaue. Dafür sind drei Dinge nützlich:

- das erste: den Raum und das Haus schauen, wo ich gewohnt habe;
- das zweite: den Umgang, den ich mit anderen gehabt habe;
- das dritte: das Amt, worin ich gelebt habe.

(57) DER ZWEITE: Die Sünden wägen, indem ich die Hässlichkeit und die Bosheit schaue, die jede begangene Todsünde in sich enthält, selbst wenn sie nicht verboten wäre.

(58) DER DRITTE: Schauen, wer ich bin, indem ich mich durch Beispiele geringer mache:

- Erstens: Wie viel bin ich im Vergleich zu allen Menschen?
- Zweitens: Was sind die Menschen im Vergleich zu allen Engeln und Heiligen des Paradieses?

- Drittens: Schauen, was alles Geschaffene im Vergleich zu Gott ist; also ich allein, was kann ich sein?
- Viertens: Meine ganze Verderbnis und körperliche Hässlichkeit schauen.
- Fünftens: Mich wie eine Wunde oder ein Geschwür schauen, aus dem so viele Sünden und so viele Schlechtigkeiten und so schändliches Gift hervorgegangen sind.

(56) DER VIERTE: Erwägen, wer Gott ist, gegen den ich gesündigt habe, nach seinen Eigenschaften, indem ich sie mit ihrem Gegenteil in mir vergleiche:
- seine Weisheit mit meiner Unwissenheit,
- seine Allmacht mit meiner Schwäche,
- seine Gerechtigkeit mit meiner Gemeinheit,
- seine Güte mit meiner Bosheit.

(60) DER FÜNFTE: Ausruf, staunend mit gesteigertem Verlangen, indem ich alle Geschöpfe durchgehe, wie sie mich am Leben gelassen und darin erhalten haben:
- die Engel, da sie doch Schwert der göttlichen Gerechtigkeit sind, wie sie mich ertragen und bewahrt und für mich gebetet haben;
- die Heiligen, wie sie bedacht waren, für mich einzutreten und zu beten;
- und die Himmel, Sonne, Mond, Sterne und Elemente, Früchte, Vögel, Fische und Tiere;
- und die Erde, wie sie sich nicht aufgetan hat, um mich zu verschlingen, indem sie neue Höllen schafft, um für immer in ihnen zu quälen.

(61) GESPRÄCH: Enden mit einem Gespräch der Barmherzigkeit, indem ich mich ausspreche und Gott, unserem Herrn, danke, weil er mir bis jetzt das Leben geschenkt hat. Dabei sich künftighin mit seiner Gnade Besserung vornehmen. Vaterunser.

[...]

(73) ZUSÄTZE, UM DIE ÜBUNGEN BESSER ZU MACHEN UND BESSER ZU FINDEN, WAS MAN WÜNSCHT.

DER ERSTE ZUSATZ IST: Nach dem Zubettgehen, wenn ich bereits einschlafen will, für die Dauer eines Ave Maria an die Stunde denken, in der ich aufstehen muss und wozu; dabei die Übung, die ich zu halten habe, kurz zusammenfassen.

(74) DER ZWEITE: Wann ich aufwache, ohne den einen oder anderen Gedanken Raum zu geben, gleich auf das achten, was ich in der ersten Übung um Mitternacht zu betrachten mich anschicke, indem ich mich in Verwirrung über meine so vielen Sünden bringe, indem ich Beispiele setze [...]

(75) DER DRITTE: Ein oder zwei Schritte vor dem Ort, wo ich zu betrachten oder mich zu besinnen habe, stelle ich mich für die Dauer eines Vaterunsers hin,

indem ich den Verstand nach oben erhebe und erwäge, wie Gott, unser Herr, mich anschaut usw. Und einen Ehrerweis oder eine Verdemütigung machen.

[...]

(77) DER FÜNFTE: Nach Beendigung der Übung werde ich während der Dauer einer Viertelstunde, sei es sitzend oder umhergehend, schauen, wie es mir in der Betrachtung oder Besinnung gegangen ist; und wenn schlecht, werde ich die Ursache anschauen, von der es herkommt, und, nachdem ich sie so angeschaut habe, bereuen, um mich fortan zu bessern; und wenn gut, werde ich Gott, unserem Herrn danken und es ein andermal auf die gleiche Weise weiter machen.

[...]

Zweite Woche[13]

(91) DER RUF DES ZEITLICHEN KÖNIGS HILFT, DAS LEBEN DES EWIGLICHEN KÖNIGS ZU BETRACHTEN.

[...]

DIE ERSTE HINFÜHRUNG IST: Zusammenstellung, indem man den Raum sieht. Hier wird dies sein: mit der Sicht der Vorstellungskraft Synagogen, Flecken und Burgen sehen, durch die hin Christus, unser Herr, predigte.

DIE ZWEITE: Die Gnade erbitten, die ich will. Hier wird dies sein: Unseren Herrn um Gnade bitten, damit ich für seinen Ruf nicht taub sei, sondern rasch und eifrig dafür, seinen heiligsten Willen zu erfüllen.

[...]

(101) DER ERSTE TAG UND DIE ERSTE BETRACHTUNG IST ÜBER DIE MENSCHWERDUNG UND UMFASST DAS VORBEREITUNGSGEBET, DREI HINFÜHRUNGEN UND DREI PUNKTE UND EIN GESPRÄCH.

(102) DIE ERSTE HINFÜHRUNG IST: Die Geschichte der Sache herbeibringen, die ich zu betrachten habe. Hier ist dies: wie die drei göttlichen Personen die ganze Fläche oder Rundung der ganzen Welt voller Menschen schauten und wie, da sie sahen, dass alle zur Hölle abstiegen, in ihrer Ewigkeit beschlossen wird, dass die zweite Person Mensch werde, um das Menschengeschlecht zu retten; und so senden sie, als die Fülle der Zeiten gekommen ist, den heiligen Engel Gabriel zu unserer Herrin.

(103) DIE ZWEITE: Zusammenstellung, indem man den Raum sieht. Hier wird dies sein: die große Fassungskraft und Rundung der Welt sehen, worin so

---

[13] Knauer, a. a. O., 51, 54–61, 68 f., 74–81.

viele und so verschiedene Völker wohnen; ebenso danach im einzelnen das Haus und die Zimmer unserer Herrin, in der Stadt Nazareth in der Provinz Galiläa.

(104) DIE DRITTE: Das erbitten, was ich will. Hier wird dies sein: innere Erkenntnis des Herrn erbitten, der für mich Mensch geworden ist, damit ich mehr ihn liebe und ihm nachfolge.

(105) BEMERKUNG: Es ist hier angebracht, zu bemerken: In dieser und den übrigen folgenden Wochen ist dieses selbe Vorbereitungsgebet zu halten, ohne es zu verändern, wie es am Anfang genannt worden ist; und dieselben drei Hinführungen, indem man die Form verändert je nach dem zugrunde liegenden Stoff.

(106) DER ERSTE PUNKT IST: Die Personen sehen, die einen und die anderen: und zuerst auf dem Angesicht der Erde in so großer Verschiedenheit der Trachten wie der Gebärden:

- die einen weiß und die anderen schwarz;
- die einen in Frieden und die anderen in Krieg;
- die einen weinend und die anderen lachend;
- die einen gesund, die anderen krank;
- die einen geboren werdend und die anderen sterbend; usw.

Zweitens: die drei göttlichen Personen sehen und erwägen, gleichsam auf ihrem königlichen Sitz oder Thron ihrer göttlichen Majestät, wie sie das ganze Angesicht oder die Rundung der Erde und alle Völker schauen: in so großer Blindheit und wie sie sterben und zur Hölle hinabsteigen.

Drittens: unsere Herrin sehen und den Engel, der sie grüßt.

Und sich zurückbesinnen, um aus dieser Sicht Nutzen zu ziehen.

(107) DER ZWEITE: Hören,

- was die Personen auf dem Angesicht der Erde sprechen, nämlich wie die einen mit den anderen sprechen, wie sie schwören und lästern usw.;
- ebenso, was die göttlichen Personen sagen, nämlich: »Lasst uns Erlösung des Menschengeschlechts bewirken« usw.;
- und danach, was der Engel und unsere Herrin sprechen.

Und danach sich auf sich zurückbesinnen, um Nutzen aus ihren Worten zu ziehen.

(108) DER DRITTE: Danach anschauen,

- was die Personen auf dem Angesicht der Erde tun, wie etwa verwunden, töten, zur Hölle gehen usw.;
- ebenso, was die göttlichen Personen tun, indem sie nämlich die heiligste Menschwerdung wirken usw.;
- und ebenso, was der Engel und unsere Herrin tun: der Engel, indem er sein Amt als Bote ausübt;

und unsere Herrin, indem sie sich verdemütigt und der göttlichen Majestät danksagt.

Und danach sich auf sich zurückbesinnen, um irgendeinen Nutzen aus einem jeden dieser Dinge zu ziehen.

(109) GESPRÄCH: Am Schluss soll ein Gespräch gehalten werden, in dem ich darüber nachdenke, was ich zu den drei Personen sprechen muss oder zum menschgewordenen ewigen Wort oder zu unserer Mutter und Herrin. Dabei bitten, je nachdem man in sich verspürt, um unserem Herrn, der so vor kurzem Mensch geworden ist, mehr nachzufolgen und ihn nachzuahmen. Und ein Vaterunser beten.

(110) DIE ZWEITE BETRACHTUNG IST VON DER GEBURT.

Das gewohnte VORBEREITUNGSGEBET.

(111) DIE ERSTE HINFÜHRUNG ist die Geschichte. Und hier wird dies sein: Wie aus Nazareth unsere Herrin, etwa im neunten Monat schwanger, auf einer Eselin sitzend, wie man fromm sinnen kann, und Josef und eine Magd, einen Ochsen führend, aufbrachen, um nach Bethlehem zu gehen, die Steuer zu zahlen, die der Cäsar allen jenen Ländern auferlegt hatte (Nr. 264).

(112) DIE ZWEITE: Zusammenstellung, indem man den Raum sieht. Hier wird dies sein: Mit der Sicht der Vorstellungskraft den Weg von Nazareth nach Bethlehem sehen, dabei die Länge, die Breite erwägen, und ob dieser Weg eben ist oder über Täler oder Hügel geht; ebenso den Raum oder die Höhle der Geburt schauen: wie groß, wie klein, wie niedrig, wie hoch und wie er bereitet war.

(113) DIE DRITTE soll die gleiche und in der gleichen Form sein, die in der vorangehenden Betrachtung war.

(114) DER ERSTE PUNKT IST: Die Personen sehen, nämlich unsere Herrin sehen und Josef und die Magd und das Kind Jesus, nachdem es geboren ist, ich mache mich dabei zu einem kleinen armen und unwürdigen Knechtlein, indem ich sie anschaue, sie betrachte und ihnen in ihren Nöten diene, wie wenn ich mich gegenwärtig fände, mit aller nur möglichen Ehrerbietung und Ehrfurcht.

Und danach mich auf mich selbst zurückbesinnen, um irgendeinen Nutzen zu ziehen.

(115) DER ZWEITE: Schauen, beachten und betrachten, was sie sagen.

Und, indem ich mich auf mich selbst zurückbesinne, irgendeinen Nutzen ziehen.

(116) DER DRITTE: Schauen und erwägen, was sie tun, wie etwa das Wandern und Sichmühen, damit der Herr in höchster Armut geboren werde und damit er am Ende so vieler Mühen in Hunger, in Durst, in Hitze und Kälte, in Beleidigungen und Anfeindungen am Kreuz sterbe; und dies alles für mich.

Danach, indem ich mich auf mich zurückbesinne, irgendeinen geistlichen Nutzen ziehen.

(117) GESPRÄCH: Enden mit einem Gespräch, so wie in der vorhandenen Betrachtung, und mit einem Vaterunser.

[...]

(121) DIE FÜNFTE [BETRACHTUNG] SOLL SEIN: DIE FÜNF SINNE AUF DIE ERSTE UND ZWEITE BETRACHTUNG ANWENDEN.

Nach dem Vorbereitungsgebet und den drei Hinführungen ist es nützlich, mit den fünf Sinnen der Vorstellungskraft auf die folgende Weise durch die erste und zweite Betrachtung zu gehen:

(122) DER ERSTE PUNKT IST: Mit der Sicht der Vorstellungskraft die Personen sehen, indem man über ihre Umstände im einzelnen sinnt und betrachtet und irgendeinen Nutzen aus der Sicht zieht.

(123) DER ZWEITE: Mit dem Gehör hören, was sie sprechen und sprechen können; und, indem man sich auf sich selbst zurückbesinnt, irgendeinen Nutzen daraus ziehen.

(124) DER DRITTE: Mit dem Geruch und mit dem Geschmack riechen und schmecken: die unendliche Sanftheit und Süße der Gottheit, der Seele und ihrer Tugenden und von allem gemäß der jeweiligen Person, die man betrachtet. Sich dabei auf sich selbst zurückbesinnen und Nutzen daraus ziehen.

(125) DER VIERTE: Mit dem Tastsinn berühren, etwa die Orte umfangen und küssen, auf die diese Personen treten und sich niederlassen. Dabei sich immer bemühen, Nutzen daraus zu ziehen.

(126) GESPRÄCH: Zu enden ist mit einem Gespräch wie in der ersten und zweiten Betrachtung und mit einem Vaterunser.

(127) ERSTE BEMERKUNG: Für diese ganze Woche und die übrigen folgenden ist darauf zu achten, dass ich nur das Geheimnis der Betrachtung zu lesen habe, die ich unmittelbar zu halten habe. Ich soll also derzeit kein Geheimnis lesen, das ich nicht an jenem Tag oder in jener Stunde zu halten habe, damit nicht die Erwägung des einen Geheimnisses die Erwägung des anderen stört.

(128) DIE ZWEITE: Die erste Übung über die Menschwerdung soll um Mitternacht gehalten werden; die zweite bei Tagesanbruch; die dritte um die Stunde der Messe; die vierte um die Stunde der Vesper; die fünfte vor der Stunde des Abendessens. Dabei verweilt man in jeder der fünf Übungen für die Dauer einer Stunde. Und die gleiche Ordnung soll in allem Folgenden durchgeführt werden.

(129) DIE DRITTE: Zu beachten ist: Wenn derjenige, der die Übungen macht, alt und schwach ist oder wenn er, obwohl stark, von der ersten Woche in irgendeiner Weise schwach zurückgeblieben ist, dann ist es besser, in dieser zweiten Woche wenigstens einige Male nicht um Mitternacht aufzustehen, sondern am Morgen eine Betrachtung zu halten und eine andere um die Stunde der Messe und eine andere vor dem Mittagessen und über sie alle eine Wiederholung um die Stunde der Vesper und danach die Anwendung der Sinne vor dem Abendessen.

(130a) DIE VIERTE: In dieser zweiten Woche müssen bei den insgesamt zehn Zusätzen, die in der ersten Woche genannt wurden, der zweite, der sechste, der siebente und zum Teil der zehnte geändert werden.

Beim zweiten wird dies sein: Gleich wenn ich aufwache, die Betrachtung, die ich zu halten habe, vor mich stellen, indem ich wünsche, das menschgewordene ewige Wort mehr zu erkennen, um ihm mehr zu dienen und nachzufolgen.

Und der sechste soll sein: Oft das Leben und die Geheimnisse Christi, unseres Herrn, ins Gedächtnis bringen, angefangen von der Menschwerdung bis zu dem Ort oder Geheimnis, das ich gerade betrachte.

Und der siebente soll sein: Man soll darin, Dunkelheit oder Helligkeit zu haben, gutes oder verschiedenes Wetter auszunutzen, soviel einhalten, wie derjenige, der sich übt, verspürt, dass es ihm dazu nützen und helfen kann, zu finden, was er wünscht.

Und im zehnten Zusatz soll der, der sich übt, sich nach den Geheimnissen verhalten, die er betrachtet: denn einige erfordern Buße und andere nicht.

Man soll also alle zehn Zusätze mit viel Sorgfalt machen.

[...]

(149) AM SELBEN VIERTEN TAG HALTE MAN EINE BESINNUNG ÜBER DREI ARTEN VON MENSCHEN, UM DIE BESTE ZU UMFANGEN.

Das gewohnte VORBEREITUNGSGEBET.

(150) DIE ERSTE HINFÜHRUNG ist die Geschichte. Sie ist die von drei Arten von Menschen. Und jede von ihnen hat zehntausend Dukaten erworben, aber nicht rein oder gebührenderweise aus Liebe zu Gott; und sie alle wollen sich retten und Gott, unseren Herrn, in Frieden finden, indem sie die Schwere und das Hindernis von sich entfernen, das sie in der Anhänglichkeit an die erworbene Sache haben.

(151) DIE ZWEITE: Zusammenstellung, indem man den Raum sieht. Hier wird dies sein: Mich selbst sehen, wie ich vor Gott, unserem Herrn, und allen seinen Heiligen stehe, um das zu wünschen und zu erkennen, was seiner göttlichen Güte wohlgefälliger ist.

(152) DIE DRITTE: Das erbitten, was ich will. Hier wird dies sein: Gnade erbitten, um zu erwählen, was mehr zur Ehre seiner göttlichen Majestät und zum Heil meiner Seele ist.

(153) DIE ERSTE MENSCHENART würde das Verlangen, das sie zur erworbenen Sache hat, von sich entfernen wollen, um Gott, unseren Herrn, in Frieden zu finden und sich zu retten zu wissen. Und sie setzt bis zur Todesstunde nicht die Mittel ein.

(154) DIE ZWEITE will das Verlangen entfernen, aber sie will es so entfernen, dass sie mit der erworbenen Sache verbleibt. Es soll also Gott dorthin kommen, wo sie will. Und sie entschließt sich nicht, die Sache zu lassen, um zu Gott zu gehen, auch wenn dies der bessere Stand für sie wäre.

(155) DIE DRITTE will das Verlangen entfernen, aber sie will es so entfernen, dass sie auch keine Anhänglichkeit dazu hat, die erworbene Sache zu haben oder nicht zu haben. Sie will sie vielmehr nur wollen oder nicht wollen, wie Gott, unser Herr, es in ihren Willen legen und es dem Betreffenden besser erscheinen wird, zum Dienst und Lobpreis für seine göttliche Majestät. Und in der Zwischenzeit will sie sich so einrichten, dass sie alles dem Verlangen nach lässt, indem sie Kraft einsetzt, weder dies noch irgend etwas anderes zu wollen, wenn nicht allein der Dienst für Gott, unseren Herrn, sie bewegt. Es soll also der Wunsch, besser Gott, unserem Herrn zu dienen, sie bewegen, die Sache zu nehmen oder zu lassen.

(156) DREI GESPRÄCHE: Dieselben drei Gespräche halten, die in der vorangehenden Betrachtung von den zwei Bannern gehalten wurden.

(157) BEMERKUNG: Zu bemerken ist: Wann wir Verlangen oder Widerstreben gegen die aktuale Armut verspüren, wann wir nicht gegenüber Armut oder Reichtum indifferent sind, ist es sehr nützlich, um dieses ungeordnete Verlangen auszulöschen, in den Gesprächen darum zu bitten - auch wenn es gegen das Fleisch ist -, dass der Herr einen zur aktualen Armut erwähle; und dass man selbst will, bittet und fleht, wenn es nur Dienst und Lobpreis für seine göttliche Güte ist.

[...]

(169a) HINFÜHRUNG, UM EINE WAHL ZU TREFFEN.

In jeder guten Wahl muss, soweit es an uns liegt, das Auge unserer Absicht einfach sein, indem ich nur nach dem schaue, wofür ich geschaffen bin, nämlich zum Lobpreis Gottes, unseres Herrn, und zur Rettung meiner Seele. Und so muss, was immer ich erwähle, derart sein, dass es mir für das Ziel hilft, für das ich geschaffen bin, indem ich nicht das Ziel auf das Mittel hinordne und ziehe, sondern das Mittel auf das Ziel. So kommt es etwa vor, dass viele zuerst erwählen, sich zu verheiraten, was Mittel ist; und in zweiter Linie, Gott, unserem Herrn, in der Ehe zu dienen, welcher Dienst für Gott Ziel ist. Ebenso gibt es andere: Sie wollen zuerst Pfründen haben und danach Gott in ihnen dienen. Diese gehen also nicht geradeaus zu Gott, sondern sie wollen, dass Gott geradeaus zu ihnen ungeordneten Anhänglichkeiten kommt; und sie machen folglich aus dem Ziel ein Mittel und aus dem Mittel ein Ziel. Sie nehmen also, was sie als erstes hätten nehmen sollen, zuletzt. Denn zuerst müssen wir uns als Gegenstand setzen, Gott dienen zu wollen, was das Ziel ist, und in zweiter Linie, eine Pfründe zu nehmen oder mich zu verheiraten, wenn es angebrachter für mich ist, was das Mittel für das Ziel ist. So darf mich nichts bewegen, diese Mittel zu nehmen oder mich zu ihrer zu berauben, außer allein der Dienst und Lobpreis für Gott, unseren Herrn, und das ewige Heil meiner Seele.

[...]

(175) DREI ZEITEN, UM IN EINER JEDEN VON IHNEN EINE GESUNDE UND GUTE WAHL ZU TREFFEN.

DIE ERSTE ZEIT IST: Wann Gott, unser Herr, den Willen so bewegt und anzieht, dass diese fromme Seele dem Gezeigten folgt, ohne zu zweifeln noch zweifeln zu können; so wie es der heilige Paulus und der heilige Matthäus getan haben, als sie Christus, unserem Herrn, nachfolgten.

(176) DIE ZWEITE: Wann man aus der Erfahrung von Tröstungen und Trostlosigkeiten und aus der Erfahrung der Unterscheidung verschiedener Geister genug Klarheit und Erkenntnis gewinnt.

(177) DIE DRITTE ZEIT ist ruhig, indem man zuerst erwägt, wofür der Mensch geboren ist, nämlich, um Gott, unseren Herrn, zu loben und seine Seele zu retten. Und indem man dies wünscht, erwählt man als Mittel ein Leben oder einen Stand innerhalb der Grenzen der Kirche, um im Dienst für seinen Herrn und bei der Rettung seiner Seele Hilfe zu erlangen. Ich sagte »ruhige Zeit«: wann die Seele nicht von verschiedenen Geistern bewegt wird und ihre natürlichen Fähigkeiten frei und ruhig gebraucht.

(178) Wenn man in der ersten oder zweiten Zeit keine Wahl trifft, folgen in Bezug auf diese dritte Zeit zwei Weisen, sie zu treffen.

DIE ERSTE WEISE, EINE GESUNDE UND GUTE WAHL ZU TREFFEN, UMFASST SECHS PUNKTE.

DER ERSTE PUNKT IST: Die Sache vor mich stellen, über die ich eine Wahl treffen will, wie ein Amt oder eine Pfründe zum Nehmen oder Lassen; oder über welche andere Sache immer, die in veränderbare Wahl fällt.

(179) ZWEITENS: Es ist nötig, als Gegenstand das Ziel zu haben, für das ich geschaffen bin, das ist: um Gott, unseren Herrn, zu loben und meine Seele zu retten. Und ich muss mich somit indifferent finden, ohne irgendeine ungeordnete Anhänglichkeit. Ich soll also nicht mehr dazu geneigt sein noch danach verlangen, die vorgelegte Sache zu nehmen, als sie zu lassen, noch mehr dazu, sie zu lassen als sie zu nehmen. Vielmehr soll ich mich wie in der Mitte einer Waage finden, um dem zu folgen, wovon ich verspüre, dass es mehr zur Ehre und zum Lobpreis Gottes, unseres Herrn, und zur Rettung meiner Seele dient.

(180) DRITTENS: Gott, unseren Herrn, bitten, er wolle meinen Willen bewegen und in meine Seele legen, was ich in Bezug auf die vorgelegte Sache tun soll, das mehr sein Lobpreis und seine Ehre ist, indem ich gut und getreu mit meinem Verstand nachdenke und entsprechend seinem heiligsten und wohlgefälligen Willen wähle.

(181) VIERTENS: Erwägen, indem ich nachdenke, wie viele Vorteile oder Gewinne für den alleinigen Lobpreis Gottes, unseres Herrn, und das Heil meiner Seele sich für mich ergeben, wenn ich das vorgelegte Amt oder die Pfründe habe; und umgekehrt ebenso die Nachteile und Gefahren erwägen, die im Haben liegen.

Wiederum das gleich im zweiten Teil tun, nämlich die Vorteile und Gewinne im Nichthaben anschauen, und ebenso umgekehrt die Nachteile und Gefahren in demselben Nichthaben.

(182) FÜNFTENS: Nachdem ich so die vorgelegte Sache durchgegangen bin und nach allen Seiten über sie nachgedacht habe, wohin sich die Vernunft mehr neigt. Und so soll man nach der größeren Vernunftregung und nicht nach irgendeiner sinnlichen Regung die Entscheidung über die vorgelegte Sache treffen.

(183) SECHSTENS: Nachdem diese Wahl oder Entscheidung getroffen ist, soll derjenige, der sie so getroffen hat, mit großem Eifer zum Gebet vor Gott, unseren Herrn, gehen und ihm diese Wahl anbieten, damit seine Majestät sie annehmen und bestätigen wollte, wenn es ihr größerer Dienst und Lobpreis ist.

(184) DIE ZWEITE WEISE, EINE GESUNDE UND GUTE WAHL ZU TREFFEN, UMFASST VIER REGELN UND EINE BEMERKUNG.

DIE ERSTE IST: Jene Liebe, die mich bewegt und diese Sache erwählen lässt, soll von oben herabsteigen, von der Liebe Gottes. Der wählt, soll also zuerst in sich verspüren, dass das Mehr oder Weniger jener Liebe, die er zu der Sache hat, die er erwählt, allein um seines Schöpfers und Herrn willen ist.

(185) DIE ZWEITE: Einen Menschen anschauen, den ich nie gesehen noch gekannt habe, und, indem nun ich seine ganze Vollkommenheit wünsche, erwägen, was ich selbst sagen würde, das er zur größeren Ehre Gottes, unseres Herrn, und zur größeren Vollkommenheit seiner Seele tun und erwählen solle. Und indem ich es ebenso mache, die Regel einhalten, die ich für den anderen aufstelle.

(186) DIE DRITTE: Als wäre ich in meiner Todesstunde, die Form und das Maß erwägen, die ich dann in der Weise der gegenwärtigen Wahl eingehalten haben wollte. Und indem ich mich nach jener richte, soll ich in allem meinen Entschluss treffen.

(187) DIE VIERTE: Indem ich schaue und erwäge, wie ich mich am Tag des Gerichts finden werde, bedenken, wie ich mich dann in Bezug auf die gegenwärtige Sache entschieden haben wollte. Und die Regel, die ich dann eingehalten haben wollte, jetzt nehmen, damit ich mich dann mit vollem Gefallen und Freude finde.

(188) BEMERKUNG: Nachdem ich die obengenannten Regeln für mein Heil und meine ewige Ruhe angenommen habe, werde ich meine Wahl und mein Anerbieten an Gott, unseren Herrn, machen, entsprechend dem sechsten Punkt der ersten Weise, eine Wahl zu treffen.

DRITTE WOCHE[14]

(190) ERSTER TAG:

DIE ERSTE BETRACHTUNG UM MITTERNACHT IST: WIE CHRISTUS, UNSER HERR, VON BETANIEN NACH JERSUSALEM GING, ZUM LETZTEN ABENDMAHL EINSCHLIESSLICH (NR. 289);

UND SIE UMFASST DAS VORBEREITUNGSGEBET, DREI HINFÜHRUNGEN, SECHS PUNKTE UND EIN GESPRÄCH.

(191) DIE ERSTE HINFÜHRUNG IST: Die Geschichte heranziehen, die hier ist: Wie Christus, unser Herr, von Bethanien aus zwei Jünger nach Jerusalem sandte, um das Abendmahl zu bereiten, und danach selbst mit den anderen Jüngern dazu hinging, und wie er nach dem Essen des Osterlamms und dem Mahlhalten ihnen die Füße wusch und seinen Jüngern seinen heiligsten Leib und sein kostbares Blut gab und ihnen eine Rede hielt, nachdem Judas gegangen war, um seinen Herrn zu verkaufen.

(192) DIE ZWEITE: Zusammenstellung, indem man den Raum sieht. Hier wird dies sein: Den Weg von Bethanien nach Jerusalem erwägen, ob breit, ob eng, ob eben usw. Ebenso den Raum des Abendmahls, ob groß, ob klein, ob in der einen oder ob in einer anderen.

(193) DIE DRITTE: Das erbitten, was ich will. Hier wird dies sein: Schmerz, Verspüren und Verwirrung, weil der Herr wegen meiner Sünden zum Leiden geht.

(194) DER ERSTE PUNKT IST: Die Personen des Abendmahls sehen. Und indem ich mich auf mich selbst zurückbesinne, mich bemühen, irgendeinen Nutzen aus ihnen zu ziehen.

DER ZWEITE: Hören, was sie sprechen. Und ebenso irgendeinen Nutzen daraus ziehen.

DER DRITTE: Schauen, was sie tun. Und irgendeinen Nutzen ziehen.

(195) DER VIERTE: Erwägen, was Christus, unser Herr, in seiner Menschheit leidet oder leiden will, je nach der Begebenheit, die man betrachtet. Und hier mit viel Kraft beginnen und mich anstrengen, um Schmerz zu empfinden, traurig zu sein und zu weinen; und genauso mich durch die anderen Punkte mühen, die folgen.

(196) DER FÜNFTE: Erwägen, wie er alles dies für meine Sünden leidet, usw.; und was nun ich für ihn tun und leiden soll.

[...]

(200) DIE ZWEITE BETRACHTUNG AM MORGEN SOLL VOM ABENDMAHL AN ZUM GARTEN EINSCHLIESSLICH SEIN.

[...]

---

[14] 83-85, 91-93.

(210) REGELN, UM SICH KÜNFTIGHIN BEIM ESSEN ZU ORDNEN:

DIE ERSTE REGEL IST: Sich vom Brot zu enthalten ist weniger angebracht, weil es keine Speise ist, über der der Appetit so sehr ungeordnet zu werden pflegt oder zu der die Versuchung so nachdrücklich ist wie zu den anderen Speisen.

(211) DIE ZWEITE: In Bezug auf das Trinken scheint die Enthaltsamkeit vorteilhafter als in Bezug auf das Brotessen zu sein. Deshalb muss man sehr schauen, was Nutzen bewirkt, um es zuzulassen, und was Schaden bewirkt, um es abzuweisen.

(212) DIE DRITTE: In Bezug auf die Speisen muss man die größte und vollständigste Enthaltsamkeit einhalten, weil in dieser Hinsicht sowohl der Appetit zum Ungeordnetwerden als auch die Versuchung zum Verleiten rascher bereit sind. Und so kann man die Enthaltsamkeit bei Speisen, um Unordnung zu meiden, auf zwei Weisen einhalten:

- die eine: indem man sich daran gewöhnt, grobe Speisen zu essen;
- die andere: wenn feine, dann in geringer Menge.

(213) DIE VIERTE: Wenn er sich davor hütet, in eine Krankheit zu fallen, wird der Mensch, je mehr er vom Angebrachten wegnimmt, aus zwei Gründen desto rascher die Mitte erreichen, die er in seinem Essen und Trinken einhalten muss;

Der erste: Weil er, indem er sich so hilft und einstellt, oft mehr die inneren Erkenntnisse, Tröstungen und geistlichen Eingebungen verspüren wird, auf dass sich ihm die Mitte zeigt, die für ihn angebracht ist.

Der zweite: Wenn der Betreffende sich in dieser Enthaltsamkeit sieht, aber nicht mit so großer leiblicher Kraft und Verfassung für die geistlichen Übungen, wird er leicht dazu kommen, zu beurteilen, was mehr zu seinem leiblichen Unterhalt angebracht ist.

(214) DIE FÜNFTE: Während der Betreffende isst, erwäge er etwa, dass er Christus, unseren Herrn, mit seinen Aposteln essen sieht und wie er trinkt und wie er schaut und wie er spricht. Und er bemühe sich, ihn nachzuahmen. Der hauptsächliche Teil des Verstandes soll sich also mit der Erwägung unseres Herrn befassen und der kleinere mit dem leiblichen Unterhalt, damit man so mehr Gleichmaß und Ordnung gewinne, wie man sich verhalten und leiten soll.

(215) DIE SECHSTE: Ein andermal kann er, während er isst, eine andere Erwägung vornehmen, entweder aus dem Leben von Heiligen oder aus irgendeiner frommen Betrachtung oder von einer geistlichen Angelegenheit, die er auszuführen hat. Denn indem er auf diese Sache aufmerksam ist, wird er weniger Vergnügen und Verspüren an der leiblichen Speise gewinnen.

(216) DIE SIEBENTE: Er hüte sich vor allem davor, dass nicht sein ganzer Sinn auf das gerichtet sei, was er isst, und dass er nicht beim Essen wegen Appetits hastig vorgehe. Er sei vielmehr Herr über sich, sowohl in der Weise zu essen wie in der Menge, die er isst.

(217) DIE ACHTE: Um Unordnung zu entfernen, ist es sehr nützlich, nach dem Mittag- oder nach dem Abendessen oder in einer anderen Stunde, in der man

keinen Appetit zum Essen verspürt, für das kommende Mittag- oder Abendessen und so weiterhin jeden Tag bei sich die Menge zu beschließen, die zu essen angebracht ist. Und über sie gehe man aus keinem Appetit und keiner Versuchung hinaus, sondern wenn man versucht wird, mehr zu essen, esse man eher weniger, um allen ungeordneten Appetit und alle Versuchung des Feindes mehr zu besiegen.

Vierte Woche[15]

(218) DIE ERSTE BETRACHTUNG, WIE CHRISTUS, UNSER HERR, UNSERER HERRIN ERSCHIEN (NR. 299)

Das gewohnte VORBEREITUNGSGEBET.

(219) DIE ERSTE HINFÜHRUNG ist die Geschichte, die hier ist: Wie nachdem Christus am Kreuz den Geist hingab und der Leib von der Seele getrennt blieb und die Gottheit immer mit ihm vereint, die selige Seele in die Unterwelt hinabstieg, ebenfalls mit der Gottheit vereint; von dort holte sie die gerechten Seelen heraus und kam zum Grab; und auferstanden erschien er seiner gebenedeiten Mutter mit Leib und mit Seele.

(220) DIE ZWEITE: Zusammenstellung, indem man den Raum sieht. Hier wird dies sein: Die Anordnung des heiligen Grabes sehen und den Raum oder das Haus unserer Herrin, indem ich dessen Teile im einzelnen anschaue; ebenso das Zimmer, den Betraum usw.

(221) DIE DRITTE: Das erbitten, was ich will. Und hier wird dies sein: Gnade erbitten, um fröhlich zu sein und mich intensiv zu freuen über so große Herrlichkeit und Freude Christi, unseres Herrn.

(222) DER ERSTE, ZWEITE UND DRITTE PUNKT seien dieselben gewohnten, die wir beim Abendmahl Christi, unseres Herrn, hatten.

(223) DER VIERTE: Erwägen, wie die Gottheit, die sich im Leiden zu verbergen schien, nun so wunderbar in der heiligsten Auferstehung durch deren wirkliche und heiligste Wirkungen erscheint und sich zeigt.

(224) DER FÜNFTE: Das Amt zu trösten anschauen, das Christus, unser Herr, ausübt, und dabei vergleichen, wie Freunde einander zu trösten pflegen.

(225) GESPRÄCH: Mit einem Gespräch oder Gesprächen enden, gemäß dem zugrunde liegenden Stoff. Und ein Vaterunser.

(226) DIE ERSTE BEMERKUNG: In den folgenden Betrachtungen gehe man durch alle Geheimnisse der Auferstehung auf die Weise, die unten folgt, bis zur Himmelfahrt einschließlich voran, indem man in dem übrigen während der ganzen Auferstehungswoche die gleiche Form und Weise durchführt und einhält, die man in der ganzen Leidenswoche eingehalten hat. Man richte sich also

[15] 95–101, 104–106.

während dieser ersten Betrachtung, was die Hinführungen angeht, nach dem zugrunde liegenden Stoff; und was die fünf Punkte angeht, sollen es dieselben sein; und die Zusätze, die unten stehen, seien dieselben. Und so kann man sich in allem, was übrigbleibt, nach der Weise der Leidenswoche richten, wie in den Wiederholungen, den fünf Sinnen, im Abkürzen oder Ausdehnen der Geheimnisse usw.

(227) DIE ZWEITE BEMERKUNG: Gemeinhin ist es in dieser vierten Woche angebrachter als in den drei anderen vergangenen, vier Übungen zu halten und nicht fünf: die erste gleich nach dem Aufstehen am Morgen; die zweite um die Stunde der Messe oder vor dem Mittagessen anstelle der ersten Wiederholung; die vierte vor dem Abendessen, indem man die fünf Sinne auf die drei Übungen desselben Tages anwendet, indem man auf die hauptsächlicheren Teile merkt und bei ihnen und wo man größere Regungen und geistlichen Geschmack verspürt hat, innehält.

(228) DIE DRITTE: Wiewohl in allen Betrachtungen soundso viele Punkte nach bestimmter Anzahl gegeben wurden, wie drei oder fünf usw., kann derjenige, der betrachtet, mehr oder weniger Punkte aufstellen, wie er sich besser findet. Und dafür ist es sehr nützlich, bevor man in die Betrachtung eintritt, die Punkte zu mutmaßen und festzulegen, die man in bestimmter Anzahl zu nehmen hat.

(229a) VIERTE BEMERKUNG: In dieser vierten Woche sind unter allen zehn Zusätzen der zweite, der sechste, der siebente und der zehnte zu ändern.

Der zweite soll sein: Gleich beim Aufwachen die Betrachtung, die ich zu halten habe, vor mich stellen, indem ich danach verlangen und an so großer Freude und Fröhlichkeit Christi, unseres Herrn, froh sein will.

Der sechste: Dinge ins Gedächtnis bringen und bedenken, die zu Gefallen, Fröhlichkeit und geistlicher Freude bewegen, wie zur Herrlichkeit gehörende.

Der siebente: Helligkeit und Vorteile der Temperatur benutzen, wie im Sommer Frische und im Winter Sonne oder Wärme, soweit die Seele denkt oder vermutet, dass es ihr helfen kann, um sich in ihrem Schöpfer und Erlöser zu erfreuen.

Der zehnte: Statt der Buße schaue man auf die Mäßigkeit und alle Mitte, außer bei Fasten- und Abstinenzgeboten, die die Kirche gebietet; denn diese sind immer zu erfüllen, wenn kein gerechtes Hindernis besteht.

(230) BETRACHTUNG, UM LIEBE ZU ERLANGEN.

BEMERKUNG: Zuerst ist es angebracht, zwei Dinge zu beachten:

Das erste ist: Die Liebe muss mehr in die Werke als in die Worte gelegt werden.

(231) Das zweite: Die Liebe besteht in Mitteilung von beiden Seiten: nämlich darin, dass der Liebende dem Geliebten gibt und mitteilt, was er hat, oder von dem, was er hat oder kann; und genauso umgekehrt der Geliebte dem Liebenden.

Wenn also der eine Wissen hat, es dem geben, der es nicht hat; wenn Ehren; wenn Reichtümer; und genauso gegenseitig.

Gewohntes GEBET.

(232) ERSTE HINFÜHRUNG IST: Zusammenstellung, die hier ist: Sehen, wie ich vor Gott, unserem Herrn, stehe, vor den Engeln, vor den Heiligen, die für mich eintreten.

(233) DIE ZWEITE: Um das bitten, was ich will. Hier wird dies sein: Um innere Erkenntnis von soviel empfangenem Guten bitten, damit ich, indem ich es gänzlich anerkenne, in allem seine göttliche Majestät lieben und ihr dienen kann.

(234) DER ERSTE PUNKT IST: Die empfangenen Wohltaten von Schöpfung, Erlösung und besonderen Gaben ins Gedächtnis bringen, indem ich mit vielem Verlangen wäge, wie viel Gott, unser Herr, für mich getan hat und wie viel er mir von dem gegeben hat, was er hat, und wie weiterhin derselbe Herr sich mir nach seiner göttlichen Anordnung zu geben wünscht, sosehr er kann.

Und hierauf mich auf mich selbst zurückbesinnen, indem ich mit viel Recht und Gerechtigkeit erwäge, was ich von meiner Seite seiner göttlichen Majestät anbieten und geben muss, nämlich alle meine Dinge und mich selbst mit ihnen, wie einer, der mit vielem Verlangen anbietet;

»Nehmt, Herr, und empfangt meine ganze Freiheit, mein Gedächtnis, meinen Verstand und meinen ganzen Willen, all mein Haben und mein Besitzen. Ihr habt es mir gegeben; Euch, Herr, gebe ich es zurück. Alles ist Eures, verfügt nach Eurem ganzem Willen. Gebt mir Eure Liebe und Gnade, denn diese genügt mir.

(235) DER ZWEITE: Schauen, wie Gott in den Geschöpfen wohnt,

- in den Elementen, indem er Sein gibt;
- in den Pflanzen, indem er belebt;
- in den Tieren indem er wahrnehmen macht;
- in den Menschen, indem er Verstehen gibt;

und so in mir,

- indem er mir Sein gibt;
- indem er beseelt;
- indem er wahrnehmen macht
- und indem er mich verstehen macht;
- ebenso indem er einen Tempel aus mir macht, da ich nach dem Gleichnis und Bild seiner göttlichen Majestät geschaffen bin.

Darüber wiederum auf die Weise, die im ersten Punkt genannt wurde, oder auf eine andere, die ich als besser verspüre, mich auf mich selbst zurückbesinnen. Auf die gleiche Weise soll man es über jeden Punkt machen, der folgt.

(236) DER DRITTE: Erwägen, wie Gott sich in allen geschaffenen Dingen auf dem Angesicht der Erde für mich müht und arbeitet, das heißt sich in der Weise eines Arbeitenden verhält, wie in den Himmeln, Elementen, Pflanzen, Früchten,

Herden usw., indem er Sein gibt, erhält, belebt und wahrnehmen macht usw. Danach mich auf mich selbst zurückbesinnen.

(237) DER VIERTE: Schauen, wie alle Güter und Gaben von oben herabsteigen, etwa meine bemessene Macht von der höchsten und unendlichen von oben, und genauso Gerechtigkeit, Güte, Freundlichkeit, Barmherzigkeit usw.; so wie von der Sonne die Strahlen herabsteigen, vom Quell die Wasser usw.

Danach enden, indem ich mich auf mich selbst zurückbesinne, wie es gesagt worden ist.

GESPRÄCH: Enden mit einem Gespräch und einem Vaterunser.

(238) DREI WEISEN ZU BETEN,
UND ZUERST ÜBER DIE GEBOTE.

DIE ERSTE ART ZU BETEN bezieht sich auf die Zehn Gebote und die sieben Todsünden, die drei Seelenfähigkeiten und die fünf leiblichen Sinne. Diese Art zu beten bedeutet mehr, eine Form, Weise und Übungen zu geben, wie die Seele sich in ihnen bereite und Nutzen ziehe und damit das Gebet genehm sei, als eine Form oder irgendeine Weise des Betens selbst zu geben.

(239) ERSTENS soll die Entsprechung zum zweiten Zusatz der zweiten Woche geschehen, nämlich: Bevor man ins Gebet eintritt, lasse man den Geist ein wenig ruhig werden, indem man sich setzt oder umhergeht, wie es einem besser scheint. Dabei erwägen, wohin und wozu ich mich begebe. Und dieser selbe Zusatz soll am Anfang aller Gebetsweisen gemacht werden.

[...]

(249) DIE ZWEITE WEISE ZU BETEN IST, DIE BEDEUTUNG JEDES WORTES DES GEBETS ZU BETRACHTEN.

[...]

(252) DIE ZWEITE WEISE ZU BETEN IST: Kniend oder sitzend, je nach der größeren Einstellung, in der er sich findet, und wie ihn mehr Andacht begleitet, dabei die Augen geschlossen oder auf eine Stelle fixiert haltend, ohne mit ihnen hin- und herzugehen, soll der Betreffende sagen: »Vater.« Und er verweile bei der Erwägung dieses Wortes soviel Zeit, als er Bedeutungen, Vergleiche, Geschmack und Tröstung in zu diesem Wort gehörigen Erwägungen findet. Und in der gleichen Weise mache er es bei jedem Wort des Vaterunsers oder eines beliebigen anderen Gebets, das er in dieser Weise beten will.

[...]

(258) DIE DRITTE WEISE ZU BETEN SOLL NACH RHYTHMUS SEIN.

[...]

DIE DRITTE WEISE ZU BETEN IST: Bei einem jeden Atemzug oder Luftholen soll man geistig beten, indem man ein Wort des Vaterunsers oder eines anderen Gebetstextes betet. Man soll also zwischen einem Atemzug und einem anderen nur ein Wort beten und, solange die Zeit von einem Atemzug zum anderen dauert, hauptsächlich auf die Bedeutung dieses Wortes schauen oder auf die Person, zu der man das Gebet spricht, oder auf die Niedrigkeit seiner selbst oder auf den Unterscheid von so großer Hoheit zu so großer eigener Niedrigkeit. Und nach derselben Form und Regel soll man bei den andern Worten des Vaterunsers vorangehen. Und die anderen Gebete, nämlich Ave Maria, Anima Christi, Credo und Salve Regina, soll man wie gewohnt beten.

[...]

Text nach: Ignatius von Loyola, Geistliche Übungen und erläuternde Texte, übersetzt und erläutert von Peter Knauer, 11–106, Graz/Wien/Köln 1987, 11–106.